Brigitte Hamann
Hitlers Edeljude

Zu diesem Buch

Brigitte Hamann erzählt aus vielen privaten Quellen vom Schicksal des jüdischen Arztes Eduard Bloch (1872–1945), der 1907 als Hausarzt von Hitlers Mutter Klara das Sterben seiner krebskranken Patientin begleitete. In dieser Zeit entwickelte sich eine herzliche Beziehung zwischen dem frommen Juden und dem achtzehnjährigen Adolf Hitler. Als dieser als »Führer« und Reichskanzler 1938 in Linz einzog, erwähnte er mehrfach lobend den »Edeljuden Dr. Bloch« und sorgte dafür, dass dieser von der Linzer Gestapo »geschützt« wurde. 1940 konnte Bloch mit seiner Frau in die USA emigrieren. Doch Amerika wurde Eduard Bloch – anders als seiner Frau Lilli – nicht mehr zur Heimat ... Brigitte Hamann verbindet die private Lebensgeschichte des jüdischen Arztes und seiner Familie mit der Geschichte der dramatischen Zeit nach 1900.

Brigitte Hamann ist promovierte Historikerin und lebt in Wien. Durch ihre zahlreichen Bücher zur Geschichte Österreichs ist sie auch international bekannt geworden. Ihr jüngstes Buch knüpft an die vieldiskutierten Werke »Hitlers Wien« und »Winifred Wagner oder Hitlers Bayreuth« an.

Brigitte Hamann

Hitlers Edeljude

Das Leben des Armenarztes Eduard Bloch

Mit 160 Abbildungen

Piper München Zürich

Mehr über unsere Autoren und Bücher:
www.piper.de

Von Brigitte Hamann liegen bei Piper vor:
Hitlers Wien
Elisabeth
Bertha von Suttner
Winifred Wagner
Der erste Weltkrieg
Kronprinz Rudolf
Hitlers Edeljude

Mix
Produktgruppe aus vorbildlich bewirtschafteten
Wäldern und anderen kontrollierten Herkünften
www.fsc.org Zert.-Nr. GFA-COC-001223
© 1996 Forest Stewardship Council

Ungekürzte Taschenbuchausgabe
März 2010
© 2008 Piper Verlag GmbH, München
Umschlagkonzeption: semper smile, München
Umschlaggestaltung: Büro Jorge Schmidt, München
Umschlagabbildungen: Joanne und Al Harrison, Ewing / New Jersey
Autorenfoto: Peter von Felbert
Satz: Uwe Steffen, München
Papier: Munken Print von Arctic Paper Munkedals AB, Schweden
Druck und Bindung: CPI – Clausen & Bosse, Leck
Printed in Germany   ISBN 978-3-492-25845-6

Inhalt

Vorwort

Habent sua fata libelli. Dieser Satz aus dem 3. Jahrhundert, den bereits die Römer zum Schlagwort machten, trifft auch auf dieses Buch zu. Denn natürlich haben auch Bücher ihre Schicksale und ihre Geschichte. Und die Geschichte, wie es zu diesem Buch gekommen ist, möchte ich seinen Lesern nicht vorenthalten:

Vor nun zehn Jahren hielt ich einen Vortrag in der Österreichischen Botschaft in Washington über HITLERS WIEN, mein damals neues und noch nicht ins Englische übersetztes Buch. Da ich den Zuhörern möglichst viele amerikanische Aspekte bieten wollte, sprach ich auch über Dr. Eduard Bloch, den Linzer Arzt, der 1945 in New York starb. Er war 1907 der letzte Hausarzt von Klara Hitler, der Mutter Adolf Hitlers.

Diesem bescheidenen Linzer Armenarzt gab Hitler noch nach dem Einmarsch in Österreich 1938 das Prädikat eines »Edeljuden« und räumte ihm einzigartige Privilegien ein, obwohl Bloch sich weigerte, seine jüdische Religion aufzugeben. Er wurde unter den Schutz der Linzer Gestapo gestellt, durfte mit seiner Frau weiter in der Wohnung bleiben. Beide lebten unbehelligt von vielen antisemitischen Verordnungen. Hugo Gold, der Historiker des mitteleuropäischen Judentums, nannte deshalb Blochs einzigartiges Schicksal im Hitlerreich einen »Treppenwitz in der Weltgeschichte«.

In der dem Vortrag folgenden Diskussion meldete sich ein Herr zu Wort. Er stellte sich als Dr. John S. Kafka vor und als Neffe von Eduard Bloch. Dass er ein international renommierter Psychoanalytiker war, erfuhr ich erst später. Er hatte mein Buch bereits in deutscher Sprache gelesen und war sehr einverstanden mit dem, was ich darin über seinen Onkel geschrieben hatte. Ich bat ihn, nach der Diskussion noch mit mir in Ruhe zu sprechen. Das war der Beginn einer bis heute andauernden Freundschaft mit John und seiner Frau Marian über die Kontinente hinweg, mit Treffen in Washington und in Wien.

Während ich an der Biografie Winifred Wagners arbeitete, erfuhr ich nebenher immer mehr über das Schicksal Eduard Blochs und über die Linzer Großfamilie Bloch/Kafka. John gab mir Antworten auf all meine Fragen und schickte mir Kopien aus seinem reichen Privatarchiv. Und ich suchte meine alten Archivunterlagen aus Berlin und Koblenz heraus, die ich bereits für HITLERS WIEN zum Thema Bloch gefunden hatte.

Dann meldete sich ein alter Wiener Bekannter, Prof. Dr. Michael Daxner, damals Rektor der Universität Oldenburg, und nahm nach der Lektüre von HITLERS WIEN ebenfalls Bezug auf Eduard Bloch. Er, Daxner, besitze die handschriftlichen Erinnerungen einer entfernten Verwandten namens Käthe Diernesberger. Sie war 1901, als Eduard Bloch sich mit Lilli Kafka verlobte, Dienstmädchen im Haus der Kafkas in Linz. Einige Jahre später wurde sie Mutter eines unehelichen Kindes, dessen Vater Rudolf Kafka war, Johns Onkel. Diese eindrucksvolle und seltene Quelle aus unüblicher Perspektive würde sich, so war mir klar, gut in ein Buch über Eduard Bloch einfügen.

Aber für die Realisierung einer Bloch-Biografie sah ich damals noch keine Chance. Denn es fehlte der Zugang zur unverzichtbaren Hauptquelle, nämlich Blochs handschriftlichen Memoiren, die er in deutscher Sprache im New Yorker Exil verfasst hatte. Das Manuskript befand sich zunächst bei Blochs einziger Tochter Trude, verheiratete Kren. Diese übergab es dann ihrem Sohn George Kren, Historiker an der University of Kansas. Über John kam ich in Briefkontakt mit ihm. Wir tauschten Briefe und unsere Bücher aus, und Professor Kren schrieb mir schließlich, er plane, die Memoiren seines Großvaters selbst herauszugeben. Damit war das Projekt einer Bloch-Biografie für mich ad acta gelegt.

Die Jahre gingen dahin. Die Kontakte in die USA blieben bestehen. George Kren, dessen Arbeit stets um den Holocaust kreiste, war seit Jahren schwer krank, aber er forschte und schrieb weiter. Ob er das Thema Eduard Bloch jemals wirklich in Angriff nahm, habe ich nie erfahren. Jedenfalls verhehlte er nicht seine

Warum ich Europa verlassen und was ich in Amerika
erreicht habe. (Autobiographie)
　　　　　von Spectator.
　　　　Motto: Wenn etwas ist gewaltiger als das Schicksal,
　　　　So ist's der Mensch, der's unerschüttert trägt.

Eine Autobiographie sollte eigentlich einem Selbstbildnisse gleichen,
wenn auch wie hier die Grundfarbe desselben bereits vorgezeichnet
erscheint. Die Gesichtszüge des Gestalters sollen scharf und klar
in Erscheinung treten, keinen wie immer gearteten Hang zur
Schönmalerei erkennen lassen. Deshalb darf auch eine Selbstbiographie
nicht „Dichtung und Wahrheit", sondern nur reine, rückhaltlose
Wahrheit bieten. Mag auch die Schilderung eines Lebenslaufes
etwas rein Subjectives sein, so muss doch bei Beurteilung der
ursächlichen Zusammenhänge der einzelnen Lebensabschnitte,
strenge Objectivität gewahrt werden. Bis zu welchem Grade der
Vollkommenheit dies dem Darstellenden gelungen ist, ist Sache
des vorurteilslosen Beobachters.
Ich will versuchen, den Anforderungen desselben möglichst
gerecht zu werden.

Ich wurde am 30. Januar des Jahres 1872 in Frauenberg bei
Budweis in Südböhmen geboren. Frauenberg, ein kleiner Markt-
flecken, ist der Stammsitz des einst mächtigen Fürstengeschlechtes
der Schwarzenberge, das gleichzeitig den Titel der Herzöge von
Rosenberg führte. Ein Fürst Carl Schwarzenberg war es, der

*Die erste Seite der handschriftlichen Erinnerungen Eduard Blochs, nieder-
geschrieben vermutlich 1942/43 im New Yorker Exil. Das Manuskript hat
einen Umfang von 63 Seiten.*

großen Probleme und Hemmungen bei diesem sehr persönlichen Thema. Die Beschäftigung mit dem Großvater löste bei seinem Enkel höchst zwiespältige Gefühle aus.

George Kren starb am 24. Juli 2000. In seinem Nachlass fanden sich die unversehrten Erinnerungen Eduard Blochs im Original. Dieses wichtige Schriftstück übergab Georges Witwe Margo Kren schließlich dem Archiv des Holocaust Memorial Museum in Washington – und zwar ohne Auflagen. Nun war für mich der Weg zu einer Biografie Eduard Blochs und damit zu einem Buch über Hitlers »Edeljuden« frei.

Schließlich vermittelte mir John Kafka auch noch den Kontakt zu Blochs Enkeltochter Joanne Harrison, George Krens jüngerer Schwester. Sie und ihr Ehemann Al waren es, die mir per E-Mail immer wieder geduldig Antworten auf meine vielen noch offenen Fragen gaben und sehr großzügig Kopien von Schriftstücken, Dokumenten und Familienfotos schickten. So kam im Laufe der Zeit immer mehr über Blochs Leben und das seiner Familie zutage, und das Manuskript wuchs.

Allen Leihgebern und Helfern, vor allem John Kafka und Joanne und Al Harrison, gilt mein großer Dank. Denn ohne sie wäre dieses Buch nicht zustande gekommen.

Ein Hinweis noch auf die kursiv gesetzten Zitate aus Texten Eduard Blochs: Jene Passagen, die aus seinen handschriftlichen Memoiren stammen, haben keine Anführungszeichen und keine Anmerkungsziffern. Die kursiven Zitate mit Anführungszeichen stammen ebenfalls von Bloch, aber aus unterschiedlichen Quellen. Zu ihnen gibt es Anmerkungen. So konnte der Anmerkungsapparat zugunsten des Textes erheblich verkürzt werden.

Wien, im Juli 2008   *Brigitte Hamann*

1 Familie Bloch in Frauenberg

Bei den Schwarzenbergs

Eduard Bloch wurde am 30. Januar 1872 in Frauenberg an der Moldau (Hluboká nad Vltavou) in Südböhmen geboren. Mit großem Stolz berichtet er in seinen Erinnerungen, dass sein Großvater Joachim Bloch Hofjude des regierenden Fürsten Schwarzenberg gewesen sei und als solcher *sämmtliche geschäftlichen Transactionen etc. der Gutsherrschaft zu besorgen* gehabt habe.[1]

Die von Bloch gewählte hochtrabende Bezeichnung »Hofjude« weckt Assoziationen an Joseph Süß Oppenheimer, den steinreichen mächtigen Hofjuden des Herzogs von Württemberg im 18. Jahrhundert. Aber mehr als 100 Jahre später gab es keine Hofjuden im gebräuchlichen Sinn mehr, und Joachim Blochs Position bei den Schwarzenbergs war höchst bescheiden. Er besaß weder ein Vermögen, noch führte er ein luxuriöses Leben, noch hatte er Macht oder Einfluss. Während der berühmte »Jud Süß« und mancher seiner Kollegen einst in prunkvollen Schlössern Hof hielten, besaß Joachim Bloch in Frauenberg nur ein kleines Haus auf schwarzenbergischem Grund. Zweifellos war er ein treuer Diener des Fürsten Johann Adolf II. (1799–1888) und ein gelehrter, frommer Mann. Dass Eduard Bloch für den Großvater den Ausdruck »Hofjude« wählte, deutet darauf hin, dass er zu Verklärungen neigte, vor allem, was seine Familie betraf.

Laut Überlieferung waren Blochs Vorfahren im Mittelalter bei einem Pogrom aus Italien geflohen und schließlich in Böhmen sesshaft geworden. Bevor Großvater Joachim nach Frauenberg kam, hatte er in Kuschwarda im Böhmerwald gelebt, ebenfalls einem schwarzenbergischen Besitz. Als Borkenkäfer dort große Teile des Waldes vernichteten und dann auch noch die Ernte ausblieb, brach eine Hungersnot aus. Viele Familien wanderten aus, so auch die Blochs. Dass sie sich in Frauenberg ansiedeln durften, zeugt von einer vertrauensvollen Beziehung zur Familie Schwarzenberg.

Joachim Bloch sei *nicht allein seiner auffallend schönen Erscheinung wegen* bekannt gewesen, schwärmte Enkel Eduard, sondern *mehr noch waren es seine hervorragende Gelehrsamkeit, Güte und Bescheidenheit, die ihm zu grossem Ansehen verhalfen. Sein Gerechtigkeitssinn wurde derartig geschätzt, dass ihm der jeweilige fürstliche Amtmann die Jurisdiction über die Schutzjuden übertrug.* Schutzjuden waren jene Juden, die gegen Zahlung von Schutzgeldern unter der Patronanz des Landesherrn standen, also hier des Fürsten Schwarzenberg, und bestimmte Aufgaben und Privilegien hatten. Joachim Bloch war eine Art Konfliktlöser zwischen dem Fürstenhaus und dessen Schutzjuden, zweifellos eine Auszeichnung und ein Beweis großen Vertrauens.

Bei seiner Strafbemessung soll sich Joachim Bloch erfinderisch gezeigt haben. So habe er zum Beispiel einen Delinquenten dazu verurteilt, im jüdischen Friedhof von Frauenberg ein Zaddikhadinhäuschen zu bauen, wo das rituelle Begräbnisgebet gesprochen wurde. Noch in seinen späten Erinnerungen erwähnt Eduard Bloch mit spürbarem Schmerz, dass die Nazis im März 1939 bei ihrem Einmarsch in »Restböhmen« den alten jüdischen Friedhof von Frauenberg samt diesem Häuschen dem Erdboden gleichmachten.

Die Familie Schwarzenberg, um 1900 noch in zwei Linien geteilt, war neben den Liechtensteins die reichste und mächtigste Familie Böhmens und besaß zahlreiche Schlösser und eine riesige Land- und Forstwirtschaft. Das prominenteste Familienmitglied ist bis heute der siegreiche Feldherr Karl Philipp Schwarzenberg, ab 1813 Oberbefehlshaber der alliierten Truppen gegen Napoleon. In Wien erinnert sein Denkmal am Schwarzenbergplatz an ihn.

Frauenberg gehörte dem ersten Majorat der Familie Schwarzenberg, der Krumauer Linie. Der regierende Fürst Johann Adolf II. war ein politisch eher zurückhaltender Mann, der sich wie ein moderner Unternehmer für sein Fürstentum engagierte. Er förderte die Forst- und Landwirtschaft, aber auch bereits die

Industrie. Seine kunstsinnige Ehefrau Eleonore, geborene Liechtenstein, veranlasste und überwachte in Frauenberg den Umbau des alten Renaissanceschlosses in eine moderne Residenz im gotisch-romantischen Stil des englischen Historismus, nach dem Vorbild des prächtigen Liechtenstein-Schlosses im südmährischen Eisgrub. Die Bauarbeiten zogen sich über 30 Jahre bis 1871 hin. Frauenberg galt in dieser Zeit – neben Eisgrub – als das schönste und größte moderne Schloss der Habsburgermonarchie.

Wie außerordentlich die Position der Familie Schwarzenberg im Habsburgerreich war, zeigt sich darin, dass beide Brüder des Fürsten Johann Adolf II. Schlüsselpositionen in Politik und Kirche innehatten: Felix Schwarzenberg (1800–1852) war seit 1848, als er erfolgreich die Revolution niederschlug, Ministerpräsident und Außenminister des blutjungen, politisch unerfahrenen, absolutistisch herrschenden Kaisers Franz Joseph in Wien. Friedrich Schwarzenberg (1809–1885), Doktor der Theologie, residierte als auch politisch mächtiger und gefürchteter Kardinal und Fürsterzbischof in Prag.

Joachim Bloch soll sich der ganz besonderen Gunst des Kardinals erfreut haben, so der stolze Enkel: *Dieser unterliess es nie, meinen Grossvater aufzusuchen, wenn er zum Besuche bei dem Bruder ... in Frauenberg weilte; stundenlang sassen dann diese beiden Gelehrten beisammen, um über religionsphilosophische Fragen zu disputieren.* Der Kardinal liebte es, mit dem gebildeten Juden hebräisch zu sprechen.

Aber, so meinte der Enkel mit deutlichem Bedauern, der Großvater habe *aus Bescheidenheit die ihm angebotene Nobilitierung nicht angenommen, gemäß seinem Wahlspruch, der auch seinen Grabstein zierte: »Der Weisheit Anfang ist die Gottesfurcht«.*

Die Familie Bloch erhielt von den Schwarzenbergs mehrere Privilegien. Lange bevor die Wiener Regierung den Juden das Recht auf Freizügigkeit und andere Grundrechte gab, gewährten dies bereits die Schwarzenbergs. Eduard Blochs Onkel Joachim, der Bruder seines Vaters, war der erste Jude, der am Zisterziensergymnasium in Budweis die *Maturitätsprüfung* ablegen durfte. Er wurde später *ein hervorragender Arzt,* und zwar Mi-

*Kardinal Friedrich
Schwarzenberg, Fürst-
erzbischof von Prag*

litärarzt und Generalstabsarzt der Armee. Eduards Vater Moritz
Bloch war einer der ersten jüdischen Absolventen der Prager phi-
losophischen Fakultät. Er habe laut Bloch neben seiner Arbeit für
die Schwarzenbergs *bis tief in die Nacht hinein* biblische Wissenschaft betrieben.

Sein Leben lang hatte Eduard Bloch eine starke sentimentale
Bindung an seine Heimat und schwärmte noch als alter Mann:
*Schloss Frauenberg, mit colossalem Aufwande im Stile von Schloss
Windsor erbaut, gilt nach Versailles als das herrlichste Schloss
Europas. Es birgt Kunstschätze erlesenster Art, die unermessliche
Werte darstellen.*

Familie Bloch

Nach Großvater Joachims Tod übernahm Eduards Vater Moritz
Bloch dessen Amt am schwarzenbergischen Hof in Frauenberg.
Auch er führte laut Aussage des Sohnes *ein beispielgebendes*

*frommes, sittenstrenges Leben; ihm galten, wenn er auch stets die
religiösen Formen wahrte, die ethischen Grundsätze der Religion
als Kernpunkt derselben, weit mehr als die Betätigung gebräuch-
licher Formen; sein Urteil in religiösen Fragen wurde als autori-
tativ angesehn.* Und: *Es gab in Böhmen keinen bedeutenden Tal-
mudisten, dessen Weisheit er nicht gelauscht hätte! So vereinigte
er grosse Kenntnis hebräischer Literatur mit weltlicher Gelehrsamkeit.*

Moritz Bloch war mit Fanny verheiratet, der Tochter eines jüdischen Landwirts, der in Südböhmen auch eine Spiritusbrennerei
betrieb. Der mütterliche Großvater habe laut Bloch *bis tief in die
Nacht hinein* biblische Wissenschaft studiert. Er soll so angesehen
gewesen sein, dass er bei der 1848er-Revolution sogar zum Major
der »Bürgergarde« gewählt wurde, *eine Auszeichnung, die wohl
damals keinem anderen Glaubensgenossen zuteil wurde!*

Als jüngstes von fünf Kindern hatte Eduard eine besonders
innige Beziehung zu seiner Mutter. Ihr verdankte er, wie er später
betonte, *die Liebe zum Judentum, die unwandelbare Treue zum
angestammten Glauben, zur Religion mit deren veredelndem Ein-
flusse; ich habe als Mann meine Glaubenstreue mit blanker Waffe
in der Hand verteidigt.* (Er dürfte damit die Abwehr antisemitischer Krawalle in Prag um 1900 gemeint haben; s. S. 36.) Noch
als alter Herr schwärmte er: *Meine Mutter war eine Frau von besonderer Schönheit, von herzlichen Herzenseigenschaften; sie war
wahrhaft fromm und überaus wohlthätig; nie hat ein Hilfesuchen-
der vergebens bei ihr vorgesprochen, selbst in Zeiten, wo unsere
materiellen Verhältnisse nicht mehr günstige waren; ihr Zartsinn,
ihr scharfer, klarer urteilssicherer Verstand liess sie immer den
rechten Weg finden.*

Eduards ältere Geschwister hießen Adolf, Emma, Hermine und
Eleonore. Die Namensgebung zeigt, dass die Blochs sich, obwohl
sie perfekt Tschechisch sprachen, als Deutschböhmen fühlten wie
die meisten böhmischen Juden dieser Zeit.

Sein erster Lehrer war Vater Moritz: *Mit tiefer Wehmut erinnere ich mich des Unterrichtes, den ich in den ersten Jahren bei
meinem Vater genossen habe.* Kurze Zeit besuchte Eduard eine

Schloss Frauenberg

kleine jüdische Privatschule in Frauenberg. Als diese sich wegen
häufig wechselnder Lehrer nicht halten konnte, gingen die wenigen jüdischen Schüler auf die örtliche tschechische Volksschule,
die laut Bloch *vorzüglich geleitet* war. Am schulfreien Nachmittag erhielten sie bei einem Privatlehrer Unterricht in jüdischer Religion und Deutsch. Österreichische Geschichte habe er in der
schwarzenbergischen Ahnengalerie gelernt, und zwar anhand der
Porträts bedeutender Heerführer, Diplomaten und Staatsmänner.
Jeden Samstagnachmittag habe ihn der Kastellan mit ins Schloss
genommen: *Es war dies gleichsam ein Geschichtsunterricht mit
Illustrationen!*

Auch sein Schönheitssinn sei in der Schlossgalerie gebildet
worden, immerhin anhand mehrerer Bilder von Peter Paul Rubens
und Anthonis van Dyck, aber bald auch des damals modernen
Hans Makart. In Frauenberg gab es auch einige Erinnerungen an
Adalbert Stifter, der aus Oberplan im Bezirk Krumau stammte
und der Lieblingsautor der Fürstin Eleonore gewesen war. Sie
kaufte aus Stifters Nachlass einige Möbel und stellte sie in Frauenberg auf, so den »Delphinenschrank«, der in Stifters NACHSOMMER
eine Rolle spielt.[2]

Täglich nach Erledigung der Schulaufgaben wurde Eduard als Jüngster zum Vater gerufen, um mit ihm die Heilige Schrift zu lesen und jüdische Geschichte zu lernen: *Mit atemloser Spannung, aber auch mit Begeisterung für mein Volk lauschte ich seinen Worten. Mein Vater, der umfassende Geschichtskenntnisse besass, erklärte mir die einzelnen Abschnitte jüdischer Geschichte in causalem Zusammenhange mit dem allgemeinen Weltgeschehen der betreffenden Zeit, sodass ein klares, abgerundetes Bild der Ereignisse vor meinem Geiste erstand. Kein Abschnitt jüdischer Geschichte war lose, jeder stand fest fundiert auf der entsprechenden Geschichte der damaligen Zeit.* Vor allem die Kämpfe zwischen »Rom und Juda« zogen den Knaben mächtig an: *Durch diese Unterrichtsstunden wurde meine Liebe zum Geschichtsstudium geweckt* – und zur Wissenschaft überhaupt.

Dass seine Familie bitterarm war, erwähnt Bloch in seinen Erinnerungen nicht. Aus der Sicht seiner drei älteren Schwestern ergibt sich ein weniger idyllisches Familienbild. Denn selbstverständlich las der Vater nur mit den beiden Söhnen die Heilige Schrift und brachte nur ihnen Hebräisch bei. Die Töchter lernten nur das, was die örtliche tschechische Volksschule bot. Wie Blochs Schwester Lori Plastersky später ihrer Enkelin Charlotte Guyatt erzählte, mussten die drei Mädchen hart in Haus und Garten arbeiten.

Fanny Bloch betrieb mit den Töchtern in ihrem kleinen Haus einen bescheidenen Laden, um zusätzlich etwas Geld zu verdienen. Am schlimmsten sei es immer vor Weihnachten gewesen. Denn dann mussten die Mädchen Karpfen verkaufen, die in den zahlreichen Teichen der Umgebung gezüchtet wurden. Denn der Fürst hatte eine Vorliebe für die Teichwirtschaft. Charlotte: »Großmutter Lori konnte nie vergessen, wie sie diese Fische in großer Kälte aus dem gefrorenen Wasser fischte, bis ihre Hände rot und rauh vor Kälte waren.« Zusammenfassend meinte die amerikanische Enkelin über das Leben im Hause Bloch in Frauenberg: »Es ging ihnen wirklich nicht gut, und es war sehr hart für sie, die beiden Söhne durchs Studium zu bringen.«[3]

Als die drei Töchter erwachsen wurden, stellte sich für sie die Frage nach einer Aussteuer und einer Mitgift nicht. Denn den

Eduards Vater
Moritz Bloch

Eltern Bloch war weder das eine noch das andere finanziell möglich. So konnten die Mädchen nicht wählerisch sein.

Eduards älteste Schwester Emma heiratete einen bescheidenen Geschäftsmann namens Pereless in Breznitz. Ihr Sohn Otto wurde nach vielen Mühen Richter.

Hermine Bloch, die mittlere Schwester, wurde mit einem jüdischen Landwirt verheiratet, den Großnichte Charlotte einen »meser« nannte, einen geizigen armen Mann. Sie zog mit ihm in ein kleines böhmisches Dorf, betrieb neben der winzigen Landwirtschaft noch einen Laden und bekam vier Kinder: Sohn Wilhelm arbeitete hart, um sich sein Studium zu finanzieren, und wurde schließlich Richter wie sein Vetter Otto Pereless. Sein Bruder übernahm den kleinen Bauernhof, dessen Erträge kaum für die Familie reichten. Die beiden Schwestern heirateten, da ohne Mitgift, wieder sehr arm: Ottilie nahm einen 15 Jahre älteren Witwer, laut Charlotte »ebenso armselig« (»miserly«) wie der Vater. Elsa heiratete einen mittellosen jüdischen Fleischer, bekam zwei Kinder und lebte in ärmlichsten Verhältnissen. Mutter Hermine litt so schwer unter dem trostlosen Schicksal ihrer beiden Töchter, dass sie – ebenfalls in Armut – sehr früh in einem Asyl starb.

Eduard Bloch erwähnt all dies in seinen Memoiren nicht. Er rühmt vielmehr den *erbgesessenen jüdischen Bauernstand* und dessen *vorzügliche Bewirtschaftung.* Damit kann er nur seinen Schwager Plastersky gemeint haben, den Ehemann seiner Lieblingsschwester Eleonore (Lori). Dieser war ein wohlhabender jüdischer Bauer mit einem prachtvollen Anwesen und einem profitablen Laden. Plastersky war sehr angesehen und laut Bloch so beliebt, dass die christliche Bevölkerung des Ortes ihn zum Bezirksobmann wählte, *eine für einen Juden sehr seltene Ehrung.* Lori Plastersky gebar zwölf Kinder, von denen sechs früh starben. Enkelin Charlotte schrieb später über Lori: »Es war wegen ihrer Schönheit, dass wenigstens sie ins Geld heiratete.«[4]

Gymnasium in Budweis

Als Eduard zehn Jahre alt war, übersiedelte er ins zwei Gehstunden entfernte Budweis, um dort das Gymnasium zu besuchen. Es war dies eine frühere Klosterschule, die immer noch mehrere geistliche Lehrer hatte: *auf diese Weise blieb aber der Geist, der in der Anstalt herrschte, ein »klösterlicher«; am auffälligsten machte sich dieser Einfluss beim Geschichtsunterrichte und bei Behandlung der naturwissenschaftlichen Fächer geltend* (es tobte damals der Streit um Charles Darwins Entwicklungslehre, die die Kirche strikt ablehnte); *besonderen Wohlwollens hatten sich die jüdischen Schüler hier nicht zu erfreuen!*

In dieser Schule in Budweis wurde Eduard also zum ersten Mal mit dem katholischen Antisemitismus konfrontiert, wohl auch ein Grund für die wahre Heimwehkrankheit des Buben nach Frauenberg. Noch der alte Eduard Bloch erinnerte sich an die schmerzvollen Abschiede von der Mutter: *Noch sehe ich ihre gütigen Augen thränenerfüllt, wenn sie beim Abschied nach meinem Studienort mir die Hände aufs Haupt segnend legte und mich mit den Worten in die Fremde ziehen liess: »Gesegnet sei dein Weggehen, Geseg-*

Eduards Mutter
Fanny als Witwe in
Festkleidung

net dein Kommen. Denke stets an Gott, dann wird auch er deiner nie vergessen!«

Um sich in Budweis Privatlektionen im geliebten Hebräisch leisten zu können, gab Eduard jüngeren Schülern Nachhilfeunterricht. Sein Heimweh blieb: *es war mir nicht allein nach meinen geliebten Eltern bange, ich sehnte mich nach jedem mir so vertrauten Plätzchen, nach jedem Baum und Strauch. Weinend stand ich sehr oft auf der Brücke, welche den Moldaufluss überquert, und blickte sehnsüchtig zum Schlosse herüber! Die Sehnsucht nach meinem Heimatorte hat mich mein ganzes Leben hindurch nicht verlassen, ja sie wurde mit den Jahren nur intensiver!*

Als Eduard 15 war, starb plötzlich sein Vater nach kurzer Krankheit: *Ich konnte damals den furchtbaren Schlag, der unsere Familie getroffen, nicht in seiner Gänze erfassen, aber ich lernte später einsehen, wie beispiellos tapfer, wie besonnen, meine gute Mutter all die scheinbar kaum zu überwindenden Schwierigkeiten zu beseitigen verstand.*

Der minderjährige Eduard bekam nun einen Vormund, den Holzwarenfabrikanten Philipp Stein.[5] Witwe Fanny verkaufte das Haus in Frauenberg und übersiedelte zu Eduard nach Budweis. Die drei Töchter waren verheiratet. Der sehr elegante, hochgewachsene ältere Bruder Adolf, mit dem Eduard besonders vertraut war, blieb Junggeselle und arbeitete zuletzt als Chefbuchhalter in einer der größten Papierfabriken Böhmens.

Das Verhältnis der Geschwister blieb trotz der örtlichen Trennung herzlich, so Bloch: *ich kann mich nicht erinnern, dass es im Laufe der vielen Jahre auch nur die allergeringste Disharmonie irgendwie gegeben hätte! Die Freude und das Leid des einen wurde in gleicher Intensität von dem anderen empfunden, und galt es einmal einander zu helfen, so sprang jeder restlos, bis zur Selbstverleugnung, für den anderen ein!*

Am 16. Juni 1891 bestand der 19-Jährige in Budweis die Matura und übersiedelte nach Prag. Mutter Bloch zog zu ihrer älteren Tochter Emma Pereless aufs Land *und konnte nun hier von all den schweren Kämpfen, die ihr das Leben gebracht und die sie so tapfer bestanden, ausruhen!*

2 Student in Prag

Im Herbst 1891 begann Eduard Bloch sein Studium in Prag, das er liebevoll die *Mutter des Judenthums* nannte. Bei der Wahl der Universität musste er sich zwischen der deutschen und der tschechischen Universität entscheiden. Denn 1882 war die berühmte alte Prager Karls-Universität, gegründet 1348 von Kaiser Karl IV. als erste Universität nördlich der Alpen, nach gewaltsamen nationalen Auseinandersetzungen zwischen Tschechen und Deutschen geteilt worden.

Nur die theologische Fakultät war noch zweisprachig, da sich der mächtige Fürsterzbischof Friedrich Schwarzenberg energisch gegen die Teilung gewehrt hatte. Er meinte, es sei »die Bestimmung der Studierenden der Theologie diese, Diener der Kirche zu sein. Die Kirche will aber nicht die Trennung, sondern die Einigung der Nationen zu Einem Leibe, dessen Haupt Christus ist.« Die Zweiteilung würde die nationalen Gegensätze nur »verfestigen und verschärfen«.[1]

Das war seit 1882 tatsächlich der Fall. Denn bei den zahlreichen Konflikten, die die Trennung ausgelöst hatte, verschärften sich die Streitereien. So stritten zum Beispiel deutsche und tschechische Medizinstudenten jahrelang heftigst um die Zuteilung der raren Sezierleichen für die Anatomie.[2]

Bloch, der »deutsch und böhmisch vollkommen in Wort und Schrift« beherrschte, wie ihm amtlich attestiert wurde,[3] wählte wie fast alle seiner Glaubensbrüder ohne Zögern die alte deutsche Karls-Universität. Er entschied sich aber nicht für das Studium seines Lieblingsfachs, der Alten Geschichte. Denn, so begründete er seinen Entschluss, es sei damals *für einen Juden beinahe aussichtslos* gewesen, das Lehramt für Gymnasien anzustreben. So entschloss er sich, *nicht der Familientradition zuliebe, mehr aber aus dem Bestreben, Leiden meiner Mitmenschen lindern zu können, Medizin zu studieren.*

Aber auch beim Medizinstudium waren Juden wenig gern gesehen. Professor Theodor Billroth, in dieser Zeit der berühmteste Mediziner der Monarchie, hatte sich bereits 1876 gegen die angeblich allzu große Anzahl jüdischer Medizinstudenten gewehrt und gemeint, dass »ein Jude ebenso wenig wie ein Perser, oder Franzose, oder Neuseeländer, oder Afrikaner je ein Deutscher werden kann«. Den Juden fehlten angeblich »unsere« auf der »mittelalterlichen Romantik« basierenden »deutschen Empfindungen«. Und Billroth gestand, dass er »innerlich trotz aller Reflexionen und individueller Sympathie die Kluft zwischen rein deutschem und jüdischem Blut heute noch so tief empfinde, wie von einem Teutonen die Kluft zwischen ihm und einem Phönizier empfunden sein mag«.[4]

Aber Eduard Bloch ließ sich nicht beirren. Immerhin soll einer seiner Ahnen ein berühmter Arzt in Bologna gewesen sein: *Thatsache ist, dass seit ältesten Zeiten immer ein Sohn der Familie dem Studium der Medicin oblag; ich selbst besitze ein sehr altes Glas mit dem Äsculapzeichen; dieses Glas erhielt immer der »Arzt in der Familie«. Auf diese Weise gelangte das Glas von meinem Onkel, der ein hervorragender Arzt war, auch in meinen Besitz.* Dieser Onkel war Dr. Joachim Bloch, der Bruder von Eduards Vater.

Zur Finanzierung seines Studiums fand Eduard einen angenehmen Posten als Hauslehrer: Er wurde in die *Familie eines hochangesehenen Fabrikanten eingeführt; eine Reihe geistig hochstehender Menschen verkehrte in diesem Hause; die Stunden, die ich in dieser Gesellschaft verbringen durfte, sind mir unvergesslich geblieben. Durch die Unterrichtung der beiden Söhne, die das Gymnasium besuchten, war ich zum grossen Theile meiner nicht geringen materiellen Sorgen enthoben. Beide Söhne sind Ärzte geworden und haben es als solche zu hochangesehenen Stellungen gebracht; aufrichtige Freundschaft hat uns jahrelang verbunden.*

Mit großem Eifer begann der junge Mann sein Studium. Er konzentrierte sich dabei nicht nur auf die Medizin, sondern interessierte sich auch für andere Gebiete, vor allem wenn diese von bedeutenden Professoren vertreten wurden. Als seine wichtigsten Universitätslehrer rühmte er später den Zoologen und Morphologen Berthold Hatschek, den Experimentalphysiker und Philosophen Ernst Mach und als seinen Lieblingslehrer den Internisten und Chirurgen Alfred Pribram. Die Auswahl gerade dieser Kapazitäten sagt über den Studenten Bloch viel aus. Denn alle drei Professoren gehörten zu den innovativen und fortschrittlichen Vertretern der an Prominenz wahrlich nicht armen Karls-Universität:

Der Zoologe Berthold Hatschek, geboren 1854 in Kirwein (bei Olmütz, Mähren), arbeitete zunächst auf dem Gebiet der Embryologie von Weichtieren und Ringelwürmern, wurde bereits mit 31 Jahren Ordinarius und schloss 1891 sein dreibändiges LEHRBUCH DER ZOOLOGIE ab. Politisch engagierte er sich für die Sozialdemokraten. 1896 als Ordinarius nach Wien berufen, gründete er dort 1907 mit linken Intellektuellen wie Max Adler, Otto Bauer, Karl Renner, Michael Hainisch, Wilhelm Jerusalem und anderen die »Soziologische Gesellschaft«. Schwere Depressionen, die ihn seit dem Ersten Weltkrieg heimsuchten, ließen seine Arbeit stocken. Er starb 1941 in Wien.

Ernst Mach, geboren 1838 in Chirlitz (heute Teil von Brünn), studierte in Wien Physik und Mathematik und habilitierte sich bereits mit 23 Jahren. 1867 wurde er ordentlicher Professor für Experimentalphysik an der alten Prager Karls-Universität, war 1879/80 deren Rektor und kämpfte energisch, aber erfolglos gegen die Teilung. 1883/84, also nach der Teilung, wurde Mach zum Rektor der Deutschen Universität gewählt. Seit 1885 war er Ehrenmitglied der Prager Universitäts-Sängerschaft »Barden«.

Als Bloch in Prag studierte, hatte Mach gerade sein Buch DIE ANALYSE DER EMPFINDUNGEN UND DAS VERHÄLTNIS DES PHYSISCHEN ZUM PSYCHISCHEN herausgebracht, ein Thema, das den angehenden Mediziner stark interessierte. Es waren vor allem Machs Philosophievorlesungen, die den viel beschäftigten Bloch, *wenn auch nur für kurze Stunden, »der Menschheit ganzen Jammer«, den ich in den verschiedenen Kliniken zu sehen bekam, vergessen liessen!* Mach war als großzügiger und gütiger Mann mit viel Selbstironie bei seinen Studenten sehr beliebt und wirkte stark auf die Jugend,

Ernst Mach

aber auch auf nichtakademische Leser. 1895 wurde er Professor für Philosophie in Wien, obwohl er sich gar nicht als Philosoph, sondern als Naturforscher und naturwissenschaftlicher Erkenntnispsychologe verstand. Kein Geringerer als Robert Musil schrieb 1908 seine Doktorarbeit in Philosophie, Physik und Mathematik über die BEURTEILUNG DER LEHREN MACHS.

Politisch stand auch Mach im linken Lager und war mit dem sozialdemokratischen Parteiführer und Arzt Viktor Adler befreundet. Das »Mach'sche Prinzip« wird heute als eine Vorstufe der späteren Relativitätstheorie angesehen. »Mach« ist als Maßeinheit für Überschallgeschwindigkeiten immer noch in der Flugtechnik üblich. 1970 wurde ein Mondkrater »Krater Mach« getauft.

Die persönlich engste Beziehung hatte Bloch zum Mediziner Alfred Pribram, geboren 1841 in Prag. Bereits mit 20 Jahren erwarb Pribram das medizinische Doktorat, war mit 40 Jahren Ordinarius in Prag, seit 1884 auch Vorstand der 1. Deutschen Medizinischen Klinik der Karls-Universität mit dem Schwerpunkt innere Medizin. Bei der schlagenden Burschenschaft »Corps Austria« wird er heute noch als berühmtes Mitglied geführt. Pribram war Blochs wichtigste Kontaktperson in Prag und ein hochverehrter und vertrauter Professor. Von ihm erhoffte sich der junge Bloch eine Assistentenstelle und damit eine Universitätskarriere.

Während des Studiums absolvierte Bloch von 1893 bis 1897 seinen Militärdienst als »Einjährig-Freiwilliger« beim Prager »Infanterieregiment Georg Prinz von Sachsen No. 11«, und zwar »auf Staatskosten«. Einjährig-Freiwillige waren Wehrpflichtige, die Abitur oder eine entsprechende Vorbildung hatten. Nach einem Jahr Präsenzdienst wurden sie in besonderen Kursen »Reserveoffiziere«. Vorgeschrieben waren alljährliche Waffenübungen zwischen sechs und acht Wochen. In Blochs Regiment hatten die Tschechen mit knapp 80 Prozent die Mehrheit. Nur 20 Prozent erklärten sich als Deutsche – unter ihnen auch der zweisprachig aufgewachsene Eduard Bloch.

Ein schneidiger Soldat kann Bloch kaum gewesen sein, bedenkt man die Bemerkung seines Vorgesetzten aus dem Jahr 1897 über Blochs »Verwendbarkeit im Truppendienste«: »Ist wegen seiner Unbeholfenheit für die Charge eines Corporalen nicht genügend ausgebildet.«[5]

Neben dem Studium, dem Stundengeben und den Waffenübungen hatte Bloch kaum noch Zeit für die geliebte Kunstgeschichte. Aber er ging zur Entspannung gerne in Konzerte, obwohl er – *von ein wenig Violinspiel abgesehen – kein activer Musiker* war: *ich hatte hier Gelegenheit, die berühmtesten Sänger und Musiker der damaligen Zeit zu hören.*

Böhmische Wirren

Die 1890er-Jahre in Prag waren geprägt von nationalen Kämpfen vor allem zwischen deutschen Burschenschaftlern und »jungtschechischen« Studenten. Mit voller Absicht gerieten sie immer wieder auf dem berühmten »Bummel« am Graben gewalttätig aneinander oder prügelten in Kneipen aufeinander ein. Die Tschechen wollten ein »tschechisches Prag«. Die Deutschen aber wollten ihre

Der Deutschradikale
Karl Hermann Wolf

jahrhundertealte starke Position in Prag nicht kampflos aufgeben, zumal viele von ihnen die Tschechen – und Slawen im Allgemeinen – als minderwertig betrachteten. Die zahlreichen Prager Juden standen in dieser Zeit fast geschlossen auf deutscher Seite.

Im Wahlkampf für den Böhmischen Landtag 1895 kam es zu schweren Tumulten, und zwar auch im nördlich von Prag gelegenen Jitschin, der einstigen Residenz Wallensteins, Geburtsort von Karl Kraus – und Stadt der Niederlage österreichischer Truppen gegen Preußen 1866 kurz vor Königgrätz. Ausgelöst wurden die Unruhen durch wilde Hetzreden des 33-jährigen radikalen »Alldeutschen« Karl Hermann Wolf. Die Hetze galt aber diesmal nicht den Tschechen, sondern in wüstester Weise den angeblichen Hauptfeinden der Deutschen wie der Tschechen: den Juden.

Wolf stammte aus Eger und hatte sein Studium an der Deutschen Universität in Prag aus politischen Gründen abbrechen müssen. 1890 gründete er die scharf antisemitische Zeitung Ost-deutsche Rundschau, die ab 1893 als Tageszeitung in 5000 Exemp-

laren reichsweit verbreitet wurde. Der Name weist auf Österreich
als »Ostmark« des Deutschen Reiches, also »Ostdeutschland«. Im
Titel wird nicht der übliche doppelköpfige Adler der Habsburger
verwendet, sondern der einköpfige deutsche Reichsadler, der in
seinen Fängen eine sich windende Schlange hält, die das Judentum
darstellen sollte.

Wolfs deklariertes Ziel war die Loslösung der deutschsprachigen Gebiete aus dem habsburgischen Vielvölkerstaat und deren
»Anschluss« an das Deutsche Reich. Außerdem engagierte er sich
für den rasch anwachsenden Antisemitismus. Bei den Wiener Gemeinderatswahlen 1895 unterstützte er den Christlichsozialen
Karl Lueger nach Kräften und war sehr stolz darauf, als dieser
nach mehreren Anläufen 1897 Bürgermeister von Wien wurde und
damit, so Wolf, »die antisemitische Partei wenigstens im Wiener
Gemeinderathe am Ruder« sei. Wolf lernte von Lueger, mit Hetzreden gegen die Juden Wählermassen für sich zu gewinnen. Er war
überzeugt, dass »der Antisemitismus latent sei in der Bevölkerung, dass nur jemand kommen brauche, ihn zu wecken«.

Als glänzender Redner wetterte Wolf auch im böhmischen Jitschin gegen »eine Verderbung des Volkes durch die Judenpresse
und durch das niederträchtig versaute Judentheater«, verglich die
Juden mit Borkenkäfern und krank machenden Bazillen, forderte
eine »Entjudungskur« und das Verbot, Juden als Richter oder Offiziere einzusetzen. Und: »Wir bekämpfen die Juden auch, wenn
sie sich für Deutsche ausgeben, denn dadurch wird ihre typische
Eigenart nicht verwischt. Auch am Taufbecken endigt unser Antisemitismus nicht, weil wir eben das Judenthum als Rasse betrach-
ten und bekämpfen.«[6]

Am Tag nach Wolfs stürmisch gefeierter Wahlrede fanden sich
an vielen jüdischen Geschäften von Jitschin Schilder mit dem Text:
»Juden raus!« Das war eine zu diesem Zeitpunkt neue Parole.

Die Juden von Jitschin, die bisher mit der christlichen Bevölkerung in Harmonie gelebt hatten, ließen sich Wolfs Hetzreden
nicht gefallen und erstatteten Anzeige wegen »Aufreizung zu
Feindseligkeiten«. Im Prozess am 6. und 7. Mai 1896 aber wurde
der rhetorisch sehr geschickte Wolf freigesprochen. Die deutsch-

nationalen Zeitungen feierten ihn als Helden. Seine Popularität
stieg erheblich. In der Folge erhielt er bei den Wahlen nicht nur
ein Mandat im Böhmischen Landtag in Prag, sondern wurde 1897
neben Georg von Schönerer auch alldeutscher Reichsratsabgeord-
neter in Wien.

Badeni-Krise

Kurz nach den Wahlen erließ der aus Österreichisch-Polen stammende Ministerpräsident Kasimir Graf Badeni tschechenfreund-
liche Sprachenverordnungen für die böhmischen Länder. Danach
sollten nur jene Männer Beamtenstellen bekommen, die innerhalb
von vier Jahren, also bis 1901, beide Landessprachen in Wort und
Schrift beherrschten. Diese Bestimmung traf weniger die tschechischen Beamten, die ohnehin meist Deutsch konnten, wohl
aber die Deutschen in den deutschsprachigen Gebieten. Viele von
ihnen weigerten sich, Tschechisch zu lernen, und gingen nun in
wütende Opposition gegen die Regierung.

Ihr wichtigster Sprecher war Karl Hermann Wolf. Am 9. April
1897 brachte er im Reichsrat einen Dringlichkeitsantrag gegen
Badenis Sprachenverordnungen ein. Daraufhin kam es auch im
Reichsrat zu schweren Krawallen und wüsten Raufereien zwischen
den Volksvertretern. Die Exzesse verhinderten jede parlamenta-
rische Arbeit, sodass der Reichsrat für einige Monate geschlossen werden musste. Tag für Tag von deutschen wie tschechischen
Zeitungen neu aufgeheizt, breiteten sich die nationalen Unruhen
immer weiter auf die böhmischen Länder aus. Bei diesen Kämpfen
zerbrach auch die bisher übernationale k. k. Sozialdemokratie in
ihre nationalen Teile.

Am 11. Juli 1897 schworen die Deutschradikalen um Wolf
im Rathaus zu Eger: »Wir harren aus und werden, insolange die
Sprachzwangsverordnungen in Geltung bleiben, den bisherigen
entschiedensten Widerstand gegen jede Regierung fortsetzen.«

Als der Reichsrat im Herbst seine Tätigkeit wiederaufnahm,
gab es neuerlich Krawalle und Saalschlachten. Sie nahmen solche
Formen an, dass Ministerpräsident Graf Badeni den Kaiser um Er-

Die Alldeutschen priesen den Sieger des Duells, Karl Hermann Wolf, überschwänglich, vor allem in Ansichtskarten wie dieser

laubnis bat, sich mit Wolf duellieren zu dürfen, obwohl das Duell im Habsburgerstaat verboten war. Kaiser Franz Joseph gab die Erlaubnis, und der duellerfahrene Wolf ging auf die Forderung ein. Am 25. September 1897 fand das Duell mit Pistolen statt. Badeni wurde am Arm verwundet und büßte mit dieser schmählichen Niederlage den letzten Rest seines Ansehens ein. Karl Hermann Wolf war nun in den deutschsprachigen Gebieten der Monarchie der große Nationalheld.

Auch in Prag brachen im November 1897 wieder schwere Unruhen aus: Nach der Einführung eines neuen Rektors der Tschechischen Universität zogen tschechische Studenten, deutschfeindliche Lieder singend, durch die Stadt und lösten damit schwere Raufereien mit Burschenschaftlern aus. Daraufhin plünderten die Tschechen in Prag deutsche und jüdische Geschäfte und verwüsteten das Deutsche Theater und andere deutsche Institutionen.

Als es am 26. November 1897 auch im Wiener Reichsrat zu Saalschlachten kam, sah der Präsident keine andere Möglichkeit mehr, als nach einem neuen Gesetz die Polizei ins Parlament zu rufen. Diese führte nun die randalierenden Abgeordneten zwangsweise ab, so auch Karl Hermann Wolf. Das ILLUSTRIERTE WIENER EXTRABLATT: »Die Präsidenten wurden mit Injurien über-

Krawalle und Kämpfe der Deutschradikalen im Reichsrat in Wien, die nur durch Polizeigewalt beendet wurden

schüttet und schließlich hinausgedrängt, Abgeordnete wurden mit Gewalt aus dem Saal getragen, kurzum es waren Scenen voll Erregung und Wildheit, die schwer zu schildern sind.«

Kaiser Franz Joseph ließ daraufhin am 28. November 1897 Badeni als Ministerpräsident fallen. Die Sprachverordnungen wurden nun Schritt für Schritt zugunsten der Deutschen entschärft, was wiederum zu nationalen Unruhen der Tschechen führte. Die Revolte gegen die Wiener Regierung wurde so gefährlich, dass im Dezember 1897 vorübergehend der Ausnahmezustand über Prag verhängt werden musste.

In den Grenzgebieten zum Deutschen Reich wurde der Wunsch immer größer, sich vom Vielvölkerstaat und den Tschechen zu lösen und an das Deutsche Reich anzuschließen. Wolf prägte das Schlagwort der »Germania irredenta«, also des »unerlösten Deutschtums«. In Nordböhmen wurde das Lied populär: »Wir schielen nicht, wir schauen, wir schauen unverwandt, wir schauen voll Vertrauen ins deutsche Vaterland!«

Böhmen war nur ein besonders drastisches Beispiel für die vielen Brandherde der multinationalen Doppelmonarchie. Der westliche Teil der Donaumonarchie, also Cisleithanien, steckte in einer schweren Staatskrise, die schier unlösbare nationale Kon-

flikte offenlegte. Als bald das Wahlrecht auf immer ärmere und
damit meist nichtdeutsche Schichten ausgeweitet wurde, verloren
die bisher herrschenden Deutschösterreicher ihre Vormacht – und
wurden gegen die aus ihrer Sicht rassisch minderwertigen Nichtdeutschen immer aggressiver.

Eduard Bloch zwischen den Fronten

Mitten in all diesen Wirren der Neunzigerjahre lebte und studierte der junge Eduard Bloch in Prag. Er fühlte sich beiden Kul-
turkreisen verbunden, stand zwischen den nationalen Fronten
und wurde nun von beiden Seiten bedroht – und zwar als Jude.
In seinen späten Memoiren erzählt er leider nur sehr wenig Kon-
kretes über seine Prager Zeit. Klar ist, dass er Prag als jüdisch-
spirituelle Stadt liebte, aber wegen der inzwischen alltäglichen
nationalen und antisemitischen Exzesse auch fürchtete. Er muss
in dieser Zeit viel erlebt haben, was ihn bedrückte, vor allem Ausgrenzung und Diskriminierung.

In anderem Zusammenhang erwähnte Bloch später, dass das
Fechten sein Lieblingssport gewesen sei. Das deutet darauf, dass
er in Prag Mitglied einer schlagenden deutschen Burschenschaft
war – wie sein verehrter und vertrauter Lehrer Alfred Pribram in
der Burschenschaft »Austria«. Aber gerade die deutschen Burschenschaften gingen in diesen Jahren auf antisemitischen Kurs.
Karl Hermann Wolf etwa rühmte sich, als Erster sämtliche jüdischen Mitglieder aus seiner Studentenverbindung »Ghibellinia«
hinausgeworfen zu haben. Er motivierte auch die anderen Burschenschaften dazu und setzte durch, dass jüdische Studenten
nicht mehr wie bisher die Prager »Deutsche Lese- und Redehalle«
besuchen durften. So waren Juden auch von dieser zentralen Kom-
munikationsstelle der deutschsprachigen Prager Studenten ausgeschlossen.

Über all das schweigt Bloch in seinen Memoiren. Für einen so
deutsch gesinnten, aber österreichtreuen Studenten wie ihn muss
es beschämend und enttäuschend gewesen sein, gerade von dieser
Seite verachtet und beleidigt zu werden.

Eduard Bloch bestand am 13. Januar 1898 sein erstes Rigorosum in den Fächern Anatomie, Physiologie, Chemie und Physik
und am 29. November das zweite in Pharmakologie, allgemeiner
Pathologie, interner Medizin und pathologischer Anatomie. Als
er sich intensiv auf sein drittes und letztes Rigorosum vorbereitete, spielte sich im nahen Südböhmen eine folgenschwere Tragödie ab: Zu Ostern 1899 wurde im Wald bei Polna, einer kleinen Stadt zwischen Prag und Brünn, in einer Blutlache die nackte
Leiche eines christlichen Mädchens namens Anežka Hrůzová
entdeckt. Ihr Kopf war mit einem tiefen Messerschnitt fast vom
Rumpf getrennt worden. Sofort kamen Gerüchte auf, dass das
Mädchen einem jüdischen Ritualmord zum Opfer gefallen sei.
Als angeblicher Mörder wurde der debile jüdische Landstrei-
cher Leopold Hilsner verhaftet und der Öffentlichkeit präsentiert.

Alle Antisemitenblätter schwelgten in blutrünstigen Geschichten. Juden wurden, wo immer sie auftraten, persönlich bedroht. Der extrem antisemitische Anwalt der Familie Hrůzov
nutzte das Verfahren, um am hilflosen Hilsner ein Exempel zu
statuieren, wie es auch kurz zuvor im Dreyfus-Prozess in Frankreich versucht worden war. Aber dem bettelarmen Hilsner gelang
es nicht, wie Dreyfus rehabilitiert zu werden.

Jene Sachverständigen, die detailliert nachweisen konnten,
dass mit Sicherheit kein Ritualmord vorlag – und ein solcher bei
Juden keineswegs, wie von der Anklage behauptet, zum Ritual gehörte –, blieben vor Gericht ungehört.[7] Hilsner wurde nach einem
langen Sensationsprozess ohne jeden Schuldbeweis zum Tod
durch den Strang verurteilt, aber noch in Haft gehalten. Das To-
desurteil hatte den angeblich bei Juden üblichen Ritualmord »erwiesen«. Antisemitische Krawalle und Gewalttaten beherrschten
seither den Alltag der böhmischen und mährischen Juden, die in
großer Angst lebten.

Der Nichtjude Professor Tomáš Masaryk, der spätere Gründer und Präsident der Tschechischen Republik, protestierte in
Zeitungsartikeln, Reden und Aufrufen gegen dieses Urteil und
wurde daraufhin in der Prager Tschechischen Universität von

seinen eigenen Studenten persönlich angegriffen und verlor seinen
Lehrauftrag.

Hilsners Todesstrafe wurde 1901 auf Druck der in- und ausländischen liberalen Presse in »lebenslänglich« geändert. Erst im
März 1918 kam er bei einer Generalamnestie für Schwerverbre-
cher nach 19-jähriger Haft frei. Er starb 1928 in Wien.

Eduard Bloch fühlte sich von den wachsenden antisemitischen
Krawallen in Böhmen ständig bedroht. Um sich notfalls verteidigen zu können, nahm er, der so Friedfertige, nun sogar oft einen
Revolver mit, den er glücklicherweise nicht brauchte. Und er
machte sich große Sorgen um seine Mutter und die Geschwister.

Am 21. Dezember 1899, mitten in den antisemitischen Wirren
in Böhmen, absolvierte Bloch sein drittes und letztes Rigorosum
in Chirurgie, Geburtshilfe, Augenheilkunde und Gerichtsmedi-
zin.[8] Drei Tage später erhielt er sein Doktordiplom mit »summa
cum laude«, der höchsten Auszeichnung.

Danach begann seine klinische Ausbildung bei Alfred Pribram: *Es war für einen jüdischen Arzt schon damals nicht so leicht,
auf jeder Klinik unterzukommen, denn eine Reihe von Professoren verstand es, jüdischen Ärzten den Eintritt in ihre Klinik aufs
äusserste zu erschweren, wenn nicht ganz unmöglich zu machen.
Es waren dies die antisemitisch eingestellten Hochschullehrer. Ihre
Gesinnung zeigte sich nicht allein bei den Prüfungen, aber auch
bei der Besetzung freigewordener Lehrkanzeln; ein jüdischer Gelehrter hatte daher sehr wenig Aussicht bei Bewerbung um einen
vacanten Lehrstuhl; es gab eben im akademischen Senate grosse
Wissenschaftler, aber kleine Charaktere!* Umso dankbarer war
Bloch seinem gütigen Lehrer Pribram: *seine kolossale Erfahrung,
sein Scharfblick, sein rasch und zielbewusstes Handeln, das Be-
herrschen auch der überraschendsten Situation sind mir zum Vor-
bilde geworden.*

Während dieser Fachausbildung wandte sich Bloch der inneren
Medizin und Frauenheilkunde zu. Noch hoffte er auf eine Assistentenstelle bei Pribram, um dann in Prag eine Universitätslauf-
bahn einschlagen zu können.

3 Arzt in Linz

Oberösterreich

Kurz nach dem Abschluss seines Studiums wurde der junge Arzt Eduard Bloch zum Militär einberufen. Das bedeutete für ihn, sechs Monate als Assistenzarzt in einem Militärspital arbeiten zu müssen. Auf Empfehlung eines Freundes und mit kräftiger Fürsprache eines verwandten hohen Militärarztes gelang es ihm, einen weiteren Dienst in Böhmen abzuwenden. Stattdessen wurde er dem Garnisonsspital Nr. 4 in Linz an der Donau zugeteilt. Bloch kannte Linz nicht, erhoffte sich aber hier vor allem ruhigere Zeiten als in Prag, ohne nationale und antisemitische Angriffe.

Am 1. April 1900 rückte der 28-Jährige in Linz ein: *Diese Zuteilung wurde entscheidend für den weiteren Gang meines Lebenslaufes! und wohl die angenehmste meines Lebens. Der Dienst war nicht schwer, die Vorgesetzten angenehm und ohne die sonst gewohnte peinliche dienstliche Pedanterie. Mein directer Vorgesetzter überliess mir schon nach kurzer Zeit die ganze Leitung der Abteilung für innere Krankheiten.* Und: *In kurzer Zeit hatte ich in der Stadt einen grossen Bekanntenkreis, hatte einen guten Ruf als Arzt und eine hübsche Privatpraxis nicht allein bei Officiersfamilien, sondern auch bei Civilpersonen.*

In seiner Freizeit machte Eduard Bloch oft *Ausflüge in das an Naturschönheiten so reiche Salzkammergut*, das bequem mit der Bahn zu erreichen war, und übte sich in seinen bevorzugten Sportarten: Fechten und Schwimmen.

Linz, die Hauptstadt Oberösterreichs, idyllisch am rechten Ufer der Donau gelegen, hatte um 1900 mit rund 50 000 Einwohnern noch einen eher ländlichen Charakter. Bedingt durch die günstige Lage an der Donau, war Linz eine alte Handelsstadt, eine Bischofsstadt mit schönen Kirchen und Klöstern, der Sitz des oberösterreichischen Landtags, ein wichtiger Militärstand-

Garnisonsspital Nr. 4 in Linz, wo Bloch Militärdienst machte

ort mit Garnisonen, ein Verwaltungszentrum mit vielen Beamten und überdies ein Schulzentrum für die Stadt und die dörfliche Umgebung.

Besonders stolz sind die Linzer, dass immer wieder Monarchen hier Zuflucht suchten. So ließ sich der aus Wien vertriebene Kaiser Friedrich III. in Linz nieder, verschönerte die Stadt und ernannte sie 1490 zur Landeshauptstadt des Erzherzogtums ob der Enns. Auch Friedrichs Sohn Kaiser Maximilian I. war häufig hier und gab Linz mehrere Freiheiten. Als die Türken 1683 Wien belagerten, suchte Kaiser Leopold I., genannt der »Türkenpoldi«, Zuflucht im Linzer Schloss. 1723 ließ Kaiser Karl VI. auf dem alten Hauptplatz, in Erinnerung an die Pestseuche zehn Jahre zuvor, die barocke Dreifaltigkeitssäule bauen, die noch heute das Zentrum der Stadt bildet. 1783 ernannte Kaiser Joseph II. das bisher Passau unterstellte Linz zum Bistum.

Immer wieder hatten die benachbarten Bayern versucht, sich die Herrschaft über den Donauraum zu erkämpfen, aber vergeblich. Nach den Freiheitskriegen gegen Napoleon, als französische Truppen in Linz wüteten, ließ Erzherzog Maximilian d'Este 32 Festungstürme zur Verteidigung der Stadt bauen. Als Eduard

Der Linzer Franz-Josephs-Platz um 1900 mit der Dreifaltigkeitssäule

Bloch nach Linz kam, waren die Türme teils demoliert, teils verbaut oder zweckentfremdet.

Jenseits der Donau auf der Höhe des Pöstlingbergs zieht noch heute die barocke Wallfahrtskirche Pilgerscharen an. Und diese fahren immer noch mit der alten Bergbahn, einer Linzer Sehenswürdigkeit, bis zur Höhe des Berges und genießen von dort die prachtvolle Aussicht über die Stadt und die weite Donaulandschaft, die manchmal den Blick bis nach Bayern freigibt.

Bereits in der Römerzeit war Linz, das damals Lentia hieß, ein Stapelplatz für den Donauhandel und eine wichtige Schiffsstation auf dem Weg zwischen Passau, Wien und Budapest. 1832 wurde zwischen Linz und Budweis die erste österreichische Eisenbahn eröffnet, freilich noch von Pferden gezogen, aber eben auf Gleisen. Um 1900 war die Hauptattraktion der Stadt der neue große Bahnhof der »Kaiserin-Elisabeth-Westbahn«. Dort hielten die Schnellzüge, die Wien mit Elisabeths Vaterstadt München verbanden. Allerdings, so kritisierte der 1910 aus Prag kommende damalige Bankangestellte Egon Basch, sei die Umgebung des Bahnhofs »keineswegs imponierend, die Neustadt war einer Bauernstadt ähnlich«.[1] Im Sommer gingen mehr als die Hälfte der Linzer

Kinder barfuß zur Schule. Diese ländliche Note bewahrte »Linz Provinz« – so das Schimpfwort – bis in die späten Dreißigerjahre.

Seit Baubeginn der Westbahn 1858 hatte die Eisenbahn in Linz ihre Werkstätten, die viele Arbeitsplätze schufen. Die größte Fabrik der Stadt stellte Lokomotiven her, die bis nach Bosnien geliefert wurden. Ansonsten gab es eine k. k. Tabakfabrik mit rund 1000 Arbeitern, eine Schiffswerft und viele kleine Betriebe von Brauereien über eine Feigenkaffeefabrik bis zu Mühlen. Zweimal im Jahr wurden traditionelle große Märkte abgehalten, die viele fremde Händler anzogen. Bis heute ist Linz eine wichtige Einkaufsstadt für die ländliche Umgebung.

Und bis heute ist auch die Straßenbahn ein Wahrzeichen von Linz. Sie fährt vom Bahnhof geradewegs durch die Landstraße zum Zentrum der Stadt, dem Hauptplatz, von dort weiter über die Donau nach Urfahr und zurück.

Einige Gedenktafeln erinnern an Berühmtheiten, so zum Beispiel am Landhaus an die Brautfahrt der 16-jährigen bayerischen Prinzessin Elisabeth 1854 per Schiff nach Wien, wobei sie mit ihrer Entourage eine Nacht im Präsidialtrakt des Linzer Landhauses verbrachte. Linz empfing die künftige Kaiserin in einem prachtvollen Pavillon, wo Honoratioren und weiß gekleidete Festjungfrauen sie begrüßten. Es gab Festbeleuchtung und einen abendlichen Fackelzug. Ein anderes Denkmal erinnert an Adalbert Stifter, der in Linz begraben liegt. Am Eingang der barocken Ignatiuskirche, des »Alten Doms«, findet sich ein Relief für Anton Bruckner, der hier von 1856 bis 1868 Organist und Chordirigent war. Und an der Fassade des Gasthauses »Schwarzer Bock« hängt eine Gedenktafel für Hedwig Bleibtreu, die hier 1868 quasi auf der Durchreise ihrer Schauspielereltern geboren wurde und später eine berühmte Schauspielerin war.

1910 stammten 7,4 Prozent der Linzer Bürger aus Böhmen, vor allem – wie auch Eduard Bloch – aus dem nahen Südböhmen. Nur jeder Dritte dieser Einwanderer sprach Tschechisch. Denn Südböhmen war großteils noch deutschsprachig, und vor allem die dortigen Juden waren konsequent zweisprachig.

Aber die zunehmenden nationalen Kämpfe im nahen Böhmen wirkten sich auch auf das kleine Linz aus. Deutschnationale beschimpften tschechische Arbeiter als »Wenzelsläuse« oder »Powidlritter«. Und die LINZER MORGENPOST protestierte 1899 gegen tschechische Predigten in einer Linzer Kirche: »Der Kirchenverschönerungsverein muss sich die Vertreibung der Tschechen zur Aufgabe machen. Deutsch zu Deutsch! Deutsche kauft nur bei Deutschen, gebet nur Deutschen Verdienst und Arbeit, dann werden die Tschechen von selber wieder dorthin gehen, woher sie gekommen sind!«[2]

Bloch kümmerte sich kaum um solche Streitereien, da er ja aus Böhmen weit aggressivere Kämpfe gewohnt war. Er fühlte sich in Linz wohl: *In einer österreichischen Kleinstadt zwang die Armut nicht zu einem Leben in Unwürde wie in der Großstadt. Es gab keine Slums und keine ernsthafte Überfüllung.*

Die Linzer Jüdische Gemeinde

Sehr rasch schloss sich Eduard Bloch der kleinen Linzer Jüdischen Gemeinde an. Diese hatte sich erst in den Sechzigerjahren des 19. Jahrhunderts gebildet, als der Staat nach und nach die Aufenthaltsverbote für Juden aufhob und einigen Familien den Zuzug auch nach Linz genehmigte. 1861 fand hier die erste jüdische Trauung statt, die, da ein geeigneter Raum fehlte, im Caféhaus gefeiert werden musste. 1863 wurde die Linzer Kultusgemeinde gegründet, ein provisorischer kleiner Tempel eingerichtet und mit Spendengeldern ein eigener Friedhof errichtet. Bisher mussten die Leichen höchst mühsam auf holprigen Wegen mit Wagen bis nach Rosenberg in Südböhmen überführt und auf dem dortigen jüdischen Friedhof beigesetzt werden. Außerdem wurde ein bescheidenes Bethaus mit Schule gebaut, wobei die Frauenschule durch ein Gitter abgetrennt war.

Als Kaiser Franz Joseph 1867 jedem Bürger, welcher Religion und Nationalität auch immer, die gleichen Rechte verlieh, hatten die Juden endlich volle Freizügigkeit, freie Berufswahl und sämtliche ihnen bisher vorenthaltenen Bürgerrechte. Nun wanderten

*Die Linzer Synagoge
wurde 1877 feierlich er-
öffnet; in der »Reichs-
kristallnacht« brannte
sie am 10. November
1938 bis auf die Grund-
mauern aus*

viele Juden aus armen ländlichen Gebieten in die Großstädte: nach
Wien, Prag und Budapest. Und aus Südböhmen kamen immer
mehr deutschsprachige Juden ins nahe Linz.

Das kleine Bethaus war für die rasch wachsende Gemeinde bald
zu eng, und eifrig wurden Spenden für eine neue Synagoge gesammelt. Die baldige Realisierung dieses Planes wurde aber erst durch
einen edlen Spender möglich: Der russische Geschäftsmann Isaak
Segall war auf der Durchreise in Linz sehr krank geworden und
starb dort 1876 nach längerem Siechtum im Alter von 50 Jahren.
Er hinterließ der Jüdischen Gemeinde 10 000 Franken in bar für
den Bau des Tempels. Bereits im Mai 1877 fand die feierliche Eröffnung statt.[3] 1909 wurde im Tempel eine Orgel aufgestellt und
1920 elektrisches Licht installiert.

Rabbiner der Linzer Judengemeinde war seit 1883 40 Jahre
lang der hoch geachtete Moritz Friedmann. Unter seiner Führung bildeten die Linzer Juden eine fast geschlossene Gesellschaft
mit eigenen Bräuchen, Feiertagen und Geselligkeiten. Zionisten
wie Liberale waren sich darüber im Klaren, wie wichtig es war, im
kleinen Linz als Juden fest zusammenzuhalten – und sich gegen-

über Nichtjuden deutlich abzusetzen. Wie Karl Schwager, Rechtsanwalt und Präsident der Linzer Kultusgemeinde, später berichtete, trafen sich die Juden in bestimmten Caféhäusern, »die andererseits von den christlichen Stadtbewohnern gemieden wurden«. Ein jüdischer Verein legte sich zum Beispiel den Namen »Unter uns!« zu. Heiraten zwischen Juden und Christen waren verpönt.[4]

Die jüdische Familiarität in Linz unterschied sich sehr von den ganz anders dimensionierten Verhältnissen in Wien: Dort lebten um 1900 rund 200 000 Juden, 90 Prozent sämtlicher Juden Cisleithaniens, der westlichen Hälfte der Donaumonarchie. Sie kamen aus allen Ländern des Vielvölkerreichs und organisierten sich in Wien in zahlreichen rivalisierenden Gemeinden und Gruppen: Liberale, Orthodoxe, Zionisten, Ostjuden, Assimilierte und viele Splittergruppen. All diese Gruppen hatten eigene Synagogen oder Bethäuser und trugen oft heftige innerjüdische Konflikte aus. Von Einigkeit war keine Spur.

In Linz hingegen gab es so gut wie keine orthodoxen Ostjuden, die in der Kleidung und durch ihr Jiddisch als solche erkennbar waren. So wunderte sich der aus Linz kommende junge Adolf Hitler in Wien über die vielen Juden »in langem Kaftan mit schwarzen Locken« und schrieb in MEIN KAMPF: »Ist dies auch ein Jude? war mein erster Gedanke. So sahen sie freilich in Linz nicht aus.« Er habe sich daraufhin »um wenige Heller die ersten antisemitischen Broschüren meines Lebens« gekauft. Und: »Seit ich mich mit der Frage zu beschäftigen begonnen hatte, auf den Juden erst einmal aufmerksam wurde, erschien mir Wien in einem anderen Licht als vorher. Wo immer ich ging, sah ich nun Juden, und je mehr ich sah, um so schärfer sonderten sie sich für das Auge von den anderen Menschen ab.«[5] Diese Manie, sich überall von »Ostjuden« umzingelt zu sehen, war um 1900 in Wien eine weitverbreitete Erscheinung, aber nicht in Linz.

Im Gegensatz zu den verworrenen Wiener Zuständen war die Linzer Gemeinde mit rund 600 Mitgliedern sehr homogen. Die Atmosphäre war harmonisch, da die meisten Linzer Juden deutschsprachig und assimiliert waren. Fast alle stammten aus dem nahen

Südböhmen, wie ja auch Bloch. Er wurde jedenfalls in Linz von der Jüdischen Gemeinde sofort herzlich aufgenommen.

Antisemitismus und dessen Gegenbewegung

Im katholischen Linz gab es damals immer noch den alten religiösen Judenhass, der bereits jüdische Kinder in der Volksschule als Fremde und »Kreuziger des Heilandes« brandmarkte. »Deutsche« Lehrer benachteiligten jüdische Schüler. Eltern verboten ihren Kindern, mit »Judenkindern« zu spielen. Jüdische Geschäfte wurden fallweise boykottiert.

Auf der Ebene der Gymnasien dagegen war schon der antisemitische Einfluss der Alldeutschen Bewegung spürbar. Deren Führer Georg von Schönerer hatte 1885 dem deutschnationalen »Linzer Programm« eigenmächtig den Arierparagrafen hinzugefügt: »Zur Durchführung der angestrebten Reformen ist die Beseitigung des jüdischen Einflusses auf allen Gebieten des öffentlichen Lebens unerläßlich.«[6] Juden durften nun weder in Schwimm- noch in Ruder-, Gesangs- und sonstigen Vereinen mitmachen. Und die Linzer Deutschnationalen begannen damit, heftig gegen die Einwanderung weiterer Juden aus Böhmen zu protestieren.

1893 erklärten die deutschen Burschenschaftler in Österreich ihre jüdischen und deutschgesinnten Kommilitonen im »Waidhofener Beschluss« als nicht satisfaktionsfähig. Betroffen davon waren auch die Burschenschaftler Theodor Herzl, Viktor Adler und Arthur Schnitzler, der in seinen Erinnerungen grimmig den Wortlaut des Beschlusses zitiert: »Jeder Sohn einer jüdischen Mutter, jeder Mensch, in dessen Adern jüdisches Blut rollt, ist von Geburt an ehrlos, jeder feineren Regung bar. Er kann nicht unterscheiden zwischen Schmutzigem und Reinem. Er ist ein ethisch tiefstehendes Subjekt. Der Verkehr mit einem Juden ist daher entehrend; man muss jede Gemeinschaft mit Juden vermeiden. Einen Juden kann man nicht beleidigen, ein Jude kann daher keine Genugtuung für erlittene Beleidigungen verlangen.«[7]

Bald gingen derartige Sprüche auch in den Linzer höheren Schulen um und vergifteten das Klima zwischen »Deutschen« und

*Antisemitische Karikatur über den »nichtarischen« Arbeiterführer
Dr. Viktor Adler, den Vorsitzenden der Sozialdemokraten*

»Juden«. Nicht zu vergessen sind die antisemitischen Krawalle rund um Karl Hermann Wolf im nahen Böhmen, die Bloch und viele seiner Glaubensbrüder aus Prag vertrieben hatten. Da aber Linz keine Universität hatte, mussten sich die deutschradikalen Burschenschaften auf die Linzer Mittelschulen beschränken und erhielten auch dort immer mehr Zulauf.

In der Rückschau auf sein Leben verheimlichte der alte Bloch durchaus nicht, dass auch Linz bereits um 1900, als er sich dort ansiedelte, *eine Hochburg des Antisemitismus war.* Zum Beispiel fand dort während der Badeni-Krise ein »Deutscher Volkstag« des »Bundes der Germanen« statt, der in Runenlettern Schönerers Losung verbreitete: »Durch Reinheit zur Einheit« – gemeint war die Reinheit des deutschen Blutes, das sich tunlichst nicht mit jüdischem (aber auch nicht mit slawischem) Blut mischen dürfe. Außerdem verfehlten die populistischen Hetzreden des seit 1897 in Wien regierenden scharf antisemitischen und katholischen Bürgermeisters Karl Lueger nicht ihre Wirkung auf die Provinz.

Angesichts dieser Probleme wollte die Linzer Gemeinde ihre
jungen Mitglieder bewegen, sich nicht allzu sehr zu assimilieren,
sondern sich selbstbewusst und kämpferisch für die Gemeinschaft
zu engagieren. So interessierte sich ein Teil der Linzer Gemeinde
rund um Dr. Karl Schwager bereits sehr früh für den Zionismus,
also den jüdischen Nationalismus, und damit auch für den Aufbau
Palästinas.

Nur Deutsche (Arier) haben Zutritt.

In den Linzer Jugendgruppen bemühte sich Schwager, das
jüdische Solidaritätsgefühl auch bei Kindern liberaler und wenig
religiöser Eltern zu stärken. So gründete er 1911 für Linzer Jugendliche als Gegengewicht zum deutschnationalen und antisemitischen »Wandervogel« die Ortsgruppe des jüdischen Wander-
bunds »Blau-Weiß«, und zwar für Jungen wie für Mädchen. Bei
wöchentlichen Gruppenwanderungen wurde das Gemeinschafts-
gefühl gestärkt. Regelmäßige, oft strapaziöse körperliche Ertüchtigung war für spätere Studenten umso wichtiger, als sie sich ja
bald an der Universität gegen die gewaltsamen Angriffe der Burschenschaftler wehren mussten. Nebenher lernten die Jugendlichen auch etwas Hebräisch und jüdische Geschichte. Aber sie
tanzten auch und spielten Theater. Und bald nahmen die Linzer
Zionisten mit den Wiener Zionisten Kontakt auf und tauschten
Erfahrungen aus.

Bereits vor 1914 bestand in Linz auch ein »Jüdischer National-
fonds«, der Spenden für die »blaue Büchse« sammelte, also für Palästina. Mit dem erfolgreichen Verkauf nationaljüdischer Marken
und Bilder imitierte er sehr erfolgreich den rührigen Deutschen
Schulverein.[8]

Abstecher nach Dresden

Eduard Blochs militärische Dienstzeit in Linz endete am 30. September 1900: *So war auch mein Aufenthalt in der schönen Donaustadt wie im Fluge vorübergegangen.* Sein Zeugnis war vorzüglich, vor allem, was seinen Charakter betraf: Er wird als freundlich, kameradschaftlich, human beschrieben. So »vorzüglich« aber seine Beurteilung in den wissenschaftlichen Fächern war, so deutlich wurden auch ein Defizit in der Praxis und eine Art Weltfremdheit attestiert. Denn für »Geschicklichkeit bei chirurgischen Verrichtungen«, »Kenntnis des ökonomisch-administrativen Dienstes« und »Kenntnis der Militär-Pharmakapoe« gab es für ihn nur die schlichte Note »entsprechend«. Immerhin sei Bloch »sehr fleißig, ausdauernd, verläßlich, ordnungsliebend und verwendbar« und außerdienstlich »sehr anständig, nett adjustiert«. Seine Aufnahme in das militärärztliche Offizierskorps wurde ausdrücklich empfohlen. Als künftigen Aufenthaltsort gab er amtlich Prag an.[9]

Bevor ich Abschied nahm, wurde ich von sehr vielen Seiten aufgefordert, in Linz zu bleiben und daselbst meine Praxis zu eröffnen. Dieser Gedanke hatte sicherlich sehr viel Verlockendes an sich; die ärztlichen Verhältnisse für die Niederlassung eines jüdischen Arztes waren nicht ungünstig, wiewohl Linz schon damals eine Hochburg des Antisemitismus war.

Mit Sicherheit war auch die wohlhabende Familie Kafka unter jenen, die den jungen Arzt baten, in Linz zu bleiben. Sie stammte ebenfalls aus Böhmen, war aber bereits eine Generation früher als Bloch nach Linz gekommen, wo sie sich sehr in der Jüdischen Gemeinde engagierte. Die jüngere Tochter der Kafkas, die damals 23-jährige Lilli, schrieb sehr viel später: »Als er unsere Heimatstadt verließ, vermißten wir ihn mehr, als ich sagen kann.«[10]

Eigentlich hatte Bloch große Pläne: *Doch ich dachte vor allem an meine Stelle in der Prager Klinik, die mir für die Zukunft vielversprechend erschien, und ferner beabsichtigte ich auch noch, meine ärztliche Ausbildung weiter zu vervollständigen. So erhielt ich infolge meiner sehr guten Qualifikation unter Hunderten*

von Mitbewerbern eine Stelle als Externassistent an der Frauen-
klinik in Dresden angeboten, die als eine der besten Lehrstätten
Deutschlands bekannt war. Der Chef der Anstalt, der Gynäko-
loge Geheimrat Professor Gerhard Christian Leopold, war eine
Kapazität auf seinem Gebiet. Blochs Stolz auf gerade dieses Angebot war also berechtigt.

Auf der Fahrt nach Dresden machte Bloch in Prag Station,
um seinen verehrten Lehrer Alfred Pribram zu besuchen. *Dieser*
wusste bereits um meine Bewerbung um die Stelle, denn die pein-
lichsten Erkundigungen wurden von der Leitung der Dresdner
Frauenklinik gepflogen, bevor man einem Bewerber eine Ex-
ternassistentenstelle verlieh. »*Eine so seltene Gelegenheit, sein*
Wissen zu bereichern, darf man sicherlich nicht ungenützt vor-
beigehen lassen«, bemerkte er, »*Sie kommen ja dann natürlich*
wieder zu uns auf die Klinik zurück; Sie wissen, wie sehr ich
Ihre Tüchtigkeit und Gewissenhaftigkeit schätze, doch mehr als
eine Dozentur Ihnen zu bieten, steht gegenwärtig nicht in meiner
Macht.«

Aber Pribram wies zugleich darauf hin, dass sein langjähriger
Assistent Dr. Sch. der erste Anwärter auf eine Dozentur sei und
dass die meiner dann harrende lange Wartezeit auch aus mate-
riellen Gründen nicht zu überwinden sei. Pribram schlug ihm
vor: »*Und warum lassen Sie sich nicht in Prag nieder? hier, wo*
Sie durch Annahme einer Fabrikarztstelle – Hofrat Pribram
wusste von meinen Beziehungen zu der bereits erwähnten Fabri-
kantenfamilie – jeder materiellen Sorge enthoben sein würden.«
Gemeint war die nicht identifizierte Familie, bei der Bloch Hauslehrer gewesen war.

Sehr erstaunt war Pribram, als Bloch ihm darauf antwortete,
er wolle sich nicht in Prag, sondern in Linz niederlassen: »*Herr*
Hofrat wissen um die ständigen nationalen Kämpfe hier; ich
möchte nicht gerne in einer Stadt leben, wo man gezwungen ist,
aus persönlichen Sicherheitsgründen mit dem Revolver in der
Tasche zur Klinik zu gehen, wie wir dies im letzten Jahre thun
mussten.« Pribram versicherte, seine Klinik sei für Bloch jederzeit
offen, und verabschiedete sich herzlich.

In Dresden waren Blochs Tage *von ernster, sehr anstrengender Arbeit* ausgefüllt, wie er rückschauend schrieb: *Hier wurde Wissenschaft mit Ernst und Strenge gepflegt, vornehmlich im Dienste practischer Tätigkeit. Meine wenigen freien Stunden verbrachte ich in den herrlichen Bildergalerien der Stadt.* Von Geselligkeit, Freunden und Vergnügen keine Spur.

Zurück nach Linz

So zog die Sehnsucht den jungen Eduard Bloch sehr bald wieder zurück nach Linz: *Nach reiflicher Überlegung kam ich zu dem definitiven Entschlusse, mich in Linz niederzulassen, also als praktischer Arzt eine eigene Praxis zu eröffnen. Ich verliess meine Stelle in der Frauenklinik und kam eines frostigen Wintermorgens in Linz an, erwartet von vielen lieben Freunden.*

Diese Freunde hatten für ihn bereits eine Wohnung mit genügend Raum für eine Praxis gemietet, und zwar an der Landstraße, der noch heute belebtesten Straße der Stadt. Sogar eine – ältere – Haushälterin war für ihn engagiert. *Die Einrichtung der Wohnung, die Besorgung des Instrumentariums, die notwendigen amtlichen und privaten Besuche nahmen nicht allzu lange Zeit in Anspruch, und so konnte ich bald in der gelesensten Tageszeitung meine Praxiseröffnung mitteilen.*

Kurz nachdem sich Bloch in Linz niedergelassen hatte, kam ein Brief von Pribram. Er teilte Bloch mit, dass Dr. Sch., sein langjähriger Assistent, *der ... mir im Range voran war, plötzlich gestorben sei; die akademische Carriere wäre mir nun offen gewesen! Ich lehnte den Vorschlag, auf die Klinik zurückzugehen dankend ab, denn meine ärztliche Tätigkeit in Linz erfüllte mich mit voller Befriedigung.* Bloch entschied sich gegen eine akademische Laufbahn in Prag und für den praktischen Arztberuf in Linz.

Die Praxis lief von Anfang an gut: *Die Officiersfamilien, die ich als Militärarzt behandelt habe, nahmen mich zu ihrem Hausarzte, viele andere Familien kamen dazu, bald begann auch die Landbevölkerung sehr häufig meinen ärztlichen Rat einzuholen; kurz, ich konnte schon nach Ablauf einiger Wochen nicht allein*

mit meinen Heilerfolgen, aber auch mit den materiellen Ergeb-
nissen zufrieden sein. Im Laufe der Zeit wurde ich der meist-
beschäftigte Arzt der Stadt.

Seine Beliebtheit führte Bloch auch darauf zurück, dass seine
Praxis jederzeit jedem Hilfesuchenden offen war, und: *ich habe*
nie auch nicht den allergeringsten Unterschied zwischen einem
Armen oder Reichen gemacht. Ich habe jedem Rufe eines Kran-
ken Folge geleistet, auch in den kältesten Winternächten, so dass
meine stete Bereitwilligkeit zur Hilfeleistung beinahe sprichwört-
lich wurde.

In Linz gingen viele Geschichten über Bloch um. So hatte er die
Gewohnheit, jede seiner vielen Patientinnen, ob arm oder reich,
mit »Gnädige Frau« anzusprechen. Als ein »altes Mutterl« protestierte: »Herr Doktor, ich bin keine ›Gnädige Frau!‹«, soll Bloch
geantwortet haben: »Dadurch, dass Sie zu mir kommen, meine Patientin sind, werden Sie zur gnädigen Frau!« Vor seiner Praxis in
der Landstraße stand ständig ein gemieteter Einspänner und wartete auf den Kutscher: Bloch selbst. Er kutschierte das Pferd durch
Linz und Umgebung, bei Nacht und bei Tag und bei jedem Wetter.
Schon dadurch wurde er ein bekannter Mann. Auf dem Kopf trug
er sein Leben lang einen breitkrempigen schwarzen Filzhut, der
ihn gegen schlechtes Wetter schützte.[11]

Bereits ein Jahr nach seiner Praxiseröffnung in Linz wurde
Bloch in den Vorstand der Jüdischen Gemeinde gewählt, ein deutlicher Beweis für seine Beliebtheit: *meine glühende Liebe zum Ju-*
denthum, vielleicht auch meine Kenntnis jüdischen Geschichts-
und Schriftthums liess mich für diese Stelle geeignet erscheinen.
Ehrenamtlich versah er in der Gemeinde die Stelle des Armenarztes und erinnerte sich später voll Stolz: *es gab keine irgendwie*
wichtige Gemeindeangelegenheit, die ich nicht mitzuberaten, bis-
weilen zu entscheiden hatte; bei der Oppositionslust einzelner
Gemeindemitglieder war dies so manchesmal keine so einfache
Angelegenheit! Und: *Ich habe, sofern mich meine berufliche Thä-*
tigkeit nicht unbedingt abhielt, beinahe täglich das Gotteshaus be-
sucht, ohne streng orthodox eingestellt zu sein. Ich habe mich stets
bemüht, die ethischen Gesetze des Judenthums hochzuhalten, die

Der junge Dr. Eduard
Bloch in Linz

mir als der wesentlichste, kostbarste Theil der Religion erscheinen,
doch auch der Form, wo immer nur es anging, Genüge zu thun!

Noch 1941 in New York zitierte Bloch schmeichelhafte Zeugnisse des Budweiser Rabbiners Rudolf Ferda und des berühmten
Rabbiners der Prager Meisel-Synagoge, Friedrich Knöpfelmacher:
»Herr Dr. Eduard Bloch, derzeit in Linz, besitzt geradezu stau-
nenswerte Kenntnisse jüdischer Geschichte, hebräischen Schrift-
tums und jüdischer Weisheit, die ihn als einen Gelehrten auf diesem
Gebiete erscheinen lassen. Sein reiches profundes Wissen auf allen
Gebieten menschlicher Forschung, seine vorbildliche religiöse Le-
bensführung, die überaus selbstlose, äusserst humanitäre Einstel-
lung, vor allem aber seine glänzende Rednergabe, die er in einer
grossen Anzahl hervorragender, herrlicher Predigten bewiesen
hat, befähigen Herrn Dr. Bloch in ganz besonderem Maasse zur
Ausübung des Berufes eines Rabbiners und Predigers.«

Nach weiteren solchen Zitaten – auch von der Wiener Kultusgemeinde: »Dr. Bloch kann als das geistige Centrum der Linzer

Juden bezeichnet werden« – kommentierte Bloch: *Ich könnte wohl sehr viele schriftliche Anerkennungen bezüglich meiner Gemeindetätigkeit anführen, doch vermeide ich dies, um ja nicht den geringsten Schein von Selbstgefälligkeit zu erwecken!* Angesichts dieser Lobpreisungen seiner selbst ist allerdings zu bedenken, dass Bloch diese Erinnerungen als alter, armer und müder Mann in New York schrieb. Er dürfte seine Linzer Jahre wohl aus Heimweh und Kummer verklärt haben. Aus den Zitaten kann man aber auch schließen, dass er Teile seiner Linzer Korrespondenz, vor allem die Dankschreiben, mit nach New York genommen hatte.

4 Familie Kafka

Verlobung

Eduard Bloch hatte einen guten Grund, in Linz zu bleiben: Er hatte sich verliebt. Als alter Herr erinnerte er sich: *Eines Tages wurde ich ... zur Behandlung eines Kindes gerufen, das an einem schweren Bronchialkatarrh erkrankt war; ich besuchte den Jungen ... vielleicht öfters als dies unbedingt notwendig gewesen wäre, denn bei diesen Besuchen lernte ich meine liebe Frau kennen. Das Kind wurde gesund; ich habe mich kurze Zeit nach dessen Genesung verlobt.*

Bei dem kleinen Patienten handelte es sich um Kurt Ungar, den ersten Enkel der oben erwähnten Familie Kafka und Sohn von Tochter Bertha, die den Sommer mit ihrem Kind bei den Eltern in Linz verbrachte. Als der kleine Kurt krank wurde, baten die Kafkas Dr. Bloch nach einigem »pro und contra«, denn er war ja kein Kinderarzt, um einen Krankenbesuch. Er kam, und das Kind war bald gesund.

Die Kafkas wohnten in der zentral gelegenen Landstraße 44 in einem großen Haus, in dessen Parterre sich das gut gehende Geschäft der Firma LUSKA befand: »Ludwig und Sigmund Kafka, k.u.k. Hoflieferanten, Brandweine, Konserven, Essig, Senf, Gurken«. Die Familie wohnte im ersten Stock in einer Wohnung mit elf Räumen, gleich über dem Geschäft.

Die Kafkas waren in Linz hoch angesehen. Sie führten ein kultiviertes und sehr geselliges Haus, wo eifrig Hausmusik gepflegt wurde: von der Hausfrau, ihren beiden Söhnen und der noch ledigen jüngsten Tochter Lilli.

Bloch, der Gemütlichkeit und gutes Essen liebte, besuchte die Kafkas auch dann noch, als der kleine Kurt längst wieder gesund war. Er kam so häufig, dass er scherzhaft »Onkel Doktor« genannt wurde, auch wenn kein Patient zu betreuen war. Er küm-

merte sich um die Kinder und deren Fortgang im Studium, ihre Freundschaften, ihre intellektuelle Entwicklung und ihr körperliches Wohlbefinden – und fühlte sich bei den Kafkas sichtlich wohl.[1]

Sigmund Kafka war in Linz ein wohlbekannter Herr. Er war sehr fromm, dabei aber liberal, liebte Schiller und Goethe und zitierte gerne aus deren Werken. Mit seinen Kindern diskutierte er eingehend religiöse wie moralische Fragen. Seine Enkelin Trude schrieb über ihn: »Die Art, wie er das Seder-Fest führte, war voll Wärme und Liebe für die Familie.« Gerne habe er die vorgeschriebenen langen Gebete abgekürzt und stattdessen den Sinn der Rituale erklärt, was die Jugend sehr schätzte. Legendär war die Sparsamkeit des reichen Sigmund Kafka. Seine vier Kinder wuchsen ohne Spielzeug auf und besaßen wie der Vater keinen Wintermantel. Sie sollten sich darunter eben wärmer anziehen, meinte Sigmund trocken. Bei aller Sparsamkeit aber spendete er sehr viel Geld für wohltätige Zwecke gemäß seinem Wahlspruch: »Manchmal muss die Krone für dich wie ein Heller sein, manchmal der Heller wie eine Krone.«

Sigmunds Ehefrau Hermine war wegen ihrer Härte und ihres Geizes gefürchtet. Sie arbeitete tagsüber im Geschäft. Abends nahm sie Privatstunden in englischer und deutscher Literatur, lernte lange Passagen aus Shakespeare-Dramen auswendig und glich so ihre wenig attraktive Erscheinung aus. Vor allem interes-

sierte sie sich für Geschichte und galt als Spezialistin für die Ver-
wandtschaftsverhältnisse der europäischen Monarchen.[2] Und sie
spielte leidenschaftlich Klavier.

Lilli erinnerte sich sehr viel später in den Vereinigten Staaten an
die schönsten Szenen ihrer Kindheit: »Das waren die seltenen aber
fast heiligen Stunden, wenn sich meine Mutter ans Klavier setzte,
sich Zeit nahm von ihrem arbeitsreichen Stundenplan als Hausfrau und Mutter von vier Kindern, ohne Dienstmädchen und elektrische Hilfen. Sie spielte gut, mit zartem Ausdruck und vollem
Körpereinsatz: Erinnerungen an Konzerte und Opern oder alte
Volkslieder. Wir konnten nie genug davon hören.«[3] Auch Bertha
und Lilli musizierten viel und studierten anhand vierhändiger Kla-
vierauszüge Sinfonien ein. Gerne begleitete Lilli am Klavier ihren
älteren Bruder Rudolf, der eine schöne Baritonstimme hatte, und
versorgte ihn mit immer neuen Liedern.

Bald hatte Bloch auch als Arzt wieder viel bei den Kafkas zu
tun: Egon, der 21-jährige jüngste Sohn der Kafkas, hatte sich
mit einem gefährlichen typhösen Fieber angesteckt, das in Linz
umging. Seine Schwester Lilli berichtete später: »Er brauchte ständige ärztliche Betreuung und Überwachung. Dr. Bloch war über
Wochen Tag und Nacht an seinem Krankenbett. Ich kümmerte
mich um meinen Bruder, unterstützte die Nachtschwester und
führte all die vielen nötigen Arbeiten durch.« Und: »Da blieb keine
Zeit noch Stimmung für Trivialitäten. Dr. Bloch und ich sahen uns
gegenseitig, wie wir wirklich waren, ohne irgendein physisches
oder mentales Make-up. Wir verbrachten Stunden voll Angst miteinander und teilten die Freude, als mein Bruder wieder ins Leben
zurückkehrte.« Und schließlich: »Mein Bruder hatte sich längst
erholt. – Dr. Bloch kam aber immer noch in unser Haus, Abend
für Abend.«[4]

Bloch und die tatkräftige, aber auch sanfte, musikalische
25-jährige Lilli Kafka verliebten sich ineinander. Dies war auch
Lillis Triumph über die Pläne von Mutter Hermine, die für sie bereits sehr früh eigenmächtig einen Ehemann bestimmt hatte, den
das Mädchen verabscheute. Lilli hatte hautnah die Qualen ihrer
älteren Schwester Bertha miterlebt, die von der Mutter mit knapp

18 Jahren in die arrangierte Ehe mit dem weit älteren jüdischen Wiener Kaufmann Robert Ungar gezwungen worden war und sehr unglücklich wurde. In ihrem Kampf gegen eine arrangierte Ehe war Lilli von ihrer fortschrittlichen Großmutter Dubsky bestärkt worden, die einige Zeit bei den Kafkas wohnte. Diese machte dem verzweifelten Mädchen klar, dass nur sie selbst das Recht zu einer so wichtigen Entscheidung wie der Heirat habe. Ja, sie sei es sich sogar schuldig, ihr Leben nicht dem Willen ihrer Eltern aufzuopfern – eine für die Jahrhundertwende in jüdischen Kreisen erstaunlich fortschrittliche Ansicht.

Als Lilli dem anbefohlenen Bräutigam dann eigenmächtig den Laufpass gab, machte Hermine ihrer alten Mutter einen solchen Krach, dass diese zum Kummer der Enkel das Haus für immer verließ und zu einer anderen Tochter übersiedelte, zu Sophie Schindler.

Lilli hatte sich seither mit dem Heiraten Zeit gelassen. Sie arbeitete zu Hause mit, lernte eifrig Fremdsprachen und musizierte viel. Ein Höhepunkt ihres Lebens war, als ein wahrhaftiger Erzherzog, also ein Mitglied des Kaiserhauses, sie bei einem Ball in Innsbruck unter all den vielen Mädchen auswählte und zum Tanz aufforderte. Seither habe sie sich weniger als »Aschenbrödel« gefühlt, so berichtete später ihre Tochter Trude.

Nun hatte Lilli endlich den Mann gefunden, den sie von Herzen liebte: Eduard Bloch.

Sigmund und Hermine Kafka

Eduard Blochs baldige Schwiegermutter Hermine Kafka, geborene Dubsky, stammte aus Horažďowitz in Westböhmen, wo ihre Eltern einen kleinen, nicht sehr profitablen Bauernhof betrieben. Als Älteste von fünf Kindern hatte sie dort hart arbeiten müssen, auch auf dem Feld. Zeit zum Lesen oder für Musik blieb ihr so gut wie nicht. Wie ihre Enkelin Trude Bloch in ihrer Familienchronik berichtet, habe Hermine die Arbeit auf dem Bauernhof nicht gemocht. Außerdem hielt sie sich für die »hässliche Ente« der Familie – im Gegensatz zu ihrer jüngsten Schwester Sophie, die groß, blond und hübsch war. Hermine dagegen war klein und untersetzt, hatte kräftige dunkle Haare und graublaue Augen, eine hohe Stirn und einen ziemlich großen Mund.

Als sie 18 war, wurde sie, wie es üblich war, von den Eltern verheiratet, und zwar mit dem neun Jahre älteren Sigmund Kafka. Die beiden wohnten zunächst bei Hermines Eltern in Horažd'owitz, wo 1869 Tochter Bertha und 1871 Sohn Rudolf geboren wurden. Der Name Rudolf zeigt Hermines Verehrung für das Kaiserhaus, in diesem Fall für den damals 13-jährigen Kronprinzen Rudolf.

Hermine hasste die schwere Feldarbeit, die die Grenzen ihrer physischen Kraft überstieg und sie von den geliebten Büchern fernhielt. Als ihre Eltern nach einer schlechten Ernte und wegen mangelnder Fachkenntnisse in Armut gerieten, machten sich die Kafkas selbstständig und zogen nach Linz. Hier kaufte Sigmund mit seinem älteren Bruder Ludwig das Haus Landstraße 44, wo sie 1874 das gemeinsame Geschäft eröffneten. Im weiten Hof des Hauses befand sich die eigene Brennerei, wo nach alten Rezepten Qualitätsliköre aus Kräutern und Gewürzen destilliert wurden, die bald sogar in Übersee regen Absatz fanden. Auch Senf, Essig, Fruchtsäfte und Marmelade wurden produziert, außerdem gab es eine Konservenfabrik. Die Familie bewohnte den ersten Stock des Hauses. Die übrigen Wohnungen waren vermietet.

In Linz wurden die jüngeren Kinder der Kafkas geboren: 1876 Emilie, genannt Lilli, und 1880 Egon. Die Schwestern liebten und schützten den kleinen Bruder, blieben aber gegenüber Rudolf, dem selbstbewussten und von Mutter Hermine bevorzugten Ältesten, schüchtern zurückhaltend.

Mutter Hermine lebte in Linz auf – trotz ihrer quälenden Gürtelrose, unter der sie ihr Leben lang litt. Sie besaß nun endlich ein Klavier und übte darauf fleißig.

Am 2. März 1884 verübte Ludwig Kafka, Sigmunds 51-jähriger Bruder und Kompagnon, Selbstmord. Der Grund dafür ist nicht klar. Sein Neffe John Kafka erfuhr die Familienversion: Ludwig habe seine drohende Erblindung nicht akzeptieren können und sich deshalb das Leben genommen. Seine Großnichte Trude Bloch bestätigte, dass Ludwig ein Glaukom gehabt und sich mit einem

Linz um 1900 mit Blick auf die nach Urfahr führende eiserne Donaubrücke

Rasiermesser die Pulsadern durchgeschnitten habe. Sie berichtete aber auch von Gerüchten über schwere Zerwürfnisse der Brüder und Geschäftspartner, wobei es um Geld ging. Ludwigs Tod habe bei seiner alten Mutter in Böhmen einen so schweren Nervenzusammenbruch ausgelöst, dass sie monatelang mit niemandem mehr sprach und sich nur sehr langsam von dem Schlag erholte.

1892 gliederte Sigmund Kafka die Essig- und Marmeladenerzeugung aus und verlegte sie in ein großes Gelände – rund 25 000 Quadratmeter – in der Kleinstadt Urfahr jenseits der Donau, in der Hagenstraße. Dort, mitten in einem riesigen Garten, der zur Aufzucht der nötigen Obstsorten diente, entstand die stattliche Brennerei: »Erste Oberösterreichische Likör- und Essigfabrik in Linz und Urfahr L. & S. Kafka«.

In Urfahr wurde nun auch eine Villa im Grünen gebaut, wo die Kafkas vom Frühling bis zum Herbst wohnten. Laut Blochs Tochter Trude sei dies ein idealer Platz gewesen mit dem Obstgarten, einem Wäldchen zum Abkühlen, einem kleinen Hügel, wo die Kinder im Winter Schlitten fuhren. In einem hölzernen »Lusthaus« lasen und spielten sie, bald auch die Enkel, und machten hier ihre Schulaufgaben. Es gab auch einen Gartenpavillon und viele

Teiche. Die Familie Kafka war in dieser Zeit sehr wohlhabend und geschäftlich erfolgreich. Sigmund Kafka wurde im kleinen Urfahr sogar Direktor des dortigen »Israelitischen Frauenvereins«.

So idyllisch das alles auch aussah, so arbeitsreich und schwer war der Alltag. Wie Lilli Bloch ihrer Tochter Trude erzählte, hätten die Hausfrau Hermine und deren Töchter mit wenig Personal bis zur Erschöpfung gearbeitet, um die überreiche Obsternte einzubringen und rasch zu verarbeiten. Um den weitläufigen Obstgarten zu bewässern, mussten schwere Bottiche über große Strecken getragen werden. Außerdem waren auch Hühner und anderes Getier zu versorgen. Die beiden Söhne freilich, vor allem Hermines Liebling Rudolf, blieben von solch harter Arbeit verschont.

Jedenfalls war die Firma Kafka die erste in Oberösterreich, die eine solche Obstverwertung professionell betrieb. Die Erhaltung dieses großen Besitzes sei aber, so Trude, auch eine große finanzielle Belastung gewesen.

Rudolf Kafka, der Juniorchef

Auch der älteste Sohn der Kafkas, der sehr sensible und kunstsinnige Rudolf, hatte Probleme mit den Eltern. Denn diese wollten ihn als Juniorchef ins Geschäft zwingen. Auch er suchte Hilfe bei der Großmutter: Er wolle nicht Geschäftsmann, sondern Schriftsteller werden. Als er dann doch ins Geschäft befohlen wurde, betrieb er es nur nachlässig, zumal er seine geplanten Modernisierungen nicht durchsetzen konnte. Als er sich zum Beispiel mit seinem ersten selbst verdienten Geld eine Schreibmaschine kaufte, verursachte er damit einen Familienkrach, so Trude Bloch: »Die antiquierten väterlichen Prinzipien, wie ein Geschäft zu führen sei, kollidierten nun mit den modernen Vorschlägen des eifrigen jungen Mannes, und auch weitere vorgeschlagene Verbesserungen trafen auf dieselbe Sturheit und Opposition.«[5] Auch für ihn hatte sich die fortschrittliche Großmutter eingesetzt, aber vergeblich.

Seit 1897 war Rudolf Kafka Mitglied des Linzer »Kaufmännischen Vereins«, der nur wenige Juden aufnahm, und gehörte damit zu den Honoratioren der Stadt. Der Verein hatte ein reiches

Vortragsprogramm mit berühmten Rednern aus allen Berufen:
so die Schriftsteller Hermann Bahr, Peter Rosegger und Ludwig
Ganghofer, die Hofschauspieler Ludwig Gabillon und Josef und
Olga Lewinsky, der Komponist Wilhelm Kienzl, der Mediziner
Julius Tandler, der Berliner Ägyptologe Heinrich Brugsch-Pascha
und auch die Friedenskämpferin Bertha von Suttner. In der eleganten Atmosphäre des neuen Vereinshauses wurde Geselligkeit
gepflegt. Jährlich machte der Verein einen Ausflug, so 1889 zum
Schwarzenberg-Schloss Frauenberg in Südböhmen mit anschließendem Besuch einer Gewerbeaustellung in Budweis.[6]

Mit der Zeit häuften sich die Krisen um Rudolf. Er verliebte
sich in eine Cousine aus Amerika namens Mathilde und verlobte
sich mit ihr. Dann bat er den Vater, ihm das Geld auszuzahlen,
das er bisher im Geschäft verdient habe. Aber dieser verwies ihn
darauf, dass er ja ohnehin die Firma nach seinem, des Vaters, Tod
bekommen würde. Rudolf flehte, ihn doch nicht darauf warten
zu lassen – aber vergeblich. Mutter Hermine war ohnehin gegen
die Braut: Angeblich fehlten dem Mädchen die Qualitäten einer
europäischen Hausfrau, denn sie habe zerrissene Strümpfe weg-
geworfen, statt sie zu flicken. Dies erzählte Lilli später ihrer Tochter Trude.

Rudolf musste seine Verlobung lösen. Die Cousine kehrte in
die USA zurück. Trude Bloch: »Rudolfs gequälte Seele flüchtete
in einen Nervenzusammenbruch – einen von vieren, die er erlebte.
Danach war er nicht nur depressiv im üblichen Sinn, sondern wirklich geisteskrank: Er war desorientiert, glaubte, der Prophet Elias
oder andere Personen zu sein, und wurde auch gewalttätig. Er
musste für einige Monate in die Nervenheilanstalt in Inzersdorf
bei Wien gebracht werden. Nie mehr wurde er seelisch stabil.«

Die Familie wusste, dass Rudolf Syphilitiker war, aber schwieg
darüber. Erst Jahrzehnte später, als Rudolf bereits tot war, gab
Trude das Familiengeheimnis preis: »Rudolf infizierte sich auch
mit Syphilis, die mit den unvollkommenen Mitteln der damaligen Ärzte nicht zu heilen war. Das war auch der Grund, warum
er erst so spät heiratete.« Rudolfs Neffe, der Psychoanalytiker
Dr. John S. Kafka, erläutert den damals möglichen Verlauf einer

psychischen Krankheit bei gleichzeitig bestehender Syphilis: Perioden schwerer Psychosen traten auf, oft zusammen mit anderen Symptomen wie Verfolgungswahn und Größenwahn. Um 1900 gab es noch keine wirksame medikamentöse Behandlung, die diese schweren Symptome der Syphilis hätten verhindern können. Wegen seiner Krankheit war Rudolf nun weitgehend von den Mühen des väterlichen Geschäfts befreit.

Aber bei Rudolf Kafka gab es auch immer wieder lange Perioden guter mentaler und körperlicher Verfassung. Wenn es ihm gesundheitlich gut ging, fuhr er als eleganter junger Herr auf Geschäftsreisen und verband diese gerne mit Abstechern in die Schriftstellerszene. In Wien fand er Anschluss an den Kreis des von ihm verehrten Dichters Peter Altenberg, und in Berlin schloss er sich dem literarischen Zirkel um Ludwig Jacobowski an. Dort lernte er den Anthroposophen Rudolf Steiner persönlich kennen und wurde dessen glühender Anhänger.

Der »Schöngeist«, wie Rudolf von einigen Familienmitgliedern vielleicht etwas neidisch genannt wurde, dichtete mit großer Leidenschaft. Sein Neffe John besitzt Rudolfs Gedichtband Vom ewigen Traum von 1901 mit dem schönen Vers, betitelt: »Grabinschrift«:

> »Es war ein Traum,
> Der sich die Flügel brach,
> Als er zum Leben wollt' erwachen ...«

Rudolfs Aufsatz »Weltanschauung und Perspektive« erschien im Juli 1897 in der progressiven Berliner Zeitschrift Die Gesellschaft. 1900 fand sein Name sogar Einlass in Kürschners Deutschen Literatur-Kalender, zwar ohne Angabe seiner Werke, aber mit Erwähnung seiner Tätigkeit: Feuilleton, Lyrik, Kunst und Philosophie. Auch der entfernt verwandte Bruno Kafka, Professor der Rechte, Mitglied des Prager Parlaments und Führer der böhmischen Deutschnationalen, ist hier als Schriftsteller verzeichnet.

Später, als Franz Kafka berühmt wurde, kamen immer wieder Fragen an die Linzer Kafkas, ob sie mit dem Dichter verwandt

seien. Inzwischen ist die wenn auch weitläufige Verwandtschaft
so gut wie geklärt: Der Urgroßvater der vier Linzer Kafka-Ge-
schwister war, wenn auch nur weitläufig, mit dem oben erwähnten
Bruno Kafka verwandt. Und Bruno Kafka war wiederum ein
Cousin zweiten Grades von Franz Kafka. Als weiteres Indiz galt
die Tatsache, dass die Vorfahren der Linzer Kafkas aus Strakonitz
in Böhmen stammten und Franz Kafkas Vater Hermann aus dem
Dorf Wossek bei Strakonitz kam.[7]

1901 kam eine hübsche und intelligente neue Herrschaftsköchin
zu den Kafkas: Käthe Schübler. In ihren späteren Erinnerungen
berichtet sie von ihrer schlimmen und arbeitsreichen Kindheit in
größter Armut, gepeinigt, geschlagen und vergewaltigt vom Stief-
vater. Mit 13 Jahren bereits musste sie sich als Vollwaise allein
durchschlagen und auch noch für ihre kleine Schwester sorgen.
Sie erwies sich als sehr tüchtig und energisch. In Gasthäusern,
in denen sie als Magd arbeitete, eignete sie sich ihre vorzüglichen
Kochkünste an. Ihre nicht zu bestreitende Intelligenz zeigt sich
auch an jenem Text, worin sie aus der Dienstbotenperspektive
einen Einblick in das Familienleben der Kafkas gewährt.

Die Arbeit unter Kontrolle der strengen Hausfrau Hermine war
für Käthe anfangs mühsam, vor allem weil sie zum ersten Mal in
einem jüdischen Haushalt arbeitete: »Wir bewohnten den ganzen
ersten Stock, und ich hatte jeden Tag sieben Zimmer aufzuräumen
und zu kochen. Viel Geschirr gab es, weil wegen des Glaubens
alles separat sein musste. Es durfte kein Fleischgeschirr zu einem
Milchgeschirr dazu.« Und: »Zweimal jede Woche musste ich die
Küche um 10 Uhr abends reiben. Das Putzwasser musste ich vom
Leierbrunnen im großen Hof heraufholen. Da fürchtete ich mich
immer in dem großen Hof.« Die Hausfrau, also Hermine Kafka,
sei »nicht so gut für die Angestellten in ihrem Haushalt« gewesen:
»Sie war bezüglich Essen sehr geizig, obwohl alles für die Familie
da war. Ich hatte es nicht sehr leicht, zumal diese Familie sehr auf
ihren jüdischen Ritus hielt. Ich musste noch viel lernen.«[8]

Auf den Seniorchef Sigmund Kafka aber ließ das Personal
nichts kommen, auch Köchin Käthe nicht: »Der alte Herr war die

Die Brüder Rudolf
(links) und Egon Kafka
um 1905

lautere Güte und ein sehr guter Chef für seine Angestellten. Sein Gerechtigkeitssinn war überall bekannt.« Ein weiterer Lichtblick war Lilli, die der drei Jahre jüngeren Käthe oft beim Aufräumen half und, so rühmte Käthe noch viel später, immer freundlich zu ihr war.

Obwohl Käthe einen Verlobten hatte, einen Linzer Fleischhauergehilfen, begann sie bald für Rudolf zu schwärmen, den älteren, eleganten Sohn des Hauses. Eines Tages las ihr sogar die sonst so strenge Hausfrau Hermine voll Mutterstolz vor, »was der Herr Rudolf gerade in diesem Augenblick gedichtet hat«, nämlich:

>»Die Welt ist eng, die Welt ist klein,
>so schilt oft mancher Tor,
>es schiebt ja nur sein enger Geist die Riegel vor.«

Als »Herr Rudolf« von einer seiner vielen Reisen nach Hause kam und Käthe nett und höflich behandelte, fühlte sich die junge Frau sehr geschmeichelt. Hausfrau Hermine entging dies nicht. Jedenfalls gab sie dem Mädchen ein Buch zu lesen: »Der Inhalt handelte von einer Bauernmagd, die der Sohn der Besitzerin entehrt hatte und die dann mit Schande vom Hof musste. Als sie im Unglück war, hat der Sohn sie verleugnet.« Das kommentierte Käthe viele Jahre später: »Was meinte die Frau, war sie hellsichtig?«[9]

Eduard Bloch und Lilli Kafka heiraten

Zunächst aber drehte sich im Hause Kafka alles um Lillis bevorstehende Verlobung mit Eduard Bloch. Wieder spielte das Baby Kurt, das das Brautpaar zusammengeführt hatte, eine gewisse Rolle. Denn wenige Tage vor der Verlobung wurde das Kind, das bereits laufen konnte und zu sprechen begann, auf Blochs Rat abgestillt. Die von Großmutter Hermine engagierte böhmische Amme, »dick, jung und sauber«, die bisher im Hinblick auf den Säugling mit reichlichem Essen verwöhnt worden war, erhielt nun von einem Tag auf den anderen eine ebenso dürftige Nahrung wie das übrige Hauspersonal. Die resolute Amme rächte sich, indem sie sich immer wieder kurzfristig die Schlüssel zur Vorratskammer aneignete und daraus Essen stahl.

Ihren größten Coup landete die Amme ausgerechnet an dem Tag, als Bloch »in ganz großer Toilette« mit einem »enormen Rosenstrauß« bei den Kafkas um Lillis Hand anhielt. Die ebenfalls hungernde Köchin Käthe schilderte später nicht ohne Schadenfreude: »Ich putzte Hendl, und sie wurden ganz herrlich knusprig gebacken. Essen aber sollten sie die Herrschaften nicht.« Die Amme wusste nämlich, dass Juden nichts essen dürfen, das einmal auf den Boden gefallen war, und handelte: Sie »schüttete die Backhendln samt Platte auf den Fußboden und schrie: ›Gnäe Frau, gnäe Frau, die Katze hat die Hendl herunter geworfen.‹ Alles lief vom Garten herein und sah die Bescherung. Da sagte die Frau, jetzt müssen wir die Hendl den Säuen geben. Die Amme aber meinte: ›gnä Frau, die essen wir ja doch.‹ ›Ja, wenn sie sie mögen.‹«

Während sich das Personal mit großem Vergnügen an den knusprigen Hendln satt aß, musste sich der ahnungslose Bräutigam mit rasch eingekauftem Aufschnitt begnügen.

Verlobungsbild von Eduard und Lilli

Aus Zorn über die geizige Hausfrau verließen Amme wie Köchin noch vor Lillis Hochzeit das Haus. Käthe: »Um den alten Herrn [Sigmund Kafka] war mir aufrichtig leid, die anderen [alle außer Hermine] ließen mich nur ungern fort.« Vor allem dachte sie dabei an ihren Schwarm, den jungen Herrn Rudolf. Immerhin hatten sich die beiden vor seiner letzten Abreise bereits geküsst.

Kurz vor der Hochzeit übersiedelte der 30-jährige Bloch am 27. Mai 1902 von seiner bisherigen kleinen Wohnung in der Landstraße 21 auf die andere Straßenseite in eine große Wohnung im prachtvollen barocken Palais Weißenwolff, Landstraße 12. Das 1715 gebaute Haus – wahrscheinlich ein Werk des Bildhauers Leonhard Sattler, der auch im nahen Stift Sankt Florian baute – ist noch heute ein Baujuwel der Stadt, vor allem wegen der beiden großen Atlasfiguren, die am Eingang den eleganten Balkon tragen.

Im ersten Stock des Palais richtete Bloch seine Wohnung und seine Ordination ein. Er liebte dieses Haus, studierte dessen Geschichte und betonte gern und voll Stolz, dass hier während der französischen Besatzung einige Marschälle Napoleons ihr Hauptquartier hatten. Auf einer Tafel im Eingang wird heute noch des französischen Marschalls Jean Victor Moreau gedacht, der 1800

Das Brautpaar mit den Trauzeugen; von links: Lillis Bruder Egon Kafka,
ihre Schwester Bertha Ungar, ihre Freundin Vilma Fürth und Eduards
älterer Bruder Adolf Bloch

hier wohnte. In dieser Zeit war Nikolaus Ungnad Graf von Weißenwolff Feldmarschallleutnant. Seit 1793 nahm er an den napo-
leonischen Kriegen teil, war noch in den Befreiungskriegen 1815
aktiv und starb 1825 als Militärkommandant von Linz.

Eduard und Lilli Bloch blieben im Palais Weißenwolff bis zu
ihrer Flucht in die USA im Herbst 1940. *Die Wohnung mit ihren*
überaus grossen Zimmern, an der Hauptstrasse der Stadt gelegen,
war für den Arzt geradezu ideal. Als weniger geeignet sollte sich
die zentral gelegene Wohnung für das Familienleben erweisen.
Denn die Patienten kamen fortan zu jeder Tages- und Nachtzeit,
wissend, dass der gutmütige Doktor niemanden abwies.

Die Sommerhochzeit von Lilli Kafka und Eduard Bloch
wurde als großes jüdisches Familienfest im prachtvollen Garten
der Kafkas in Urfahr gefeiert. Blochs Mutter, seine Schwestern
Emma und Lore und der ältere Bruder Adolf reisten ebenso aus
Böhmen an wie die böhmische Verwandtschaft der Brautmutter.
Der Linzer Rabbiner Moritz Friedmann, der Präsident der Linzer
Judengemeinde Benedikt Schwager und der Kantor Samuel Pis-

Das Hochzeitsbild; erste Reihe, sitzend von links: Brautvater Sigmund Kafka mit Brautmutter Hermine, Braut und Bräutigam, Eduards Mutter Fanny, seine Schwestern Emma und Eleonore, Rabbiner Moritz Friedmann; im Vordergrund Mirzl Schubert, die Tochter des Buchhalters der Firma Kafka – und viele andere

katy waren zu Gast – und natürlich die führenden Angestellten der Firma Kafka, jüdische wie christliche, und Lillis beste Freundinnen.

Die Ehe der Blochs wurde sehr glücklich, wenn auch zumindest für Lilli nicht immer einfach. Jedenfalls gestand Bloch noch Jahrzehnte später im New Yorker Exil, seine Heirat *auch nicht einen einzigen Augenblick* bereut zu haben: *Die Güte meiner Frau, ihr vornehmer Character, ihre edle Lebensauffassung, gepaart mit ganz besonderer Bildung, war mir in sonnigen aber auch in trüben Schicksalstagen eine treue, feste Stütze, die mir stets sicheren Halt gab.*

Am 3. Mai 1903 wurde in Linz das einzige Kind der Blochs geboren: Gertrud, genannt Trudi oder Trude. Sie war und blieb der Augapfel ihres Vaters.

Aus dieser Zeit ist im Kriegsarchiv eine »Qualifikations-Eingabe« von einer vierwöchigen Militärübung Blochs 1904 erhalten: »Vater eines Kindes, ohne Vermögen; 2400 Kronen Jahres-

Die kleine Trude Bloch

einkommen«. Das entspricht heute (2007) 13 220 Euro und war kein hohes, aber ein durchaus gutes Einkommen.[10] Bloch wird als »sehr befähigt, von offenem, heiteren Temperament« qualifiziert, außerdem als »gehorsam und achtungsvoll, freundlich und zuvorkommend, gegen Kranke liebe- und teilnahmsvoll, außerdem kameradschaftlich und sehr anständig« und »im allgemeinen zur Beförderung geeignet«.[11]

Auch bei den Blochs wurde das Familienleben hochgehalten. Eduards lediger älterer Bruder Adolf kam jährlich zu einem wochenlangen Besuch nach Linz. Und jedes Jahr fuhr Eduard mit Frau und Kind zu seiner Lieblingsschwester Lori Plastersky und deren Familie auf das schöne böhmische Bauerngut. Loris Enkelin Charlotte Guyatt dazu: »Wir waren alle begeistert von Onkel Eduard. Er liebte das Land, und ich erinnere mich, wie er eines Tages meiner Mutter sagte: ›Sogar der Himmel ist hier schöner als in Österreich.‹«[12] Heimweh nach Böhmen hatte Eduard Bloch sein Leben lang.

Hermine Kafka dagegen hielt einen eher lockeren Kontakt mit ihren Verwandten. Ihr Bruder Leopold Dubsky, Jahrgang 1847, betrieb in Innsbruck die »Likörfabrik, Brandwein- und Obstverwertungsindustrie Dubsky«. Er hatte einen Sohn Egon, der geistig zurückgeblieben war und vom Vater einen Geschäftsanteil bekommen hatte. Die Dubskys seien, so berichtet Trude Bloch später, ziemlich wohlhabend gewesen, aber Leopold habe sich immer eingebildet, ein armer Mann zu sein, und sei extrem sparsam gewesen.

Auch Hermines schöne Lieblingsschwester Sophie Schindler hatte sich mit ihrem reichen Mann und fünf Kindern in Innsbruck angesiedelt. Im Sommer bewohnten die Schindlers ihr Landhaus im nahe gelegenen idyllischen Dorf Igls.

Trude Bloch stellte später in ihrer Familienchronik einen Vergleich der Schwestern Sophie und Hermine an: Beide hätten »Herrscherfähigkeiten« gehabt, und zwar zum »absoluten Matriarchat«. Sophies Haushalt sei von ihr perfekt organisiert worden: »In der Schindlerfamilie regierte sie als Queen Mother.«[13] Sophie habe für ihre beiden Söhne die Ehefrauen ausgesucht, auch nach körperlichen Standards, die sie für die Fortpflanzung der Schindler-Familie einforderte. Das Ergebnis war, dass beide Ehen zerbrachen. Auch Hermine Kafka hatte für ihre Töchter die Männer ausgesucht. Bertha wurde in der arrangierten Ehe sehr unglücklich. Lilli dagegen hatte sich der Heiratsvermittlung ihrer Mutter widersetzt und so lange gewartet, bis ihr der richtige Mann begegnete: Eduard Bloch.

Exkurs: Rudolf und Käthe

In der Familie Kafka war Eduard Bloch inzwischen zu einer Vertrauensperson für alle Lebenslagen geworden. Immer wieder wurde er um diskreten Rat und Vermittlung gebeten, so auch im Fall der kurzen, aber folgenreichen Affäre seines Schwagers Rudolf mit der einstigen Köchin der Kafkas, Käthe Schübler.

Drei Jahre nachdem Käthe den Haushalt der Kafkas verlassen hatte, traf sie am 19. Februar 1905 Rudolf Kafka zufällig in Linz auf der Straße. Ihre Verlobung mit dem Fleischergesellen war inzwischen unter traurigen Umständen in die Brüche gegangen: Ausgerechnet in den Wochen, als Käthe hochschwanger war, hatte der Verlobte eine wohlhabende Frau geheiratet. Bei all der Aufregung wurde Käthe schwer krank. Ihr Kind kam zu früh zur Welt und starb. Sie erholte sich nur langsam und überlebte sehr geschwächt. Ihr Fazit: »Bei mir stand fest, dass Männer kein Herz haben.«[14]

Nach manchen Problemen mit unterschiedlichen Dienstherren hatte Käthe sich nun entschlossen, bei einem ihr bereits bekannten netten Arzt in der Umgebung von Krems ihren neuen Dienst anzutreten, und freute sich sehr darauf. Es war ihr letzter Tag in Linz. Rudolf und Käthe, er 34 und sie 26 Jahre alt, die ja schon früher miteinander geflirtet hatten, plauderten ein wenig und beschlossen dann, ins Caféhaus zu gehen. Käthe, die alles sehr genau aufzeichnete: »Herr Kafka war die Liebenswürdigkeit in Person und ließ mich nicht aus. Ich mußte noch bei ihm bleiben, wir gingen gegen die Herrengasse zu, er wollte unbedingt in ein Gasthaus mit mir gehen. Da ich aber so sehr dagegen war … und er mich doch nicht heiraten könnte, wenn etwas passieren sollte, war er ganz böse. Ich kenne ihn doch, wüßte doch, wer er sei, und er sei in der Lage, mich mitsamt dem Kind zu ernähren.«

Käthe sagte, »er müßte unbedingt ein Verhütungsmittel kaufen, es sei ganz ausgeschlossen, daß ich sonst mitginge. Ich bin seit zwei Jahren ohne jeden Mann, sechs Tage nach der Menstruation und hätte solche Angst. Herr K. ging also in die Barmherzigen-Apotheke und wollte etwas kaufen, doch diese Apotheke führte solche Sachen nicht.« Da habe Rudolf Kafka gesagt, »ich sollte keine Angst haben, und es geschieht mir ja nichts«. So ging sie schließlich mit ihm in das kleine Gasthaus »Zum weißen Kreuz« in der Herrengasse. Am nächsten Tag trat sie ihre neue Stelle an.

Als sich nach wenigen Wochen ihre Regelblutung nicht einstellte, geriet Käthe in Panik. Sie fiel vor ihrem Dienstherrn, dem Arzt, auf die Knie und bat ihn um Hilfe: »Ich war am 19.2. mit einem Herrn zusammen und glaube nun Mutter zu werden. Herr Dr., das darf nicht sein, ich will Ihr Haus nicht verlassen. Ich kann diesen Mann nicht heiraten, er versprach es mir auch nicht.« Der

Arzt tröstete sie, fragte nach dem Namen des Herrn und meinte
dann: »Ja, da brauchen Sie überhaupt nicht in Sorge zu sein,
dieser Name sagt mir genug.« Sie solle einen Brief an Rudolf K.
schreiben.

Das tat Käthe, und als keine Antwort kam, schrieb sie einen
zweiten, eingeschriebenen Brief.

Die Antwort kam schließlich aus Lussinpiccolo in Italien, zwei
Monate nach dem Sündenfall, datiert am 16. April 1905:

»Werthes Fräulein!

Ich erhielt erst vor wenigen Tagen Ihren zweiten Brief (der
erste ist mir nicht zugekommen).

Ich bedaure sehr, Sie in diese Situation gebracht zu haben und
werde falls meine Vaterschaft unzweifelhaft erwiesen ist, im
Rahmen der gesetzlichen Bestimmungen für die Alimente des zu
erwartenden Kindes aufkommen, ebenso die Verpflegskosten der
Entbindung, die in einer Anstalt zu erfolgen hat, tragen und Ihnen
für die Zeit, in welcher Sie erwerbsunfähig infolge der Schwangerschaft u. Entbindung sind, nach Möglichkeit Unterstützung
zukommen lassen.

Ich bin seit zwei Monaten auf Geschäftsreise und werde, da ich
in kürzerer Zeit heimkomme, weiteren Bericht erwarten.

Machen Sie sich daher keine unnötigen Sorgen, und berichten
Sie gelegentlich an meine Linzer Adresse. Selbstverständlich ist
strengste Discretion von beiden Seiten Bedingung.

Mit freundlichen Grüßen verbleibe

Rudolf Kafka«

14 Tage später kam ein zweiter Brief aus dem luxuriösen »Imperial
Hotel Trento«:

»Trient, 7. Mai 1905

Werthes Fräulein!

Hier soeben eingetroffen finde ich Ihre beiden Briefe vom 22.4.
und 3.5. vor, welche ich unter einem beantworte.

Vor allem nur keine unnötigen Aufregungen und Geduld.

Sie können sicher sein, dass ich anständig handeln werde, eine persönliche Aussprache kann erst stattfinden, bis ich von meiner Reise in ungefähr 3 Wochen heimkehre, sollte sich jedoch früher für Sie die Notwendigkeit einer Besprechung ergeben, wenden Sie sich an meinen Schwager Dr. Eduard Bloch, Linz, Landstraße 12, welchen ich in diese Angelegenheit eingeweiht habe.

Bleiben Sie gesund und seien Sie gegrüßt von Rudolf Kafka.«

Daraufhin nahm Käthe brieflichen Kontakt mit Eduard Bloch auf. Rudolf Kafka hatte ihn als Mittelsmann eingeschaltet, da er sich fürchtete, dem strengen Vater die Neuigkeit selbst zu gestehen. Bloch hatte inzwischen dem werdenden Großvater einfühlsam die Nachricht überbracht.

Bei Käthe begannen die Beschwerden der Schwangerschaft mit ständiger Übelkeit und Erbrechen. Sie wog nur noch 46 Kilo. Auf ihre Klagen antwortete Rudolf Kafka am 9. Juni 1905 aus Linz:

»Werthes Fräulein!

Dieser Tage von meiner Reise zurückgekommen, erhalte von meinem Schwager Ihren Brief an ihn zur Beantwortung.

Es ist mir leid, dass Ihre Gesundheit nicht vollkommen ist, und wäre es am besten, von einem vertrauenswürdigen Arzte, z. B. Dr. Jeschko, untersuchen zu lassen.

Dem Wunsche nach einer persönlichen Unterredung kann ich leider nicht nachkommen, da ich diese Tage nach Wien verreise, doch glaube ich, würde es vollkommen genügen, wenn Sie mir Ihre Wünsche und alles Wichtige brieflich mitteilen würden.

Mit den besten Grüßen Rudolf Kafka«

Aber Käthe ging nicht zu dem empfohlenen Arzt aus Angst, dass ein Abbruch eingeleitet werden könnte. Sie wollte nun das Kind, und: »ich hatte oft große Sehnsucht nach dem Kindesvater. Doch war jetzt gar keine Möglichkeit ihn zu treffen, da er sehr viel auf Reisen war.«

Ihr wohlmeinender Dienstherr riet Käthe nun dringend, Rudolfs Vater in Linz zu informieren, um sich abzusichern. Denn der stets umherreisende Rudolf war ihm zu unzuverlässig. Käthe: »Ich ging mit sehr bewegtem Herzen in das Haus meines Schicksals« in der Landstraße 44. Dort war ein Caféhaus, wo sie nach dem Hausherrn Sigmund Kafka fragte. Sie erfuhr, dass er täglich zwischen acht und neun Uhr mit der Straßenbahn von Urfahr ins Geschäft komme. Dort passte sie ihn ab.

Der alte Herr, der von Eduard Bloch bereits informiert war, war gütig wie immer und sagte: »Na, da kann man halt nichts machen, der Rudolf hat sich vergessen und Sie auch ... wir werden schon für alles aufkommen, bis das Kind da ist. Dann muss ohnehin Rudolf für alles sorgen.« Er versprach, ihr zu helfen und 20 Kronen im Monat zu schicken, wenn sie nicht mehr arbeiten könne. (20 Kronen sind heute 104 Euro wert.) Damit war Käthe zufrieden. Rudolf war ohnehin wieder verreist.

Am 11. Juni meldete sich Rudolf Kafka wieder bei Käthe, die um ein persönliches Treffen gebeten hatte:

»Werthes Fräulein!

Es ist mir leid, Ihnen nur mitteilen zu können, dass ich Ihre Wünsche nur schriftlich entgegennehme. Mit Grüßen Rudolf Kafka«

Im August konnte Käthe nicht mehr arbeiten und bat Dr. Bloch, bei seinem Schwager einen finanziellen Zuschuss bis zur Geburt zu befürworten. Daraufhin diktierte Rudolf seinem jüngeren Bruder Egon den letzten Brief an Käthe in die Schreibmaschine:

»Linz, 8.8.1905

Fräulein Kath. Schübler, dz. Kirchdorf

Im Besitze des an meinen Schwager gerichteten Briefes theile ich Ihnen mit, dass ich gegen einen vorläufigen Aufenthalt in Salzburg nichts einzuwenden habe.

Unter Wahrung des Standpunktes, dass ich zu einer Zahlung jetzt keinesfalls verpflichtet bin, werde ich Ihnen zu Ihren Aufenthaltskosten dort einen Beitrag leisten.

Wenn Sie daher in Salzburg eingetroffen sein werden, trachten

Sie einen Ihrer Arbeitsfähigkeit entsprechenden Posten zu finden,
schreiben Sie mir dann, worauf ich Ihnen freiwillig einen Beitrag
leisten werde, damit Sie vor Mangel geschützt sind.

Ich habe Ihnen dies alles schon mündlich gesagt und waren
Ihre beiden letzten Briefe überflüssig.

Dies dürfte Ihnen vorderhand genügen.

Eine Briefeinlage retour.

Mit Grüssen R Kafka.«

Fortan überließ Rudolf seinem jüngeren Bruder Egon die Korrespondenz mit Käthe. Am 14. August schickte ihr dieser 40 Kronen,
ebenfalls im September, Oktober und November.

Käthe war sehr beschäftigt, die Ausstattung für ihr Kind zu
nähen. Einige gebrauchte Sachen wurden ihr geschenkt. Die letzten Wochen lebte sie bei einer Familie als Haushälterin. Als Ver-
gütung wollte ihr die Hausfrau bei der Geburt und der Kinder-
pflege helfen.

Als aber die Wehen einsetzten, stand Käthe allein ohne jede
Hilfe bei der Arbeit in der Waschküche. Ein Nachbarskind lief
zur Hebamme. Am 20. November 1905 gebar Käthe in Maxglan
bei Salzburg ihren Sohn unter jämmerlichen Umständen und gab
ihm den Namen Rudolf. Da sich niemand um die Wöchnerin und
das Kind kümmerte, nahm die Hebamme die beiden zu sich. Aber
auch sie hatte nicht viel Zeit zur Betreuung von Mutter und Kind.
Käthe fieberte stark und betete inbrünstig, für das Kind am Leben
bleiben zu dürfen.

Der Kindesvater ließ nach der Geburt durch seinen Bruder
40 Kronen für die Entbindung und 20 Kronen Alimente für das
Kind auszahlen. Zu Weihnachten 1905 schickte Egon Kafka »im
Auftrag meines abwesenden Bruders« 10 Kronen für Käthe und
20 Kronen für das Kind – ohne Kommentar und ohne Gruß. Die
verzweifelte junge Mutter: »Also kein Hebammengeld, kein Zim-
mergeld, kein Wäschegeld, kein Bettchen und kein Wagen.« Da sie
weiter als Dienstmädchen arbeitete, musste sie den Säugling fremden Leuten überlassen und dafür 20 Kronen im Monat zahlen. Es
ging ihr sehr schlecht.

Käthe Diernesberger 1917, als ihr Sohn Rudolf zwölf Jahre alt war

In ihrer Not »beschloss ich nach Linz zu fahren und den Urheber meiner ganzen Angelegenheit persönlich ins Gebet zu nehmen. Ich schickte ihm einen Brief und er kam auch pünktlich … Da saßen wir im Gastgarten, ich musste sehr viel weinen, und dann begleitete er mich zur Bahn … Herr Kafka musste am nächsten Tag schon wieder von Linz wegfahren und gab mir nur 20 Kronen.« Bitter vermerkte sie: »Jeden Morgen musste ich auf der Landstraße am Geschäft vorüber gehen, da kam mir meine Armseligkeit so recht zu Bewusstsein. Ich musste bei einer kranken Frau mein bisschen Geld verdienen, und die allernächsten Schuldtragenden schlummern in sorgloser Geborgenheit.«

1907 ging es für Käthe endlich bergauf. Sie heiratete einen einfachen, verlässlichen Eisenbahner in Gnigl bei Salzburg und konnte den kleinen Rudolf zu sich nehmen. Mutter und Sohn hießen von nun an Diernesberger. Rudolf blieb Käthes einziges, abgöttisch geliebtes Kind.

1918 kontaktierte Rudolf Kafkas Anwalt den Ehemann Käthe

Diernesbergers brieflich, »da Herr Kafka sich verehelichen will und diese Kindesangelegenheit vorher erledigen möchte«. Sein Sohn war damals 13 Jahre alt. Als Antwort kam die Forderung von 10 000 Kronen (4000 Euro). Als der Anwalt die Summe auf 4000 Kronen herunterhandelte, wollte Käthes erboster Ehemann überhaupt auf Geld verzichten. Käthe: »Ich aber wollte den reichen Kindesvater nicht so leer ausgehen lassen, denn ich hatte es noch nicht vergessen, wie ich geschuftet und gearbeitet habe für sein Kind. Gehungert habe ich, gefroren habe ich, seelisch vereinsamt und verzagt war ich!«

Das Geld wurde in Raten ausgezahlt, und Käthe legte es sorgsam für ihren Sohn zurück. Auch als 1922 ihr Ehemann starb, arbeitete und sparte sie unverdrossen weiter. Denn der begabte Rudolf sollte und wollte studieren. Als sie aber 1923 immerhin 5000 Kronen für den 18-Jährigen beisammen hatte, bekam sie für ihr mühsam Gespartes »nicht einmal ein Herrenhemd«, wie sie klagte.[15] Die Inflation hatte all ihre Ersparnisse vernichtet.

Rudolf Diernesberger war inzwischen ein attraktiver, sportlicher junger Mann geworden. Er gefiel den Mädchen und versuchte sich zu Käthes großem Stolz auch im Dichten wie sein ihm unbekannter Vater. Und er wurde, wahrscheinlich durch Käthes Erzählungen bestärkt, zu einem begeisterten Anthroposophen, also Anhänger Rudolf Steiners. Als Student der Technischen Hochschule in Wien gehörte er auch einer Burschenschaft an.

Am 16. März 1924 geschah ein Unglück, das das Leben des jungen Mannes schlagartig veränderte: Beim Skispringen am Salzburger Gaisberg stürzte Rudolf so schwer, dass seine obere Wirbelsäule brach. Da die Nerven unbeschädigt und seine Muskeln durch den Sport sehr kräftig waren, schaffte er es, gestärkt durch ein schweres Korsett, nach einiger Zeit sein Maschinenbaustudium an der Technischen Hochschule in Wien fortzusetzen. Erst 1928 wurde er operiert, konnte sich aber seither nicht mehr aufrecht halten und blieb schwer behindert. Die Ärzte bescheinigten ihm eine 80-prozentige Arbeitsunfähigkeit.

Seinem Tagebuch aus den Dreißigerjahren (Titel: DENKWÜRDIGE TAGE) ist zu entnehmen, dass sich Diernesberger immer

Rudolf Diernesberger (3. von links) im Kreis seiner Korpskameraden bei der alldeutschen Studentenverbindung »Cheruscia«. Ihr Motto: »Ehre, Freiheit, All-deutschland«

wieder mit seinem ihm persönlich unbekannten leiblichen Vater beschäftigte. Am 12. Dezember 1932 vermerkte er, bei einer medizinischen Vorlesung »Felix Ungar gesehen« zu haben, den Sohn von Rudolf Kafkas Schwester Bertha, also seinen gleichaltrigen leiblichen Vetter. Der 29-jährige Felix Ungar studierte in Wien und wohnte in der Mariahilfer Straße 58.[16]

Am 19. Februar 1935, als Rudolf Kafka bereits tot war, notierte der Sohn: »30. Jahrestag meiner Konzeption«, also seiner Empfängnis im Linzer Gasthaus »Zum weißen Kreuz«. Am 23. November 1935, seinem 30. Geburtstag, notierte er: »Dr. Zithovszky bestreitet meine Abstammung väterlicherseits.«[17]

Nach dem »Anschluss« im März 1938 wurde der nun 33-jährige Rudolf Diernesberger bei den Behörden als »Halbjude« geführt, da der Name seines Erzeugers in den Akten vermerkt war. In dieser Situation verhielt er sich, einst Mitglied der alldeutschen Burschenschaft Cheruscia, eigenartig: Trotz der schlechten Behandlung durch den sich stets verweigernden Vater zeigte

Der 35-jährige Rudolf
Diernesberger 1941

sich der Sohn nun mit diesem solidarisch. Erst jetzt, am 20. Juli
1938, erfuhr er nach Anfrage bei der Linzer Kultusgemeinde den
Geburtsort des Vaters, nämlich Horažd'owitz, und notierte dies
am 10. Oktober 1938 in seinem Merkbuch: »Ich erfahre bei Ing.
Piskaty aus dem Leben u. Sterben meines Vaters, und über seine
Frau Irma.« Der damals 48-jährige jüdische Kaufmann und Journalist Erwin Piskaty stammte aus Linz und war in der Realschule
ein Jahr lang Hitlers Klassenkamerad gewesen. Vier Wochen nach
seinem Treffen mit Diernesberger wurde Piskaty ins KZ Dachau
eingeliefert.[18]

Am 2. Mai 1939 notierte Rudolf Diernesberger: »Ich entdecke
beim Ordnen von Lisas Bibliothek in einem ›Kürschner-Jahrbuch‹
die Geburtsdaten (25.9.71) meines Vaters!« Später soll er sogar
einige Male provokativ mit dem Judenstern in die Öffentlichkeit
gegangen sein, obwohl er das als »Halbjude« gar nicht musste.[19]

Trotz seiner schweren Behinderung arbeitete Diernesberger – immer wieder unterbrochen durch Krankheitsschübe – er-

folgreich als Ingenieur und zeugte 1937 eine uneheliche Tochter. Sehr großen Wert legte er auf stete Fortbildung in den neu aufkommenden Sparten der Technik. Er schrieb ausführlich Tagebuch, Gedichte und kurze Texte, wie es auch sein fremder Vater getan hatte, und korrespondierte mit Schriftstellern wie Hermann Hesse und Robert Neumann. Aus seinem Tagebuch geht hervor, wie intensiv er sich mit den Lehren Rudolf Steiners beschäftigte, aber auch mit Philosophie, Medizin und Okkultismus. In Krisenzeiten fand er Trost in den Lehren der Anthroposophen – wiederum nach dem Muster Rudolf Kafkas.

Die deutsche Wehrmacht bescheinigte Diernesberger, der inzwischen auch an Herzproblemen litt, völlige Untauglichkeit. Noch im Krieg besuchte er Vorlesungen an der Technischen Hochschule in Wien und unterzog sich als fast 40-Jähriger Prüfungen, was zahlreiche Zeugnisse beweisen. Nach dem Krieg fand er in Salzburg eine wohlhabende Apothekerin, die ihm das Leben so angenehm wie möglich machte. Weiterhin las er sehr viel und muss überdies ein geselliger und geistreicher Mann gewesen sein. Der 58-Jährige starb noch zu Lebzeiten seiner Mutter Käthe am 17. Dezember 1963 in Salzburg an Angina Pectoris.[20]

Wie sehr er der Ideenwelt Steiners und dem Glauben an die Wiedergeburt verbunden war, zeigt auch seine Todesanzeige mit dem von ihm geschriebenen Gedicht:

>»Reich befrachtet bist du, o meine Seele.
>Des Erlebten Güter häufen und türmen sich
>und drücken niederwärts den Leib gen Staub und Asche.
>Laß' fahren Ihn mit der Gebärde des Dankes!
>Breite hin dann jenseits der Schwelle,
>was bisher das Deine und verströme es
>ins Gewoge der göttlichen Meere.
>Und wisse: den Karfunkel bergend
>stößt wieder des Nachens Kiel
>an das Gestade des neuen Äons.«

5 Klara Hitler

Eine schlimme Diagnose

Am 14. Januar 1907 erschien in Dr. Eduard Blochs Sprechstunde eine ihm bis dahin unbekannte, *etwa 50jährige Frau und bat um genaue Untersuchung; sie klagte über Schmerzen auf der Brust, die Schmerzen seien bisweilen so heftig, dass sie ihr die Nachtruhe raubten. Nach genauer Untersuchung konnte ich mit Sicherheit das Vorhandensein einer bösartigen Neubildung feststellen (Krebsgeschwulst).* Wenn auch heute noch [1941], zu einer Zeit, wo Operations- und Bestrahlungstechnik einen hohen Grad von Vollkommenheit erreicht haben, eine derartige Diagnose hohe Lebensgefahr bedeutet, so war dieselbe damals mit einem Todesurteile gleichbedeutend. Diese blasse, hilfesuchende Frau war Klara Hitler, die Mutter Adolf Hitlers.

Bloch schreibt dann weiter: *Ich sagte natürlich der Patientin nichts von meinem traurigen Befunde, beruhigte die Frau, so gut dies eben in einem solchen Falle möglich ist, deutete aber die Notwendigkeit einer Operation an; inzwischen verschrieb ich ihr ein schmerzstillendes Mittel, das des Nachts wenigstens ihre Schmerzen bannen sollte. Ich bat die Kinder Frau Hitlers zu mir, darunter Frau Raubal, die Gattin eines Linzer Steuerbeamten und den jüngsten Sohn Adolf Hitler.*

Nach dem Tod ihres Mannes 1903 und dem Verkauf des Hauses in Leonding war Klara Hitler, laut Linzer Meldeamt »Zollamtsoberoffizialswitwe«, 1905 nach Linz gezogen. Die Familie bezog im dritten Stock der Humboldtstraße 31 eine kleine Wohnung mit Zimmer, Küche, Kabinett. Der 17-jährige Adolf bewohnte das Kabinett, und die übrigen drei Familienmitglieder teilten sich den Rest: Mutter Klara, ihre behinderte jüngere Schwester Johanna Pölzl, genannt »Hanitante«, die im Haushalt half, und die zehnjährige Paula. Dazu kam noch an vier Tagen der Woche der 13-jäh-

Eduard Blochs Patientin Klara Hitler zur Zeit ihrer Heirat

rige Kostgänger Wilhelm Hagmüller aus Leonding, der in Linz in die Schule ging. Klaras verheiratete Stieftochter Angela Raubal wohnte in der Nähe.

Bloch: *Ich teilte der Familie rückhaltlos den Befund mit: die einzige Möglichkeit, das Leben der Mutter zu verlängern, sei eine radicale Operation.* Viele Jahre später schilderte er in New York dem US-Magazin Collier's Illustrated Weekly, wie der junge Hitler auf die schlimme Diagnose reagierte, nämlich: *»berührend. Sein langes, bleiches Gesicht war verstört. Tränen flossen aus seinen Augen. Hatte denn seine Mutter, fragte er, keine Chance? Erst dann realisierte ich, wie groß die Liebe zwischen Mutter und Sohn war. Ich erklärte ihm, dass sie eine Chance habe, aber eine kleine. Sogar dieses Fünkchen Hoffnung gab ihm einigen Trost.«*[1]

Klara Hitler nahm die negative Diagnose tapfer auf und stimmte der Operation zu. Daraufhin bat Bloch seinen Freund Dr. Karl Urban, Primararzt der Chirurgie im heute noch bestehenden Krankenhaus der Barmherzigen Schwestern, die riskante Operation zu

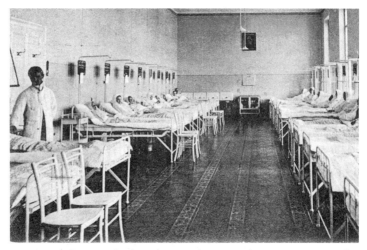

Patientensaal im Krankenhaus der Barmherzigen Schwestern in Linz; auf Adolfs Anordnung lag Klara Hitler aber nicht in einem solchen Massensaal, sondern in der teuren Sonderklasse

wagen. Der besorgte Sohn bestand darauf, dass seine Mutter nicht, wie üblich, in einem der großen und stets überfüllten Krankensäle untergebracht wurde, sondern in der teuren Sonderklasse. Immerhin kostete der Aufenthalt dort fünf statt zwei Kronen täglich (25 statt 10 Euro). Eine Krankenversicherung gab es nicht.

Am 18. Januar 1907 wurde Klara Hitler eine Stunde lang operiert. Auf ihre Bitte war auch Bloch dabei anwesend. Die Operation glückte. Wie sorgsam Bloch mit seinen Patienten und deren Angehörigen umging, zeigt die Tatsache, dass er zwei Stunden nach der Operation bereits in den dritten Stock der Humboldtstraße 31 hinaufstieg, wo Klara Hitlers Kinder ihn erwarteten: *»Die Mädchen nahmen die Nachricht, die ich ihnen brachte, ruhig und gefasst auf. Das Gesicht des Jungen aber war von Tränen überströmt, und seine Augen waren müde und rot. Er hörte zu, bis ich fertig war. Dann hatte er nur eine Frage und sagte mit erstickter Stimme: ›Muss meine Mutter leiden?‹«*[2]

Allein der 20-tägige Spitalsaufenthalt (17. Januar bis 5. Februar) kostete – außer den Ärzten – 100 Kronen (500 Euro), so viel wie Klaras monatliche Witwenrente. In diesem Januar 1907 gab Adolf nach drei Monaten seinen Klavierunterricht auf, wohl um Geld zu sparen. Er hatte inzwischen die Rolle des Haushaltsvorstands übernommen und zahlte die Rechnung im Spital und die bei Bloch, der die Nachbehandlung der Kranken übernahm.[3] Bloch dazu: *Seit dieser Zeit war ich der Hausarzt der ganzen Familie. Adolf Hitler, den ich öfters mit kurzdauernden Krankheiten behandelt habe, stand damals im 17. Lebensjahr und unterschied sich in nichts von gleichaltrigen jungen Leuten; er war der Liebling seiner Mutter und vergötterte dieselbe.*

Familie Hitler

Adolf und Paula stammten aus der dritten Ehe von Alois Hitler, geborenem Schicklgruber, mit Klara, geborene Pölzl. Beide Eltern wuchsen im Waldviertel auf, einem der ärmsten Landstriche des westlichen Teiles der Donaumonarchie (Cisleithanien), und waren miteinander verwandt: Die 23 Jahre jüngere Klara war Alois' Nichte zweiten Grades. Aus zweiter Ehe hatte Alois einen gleichnamigen Sohn, der aus Opposition gegen den jähzornigen und gewalttätigen Vater das Haus verlassen hatte, und eine Tochter: Angela, verheiratete Raubal. Diese lebte mit Mann und Kindern in Linz.

Die Familie des »Zollamtsoberoffizials« Hitler war häufig aus dienstlichen Gründen umgezogen und setzte dies auch in dessen Ruhestand fort: Als der 58-jährige Alois Hitler 1895 nach 40 Dienstjahren pensioniert wurde, kaufte er ein heruntergekommenes Gut im kleinen Ort Hafeld in Fischlham bei Lambach in Oberösterreich und versuchte sich dort als Landwirt und Bienenzüchter. Hier wurde im Januar 1896 Paula geboren. Adolf besuchte die einklassige Volksschule in Fischlham.

Aber bereits 1897 gab Vater Alois das Gut wieder auf und zog mit der Familie in eine Übergangswohnung nach Lambach. Dort ging Adolf in die Volksschule und auch kurze Zeit in die Sängerknabenschule des Benediktinerstifts.

1898 kaufte der Vater im kleinen Ort Leonding bei Linz für 7700 Kronen (38 850 Euro) ein winziges Haus neben dem Friedhof.[4] Adolf ging in Leonding in die vierte und fünfte Klasse Volksschule – und ab 1900 in die Linzer Realschule, was einen jeweils einstündigen Fußweg erforderte. Der Junge war schwierig, jähzornig und ohne jeden Ehrgeiz. Gleich im ersten Schuljahr blieb er sitzen. Nach Aussage der jüngeren Schwester Paula sei Adolf vom Vater jeden Abend geprügelt worden. Einmal sei dies so schlimm gewesen, dass die Familie ihn bereits tot glaubte. Aber andererseits, so Paula, habe die Mutter den Knaben liebevoll umsorgt und ihn mit ihrer Herzlichkeit über die Härte des Vaters hinweggetröstet.[5] Ein Nachbar über Hitler senior: »Er war ein griesgrämiger, wortkarger alter Mann, ein strammer Freisinniger und wie alle Freisinnigen in dieser Zeit stramm deutschnational gesinnt, ein Pangermane, dabei merkwürdigerweise doch kaisertreu.«[6]

Der 65-jährige Alois Hitler, ein hitziger Mensch, der gerne dem Alkohol zusprach und viele Stunden des Tages im Wirtshaus verbrachte, starb ebendort am 3. Januar 1903 gegen 9.30 Uhr morgens plötzlich an einer Lungenblutung.[7] Der 13-jährige Sohn Adolf war darüber nicht betrübt, im Gegenteil. Für Adolf und seine siebenjährige Schwester Paula, aber vor allem für die zarte, feinfühlige und von allen Augenzeugen als liebevolle Mutter gelobte Klara muss der Tod des Mannes eine Befreiung gewesen sein.

1905 verkaufte Klara Hitler das kleine Haus in Leonding und zog in die Linzer Mietwohnung des Käufers in der Humboldtstraße 31. Damit ersparte sie der kleinen Paula den weiten Schulweg nach Linz. Adolf ging inzwischen, nachdem ihm 1904 in der Linzer Realschule ein zweites Sitzenbleiben drohte, in Steyr in die Schule. Auch dort blieb er erfolglos: 1905 kam er, eine Krankheit vorschützend, als Schulabbrecher zurück zur Mutter nach Linz. An Arbeit dachte er nicht und schon gar nicht an eine Lehre, wozu ihm sein Vormund Josef Mayrhofer dringend riet.

Adolf wollte Künstler werden, Maler, vielleicht auch Architekt. Die sanfte, liebevolle Mutter unterstützte ihn und gab ihm das Gefühl, etwas ganz Besonderes zu sein. Der Sohn erwiderte diese Liebe, die wohl die größte und wichtigste seines Lebens war. Ebendiese enge Bindung zwischen Mutter und Sohn beeindruckte

Das einzige Bild vom jungen Adolf, gezeichnet vom Steyrer Schulkollegen Sturmlechner (1904)

und rührte Eduard Bloch. Er mochte den Jungen, der sich so liebevoll und fürsorglich um die kranke Mutter kümmerte.

Klara Hitler erholte sich nach der Operation zunächst gut. Sie kam in Blochs Ordination, konnte wieder auf dem Markt einkaufen und spazieren gehen. Da die Kranke nur mit größten Mühen die Stufen in den dritten Stock zur Wohnung bewältigte, übersiedelte die Familie am 16. Mai 1907 ins ländliche Urfahr jenseits der Donau. Sie bezogen dort drei Zimmer einer schönen, hellen Wohnung im ersten Stock des gepflegten Hauses Blütenstraße 9, das heute noch steht. Dies war wohl die schönste Wohnung, die Klara Hitler je bewohnte – mit Blick auf den Pöstlingberg. Aber mit knapp 50 Kronen Miete war die Wohnung sehr teuer und machte genau die Hälfte von Klaras Rente aus. Die Entscheidung, eine so teure Wohnung zu mieten, dürfte auf Adolf zurückgegangen sein. Für die schwer kranke Mutter war ihm nichts zu teuer.

Bloch erinnert sich: »*Mein vorherrschender Eindruck der einfach möblierten Wohnung war ihre Sauberkeit. Es glänzte*

geradezu; kein Stäubchen auf Stühlen und Tischen, kein verstreu-
ter Schmutzfleck auf dem gescheuerten Boden, keine Schmier-
spur auf den Fensterscheiben. Frau Hitler war eine hervorragende
Hausfrau.« [8] Noch viele Jahre später betonte er, wie sauber und
gut erzogen auch der junge Adolf stets gewesen sei.

Laut Blochs Kassabuch kam Klara Hitler bis zum 3. Juli immer
wieder in seine Praxis, dann aber bis zum 2. September nicht mehr.
Das deutet darauf hin, dass sie wie jedes Jahr den Sommer mit
Adolf, Paula und der »Hanitante« bei ihren Verwandten im Waldviertel verbrachte. Am 5. September vermerkt Bloch eine »Besprechung« mit Klaras Familie, wahrscheinlich, weil Adolf zur Aufnahmeprüfung für die Kunstakademie nach Wien fahren und sich
vorher noch genau über den Gesundheitszustand der Mutter er-
kundigen wollte. Bald darauf erstellte Bloch eine Zwischenabrech-
nung: Für 19 Behandlungen in seiner Ordination inklusive der
Medikamente und einer Besprechung kam er auf 60 Kronen. So
kostete eine Behandlung einschließlich der Medikamente rund
drei Kronen (15 Euro), also sehr wenig.

Anfang September fuhr der 18-jährige Adolf nach Wien. Aus
dieser Zeit stammt sehr wahrscheinlich seine undatierte Ansichts-
karte an Bloch mit dem Bild des Burgtheaters und dem Text: »Von
meiner Wiener Reise die herzlichsten Grüsse, Ihr stets dankbarer
Patient Adolf Hitler«. Das Probezeichnen an der Malerschule der
Kunstakademie fand am 1. und 2. Oktober 1907 in Klausur statt.
Von 113 Kandidaten wurden nur 28 aufgenommen, was ungefähr
dem heutigen Prozentsatz entspricht. Hitler war nicht unter den
Auserwählten. Niedergeschlagen, ja zerstört, kehrte er nach Linz
zurück, verheimlichte aber dort seinen Misserfolg.

Klara Hitlers Tod

Klara Hitlers Zustand verschlechterte sich nun rasch, da sich Meta-
stasen gebildet hatten. Am 22. Oktober 1907 eröffnete Eduard
Bloch der Familie, dass die Lage hoffnungslos sei. Seit dem 28. Oktober war Klara bettlägerig. Ab dem 6. November kutschierte
Bloch seinen Pferdewagen nun täglich über die Brücke nach Urfahr

*Im ersten Stock der
Blütenstraße 9 starb
Klara Hitler 1907;
hier eine Aufnahme
von 1938*

in die Blütenstraße.⁹ Und da er gewohnt war, täglich in der Synagoge für jeden seiner aktuellen Patienten zu beten, wird er dies mit
Sicherheit auch für Klara Hitler getan haben.

Bloch in der Rückschau über Klara Hitler: »*Sie konnte höchstens ein oder zwei Stunden täglich aufstehen. Adolf verbrachte die
meiste Zeit im Haus. Er schlief im winzigen Schlafzimmer neben
dem der Mutter, so dass sie ihn nachts ständig rufen konnte. Tagsüber war er an ihrem Bett.*« Und: »*Die Krankheit, an der Frau
Hitler litt, verursachte sehr starke Schmerzen. Sie trug ihre Last
tapfer, ohne Wanken und Klagen. Aber ihren Sohn schien der
Schmerz der Mutter zu martern. Sein Gesicht war angstverzerrt,
wenn er sah, wie die Schmerzen ihr Gesicht zusammenzogen. Es
konnte nur noch wenig getan werden.*«¹⁰

Seit dem 30. November waren Klaras Schmerzen so unerträglich, dass Bloch – nach intensiver Besprechung mit Klaras Sohn
Adolf – zum stärksten, aber auch teuersten damals üblichen Mittel
griff, nämlich zu Jodoform. In Gazetücher getränkt, wurde es auf

die blutige, eiternde und übel riechende offene Wunde gepackt und dann verbunden – und dies täglich. Jodoform, das auch heute noch angewendet wird, wirkt antibakteriell, reinigt auch große Wunden, bekämpft den üblen Eitergeruch und lindert die Schmerzen. Diese aufwendige Methode wurde um 1900 wissenschaftlich intensiv erörtert, so auch vom damals berühmtesten Mediziner Theodor Billroth, der diese Therapie als die beste bei offenen eiternden Wunden empfahl.[11] Wohlgemerkt ging es bei der Jodoformbehandlung nicht um eine Heilung, die in diesem Stadium der Krankheit nicht mehr möglich war, sondern vor allem um die Linderung der höllischen Schmerzen und die Versorgung der offenen Wunde.

Allerdings war auch jeder Verbandswechsel sehr schmerzhaft, so Bloch: »*Hin und wieder brachte eine Morphiumspritze zeitweise Erleichterung, aber hielt nicht an. Trotzdem scheint Adolf sehr dankbar für gerade diese kurzen Erholungsphasen gewesen zu sein.*« Noch im New Yorker Exil erzählte der alte Eduard Bloch 1941: »*Ich werde die Klara Hitler dieser Tage nie vergessen. Sie war zu dieser Zeit 48* [richtig: 47 Jahre alt]*, groß, schlank und ziemlich hübsch, wenn auch durch die Krankheit verwüstet. Sie sprach mit sanfter Stimme, war geduldig und sorgte sich mehr über das, was ihrer Familie geschehen würde, als über ihren nahen Tod. ›Adolf ist noch so jung‹, sagte sie immer wieder.*«[12] Und Hitlers engster Jugendfreund August Kubizek schrieb unabhängig davon: »Adolf aber steuerte völlig ins Ungewisse. Dieser Gedanke quälte die Mutter unausgesetzt.«[13]

Klara Hitler starb in der Nacht zum 21. Dezember 1907 im Kreis ihrer Familie. Am nächsten Morgen erschien ihre Stieftochter Angela Raubal bei Dr. Bloch und bat ihn, nach Urfahr zu kommen, um den Totenschein auszufüllen. Die beiden fuhren in Blochs Wagen zum Sterbehaus, wo der Arzt folgende Situation vorfand: »*Adolf, dessen Gesicht die Übermüdung einer schlaflosen Nacht zeigte, saß neben seiner Mutter. Um einen letzten Eindruck von ihr festzuhalten, hatte er sie gezeichnet, wie sie auf dem Totenbett lag. Ich saß noch eine Weile mit der Familie beisammen und versuchte, ihren Kummer zu lindern. Ich erklärte ihnen, dass in diesem Fall der Tod ein Erlöser gewesen war – und sie verstanden.«*

Er fügte hinzu, wohlgemerkt im Frühjahr 1941 in New York gegenüber der Zeitung COLLIER'S: *»In meiner beruflichen Praxis habe ich viele solcher Szenen erlebt, aber keine machte einen so großen Eindruck auf mich. In meiner ganzen Karriere habe ich niemanden gesehen, der so vom Kummer vernichtet war wie Adolf Hitler.«*

Diese Sätze müssen bei amerikanischen Zeitungslesern Kopfschütteln ausgelöst haben. Denn Hitler galt bereits vor dem Kriegseintritt der USA als Teufel in Person. Auch Bloch gestand in seinen späten Erinnerungen über Klara Hitlers Sohn ratlos: *Kein Mensch hätte damals auch nur im mindesten geahnt, dass er einmal die Verkörperung aller Schlechtigkeit werden wird.* Aber Bloch beharrte darauf, trotz seiner Enttäuschung über den verbrecherischen Politiker Hitler bei der Wahrheit zu bleiben: Der 18-jährige Adolf, den er gut kannte, sei ein gefühlvoller, höflicher junger Mann gewesen, der seine Mutter abgöttisch liebte. Die Gründe für

Grabstein von Alois und Klara Hitler in Leonding

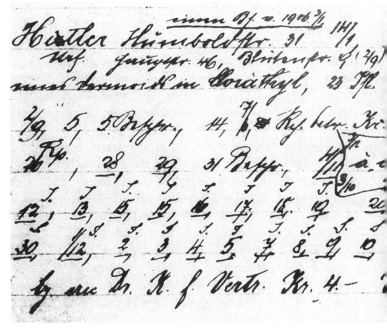

Dr. Eduard Blochs Behandlungsblatt für Klara Hitler; die unterstrichenen

diese Wandlung waren auch Bloch rätselhaft. Nach 1907 hatte er
Hitler ja nie mehr persönlich getroffen.

Am 23. Dezember 1907 wurde Klara Hitler neben ihrem Ehemann und ihrem kleinen Sohn Edmund im Friedhof von Leonding beigesetzt – in einem teuren Sarg aus poliertem hartem Holz
mit Metalleinsatz. Er kostete 110 Kronen und war von Adolf ausgesucht worden. Die Begräbnisrechnung belief sich zusätzlich auf
369,90 Kronen[14] – insgesamt 2400 Euro.

Auch Klaras hochschwangere Stieftochter Angela Raubal war
unter den wenigen, die am Begräbnis teilnahmen. Am 4. Januar
1908 brachte sie eine Tochter zur Welt, Angelika, Geli genannt.
Sie sollte in Hitlers Leben eine wichtige Rolle spielen.

Bloch, der nicht am Begräbnis teilnahm, schrieb in seinen Erinnerungen: *Am Tage nach dem Begräbnisse kam die Familie
Hitler in meine Sprechstunde, um mir für meine Bemühungen*

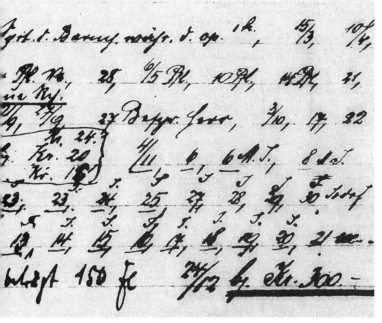

Zahlen bedeuten Hausbesuche; »J« ist Jodoform

*Dank zu sagen. Adolf Hitler drückte mir die Hand und sagte:
»Ich werde Ihnen Herr Doktor ewig dankbar sein.«* Dann habe
sich der 18-jährige Adolf vor dem Arzt verbeugt.

An diesem 24. Dezember übergab Bloch Klaras Angehörigen
die Gesamtrechnung für die letzten zwei Monate. Seit dem 4. November, als Klara Hitler bettlägerig wurde, war Bloch 42-mal nach
Urfahr gefahren, um die Kranke zu versorgen, an manchen Tagen
auch zweimal. Seit dem 6. November hatte er auf Adolfs ausdrücklichen Wunsch die aufwendige und teure tägliche Jodoformbehandlung der offenen Wunde angewandt, und zwar 40-mal.
Für Klara Hitlers verzweifelten Sohn war dies die letzte Hoffnung. Er scheute keine Kosten, um diese minimale Chance noch
wahrzunehmen. Denn er wusste ja, dass die Mutter vom Haus-
verkauf in Leonding genügend Geld für eine solche Behandlung
hatte.

Bloch verrechnete für seine wochenlangen Bemühungen eine
Pauschalsumme von 300 Kronen (1500 Euro).[15] Seine 42 Krankenbesuche seit dem 4. November à vier Kronen (20 Euro), außerdem
einer seines ihn vertretenden Schwiegersohns Dr. Kren, machten bei der Gesamtrechnung 172 Kronen aus. Die Medikamente,
vor allem das Jodoform, aber auch die dabei verwendeten großen
Mengen an originalverpackten sterilen Gazebinden, pauschalierte
Bloch auf 128 Kronen. Daraus ergibt sich für 40 Jodoformbe-
handlungen ein jeweiliger Materialaufwand von 3,20 Kronen pro
Anwendung, umgerechnet 15,36 Euro.

Es war Usus, für Hausbesuche doppelt so viel zu verlangen wie
für eine Behandlung in der Praxis. Bloch hätte also, da er für eine
Praxisbehandlung drei Kronen verrechnete, normalerweise sechs
Kronen für den sehr aufwendigen Hausbesuch ansetzen müssen.
Aber er nahm nur eine Krone mehr, also vier statt drei. Wie hoch
die jeweilige Dosis des Jodoforms war, ist nirgends festgehalten –
ebenso wenig wie der jedenfalls sehr teure Materialaufwand der
sterilen, also stets frisch zu verwendenden Gazebinden, die gerade
im Brustraum in erheblichen Ausmaßen erforderlich waren.

Im Vergleich zu Blochs Honorar von je vier Kronen sei darauf
verwiesen, dass der Bezirksarzt von Urfahr, der in der Blütenstraße die Verlötung von Klaras Sarg überwachte, dafür 20 Kronen
(100 Euro) Honorar erhielt. Sein Kollege aus Leonding, der Klaras
»Versargung« auf dem Friedhof leitete, erhielt sogar 28 Kronen.[16]
Das war das Fünf- bis Siebenfache dessen, was Bloch für jede der
sehr komplizierten und anstrengenden Heimbehandlungen Klara
Hitlers verrechnete. Diese sehr niedrige Honorarabrechnung für
die wochenlange mühsame Behandlung der Schwerkranken beweist Blochs Uneigennützigkeit und war wohl auch ein Ausdruck
seiner Sympathie für die freundliche und geduldige Patientin und
deren untröstlichen Sohn, der nun Vollwaise war.

Der Linzer Geschäftsmann Egon Basch schrieb über Bloch als
Patient und Freund: »Er war ein gewissenhafter Arzt, besuchte
seine Patienten oft auch dann, wenn sie sich schon gesund fühlten,
was ihm bei manchen das Odium eines Honorarjägers eintrug. Es
war aber übergroße Umsicht, beweis dessen behandelte Dr. Bloch

viele Patienten unentgeltlich.«[17] Und Hitlers Linzer Jugendfreund
August Kubizek erinnerte sich: »Hausarzt der Familie Hitler war
der allseits beliebte Doktor Bloch, den man in der Stadt den ›Armeleutedoktor‹ nannte, ein hervorragender Fachmann und ein her-
zensguter Mensch, der sich für seine Kranken aufopferte.«[18]

Adolf verlässt Linz

Der 18-jährige Adolf Hitler hatte in diesen schweren Tagen viele
Behördenwege zu erledigen. Johanna Motloch, die Hausfrau der
Blütengasse, schrieb am 8. Februar 1908 an eine Freundin in Wien:
»Obwohl von der Obervormundschaft noch immer kein Bescheid
da ist, will Hitler jetzt nicht mehr hier warten und in einer Woche
doch nach Wien gehen. Der Vormund ist ein ganz einfacher Wirth-
schaftsbesitzer, ein sehr braver Mann, aber so wie ich glaube,
versteht er nicht viel. Er ist nicht hier, sondern in Leonding an-
sässig. Der Junge muss alle Wege machen, die sonst einem Vor-
munde zukommen.«[19] Dieser Vormund war der Leondinger Bauer
Josef Mayrhofer, ein Freund von Adolfs Vater. Er konnte mit dem
schwierigen Patensohn nichts anfangen, und dieser lehnte ihn ab.
Die kultivierte Johanna Motloch dagegen hatte ganz offensichtlich Sympathien für den jungen Adolf.

Am 10. Februar beantragten Adolf und Paula Hitler bei der
Linzer Finanzlandesdirektion ihre Waisenpension. Gesetzlich
stand ihnen gemeinsam die Hälfte von Klaras Witwenpension zu:
50 Kronen (250 Euro), 25 für jeden – aber nur unter der Voraussetzung, dass sie noch in der Schule waren oder studierten. Die elfjäh-
rige Paula besuchte seit 1907 die erste Klasse des Linzer Mädchen-
lyzeums (heute Körnerschule) und brauchte dort nur das halbe
Schulgeld zu zahlen.[20]

Da der 18-jährige Adolf weder in die Schule ging noch studierte, erfüllte er diese Voraussetzung nicht und hätte sich seinen
Lebensunterhalt mit Arbeit verdienen müssen. Der Vormund
drängte ihn also zu Recht, der jüngeren Schwester den Gesamtbetrag zu überlassen. Aber Adolf weigerte sich. Es gab Streit, und
Adolf sagte zu Kubizeks Mutter, »diese Quälereien habe er satt

und entziehe sich denselben durch die Flucht nach Wien... er wolle Künstler werden und seinen spießbürgerlichen Verwandten beweisen, dass er recht habe, nicht sie.«[21]

Spätestens am 12. Februar 1908 verließ Adolf Linz und fuhr mit vier schweren Koffern nach Wien. Die Datierung ergibt sich unter anderem aus dem Haushaltsbuch der Hitlers, woraus sämtliche Eintragungen vor dem 12. Februar, die vom bisherigen Haushaltsvorstand Adolf und der »Hanitante« (Klaras Schwester Johanna Pölzl) stammten, herausgerissen waren.[22] Wichtige Familiendokumente, Briefe der Eltern und seine eigenen Briefe und Karten an die angebetete Mutter muss Adolf ebenfalls mit nach Wien genommen haben. Sie alle tauchten nie mehr auf. Wahrscheinlich verbrannte er diese größten persönlichen Schätze vor seinem Selbstmord 1945 in Berlin, damit sie nicht in fremde Hände kamen.

Da der junge Adolf weiterhin nicht arbeitete, sich aber mit 25 Kronen nicht ernähren konnte und wohl auch Schulden hatte, fuhr er im Sommer 1908 ins Waldviertel und »lieh« sich dort bei seiner Tante Johanna 924 Kronen aus,[23] nach heutiger Währung 4620 Euro. Im September 1908 scheiterte er ein zweites Mal bei der Aufnahmeprüfung für die Akademie.

Seit Anfang November 1908 war er nicht mehr zu erreichen, lebte in rasch wechselnden Unterkünften und reihte sich schließlich in die große Schar der Wiener Obdachlosen ein. Sein Freund Kubizek suchte ihn in Wien vergeblich und meinte später: »Alle seine Angehörigen hielten ihn für einen Taugenichts, der jede brotbringende Arbeit von vorneherein scheute!«[24]

Die teure Wohnung in der Blütenstraße lief bis Ende 1908 unter Klara Hitlers Namen. Wahrscheinlich hatte diese, als sie ihr Ende nahen sah, die Miete für ihre Schwester und die kleine Paula im Voraus bezahlt.[25] Erst dann wurde die Wohnung geräumt. Johanna Pölzl übersiedelte ins Waldviertel und Paula zu ihrer Stiefschwester Angela Raubal.

Im August 1910 wurde die 27-jährige Angela Raubal Witwe und musste nun mit einer winzigen Rente drei kleine Kinder und ihre Stiefschwester Paula großziehen und versorgen. Bei einem Besuch im Waldviertel erfuhr sie von der schwer kranken »Hanitante« Johanna Pölzl, dass Adolf von dieser bereits 1908 eine statt-liche Summe bekommen hatte.[26] Verständlicherweise ärgerte sich Angela darüber und auch über das Unrecht, das der Bruder ihr mit der nur halben Waisenrente für Paula antat. Seit dem Tod der Mutter 1907 hatte er sich nicht mehr bei ihr gemeldet.

In ihrer Not und Wut veranlasste sie den Vormund Josef Mayr-hofer, kein Geld mehr an Adolf zu schicken, und schaltete das k. k. Bezirksgericht ein. Am 4. März 1911 wurde der 22-jährige Hitler vom k. k. Bezirksgericht in Wien-Leopoldstadt polizeilich verhört und verzichtete daraufhin am 4. Mai 1911 endlich auf die Auszahlung der 25 Kronen.[27] Die 14-jährige Paula hatte in dieser Zeit bereits große Probleme im Lyzeum. Ihre Leistungen sackten deutlich ab, und zwar so weit, dass sie am 2. März 1912 die Schule verlassen und eine Lehre beginnen musste.[28]

Inzwischen erhielt Bloch einen zweiten schriftlichen Gruß Hitlers aus Wien: einen Neujahrswunsch in Form einer selbst be-malten Karte mit der Darstellung eines trinkenden Kapuziners im Stil von Hitlers damaligem Lieblingsmaler Eduard Grützner, dazu die Aufschrift »Prosit Neujahr«. Der Text: »Die herzlichsten Neu-jahrswünsche Ihr stets dankbarer Adolf Hitler.«[29] Die undatierte Karte dürfte frühestens zu Neujahr 1909 angekommen sein, wenn nicht sogar erst in der Zeit von 1910 bis 1913, als Hitler im Män-nerheim wohnte und sich seinen Lebensunterhalt mit dem Bema-len ebensolcher Karten verdiente.

Kein Zweifel: Bloch hatte tiefes Verständnis für die innige Mut-terliebe des jungen Adolf, mochte ihn und freute sich über die Karten. Denn auch Bloch hatte eine enge Bindung an seine Mutter und war tief getroffen, als diese nur kurze Zeit nach Klara Hitler starb. Noch Jahrzehnte später betrauerte er die Mutter: *nur meines Herzens letzter Schlag wird das Gedenken an diese edle Frau zu verlöschen imstande sein!*

Viele Jahre sollte es dauern, bis Bloch erfuhr, dass aus dem gut erzogenen, höflichen und sauberen Adolf, der so innig an seiner Mutter hing, ein radikal antisemitischer Politiker in Deutschland geworden war.

Vorkriegsjahre

Um 1910 war Eduard Bloch auf der Höhe seines Lebens, ein glücklicher Ehemann, stolzer Vater, erfolgreicher und beliebter Arzt, ein geachtetes Mitglied der Linzer Jüdischen Gemeinde. In seinen Erinnerungen schreibt er über diese Zeit: *Meine Praxisverhältnisse waren während der ganzen Jahre sehr günstige; einen großen Theil des Tages verbrachte ich mit der Absolvierung der zahlreichen Krankenbesuche, im Wagen während der Fahrt lesend und studierend, doch waren es nicht allein moderne Schriftsteller, die ich las, es waren ebensoviele bibelkritische Werke und vorzügliche Commentare, denen mein besonderes Interesse galt. Meine nicht allzulangen Ferienurlaube verbrachte ich sehr oft an ausländischen Kliniken, um alle Neuerungen in der Medicin practisch zu erlernen, so war ich wiederholt in Zürich, München und an den österreichischen Kliniken in Wien und Innsbruck.*

Laut dem späteren Linzer Bürgermeister Ernst Koref erfreute sich Bloch in Linz »großer Wertschätzung… und dies ganz besonders in den minderbemittelten und armen Bevölkerungsschichten. Es war allgemein bekannt, dass er auch zu jeder Nachtstunde zu Krankenbesuchen bereit war. Er pflegte mit einem auffallend breitkrempigen Hut versehen in einem Einspänner zu seinen Visiten zu fahren.«[30]

1910 kam die siebenjährige Trude Bloch in die Volksschule und war in ihrer Klasse eines von zwei jüdischen Kindern. Wie sie später ihren Enkeln erzählte, habe in der Schule strenge Zucht und Ordnung geherrscht – ein krasser Gegensatz zu ihrem liebevollen Elternhaus. Das Schlimmste aber war, dass sie und ihre Schicksalsgenossin eine Sonderstellung hatten, vor allem beim täglichen gemeinsamen Gebet des Vaterunsers: Die beiden jüdischen Mädchen wurden von den Lehrern angewiesen, zum Gebet ebenfalls aufzustehen – aber sie durften nicht die Hände falten und sich nicht am Gebet beteiligen. Die protestantischen Mädchen dagegen durften mit den anderen beten, mussten aber beim »Gegrüßet seist Du, Maria« schweigen und steif ihre Arme an den Seiten halten.

Die kleine Trude bemühte sich nun, diese sie kränkende Ausgrenzung auszugleichen: Sie kniete jeden Abend an ihrem Bett nieder, faltete die Hände und betete das Vaterunser für alle jene, die dies nicht tun durften oder das Beten vergessen hatten. Als sie älter wurde, machte sie sich ihre eigenen Gebete.[31]

Wegen seiner starken beruflichen Anspannung hatte Bloch nur wenig Zeit für das Gesellschaftsleben – mit einer Ausnahme: Seit 1910 war er stolzes Mitglied der jüdischen Loge »B'nai B'rith« in Wien. »B'nai B'rith« wurde 1843 in New York von deutschen Einwanderern gegründet mit dem Ziel, Juden aus allen Heimatländern in brüderlicher Gemeinschaft zu guten und hilfsbereiten Amerikanern zu erziehen. Das schloss auch, wenn nötig, finanzielle Unterstützung ein. Seit den Achtzigerjahren des 19. Jahrhunderts entwickelte sich B'nai B'rith auch in Deutschland rasch und hatte dort um die Jahrhundertwende rund 100 Logen. Das kleine Linz hatte in dieser Zeit keine eigene Loge.

Obwohl die Freimaurerei im westlichen Teil der Donaumonarchie (Cisleithanien) verboten war, verbreitete sich B'nai B'rith unter dem Namen »Israelitischer Humanitätsverein« zunächst in Böhmen und in Österreichisch-Polen (Krakau). Die erste übergeordnete »Große Loge von Österreich« war in Prag, übersiedelte aber 1911 als Großloge in die Residenzstadt Wien. Die Beziehungen zwischen Prag und der Wiener Zentrale waren eng und freundschaftlich, was Bloch so erklärte: *Die Loge »Wien« wurde ja durch den Prager Logenbruder Dr. Hammerschlag inauguriert,* den Bloch sehr schätzte.

Moritz Hammerschlag war einer der führenden B'nai B'rith-Präsidenten in Europa und hatte auch Funktionen in der Weltzentrale in den USA. Diese wiederum stand unter der Führung von Adolph Kraus, geboren 1850 in Böhmen und früh in die USA ausgewandert. Dieser sehr erfolgreiche und vermögende Rechtsanwalt mit Wohnsitz in Chicago war von 1905 bis 1925 Internationaler Präsident von »B'nai B'rith«. Er engagierte sich vor allem für die 1913 gegründete »Antidefamation League«, eine Aktion gegen Antisemitismus und Diskriminierung. Bloch schrieb mit spürbarem Stolz: *Ich selbst hatte noch die Ehre, den amerikanischen Ordenspräsidenten Dr. Kraus in Wien anlässlich seiner europäischen Inspectionsreise begrüssen zu können, zu dessen böhmischen Anverwandten ich in freundschaftlichen Beziehungen gestanden. Ordenspräsident Dr. Kraus war über meine Tätigkeit als Ben-Berith wohlunterrichtet und hat auch dieselbe voll anerkannt.*

Zeitlebens blieb Bloch ein engagiertes Mitglied von »B'nai B'rith«, ob in Prag, Wien, Linz oder New York: *Dass mich die idealen Grundsätze des Ordens stets mit Begeisterung erfüllt haben, ist wohl begreiflich!* Bei den 14-tägigen Zusammenkünften wurden Vorträge gehalten, Wohltätigkeitsprojekte erörtert, für die Armen gesammelt, aber auch beim »Brudermahl« gut gegessen und heftig diskutiert. Da hier im Gegensatz zur klassischen Freimaurerei auch Frauen zugelassen waren, hatten die Zusammenkünfte auch einen wichtigen gesellschaftlichen Charakter.

Auch Blochs Schwäger Rudolf und Egon Kafka gehörten zu »B'nai B'rith«, nahmen aber in Linz auch an nichtjüdischen Zirkeln teil, so der Linzer »Literarischen Gesellschaft«. Von diesem offenbar sehr munteren Verein sind nur wenige Zeugnisse erhalten, darunter ein humoristischer Beitrag von 1913/14: Darin interviewt Egon Kafka in einer fingierten Szene den indischen Schriftsteller Rabindranath Tagore, den Nobelpreisträger für Literatur des Jahres 1913. Zum Schluss lässt er den fernen Dichter Tagore die Produkte der Firma Kafka anpreisen mit dem untergeschobenen Reklamespruch:

>»Bramaputra, Ganges, Indus, –
>Weichselgeist, und Du, Absynthus,
>Allen sag ich jetzt Adé, –
>Trink nur Kafkas Pralinée.«[32]

Rudolf Steiner in Linz

1911 kam Rudolf Steiner, Rudolf Kafkas Idol, zum ersten Mal zu einem Vortrag nach Linz. Er sprach über sein Lieblingsthema »Karma und Reinkarnation«, also über den anthroposophischen

Grundgedanken, dass Handlungen wie Gedanken jedes Menschen auf ihn selbst zurückwirken, und zwar über den Tod hinaus auch in einem neuen Leben – nach einer Wiedergeburt. Zu Steiners Verehrern gehörten einige Linzer Prominente wie Ludwig Ritter von Polzer-Hoditz, Emilie Witt von Döring und Hofrat Adolf Eigl, hoher Verwaltungsjurist der oberösterreichischen Landesregierung.

Steiner taufte bei diesem Besuch die kleine Linzer Anthroposophengemeinde auf den Namen »Johannes-Kepler-Zweig« und erwies damit dem bedeutendsten, aber damals fast vergessenen Einwohner von Linz seine Reverenz. Der Astronom und Mathematiker Johannes Kepler (1571–1630) kam 1612 nach der Entmachtung seines Prager Dienstgebers Kaiser Rudolf II. nach Linz, arbeitete als Landschaftsmathematiker der Stände des »Erzherzogtums ob der Enns« und heiratete hier seine zweite Frau Susanne. Drei Jahre später wurde er als Protestant vom Abendmahl ausgeschlossen – zur selben Zeit, als in Württemberg seine Mutter als

Rudolf Steiner 1913 auf dem Bauplatz des Goetheanums, »Freie Hochschule für Geisteswissenschaft« genannt, in Dornach bei Basel

Hexe angeklagt wurde. In einem jahrelangen Prozess verteidigte
Kepler seine Mutter vor Gericht und erreichte 1621 ihren Freispruch. Ein Jahr später war sie tot.

In diesen schweren Linzer Jahren entdeckte Kepler das dritte
Planetengesetz und arbeitete unter anderem an den Harmoni-
ces mundi und den Rudolfinischen Tafeln. In den Wirren des
Dreißigjährigen Krieges und des Bauernkrieges gegen die bayerischen Besatzer brannte 1626 die Linzer Buchdruckerei Planck ab.
Das Feuer zerstörte wertvolle Teile der Rudolfinischen Tafeln,
die bei Hans Planck gerade in Druck waren. Daraufhin verließ
der schwer getroffene Kepler Linz mit Frau und Kindern, auch
um der gewaltsamen Katholisierung der Habsburger wie der Wit-
telsbacher zu entgehen. Verarmt und erschöpft, starb er 1630 in
Regensburg.

Mit dieser Namensgebung gab Steiner den Linzern den Impuls,
sich des großen Kepler wieder zu erinnern. Heute trägt die Linzer
Universität den Namen »Johannes Kepler Universität«.

Als Steiner 1913 ein zweites Mal nach Linz kam, sprach er über
»Das Wesen der Menschenseele und die Bedeutung des Todes«.
Der anwesende Reporter der Linzer Tagespost wusste mit dem
Gast wenig anzufangen. Dieser, also Steiner, sei »ein verträumt
aussehender Mann, dem man gleichwohl anmerkt, dass er durch
zähes Studium und hartnäckiges Festhalten an den von ihm als
richtig erkannten Ideen zu einem Eiferer für seine Sache geworden
ist«. Das Publikum sei zahlreich erschienen, »zum Teil aus bloßer
Neugier, die schon durch das weltentrückte Wesen des Vortra-
genden und seiner mit hiehergekommenen Anhängerinnen wach-
gerufen worden war«. Und: »die kindlichen Ansichten, die er bei-
spielsweise bei der von ihm behaupteten Seelenwanderung äußerte
und auch gegen den Materialismus ins Treffen führte, werden wohl
von den wenigsten Zuhörern geteilt worden sein«.[33]

Die Kafkas hatten eine eigene Meinung über den Seelenführer
Steiner. Und Eduard und Lilli Bloch blieben deutlich und konsequent distanziert, auch als sich später ihre Tochter für Steiner zu
begeistern begann.

Familiensachen

Am 6. März 1911 starb Lilli Blochs 71-jähriger Vater Sigmund Kafka, der absolut herrschende Firmenchef. Auf seinem Grabstein steht der Spruch: »Gerechtigkeit, Friedensliebe, Wahrheit und Gottvertrauen waren die Leitsterne seines Lebens«.

Noch auf dem Sterbebett bestimmte Sigmund das künftige Privatleben seines jüngeren Sohnes Egon. Er verlangte von ihm das Versprechen, keinesfalls Irma Jäger zu heiraten, Egons große Liebe. Die damals 26-jährige intelligente blonde Irma war mit 16 Jahren als Ziehkind aus Böhmen nach Linz gekommen und wohnte zwei Häuser entfernt von den Kafkas in der Landstraße 48.[34] Sie war keine Jüdin und hatte kein Vermögen. Der 31-jährige Egon gab dem sterbenden Vater das verlangte Versprechen, und Irma verließ Linz. Als sie viele Jahre später als erfolgreiche Schauspielerin wieder in der Stadt war, fragte sie den immer noch ledigen Egon, ob er sie nun heiraten wolle. Aber er erklärte traurig, sein Versprechen gegenüber dem Vater nicht brechen zu können, auch nicht nach dessen Tod.[35]

Trude und Lilli Bloch, um 1908

Der neue Chef der Firma Kafka war nun Sigmunds ältester Sohn Rudolf. Er modernisierte die florierende Firma und kaufte, da genügend Kapital vorhanden war, im großen Stil moderne Maschinen, um die Arbeit zu erleichtern und zu rationalisieren: eine hydraulische Fruchtpresse, eine elektrische Passiermaschine, Vakuumkochanlagen, Abfüll- und Etikettiermaschinen und eine Obsttrocknungsanlage. Dazu kamen bald moderne Destillieranlagen zur Produktion edler Weinbrände, von Slibowitz und Kirschwasser. Automatische Gärungsvorrichtungen produzierten hochwertigen Essig für Feinschmecker. Und auch eine neue Senffabrikation begann.[36]

Die tägliche Arbeit im Geschäft jedoch überließ Rudolf seinem Bruder Egon, dem Juniorchef. Laut Trude Bloch habe Rudolf den Bruder oft wie einen »Kleinstadtjungen« behandelt: »Egon blieb im Dunkel, während sein Bruder im Scheinwerferlicht stand.«

Aber auch Egon zeigte sich nicht gerade als der geborene Geschäftsmann. Er war hochmusikalisch und spielte sehr viel besser Klavier als Mutter Hermine. Am liebsten improvisierte er stundenlang kunstvoll auf dem Bechstein-Flügel oder am Harmonium, im Familienkreis »Orgel« genannt. Trotz allem aber mühte sich Egon im Geschäft redlich ab und versuchte, jedem alles recht zu machen.

Im Herbst 1913 hatte Eduard Bloch die große Freude, seine zehnjährige Tochter Trude in das »Mädchenlyzeum und Reform-Realgymnasium« zu führen. Diese Schule war als beste Linzer höhere Mädchenschule sehr beliebt, führte aber nur bis zur mittleren Reife. Mädchen durften in Linz kein klassisches Gymnasium besuchen, das sie direkt zum Studium geführt hätte.

Direktor des Mädchenlyzeums war der 60-jährige Dr. Leopold Poetsch, ebenjener Lehrer, der einst den jungen Adolf Hitler in der Linzer Realschule in Geschichte und Geografie unterrichtet und begeistert hatte. Poetsch, 1853 in Sankt Andrä im Lavanttal geboren, war auch als deutschfreiheitlicher Linzer Gemeinderat aktiv. Die Deutschliberalen waren österreichtreu und unterschieden sich darin von den Deutschnationalen, die den Anschluss an das Deutsche Reich anstrebten. Aber auch die Liberalen hatten

Probleme mit dem 1906 eingeführten allgemeinen, gleichen Wahlrecht und plädierten dafür, dass die Deutschen beim Wahlrecht bevorzugt werden müssten, um in Österreich weiterhin eine führende Rolle im Vielvölkerstaat spielen zu können. Denn rein zahlenmäßig waren die Deutschen in Cisleithanien gegenüber den anderen Nationen in der Minderheit und hatten durch das allgemeine, gleiche Wahlrecht ihre Führungsposition im Reich eingebüßt.

Poetsch war in Linz ein sehr beliebter Festredner, so im Schiller-Jahr 1905 und bei Kaiser Franz Josephs 60-jährigem Regierungsjübiläum 1908. Seine Lieblingsthemen waren Geschichte und Sagen der Germanen, vor allem das Nibelungenlied. Als Lehrer unterstützte er seinen Unterricht mit großen farbigen Tafeln und stellte gerne Bezüge zwischen Geschichte und Gegenwart her. Der Realschüler Hitler war übrigens sehr stolz gewesen, dem verehrten Lehrer diese Bilder aus dem Depot holen zu dürfen.

Außerdem engagierte sich Poetsch auch für die damals hochmoderne Turnbewegung und andere Linzer Vereine.[37] In seiner Realschulzeit war er noch gerne mit älteren Schülern in Linzer Kneipen gegangen, hatte mit ihnen reichlich Bier getrunken und dabei nationale Studentenlieder gesungen. Das tat er natürlich mit den Schülerinnen des Lyzeums nicht. Aber auch hier war er als engagierter und charismatischer Lehrer sehr beliebt, beeindruckte mit seinen Geschichtsvorträgen und prägte so manches Mädchen fürs Leben. Das Wichtigste aber, was er ihnen mitgab, war seine für die damalige Zeit ungewöhnliche Überzeugung, dass Frauen keineswegs weniger intelligent und tüchtig seien als Männer.

Dieser Meinung war auch der stolze Vater Eduard Bloch. Seine Tochter Trude hatte – im Gegensatz zum Schüler Hitler – in allen sechs Lyzeumsjahren ein Vorzugszeugnis.[38]

6 Der Erste Weltkrieg

Ein Attentat mit ungeahnten Folgen

Nach dem ersten Schock über das tödliche Attentat auf den habsburgischen Thronfolger Franz Ferdinand und seine morganatische Frau, Herzogin Sophie von Hohenberg, am 28. Juni 1914 in Sarajewo gingen die Österreicher bald wieder ihrer Arbeit nach. Der Erzherzog war bei der Bevölkerung wenig beliebt gewesen – wegen seines herrischen Wesens, seines Geizes, seiner Jagdexzesse, seiner rüden Ablehnung der künstlerischen Moderne und seines Hasses auf Ungarn und Juden.

Es war Ferienbeginn. Wer es sich leisten konnte, fuhr in diesem außergewöhnlich schönen Sommer aufs Land. Kaiser Franz Joseph blieb weiterhin in Ischl bei der Jagd und der deutsche Kaiser Wilhelm II. bei seiner alljährlichen Nordlandreise auf See. Erzherzog Franz Ferdinand war fast schon vergessen.

Das Tagebuch Arthur Schnitzlers zeigt die damalige Stimmung in Österreich. Am 28. Juni wird die Todesnachricht erwähnt: »Die Ermordung F. F.s, nach der ersten Erschütterung wirkte nicht mehr stark nach. Seine ungeheure Unbeliebtheit.« Dann am 1. Juli die Bemerkung, dass Kaiser Franz Joseph »ungehalten« sei, dass das Burgtheater gesperrt wurde. Er habe gesagt: »Er ist kein Kronprinz ... ein Erzherzog.« Damit war Franz Ferdinand gemeint, der nicht Franz Josephs Sohn, sondern sein Neffe war. Der Kaiser habe, was die Trauerfeiern betraf, auch gesagt: »Will dass alles möglichst schnell erledigt werde.« Dann wird das Attentat in Schnitzlers Tagebuch über viele Seiten nicht mehr erwähnt.

Erst am 25. Juli, vier Wochen nach dem Attentat, als Schnitzler in Sankt Moritz in der Schweiz Urlaub machte, notierte er plötzlich: »Der oesterr. serb. Krieg in Aussicht.« Österreich-Ungarn hatte, nachdem ein Ultimatum abgelaufen war, die Beziehungen zu Serbien abgebrochen. Beide Staaten mobilisierten ihre Trup-

pen. Am 27. Juli notierte Schnitzler: »Kriegs- und Beruhigungs-
nachrichten ... ›Patriotische‹ Empfindungen. Dazugehörigkeit.«

Am 28. Juli erklärte der 84-jährige Kaiser Franz Joseph Serbien
den Krieg, und zwar auf Zureden seines Außenministers Leopold Graf Berchtold und des Generalstabschefs der k.u.k. Armee,
Franz Conrad von Hötzendorf. Die Herren waren sich sicher,
dass das kleine Serbien bis zum 18. August, also Kaisers Geburtstag, erobert sein würde. Der alte Kaiser war beruhigt und blieb
weiter in Ischl.

Aber nun mobilisierte auch das Zarenreich als Serbiens Schutz-
macht seine Truppen. Schnitzler geriet in Panik und notierte:
»Allgemeine Flucht ... Banken geschlossen. Kein Geld auf Cre-
ditbriefe. Allgemeiner Wahnsinn. Schweiz im Kriegszustand.«
Am 1. August erklärte Franz Josephs Bundesgenosse Wilhelm II.
Russland den Krieg und am 3. August auch Frankreich und Bel-
gien. Als Frankreichs Bündnispartner erklärte daraufhin auch
Großbritannien am 4. August dem Deutschen Reich den Krieg.
Schnitzler am 5. August: »Nachricht von der Kriegserklärung
Englands an Deutschland! – Der Weltkrieg. Der Weltruin. Unge-
heure und ungeheuerliche Nachrichten.« Und: »Wir erleben einen
ungeheuern Moment der Weltgeschichte. In wenig Tagen hat sich
das Bild der Welt völlig verändert. Man glaubt zu träumen! Alle
Menschen sind rathlos.«[1]

In wenigen Tagen war aus dem lokalen Krieg gegen Serbien wegen der bestehenden Bündnisse der bisher größte Krieg Europas geworden – und durch die Einbeziehung der britischen, französischen und deutschen Kolonien in Übersee auch der erste Weltkrieg der Geschichte. Von Serbien und dem Thronfolger Franz Ferdinand war keine Rede mehr.

England hat an Deutschland den Krieg erklärt.

Die Deutschen waren über den Kriegseintritt Englands so entsetzt, dass sie ihr »Gott strafe England« nicht nur auf Häuserwände malten und als Marken auf Briefe klebten, sondern einander nun auch mit dem Satz grüßten: »Gott strafe England!« Darauf folgte die Antwort: »Er strafe es.« Schmerzlich war für das Deutsche Reich und Österreich-Ungarn auch, dass sich ihr Dreibundpartner, das Königreich Italien, aus dem Krieg heraushielt.

Die Zeitungen, die Staatsmänner, die Pfarrer appellierten an den Patriotismus der Bevölkerung, und dies umso mehr, als Österreich-Ungarn am 6. August auch Russland den Krieg erklärte. Unter dem Jubel der Bevölkerung rückte das in Linz stationierte 14. Regiment, die »Hessen«, siegessicher ins Feld – und an die russische Front. Um möglichst viele Truppen so rasch wie möglich befördern zu können, wurde die Eisenbahn für Zivilisten gesperrt.

Eduard Bloch meldete sich freiwillig als Militärarzt (k. k. Landsturm-Oberarzt) und wurde dem Linzer k.u.k. Notreservespital No. 1 als leitender Arzt zugeteilt (»k. k.« steht für die westliche Reichshälfte, also Cisleithanien, »k.« für Ungarn und »k.u.k.« für das gesamte Habsburgerreich mit Ungarn). Die tapfere Lilli blieb als freiwillige Rotkreuz-Schwester an der Seite ihres Mannes und kümmerte sich nicht nur um die Kranken, sondern engagierte sich auch in der Armenfürsorge.

Bereits in den ersten Kriegswochen, als der allgemeine Jubel noch groß war, erhielten die Kafkas die erste Todesnachricht: Hermines 20-jähriger Neffe Erwin Schindler war gefallen, der jüngste Sohn ihrer Schwester Sophie. Erwin hatte in Hamburg sehr erfolgreich in der väterlichen Firma gearbeitet und war gerade auf dem Weg in die USA zur Weiterbildung, als der Krieg erklärt wurde. Sofort brach er die Reise ab, fuhr zurück nach Innsbruck und meldete sich zur Armee. Bereits in den ersten Kriegstagen traf eine feindliche Kugel den unerfahrenen jungen Soldaten tödlich – ausgerechnet in einer Feuerpause, als er die Deckung verließ, um einem Vorgesetzten zu salutieren.[2] Der 73-jährige Vater Samuel Schindler war so verstört, dass er wenige Monate nach seinem Sohn starb. Auch Erwins ältere Brüder Erich und Hugo standen im Feld, beide als Oberleutnants bei den Tiroler Kaiserjägern. Otto, der älteste Bruder, arbeitete bereits als Arzt.

Der 34-jährige Egon Kafka musste nun für den »Dienst am Vaterland« seine Arbeit in der Firma aufgeben. Sein 42-jähriger Bruder Rudolf führte das Geschäft allein weiter und setzte auch die Automatisierung fort.

Die kleine Garnisonsstadt Linz veränderte sich rasch: Innerhalb weniger Wochen errichtete die Militärverwaltung nahe am Bahnhof eine große »ärarische Konservenfabrik« für Fleisch und Fisch zur Versorgung der Truppen, gefolgt von vielen anderen Fabriken für die Armee. Die Bauarbeiter mussten aus Triest geholt werden.[3] Im Umfeld von Linz entstanden Barackensiedlungen, um die wachsende Zahl der Fremdarbeiter unterzubringen – und bald wurden weitere Baracken zur Internierung von Zwangsarbeitern gebraucht, dann für Flüchtlinge. Im nahen Mauthausen wurde im September 1914 mit dem Bau eines Kriegsgefangenenlagers begonnen.

Wie rasch die Euphorie des Kriegsbeginns in Verzweiflung und Trauer überging, schildert Käthe Diernesberger, die Mutter von Rudolf Kafkas unehelichem Sohn. Der kleine Bahnhof von Gnigl, dem ihr Mann vorstand, sei in den ersten Kriegstagen stets überfüllt gewesen mit Frauen, »die den Fortziehenden alles, was sie als letzte Liebesgabe entbehren konnten«, an den Zug brachten. Sie hätten oft »ganze Körbe voll Buchteln gebacken, die wir selber verteilen durften«.[4] Kurze Zeit später wurde auch in Gnigl in großer Eile ein primitives Barackenlager gebaut. Und nun

*Franz Josephs Geburts-
tag am 18. August 1914
(»Hoch lebe unser guter
Kaiser«) im Linzer
Notreservespital, als
man noch mit einem
raschen Sieg rechnete;
links Eduard Bloch,
rechts seine Frau Lilli*

kamen tagtäglich Züge mit Verwundeten an, die versorgt werden mussten.

Die rund 1000 Betten des Linzer Notreservespitals, wo Bloch rastlos arbeitete, erwiesen sich sehr bald als viel zu wenig. Das Haus war überbelegt, und dementsprechend überfordert waren Ärzte, Krankenschwestern und ehrenamtliche Helfer. Bloch erzählte darüber: *Welche Unsumme von Arbeit ich zu leisten hatte, lässt sich wohl denken, denn ein bedeutender Mangel an Ärzten machte sich schon bald nach Kriegsbeginn unangenehm bemerkbar.* Bald waren sämtliche Spitäler und die Reserve- und Notspitäler überfüllt. Größere Häuser wurden nun als Lazarette genutzt, vor allem Schulen, darunter in Linz auch das »Collegium Petrinum«, das Bischöfliche Gymnasium.

Am 12. November 1914 starb überraschend Lillis 45-jährige Schwester Bertha Ungar nach einem mühseligen Leben. Seit der Trennung von ihrem Wiener Ehemann hatte sie mit den drei Kindern Kurt, Felix und Elfriede in vollkommener, auch finanzieller

Abhängigkeit von der energischen Mutter Hermine in deren Haushalt gelebt. Stets blieb sie im Hintergrund, was wohl durch ihr wenig hübsches Aussehen motiviert war. Denn selbst eine Augenoperation hatte Berthas Schielen nicht eindämmen können. Die dominante Mutter verbot ihr die Scheidung. Und nun die Schrecken des Krieges. Blochs Diagnose: *ihr Herz konnte den ständigen Aufregungen dieser Zeit nicht standhalten.*

Lilli Bloch nahm die Halbwaisen – den 15-jährigen Kurt, den elfjährigen Felix und die achtjährige Elfriede – zu sich und brachte sie sicher durch wirre Zeiten.

Massenflucht aus dem Osten

Die k.u.k. Generäle hatten mit einer wochenlangen Mobilisierung der russischen Truppen gerechnet und waren sich eines raschen Sieges über das Zarenreich sicher. Aber zum größten Entsetzen der Österreicher brach die russische Armee bereits Ende August 1914 in Galizien ein. Im September fiel Lemberg, wo sehr viele orthodoxe Juden lebten. Täglich kamen nun neue Horrormeldungen von der Ostfront.

Eine Massenflucht polnischer Juden nach Westen setzte ein, um den Russen und deren antisemitischem Terror zu entkommen. Arthur Schnitzler am 6. Januar 1915 über Nachrichten aus Österreichisch-Polen: »Die Russen schlagen so viel Juden tot als möglich.« Und am 16. März: »Russische Mordbefehle gegen die Juden in Galizien wegen ihres österreichischen Patriotismus. Wird mans ihnen hier danken?«

Aber im Westen nahm sich kein Politiker der Flüchtlinge an, ganz im Gegenteil: Jeder wollte die fremden Juden so rasch wie möglich wieder los sein. Schnitzler notiert am 18. Dezember 1914 in sein Tagebuch: »Der Antisemitismus hier, durch die galizischen Flüchtlinge gesteigert. Kläglich freches Benehmen gewisser höherer behördlicher Factoren.«

So wurden die meist nur Jiddisch sprechenden polnischen Juden auch in Oberösterreich auf kleine Orte und Dörfer verteilt, da es dort weniger Probleme mit der Lebensmittelversorgung gab.

Treu leben
Todtrotzend kämpfen
Lachend sterben!

 Durchhalteparole der
Deutschradikalen im
Winter 1915

Aber die Dorfbewohner lehnten die fremden Juden ab, die nach der langen Flucht meist nur in Lumpen gekleidet, bitter arm und ausgehungert waren. Wegen starker antisemitischer Reaktionen der ebenfalls armen Dorfbewohner mussten die Ostjuden schließlich in die nächsten Städte verlegt werden, so auch nach Linz.

Im Laufe der vier Kriegsjahre lebten in Linz mehr oder weniger kurzfristig rund 20000 jüdische Flüchtlinge, Internierte und Kriegsgefangene. Die meisten von ihnen stammten aus Russland und aus Polen. Betreut und versorgt wurden sie von der Jüdischen Gemeinde. Um dies zu bewältigen, richtete Benedikt Schwager als Präsident der Gemeinde ein Hilfskomitee aus tatkräftigen Freiwilligen ein, die sich um die hilflosen Menschen kümmerten.[5] Rudolf Kafka engagierte sich hier sehr stark und auch viele jüdische Frauen, unter ihnen selbstverständlich Lilli Bloch.

Um die wegen des unglücklichen Kriegsverlaufs verstörte Bevölkerung zu beruhigen, wurden nun in vielen Städten serbische und russische Geschütze als Trophäen ausgestellt, so auch in der Linzer Artilleriekaserne. Mit solchen Aktionen sollte die Tapferkeit der k.u.k. Truppen gepriesen und die Zuversicht auf einen baldigen Sieg gestärkt werden.

Und immer noch meldeten sich junge Burschen für den Kriegsdienst, so auch der 17-jährige Ludwig Pullirsch, Schüler der Bischöflichen Lehrerbildungsanstalt in Linz. Nach der schriftlichen Genehmigung seines Vaters trat er wie 17 Schulkollegen dem Schützenkorps bei und wartete ab Neujahr 1915 ungeduldig auf seinen Einsatz: »Die ganze Zeit vergeht und wir rennen öfters auf's Kommando und fragen, ob wir überhaupt heuer noch dran kommen.«[6] Nach langer Ausbildung im Exerzieren, Schießen, Sturmangriff und anderem war es am Sonntag, dem 9. Mai 1915, endlich so weit: In neuer Uniform marschierten 385 junge Männer durch Linz, mit Tannenreisig auf den neuen Kappen und begleitet von einer Militärmusikkapelle. Pullirsch notierte: »Der Hof des Landhauses war durch Fahnen und Wappen sehr schön ausgeschmückt. In der Mitte der vorderen Seite befand sich ein Altar und gegenüber die Kaiserbüste.« Hier wurden sie vereidigt.

Nun auch Krieg gegen Italien

Der 23. Mai 1915 brachte für die sogenannten Mittelmächte einen gewaltigen Schock: Das Königreich Italien erklärte seinen Dreibundpartnern, also dem Deutschen Reich und Österreich-Ungarn, überraschend den Krieg. Vorhergegangen war ein langes Feilschen mit den Verbündeten, aber auch deren Gegnern, um den höchsten Preis für Italiens Kriegseintritt zu erreichen. Die Entente, die vorerst aus Großbritannien, Frankreich und Russland bestand, bot dabei Italien für den Sieg unter anderem ganz Südtirol bis zum Brenner an, außerdem Istrien, Triest und Dalmatien, also habsburgische Erbländer. Damit konnte und wollte Kaiser Franz Joseph nicht dienen. Schockiert von der Skrupellosigkeit seines Bündnispartners, schrieb der Kaiser noch am selben Tag in einem öffentlichen Manifest: »Nach einem Bündnis von mehr als dreißigjähriger Dauer, währenddessen es seinen Territorialbesitz mehren und sich zu ungeahnter Blüte entfalten konnte, hat Uns Italien in der Stunde der Gefahr verlassen und ist mit fliegenden Fahnen in das Lager Unserer Feinde übergegangen.«

Auch der frischgebackene 18-jährige Linzer Abiturient und »Unterjäger« Ludwig Pullirsch wurde nun mit seiner Kompanie an die italienische Front geschickt, zunächst nach Brixen und dann in die Gletscherregionen der Adamello- und Presanellagruppe in 3000 bis 3500 Meter Höhe. Am Tag nach der Kriegserklärung, so schrieb Pullirsch in sein Tagebuch, »fliegen alle Brücken in die Luft, die Italien mit Österreich verbanden – die Drahtverhaue werden geschlossen – alle Sperrforts sind bereit. Die Straßensperrungen sind ein voller Erfolg.«

Später, in der Rückschau auf seine Stationierung in Südtirol, kritisierte er: »Die italienischen Truppen bestanden aus jungen, gut ausgebildeten Leuten, alles Alpini, welche die Gegend gut kannten. Bei uns bestand die Verteidigungstruppe aus ganz jungen und

ganz alten Männern, die schnell eingezogen wurden und nur man-
gelhaft ausgebildet waren. Die Geschütze waren uralt, aus dem
Jahre 1865, fast aus der Zeit Radetzky.« Nun rächte es sich, dass
die für den Gebirgskrieg ausgebildeten Tiroler Schützen 1914 samt
ihrer Gebirgsausrüstung an die russische Front geschickt worden
waren, wo Tausende von ihnen bereits gefallen oder schwer verwundet waren.[7]

Als Pullirsch 15 Jahre später im Bahnhof Schwarzach-Sankt
Veit auf einen Zug wartete, erinnerte er sich an den Februar 1916,
als er von hier aus wieder an die Front musste: »Mit welch' ge-
mischten Gefühlen saß ich damals hier.« Nach dem »warmen Bett
und den guten Fleischtöpfen« daheim »ging es wieder in den fins-
teren und muffigen Unterstand im Rienztal. Das Wasser tropfte
dort von der Decke, und Konservenbüchsen waren aufgehängt,
um dieses unliebsame Nass aufzufangen. Ungefähr zehn Kaiser-
jäger und vierzehn Standschützen hausten dort. Die Luft im Unterstand war schrecklich. Es gab zwei Türen und kein Fenster, es
wurde fest geheizt und im Winter wegen der Kälte kaum gelüftet.
Keiner scheute sich, seine Leibesdüfte ungehindert und mit Ge-
knalle auszulassen. Speisereste warteten geduldig in aufgestellten
Menageschalen, Läuse plagten und peinigten uns nach Herzens-
lust!« Und der einst so Kriegsbegeisterte schrieb: »Schweren Herzens fuhr ich. Ob ich wieder gesund heimkehren werde, war fraglich. Es wurde da draußen ja fest herumgeschossen.«[8]

Und über seinen Einsatz im Hochgebirge: »Keine großen Hel-
dengeschichten aus diesem Gebiet wurden veröffentlicht, die
Leiden wurden stumm ertragen, und es wurde ohne Aufsehen
gestorben. Tausende starben in Gletscherspalten, unter Lawinen
oder stürzten über Felswände oder in tiefe Schluchten, sie starben
einsam und von allen verlassen, und oft verhallten die Hilferufe
der Verblutenden ungehört zwischen den Felswänden.«[9]

Mit Zigtausenden Kameraden wurden auch Hermine Kafkas
Neffen Erich und Hugo Schindler an die Dolomitenfront verlegt,
ebenso wie ihr Sohn, der 35-jährige Egon Kafka. Dessen Sohn John
erinnert sich an Hochgebirgsfotos des uniformierten Vaters und
an Erzählungen, dass dieser als Soldat in Italien großen Hunger

gelitten und deshalb viel geraucht habe. Die Familie führte Egons frühen Tod auf dieses übermäßige Hungerrauchen und die Strapazen im Krieg zurück.

Die Zahl der Gefallenen stieg von Tag zu Tag – und ebenso die Zahl der Waisenkinder. In Linz wurde im Herbst 1915 mit dem Bau des »ersten Kriegswaisenhauses St. Joseph« in der Rudigierstraße 8 begonnen.

Kriegsalltag

Der sich immer weiter ausdehnende Krieg wirkte sich auch massiv auf die Geschäfte der Firma Kafka aus. Der Export der Kafka'schen Produkte war nun großteils blockiert, wichtige Essenzen für die Herstellung der Liköre und Säfte wurden rar, und die wenigen, meist weiblichen Kunden konnten sich die teuren Produkte der Firma Kafka nicht leisten. Immerhin wurde die Firma nun »unter allgemeiner Anerkennung sowohl für die Bedürfnisse der Zivilbevölkerung wie des Heeres zur Approvisionierung herangezogen«[10] – freilich zu diktierten niedrigen Preisen. Die Firma Kafka war nun zwar mit Heereslieferungen ausgelastet, aber bei höchst bescheidenem Gewinn, viel zu wenig Arbeitskräften und der amtlichen Verpflichtung, regelmäßig Kriegsanleihen zu kaufen. Ähnlich ging es vielen anderen Geschäftsleuten, und so mancher von ihnen gab resigniert auf. Denn von Woche zu Woche verlor die Krone an Wert.

Geldwert einer Krone von 1914 bis 1919 in Euro (Vergleichsjahr 2007):	
1914:	4,50
1915:	2,69
1916:	1,31
1917:	0,65
1918:	0,40
1919:	0,16

Sogar im ländlichen Linz wurde die Ernährung zum kaum lösbaren Problem, zumal die vielen Tausend Fremden – Zwangs- und

*Patienten des Linzer
k.u.k. Notreservespitals
Nr. 1 vor der gemalten
Kulisse der Wallfahrts-
kirche am Pöstlingberg*

Fremdarbeiter, Flüchtlinge, Verletzte und Gefangene – in den La-
zaretten und Baracken zu verköstigen waren. Die jährliche Ernte
war rasch verbraucht, und Nachschub gab es kaum. Bezugskar-
ten mit immer karger werdenden Portionen wurden ausgedruckt.
Bereits im Winter 1915 musste die Stadt Linz Kohlen an die frie-
rende Bevölkerung verteilen. Allerdings wurden nur sehr kleine
Mengen ausgegeben.

   Stabile Sachwerte, vor allem Gold, wurden bei der rasch ver-
fallenden Währung immer teurer. Aber da die Regierung Gold
brauchte, um bei neutralen Staaten Waffen, Munition und Rohstoffe zu kaufen, verpflichtete sie die Banken, Goldmünzen in Papiergeld umzutauschen. Als das nicht genug einbrachte, wurde
die Aktion »Gold gab ich für Eisen« eingeführt: Die Bevölkerung wurde zunächst aufgerufen, bald aber gegen Strafe verpflichtet, Goldschmuck und Goldmünzen abzuliefern, schließlich sogar
Eheringe, die in eiserne umgetauscht wurden. Die Bevölkerung
wurde bis zum Letzten ausgeplündert.

Dazu passt die Geschichte von Elsa Dubsky, Hermine Kafkas in Wien lebender Nichte. Das Mädchen hatte seinem Vater eine erhebliche Anzahl angesparter Goldmünzen zur Aufbewahrung gegeben mit dem ausdrücklichen Wunsch, sie nicht in Papiergeld wechseln zu lassen. Heinrich Dubsky aber tat dies trotzdem, da der Besitz von Gold inzwischen strafbar war. Als die Tochter erfuhr, dass sie ihr gesamtes Vermögen verloren hatte, wurde sie wahnsinnig und musste in eine Irrenanstalt eingeliefert werden.[11]

Im Lazarett von Gnigl machte sich die praktisch veranlagte Käthe Diernesberger seit Kriegsbeginn als Wäscherin nützlich. Da Gnigl noch kein Fließwasser hatte, musste sie für ihre Arbeit »das ganze Wasser fünfzig Stufen hinunter tragen«. Als aber 1916 weder Bettwäsche noch Seife mehr zu bekommen waren, beendete sie ihre Arbeit im Lazarett. Immerhin konnte sie ihrem Sohn von dem schwer verdienten und gesparten Geld einen alten Stutzflügel kaufen. Es war ein Bechstein, wie sie ihn aus dem Hause Kafka kannte, wenn auch viel kleiner und in einem schlechten Zustand. Der 13-jährige Rudolf, der die Realschule besuchte, erhielt nun im Bahnwärterhaus Klavierunterricht. Und da er auch technisch sehr begabt war, richtete er sich in der Dachkammer ein kleines Laboratorium ein.[12] Käthe war sehr stolz auf ihren intelligenten Sohn.

Im Herbst 1916 gab es nicht nur in den Großstädten, sondern auch schon im ländlichen Linz Hungertote, vor allem Alte und Kinder. Im Gegensatz zu den »Kriegsgewinnlern«, die sich die hohen Preise im Schwarzhandel leisten konnten, gab es für Normalverbraucher in den Städten kaum noch Lebensmittel, auch nicht mit den karg bemessenen Karten. In Parks und sogar auf Gräbern wurde jedes Fleckchen Erde genutzt, um Gemüse, zumindest Brennnesseln, anzubauen. Je mehr Flüchtlinge, Kriegsgefangene und Fremdarbeiter in die Stadt kamen, desto schwerer fiel es den Linzer Bürgern, Essbares aufzutreiben. So schrieb eine in Linz gestrandete Frau an eine Freundin in Wien am 13. August 1917, also zur Erntezeit: »Dass in unserer nächsten Nähe garnichts zu haben ist, macht ein Kriegsgefangenenlager – Stand 100 000 Mann.«[13] Sie müsse lange Fußmärsche in das ländliche

Umfeld machen, um dort vielleicht ein Ei oder ein Stück Brot zu
erbetteln.

Die Bezugsscheine für Lebensmittel waren kaum ihr Papier
wert. Denn: »Der Zeitpunkt der Ausgabe der Kartoffeln wird seinerzeit bekanntgegeben.« Dieser Zeitpunkt kam oft nie:

Bezugschein

berechtigend zum Bezuge von

7 *kg* Kartoffeln.

Der Zeitpunkt der Ausgabe der Kartoffeln wird seinerzeit bekanntgegeben.

Dieser Bezugschein ist beim Bezuge der Kartoffeln abzugeben.
Er ist nicht übertragbar.

Linz, 19. Februar 1917.   **Magistrat Linz.**

Lilli Bloch arbeitete weiterhin unermüdlich daran, Lebensmittel für Bedürftige zu organisieren. Sie kochte Hühnersuppe für Patienten, verteilte Eier und Brot, sammelte Geld zugunsten armer
Soldaten. Schließlich bat sie ihren Mann, einige Kartoffeläcker zu
kaufen. Ihre Schützlinge bestellten das Land und tauschten dann

*Französische Karikatur
über die Hungersnot in
Deutschland: Ein kno-
chiger Soldat mit Pickel-
haube umklammert eine
Steckrübe als einziges
vorhandenes Nahrungs-
mittel inmitten einer
Wüste*

einen Teil der geernteten Kartoffeln gegen Eier und Milch – verbotenerweise und geheim.[14] Mit unglaublicher Tatkraft stand Lilli ihrem schwer arbeitenden Ehemann bis zum bitteren Kriegsende zur Seite. Und sie fand dabei noch Zeit für die 13-jährige Tochter Trude und die drei Kinder ihrer verstorbenen Schwester Bertha.

Trude Bloch berichtete später über Eduard Bloch in dieser Zeit: »Mein Vater war dafür in der ganzen Stadt bekannt, dass er den Armen in selbstloser Weise half; wir hungerten während des Krieges; aber mein Vater gab von den spärlichen rationierten Lebensmitteln seinen Patienten, wenn er dachte, dass sie, um zu gesunden, zusätzliche Nahrung brauchten.«[15]

Im Winter 1916/17 gab es für Normalverbraucher in den Städten nur noch Steckrüben zu kaufen, auch Kohl- oder Pferderüben genannt und bisher nur als Tierfutter verwendet. Sie haben nur halb so viele Kalorien wie Kartoffeln und sind äußerst mühsam und zeitaufwendig zuzubereiten. Nun wurden sie zu Salat, Sauerkraut, Pudding, Torte, Mus, Gemüse und anderen Gerichten verarbeitet und – wenn auch widerstrebend – gegessen.[16]

Immer lauter revoltierten die Hungernden gegen den Lebensmittelmangel und die rasche Geldentwertung, so auch 1917 in Linz. Je mehr Todesnachrichten von Soldaten eintrafen und je mehr junge Männer als Krüppel zurückkamen, umso größer wurden die Kriegsmüdigkeit und die Verzweiflung.

Bloch arbeitete unermüdlich weiter und erhielt wegen des Ärztemangels immer mehr zusätzliche Aufgaben. Seit 1916, als die Linzer Jüdische Gemeinde keinen Beschneider mehr hatte, übernahm er auch diese Tätigkeit. Er stand nun jüdischen Wöchnerinnen auch weit außerhalb von Linz zur Seite und vollzog dann beim Säugling die Beschneidung. Diese Aufgabe erfüllte er von nun an bis Ende September 1938.[17]

Friedensversuche

Am 21. November 1916 erschütterte der Tod des 86-jährigen Kaisers Franz Joseph die Donaumonarchie. 68 Jahre hatte er regiert und war längst – trotz seiner verlorenen Kriege – eine Vaterfigur geworden. Vor allem die Juden verehrten ihren Kaiser, verdankten sie ihm doch durch die Gesetze von 1867 ihre bürgerliche Gleichberechtigung und sicheren Schutz. Nun galt das Schlagwort nicht mehr, es gehe alles gut weiter, »solange der alte Kaiser lebt«. Denn dem altehrwürdigen Franz Joseph folgte sein 29-jähriger Großneffe als nunmehriger Kaiser Karl I., ein gutmütiger, unerfahrener und ungebildeter Mann, der politisch von seiner intelligenten und energischen 24-jährigen Ehefrau Zita abhängig war. Diese wiederum, eine geborene Prinzessin von Bourbon-Parma, stand unter dem Einfluss ihrer Beichtväter und ihrer bourbonischen Verwandten.

Mit großem Pomp ließen sich Karl und Zita mitten im Krieg in Budapest zu König und Königin von Ungarn krönen. Karl leistete dabei den Eid auf die ungarische Verfassung, ohne zuvor eine Änderung dieser Verfassung wenigstens versucht zu haben. So versäumte er die überfällige Neuordnung des Vielvölkerstaats, die die schwer benachteiligten Böhmen und Südslawen vergeblich einforderten, und zementierte die Vorrechte der Ungarn und der Deutschen gegenüber den anderen Völkern der Donaumonarchie.

Am 12. März 1917 westlicher Zeitrechnung brach im Zarenreich die Februarrevolution aus. Die Regierung wurde gestürzt, die Minister wurden verhaftet. Am 15. März dankte Zar Nikolaus II. für sich und seinen kranken Sohn und Thronfolger ab und wurde in Haft genommen. Die Entente-Mächte erkannten die neue provisorische Regierung an, aber nur unter der Bedingung, den Krieg fortzusetzen. Die unterlegenen Bolschewisten, die den Krieg sofort beenden wollten, flohen ins Ausland.

Am 6. April 1917 gewann die Entente einen kriegsentscheidenden Alliierten: die USA. Diese hatten sich bisher auf die großzügige Lieferung von Waffen und Rohstoffen beschränkt. Nun griffen sie mit ausgeruhten Truppen, allerbester Ausrüstung und modernsten Waffen in den Krieg gegen die Mittelmächte ein.

Um in dieser prekären Lage rasch einen Separatfrieden mit Russland zu erreichen, finanzierte General Erich Ludendorff im April 1917 30 ins Ausland geflohenen Bolschewisten unter Lenins Führung die Reise von Zürich nach Russland. Der dortige erste

Krönungsbild in Budapest 1917: Kaiser Karl, Kaiserin Zita und Kronprinz Otto nach Karls Krönung zu König Karl IV. von Ungarn; Karl trägt die alten Insignien der Stephanskrone

bolschewistische Aufstand im Juli scheiterte noch. Erst in der Oktoberrevolution 1917 hatten die Bolschewisten durchschlagenden Erfolg.

Sofort bot Lenin daraufhin den Mittelmächten den Separatfrieden an. In Russland wurde der Boden der Großgrundbesitzer an Bauern verteilt, die Arbeiter übernahmen die Fabriken. Der Bürgerkrieg zwischen dem »Roten« und dem »Weißen Terror« in Russland kostete viele Menschen das Leben. Aber Lenin und die Bolschewisten setzten sich schließlich durch.

Unter dem Eindruck der Oktoberrevolution in Russland kam es im November 1917 auch in Linz zu Friedenskundgebungen der Linken. Dabei forderten nun auch die Frauen selbstbewusst ihre Rechte ein. Die 47-jährige ehemalige Fabrikarbeiterin Marie Beutlmayr, seit 1892 Mitglied der Sozialistischen Partei und 1893 Mitbegründerin des Arbeiterinnenbildungsvereins, hielt in Linz eine große Rede unter dem Titel »Was ist aus Europa geworden? Ein großes Leichenfeld«. Sie klagte den Staat

Wiener Karikatur: Der Friedensengel, um den sich alle reißen

an, sich nicht wie versprochen um die Witwen und Waisen der Gefallenen zu kümmern. Die Frauen müssten in den Fabriken arbeiten, um die Männer zu ersetzen, hätten aber politisch keine Rechte. Beutlmayr: »Das Durchhalten hat seine Grenzen… Die Frauen werden sich sehr überlegen, mit Gefahr des Lebens Kinder zu gebären, um sie mit siebzehn Jahren wieder hinmorden zu lassen.«[18]

Die Friedenssehnsucht der geschundenen Bevölkerung der Mittelmächte war unübersehbar. Am 1. August 1917, dem dritten Jahrestag des Kriegsbeginns, appellierte Papst Benedikt XV. an die Kriegsparteien, Frieden zu schließen und dabei auf Annexionen und Reparationen zu verzichten. Auch die deutschen Sozialdemokraten plädierten für einen solchen Verständigungsfrieden, aber vergeblich. Generalfeldmarschall Paul von Hindenburg wollte als Chef der Obersten Heeresleitung nur eines: den Sieg.

Auch Privatpersonen engagierten sich für Friedensgespräche, so die prominente Wiener Journalistin Berta Zuckerkandl, die mit Georges Clemenceau verwandt war und in Frankreich viele wichtige Politiker und Künstler kannte. Auch Julius Meinl, der sehr reiche Wiener Geschäftsmann mit internationalen Kontakten vor allem in England, arbeitete intensiv für eine Verständigung zwischen den Kriegsgegnern.

Einen Bezug zu Linz hatte die Friedensinitiative Rudolf Steiners. Er hatte zuletzt im Mai 1915 in Linz einen Vortrag gehalten, und zwar in der Wohnung seines Freundes Ludwig Ritter von Polzer-Hoditz, da alle öffentlichen Säle mit Soldaten und Verwundeten belegt waren. Dessen Bruder Arthur war seit 1916 Kabinettschef Kaiser Karls, und Steiner sah darin eine willkommene Chance, seine Friedensvorstellungen durch die Brüder Polzer-Hoditz direkt dem Kaiser nahezubringen. Wie so viele Zeitgenossen fand er Hindenburgs Ziel eines kompromisslosen Siegfriedens nicht realistisch und kritisierte: »Für Gedanken – keine Zeit! Von Ideen – keine Spur! Mit dem Krieg, mit dem Sieg wird gerechnet wie mit Zahlen. Um sich Mut zu machen, frägt man die Militärs. Die träumen immer nur: Sieg – Sieg – Sieg!«[19]

Steiners Friedensinitiative beruhte auf der Idee einer grundlegenden sozialen Umgestaltung Mitteleuropas auf der Basis individueller Freiheit. Am 23. Juli 1917 übergab er seinem Freund Ludwig Polzer-Hoditz ein Papier zur Weitergabe an dessen Bruder Arthur. Dieser aber leitete Steiners Plan erst im November 1917 an den Kaiser weiter, zusammen mit seinem Rücktrittsgesuch. Weder Hoditz noch Kaiser Karl konnten mit Steiners langem, kompliziertem und schwer verständlichem Text etwas anfangen.

Schließlich startete auch der junge Kaiser Karl eine Friedensinitiative, und zwar auf dem Weg über seine Schwäger, die Prinzen von Bourbon-Parma. In einem geheimen Brief an den französischen Ministerpräsidenten Clemenceau bot er an, sich in Berlin für die Rückgabe Elsass-Lothringens an Frankreich einzusetzen. Aber den Franzosen war sehr klar, dass der junge Kaiser keineswegs politischen Einfluss auf Wilhelm II. und schon gar nicht auf Hindenburg hatte.

SAMMELT ausgekämmtes Frauenhaar!
Unsere Industrie braucht es für Treibriemen.

Im April 1918 hatte Kaiser Karls dilettantischer Friedensplan
vom Vorjahr ein peinliches Nachspiel in der »Sixtus-Affäre«, genannt nach Karls Schwager Sixtus von Bourbon-Parma. Als Karl
leugnete, jemals einen Brief an Clemenceau geschrieben zu haben,
veröffentlichte dieser Karls Brief von 1917. Der Kaiser stand öffentlich als Lügner da. Überdies war durch diese Affäre nun auch die
ohnehin schwierige Beziehung zum deutschen Bündnispartner
empfindlich gestört. Wilhelm II. fühlte sich zu Recht hintergan-
gen, zumal das völlig verarmte Österreich-Ungarn inzwischen von
deutschem Geld und deutschen Sachlieferungen abhängig war.

Weiterhin verweigerte das Deutsche Reich jede Friedensinitiative und beharrte darauf, bis zum Sieg zu kämpfen. So fand das
Elend kein Ende. Hunger und Seuchen griffen um sich. Vor allem
litten die geschwächten, ausgehungerten, verzweifelten Menschen
unter der Grippewelle, die im Winter 1917/18 Hunderttausende
sterben ließ. Eine der Toten war am 16. Juni 1918 Anna Kren, die
Ehefrau Alexander Krens, des engsten Kafka-Mitarbeiters. Und
immer wieder kamen neue Nachrichten von Gefallenen, Verkrüp-
pelten, Geisteskranken, Flüchtlingen, Verschollenen, Witwen und
Waisen. Elend überall. Im Januar 1918 streikten auch in Linz die
überforderten und zornigen Arbeiter in den Fabriken.

Antisemitismus im Krieg

Eine der Begleiterscheinungen des unglücklich verlaufenden
Krieges war der rasch ansteigende Antisemitismus. Seit dem Herbst
1914 flohen immer mehr »Ostjuden« aus Angst vor den Russen aus
Galizien und anderen östlichen Kronländern nach Westen, so auch
nach Linz. Andere Juden kamen als Verwundete und Kranke, als
Ärzte und Pfleger und als Kriegsgefangene in die Garnisonsstadt
Linz. Das Flüchtlingskomitee der Linzer Judengemeinde unter
seinem Leiter Benedikt Schwager hatte große Mühe, einerseits den
fremden Glaubensbrüdern tatkräftig zu helfen und sich andererseits gegen den rasch anwachsenden Antisemitismus der Bevölkerung zu wehren. Auch Bloch wurde als leitender Arzt im Linzer
Notreservespital tagtäglich mit diesem Problem konfrontiert.

Welche Dimensionen diese Zuwanderung von Juden hatte, sieht man daran, dass das Linzer Staatsgymnasium, das bisher rund zehn jüdische Schüler pro Jahr hatte, 1917 bereits 34 aufwies und 1918 sogar 43. In den Zwanzigerjahren ging die Zahl dann auf zwei bis sieben jüdische Schüler zurück, da die meisten Flüchtlinge die Stadt wieder verlassen hatten.[20]

In dieser schweren Zeit bewährte sich die kleine Linzer Judengemeinde. Sie bot den Ostjuden praktische Hilfe bei der Obdachsuche, der Beschaffung von Nahrung und Kleidung und betreute sie bei allem, was die Religion betraf. So kam man rasch miteinander ins Gespräch und tauschte Erfahrungen aus.

Laut Karl Schwager habe dies zur »Erweiterung des Gesichtskreises in bezug auf die jüdische Existenz« geführt.[21] Denn vor dem Krieg bestand die Linzer Judengemeinde zum überwiegenden Teil aus deutschsprachigen, bürgerlichen, assimilierten Juden. Nun kam mit den orthodoxen, Jiddisch sprechenden Ostjuden ein ganz neues Element in die Gemeinschaft, und man musste sich arrangieren. Die Linzer Juden halfen den fremden Glaubensbrüdern, lernten deren Gebräuche kennen und schlossen trotz der Sprachprobleme auch persönliche Freundschaften. Denn im Laufe des langen Krieges wurde immer klarer, dass sich die Juden aller Richtungen – von Orthodoxen bis zu Liberalen – angesichts des

Versuch einer jüdischen Zeitung, die Leistungen jüdischer Feldärzte zu würdigen

Jüdische Feldärzte.

Vielfach wird mit verstecktem Hohn in den Organen der Antisemiten darauf angespielt, daß so viele jüdische Aerzte im Felde mit dem Eisernen Kreuze ausgezeichnet worden sind, obwohl sie angeblich die Gefahren der Frontkämpfe vermeiden. Wie wenig diese gehässige Insinuation zutrifft, zeigt u. a. nachstehende von einem militärischen Vorgesetzten veröffentlichte Todesanzeige, welche einen jüdischen Arzt betrifft. Sie lautet: „Am 26. Januar 1915 starb den Heldentod der Feldunterarzt Ludwig Salinger aus Berlin, Ritter des Eisernen Kreuzes. Er wurde, als er unerschrocken während einer nächtlichen unerwarteten Beschießung des Feldlazaretts für die Sicherung seiner Kranken tätig war, von einer Granate getroffen. Wir verlieren an ihm einen äußerst pflichtgetreuen Arzt und einen geschätzten Kameraden. Namens des Feldlazaretts I der Garde-Ersatz-Division Dr. Sedlmair, Oberstabsarzt und Chefarzt."

Eine von vielen Karikaturen über die Engländer und deren jüdische Soldaten: krummbeinig, in schlaffer Haltung und wild gestikulierend, mit offenem Mund unter einer riesigen Nase – ganz wie ein verkleideter ostjüdischer Hausierer

rasch wachsenden Antisemitismus solidarisieren mussten, um sich behaupten zu können.

Der unglücklich verlaufende Krieg und der Hunger steigerten den Hass der Bevölkerung gegen die Juden. Öffentlich wurde jüdischen Soldaten Feigheit und Drückebergerei vorgeworfen. Arthur Schnitzler erfuhr von seinem Bruder, einem Chirurgen, »dass vom Magistrat Wien bisher ausschließlich jüdische Ärzte den Flecktyphusspitälern zugeteilt wurden. Man spricht vom ›gelben Flecktyphus‹.«[22]

Nur eines von vielen ähnlichen Beispielen, das den wachsenden Antisemitismus der Behörden in dieser Zeit dokumentiert: Am 12. Juli 1917 wehrten sich wieder einmal jüdische Abgeordnete im Parlament gegen das seit Kriegsbeginn bestehende Verbot, Briefe von der Front und an die Front in Jiddisch zu schreiben. Diese Briefe wurden den Absendern mit dem Zensurvermerk »Zurück, jüdisch, unzulässig« zurückgeschickt. Die jüdischen Abgeordneten nannten dies eine »unvernünftige, unmenschliche, schädliche Verfügung« und verwiesen darauf, dass ein Jiddisch sprechender Soldat im Feld wegen dieses Verbots keinerlei Kontakt mit seinen Angehörigen habe und »oft ein letzter Abschiedsgruß eines sterbenden Kämpfers an seine Eltern, seine Frau und seine Kinder« der Zensur zum Opfer falle. Die Behörden hätten es geschafft, »hunderttausende von Menschen zu kränken und überflüssigerweise zu drangsalieren«.[23] Der Protest blieb ohne Folgen. Es änderte sich nichts.

Dass auch die Linzer Juden im Krieg keine Drückeberger waren, beweist der Gedenkstein für die Gefallenen im kleinen Linzer jüdischen Friedhof: 42 Opfer sind dort verzeichnet, darunter ein Arzt (Eman Marian), drei Offiziere und Klara Sommer als Rotkreuz-Schwester. Die übrigen Opfer waren einfache Soldaten, vor allem der Infanterie. Für die kleine Gemeinde waren das immerhin rund acht Prozent ihrer Mitglieder. Die weitaus größte Anzahl von Gefallenen ging auf die für die Österreicher verlustreiche Brussilow-Offensive der russischen Armee im Jahr 1916 zurück.

Im November 1917 eroberten die Engländer das bisher zum Osmanischen Reich gehörige Palästina. Daraufhin schrieb der englische Außenminister Arthur James Earl of Balfour am 2. November 1917 einen kurzen Brief an Lord Lionel Walter Rothschild, den führenden englischen Zionisten. Darin sicherte er den in aller Welt zerstreuten Juden Palästina als dauernde Heimstatt (»homeland«) unter britischer Mandatshoheit zu, aber unter der Bedingung, die Rechte der nichtjüdischen Gemeinden zu wahren. Die Zionisten erhofften sich nun den von Theodor Herzl einst erträumten »Judenstaat« im Land ihrer Väter. Aber die dort ansässigen Araber fühlten sich nicht zu Unrecht durch die fremden Zuwanderer bedrängt. Sie reagierten mit Misstrauen, wachsender Feindseligkeit – und schließlich kriegerischer Gewalt.

Leopold Poetsch rät seinen Schülerinnen

Der lange Krieg hatte entscheidende Auswirkungen auch auf die Frauen. Denn sie hatten ja seit 1914 die fehlenden Männer in der Heimat in allen Zivilberufen ersetzen müssen. Sie bewährten sich, wurden zunehmend unabhängig und gewannen trotz allen Elends ein bisher ungewohntes Selbstbewusstsein. Doch ein Studium war für Frauen noch immer sehr schwierig, was die nun 14-jährige Trude Bloch schmerzlich erfuhr. Sie besuchte 1917/18 die letzte Klasse des Linzer Lyzeums, wo sie aber nur die mittlere Reife erreichen konnte als das Äußerste, was damals für Mäd-

chen in Linz möglich war. Da sie studieren wollte, musste sie sich
fortan die Hochschulreife in speziellen Kursen mühsam erarbeiten und, um zum Studium zugelassen zu werden, an der Universität die Maturaprüfung bestehen, wahrlich ein langer, schwieriger
Weg. Immerhin hatte sie in ihrem Vater einen sehr guten Latein-
kenner, der sie mit großem Vergnügen unterrichtete.

Im trostlosen Kriegsjahr 1917/18 stärkte Dr. Leopold Poetsch,
der Direktor des Linzer Mädchenlyzeums, das Selbstbewusstsein
seiner Schülerinnen mit dem Aufsatz Frauenberufe mit Mittel-
und Hochschulbildung. Darin gab er den Mädchen mannig-
fache konkrete Hilfestellung mit vielen guten Ratschlägen für ihr
Leben.[24] Der Text zeigt die großen Erzieherqualitäten dieses Lehrers, der ja in früheren Jahren auch den Linzer Realschüler Hitler
so begeistert hatte. Trude Bloch war jedenfalls eine jener Schülerinnen, an die sich Poetschs Aufsatz ganz besonders richtete.

Poetsch begann mit dem Hinweis auf die »vielfach grundstür-
zenden Umwälzungen auf fast allen Gebieten des privaten und
öffentlichen Lebens, die uns die letzten Jahre, zumal die des Krieges
gebracht haben«. Niemand habe »die Bedeutung früher ermessen
können, zu der das weibliche Geschlecht nun in Familie und Staat
emporgerückt ist«. Nachdem die Frauen jahrhundertelang auf die
Rolle als Hausfrau reduziert waren, habe nun der Weltkrieg eine
»umstürzende allgemeine Wandlung in der Frauenfrage« gebracht
mit dem Aufruf: »Frauen heran! In die Bresche für die Männer!«

Diese Frauen, die sich im Krieg tagtäglich bewährten, würden,
so prophezeite er, »überhaupt nicht mehr in den stillen Bezirk
häuslichen Wirkens zurückkehren, sondern in ihren neuen Berufen weiterschaffen«. Denn nach der Rückkehr der Männer aus
dem Krieg würden »neue Lebensformen in Familie und Staat er-
stehen«. Und er hielt es für »vollkommen ausgeschlossen, dass der
Frauenstand als solcher mit dem gesteigerten Selbstbewusstsein
seiner Kraft und seiner Verdienste je wieder in die gleiche Wert-
linie wie vor dem Kriege zurückkehre«. Im Gegensatz zu anderen
Staaten sei die Mädchenförderung »freilich bei uns in Österreich
ohne ausreichende staatliche Führung und Unterstützung derzeit
vielfach noch tastend, plan- und systemlos«.

Frau als Schaffnerin

Dann gab Poetsch konkrete Hinweise auf Ausbildungsstätten für Frauen und lieferte die Adressen gleich mit. Er empfahl den Beruf der Lehrerin sogar in Knabenschulen, fügte aber hinzu, dass die Wiener Lehrerinnenbildungsanstalt kaum freie Plätze habe. Er nannte Fachschulen wie die »Höhere Lehranstalt für wirtschaftliche und soziale Frauenberufe« in Brünn, die »Landwirtschaftliche Frauenschule in Otterbach bei Schärding« und die »Gartenbauschule für Frauen« in Wien-Döbling, Kaasgrabengasse 19. Und er rügte die »Höhere Obst- und Gartenbauschule« in Eisgrub in Mähren, die nur »männliche Zöglinge« aufnehme – wie die meisten anderen Fachschulen auch.

Außerdem widmete er sich auch solchen Mädchen, die keinen Mittelschul- oder Hochschulabschluss hatten. Ihnen empfahl er die Frauengewerbeschule in Wien für Weißnäherinnen, Schneiderinnen, Modistinnen. Er wies auf das Uhrmacher- und Buchbindergewerbe, den Buchhandel und das Kunstgewerbe – immer mit konkreten Hinweisen auf die Ausbildungsstätten. Die Wiener

Dr. Leopold Poetsch, der charismatische Geschichtslehrer des jungen Hitler, später Direktor des Linzer Lyzeums und dort Lehrer von Trude Bloch

»Kunstgewerbeschule« stehe Frauen offen und auch die private »Kunstschule für Frauen und Mädchen« und die »Graphische Versuchsanstalt« für angehende Fotografinnen und Illustratorinnen.

Seit 1911 durften Frauen mit Reifezeugnis in der Donaumonarchie zwar ein Studium zur Gymnasiallehrerin absolvieren. Aber Poetsch wies darauf hin, dass es kaum Stellen gebe, da es ja nur wenige Mädchengymnasien gab. Außerdem kritisierte er, dass es viel zu wenige Doktorinnen der Medizin gebe. Diese würden aber in Schulen, Pensionaten, Frauenklöstern, Frauenasylen und der Fürsorge dringend gebraucht. Jedenfalls forderte er vom Staat eine umgehende Neuorganisation des gesamten Schulwesens, vor allem der Mädchenbildung.

Auch die juridische Laufbahn müsse Frauen endlich ermöglicht werden. Rechtskenntnisse seien für Frauen dringend nötig, da sie »nur mangels solcher derzeit in geringer bezahlte, gesellschaftlich niedrigere Stellungen gedrängt werden«. Da der Staat Frauen aber nicht zum Jusstudium zulasse, müsse ein privates Unternehmen diesen Bedürfnissen entgegenkommen – und er empfahl die 1917 gegründete erste private Frauen-Rechtsakademie in Wien. Er ging dann auf Berufe wie Apothekerinnen, Stenografielehrerinnen und vor allem Sozialarbeiterinnen ein: »In den schweren Nöten des Krieges hat sich die soziale Stellung und mit ihr die Bewertung der Frau gründlich geändert. Sie soll nun den Mann nicht nur in den verschiedensten Lebensberufen vertreten, sondern kommt auch für viele derselben auf Grund ihres Geschlechtes und der ihnen zukommenden speziellen Eignung allein oder in erster Linie in Betracht.«

Poetsch empfahl Frauenhochschulen in Frankfurt am Main, Leipzig, Mannheim, Köln, Hamburg, Elberfeld und Berlin, aber im Vielvölkerstaat Österreich-Ungarn nur eine: die »Vereinigten Fachkurse für Volkspflege« im 8. Wiener Bezirk. Österreich brauche auch dringend Armen- und Waisenrätinnen, Krankenpflegerinnen, Beamtinnen in Obdachlosen- und Flüchtlingsheimen und Häusern für verwahrloste Kinder, Kochlehrerinnen zur Leitung von Massenspeisungen und andere. Für all dies gebe es tüchtige Frauen mit »eigener Lebensfreudigkeit«. Zum Schluss appellierte Poetsch an den Staat, die Ausbildung für Mädchen energisch auszubauen.

Dieses geradezu feurige Engagement des 65-jährigen Linzer Lehrers für die Rechte seiner Schülerinnnen erklärt die Faszination, die von Poetsch ausging. Er war ein grundsatztreuer, kämpferischer und ermutigender Lehrer, der seinen Schülerinnen gerade in dieser wirren und trostlosen Kriegs- und Hungerzeit Selbstvertrauen und Kampfgeist mitgab.

Im Juli 1919 nahm Poetsch als Direktor, Schulrat und Lehrer Abschied vom Schuldienst und ging in Pension, natürlich nach einer von seinen Schülerinnen liebevoll gestalteten Abschiedsfeier. Er verließ Linz und übersiedelte mit seiner Frau in seinen Heimatort Sankt Andrä im Lavanttal.

Im ersten Jahr der Republik Deutschösterreich setzte die sozialdemokratische Regierung endlich durch, dass Mädchen als »ordentliche Schülerinnen« in humanistischen Gymnasien aufgenommen werden durften, um dort ihre Matura zu machen und die

Studienbewilligung zu erhalten. Pro Jahrgang gingen von nun an zwischen ein und vier Mädchen ins Linzer Humanistische Gymnasium. Eine von ihnen war Hitlers Nichte Geli Raubal, die 1927 in Linz ihre Matura bestand, wenn auch mit vielen »Genügend«.

In der Zeit des Ständestaats und des »Dritten Reiches« – von 1936 bis 1945 – waren Mädchen dann wieder vom Besuch des Gymnasiums ausgeschlossen. Aber ohne weibliche Lehrer ging es im nächsten Krieg dann doch nicht.[25]

Die Donaumonarchie in Auflösung

Am 18. Oktober 1918 veröffentlichte Kaiser Karl ein Manifest, das den Völkern Österreich-Ungarns das Selbstbestimmungsrecht in einem zukünftigen Bundesstaat zusicherte. Aber die Völker hatten sich ihr Selbstbestimmungsrecht bereits längst genommen: Die ehemals italienisch besiedelten Landesteile Österreichs hatten sich dem Siegerstaat Italien angeschlossen, die rumänischen an Rumänien, die polnischen an das nach vielen Jahren endlich wieder als Staat auferstandene Polen und so fort. Und vor allem: Bereits am 28. September 1918 hatte der tschechoslowakische Nationalrat unter Tomáš G. Masaryk die Tschechoslowakische Republik ausgerufen, und zwar unter Einbeziehung der deutschsprachigen Teile des Landes. Der junge Kaiser Karl aber glaubte immer noch, seinen Thron retten zu können.

Am 21. Oktober beanspruchte die in Wien erstmals zusammengetretene Provisorische Nationalversammlung von Deutschösterreich, bestehend aus mehr als 200 Abgeordneten, alle deutschsprachigen Gebiete der Habsburgermonarchie inklusive der Sudetenländer und Südtirols – und berief sich dabei auf die »14 Punkte« des amerikanischen Präsidenten Woodrow Wilson, der das Selbstbestimmungsrecht der Völker forderte. Aber ein Verliererstaat konnte keine Rechte einklagen. Die Siegerstaaten Tschechoslowakei wie Italien hatten diese Gebiete bereits fest in der Hand.

Am 30. Oktober nahm die österreiche Nationalversammlung die vom Sozialisten Karl Renner ausgearbeitete Verfassung an. Ein Kaiser war darin nicht vorgesehen.

Das »Volk« hungerte, war verunsichert und ängstlich und wartete auf die Heimkehr der Soldaten. Der Linzer Augenzeuge Egon
Basch: »Endlose Eisenbahnzüge, die von Rückzüglern besetzt
waren, durchfuhren singend und johlend den Linzer Bahnhof. Es
herrschte eine allgemeine Desorganisation.«[26]

Am 3. November 1918 wurde – noch unter Kaiser Karl – der
Waffenstillstand zwischen Österreich und Italien geschlossen.
Andere folgten. Das Habsburgerreich zerfiel in viele kleine Staaten. Zurück blieb schließlich ein winziges deutschsprachiges Österreich, nun »Deutschösterreich« genannt, das darauf vertraute,
sich bald an das Deutsche Reich anschließen zu dürfen.

Erst am 11. November 1918 verzichtete Kaiser Karl nach langem
Hin und Her auf die Regierung, verließ Österreich und siedelte
sich mit seiner kinderreichen Familie in der Schweiz an. Er musste
dort versprechen, keinen Restaurationsversuch zu unternehmen.
Aber Karl und Zita waren vom »Gottesgnadentum« ihrer Herrschaft so überzeugt, dass sie eine Restauration für sicher hielten.

Im Winter 1918/19 war Linz ein Zentrum der österreichischen
Rätebewegung, die auch Kommunisten einbezog. Am 31. Oktober demonstrierten die Arbeiter der Linzer Schiffswerft mit roten
Fahnen und ließen die russische Revolution hochleben. Am 1. November 1918 marschierten sie, angeführt von der Eisenbahner-Ka-
pelle, in einer Massendemonstration zum Rathaus und setzten
die Wahl von Arbeiter- und Soldatenräten durch. Diese übernahmen nun die Exekutive und drängten die Landesregierung wie die
Gemeindevertretung in den Hintergrund. Lebensmitteldepots
wurden geplündert und politische Gefangene befreit.[27]

Die Räte erwiesen sich aber auch als sehr tatkräftig. Sie sorgten
für Verpflegung und Unterkünfte, nahmen Schleichhändlern die
überteuerten Waren ab, um sie an Bedürftige zu verteilen, und re-
quirierten leer stehende Wohnungen für Obdachlose.[28] Auf diese
Art erwarben sie sich Vertrauen in den Unterschichten, und dies
schlug politisch bald in einer steigenden Wählerzahl zu Buche.

Die Bürgerlichen freilich bewerteten diese Entwicklung anders,
so auch der Linzer Geschäftsmann Egon Basch: »Die Eigenmäch-
tigkeit der Volksräte und Betriebsräte erzeugte Angst und Schre-

cken. Wohnungen wurden willkürlich requiriert und Protektions-
wirtschaft trat an Stelle von Ordnung und Gesetzmäßigkeit.«[29]
Die Angst der Bürgerlichen vor einer totalen Machtübernahme
der Arbeiterräte war groß. Denn auch in zwei Nachbarländern
etablierten sich Räteregierungen: unter Kurt Eisner in Bayern und
bald darauf auch unter Béla Kun in Ungarn.

Inzwischen leerten sich die Linzer Lazarette, da die Patienten,
wenn eben möglich, nach Hause fuhren. Auch das Notreservespital Nr. 1, wo Eduard Bloch vier lange und strapaziöse Arbeits-
jahre verbracht hatte, wurde geschlossen. Für seinen rastlosen
Einsatz war er mehrfach ausgezeichnet worden, und er erwähnte
seine Kriegsorden sein Leben lang voll Stolz. In seinen Erinnerungen vergaß er auch nicht den Hinweis auf Lilli: *Meine Frau,
die als Aufsichtsdame in dem Spitale war, wurde für ihre mühe-
volle Tätigkeit decoriert.*

Seit 1917 trug Bloch als einer der ersten, wie er betonte, auch den
neuen Titel »Medizinalrat«. Einige Jahre später wurde er dann *als
einziger Jude in den Alpenländern* sogar Obermedizinalrat, eine
Auszeichnung, die *sonst nur für leitende Primarärzte grosser Spitäler vorbehalten* war. Er war so stolz auf diesen Titel, dass er ihn
meistens voll ausgeschrieben seinem Namen voranstellte.

Eduard Bloch hatte sich in diesen strapaziösen vier Kriegsjahren
voll und ganz auf seine Patienten konzentriert. In seiner sehr spärlichen Freizeit nutzte er die riesige Zahl von Krankengeschichten
dazu, sich auch wissenschaftlich zu betätigen. Er schrieb zwischen
1914 und 1918 einige Aufsätze, so zum Beispiel über »Herzaffektio-
nen und Kriegsstrapazen«, deren Auswirkungen er tagtäglich bei
den verwundeten Soldaten beobachten konnte. Offenbar hatte er
zu dieser Zeit noch nicht sein Ziel aufgegeben, sich einmal zu habi-
litieren und Universitätslehrer zu werden. Aber seine Aufsätze
blieben ungedruckt.[30]

In seinen Memoiren, die er ab 1942 in New York schrieb, sind
leider kaum Einzelheiten über den Ersten Weltkrieg zu finden.
Das ist nicht überraschend angesichts der Fülle von Ereignissen,
die nach 1918 Eduard und seine Familie bewegten.

7 Die Republik Österreich

Deutschösterreich

Am 12. November 1918 rief die Provisorische Nationalversammlung die »Republik Deutschösterreich« aus, betonte aber gleichzeitig: »Deutschösterreich ist ein Bestandteil der Deutschen Republik.« Da die Hohenzollern in Deutschland wie die Habsburger in Österreich außer Landes gegangen waren, waren die Haupthindernisse für eine Vereinigung der Deutschen in einer Republik gefallen. Der von den meisten Österreichern inklusive der Sozialdemokraten ersehnte »Anschluss« an Deutschland war die naheliegende Lösung. Das Vertrauen auf Woodrow Wilsons viel zitiertes Selbstbestimmungsrecht der Völker war groß, und kaum jemand konnte sich ernsthaft vorstellen, dass der verarmte Kleinstaat Österreich lebensfähig sein würde.

Die Linzer nahmen nun auch Kontakt zu den deutschen Nachbarn in Südböhmen auf, und zwar im nahen Krumau. Aber am 29. November besetzten tschechische Militärs die alte Stadt und zerstörten damit die Träume von einem demokratischen Deutschen Reich für alle Deutschen.

Die multinationale Vergangenheit Österreich-Ungarns bildete für die aus diesem Vielvölkerstaat entstandenen angeblich »nationalen« neuen Staaten eine kaum zu bewältigende Hypothek. Jeder Nachfolgestaat der Habsburgermonarchie hatte ein kleineres oder größeres »Erbe« anderssprachiger völkischer Minderheiten, und jeder ging mit dieser Situation unterschiedlich um.

Die Tschechoslowakische Republik gab sich als Nationalstaat der Tschechen aus – und notgedrungen auch der Slowaken, da es ohne diese keine Mehrheit gegenüber den übrigen Sprachgruppen gegeben hätte. Im neuen Staat lebten allein drei Millionen Deutsche, außerdem Minderheiten wie Ungarn, Polen und Ruthenen. Als am 13. November 1918 die Deutschen Böhmens, Mährens und

der Sudetenländer den Anschluss an Deutschösterreich ausriefen,
dachte die Regierung der Tschechoslowakei nicht im Traum an
einen solchen Verzicht. Vom viel beschworenen »Selbstbestimmungsrecht der Völker« war keine Rede mehr.

Die böhmischen und mährischen Verwandten der Blochs und
der Kafkas lebten nun in einem wohlhabenden Siegerstaat mit
einer funktionierenden Wirtschaft und einer stabilen Währung.
Die zahlreichen einst nach Österreich, vor allem ins nahe Oberösterreich, eingewanderten Familien waren nun durch die neue
Staatsgrenze von ihren Angehörigen getrennt und nur noch die
»armen Verwandten«.

In Tomáš Garrigue Masaryk hatte der neue tschechoslowakische Staat einen weltweit angesehenen Staatschef, der überdies
ein glänzender Intellektueller, Kosmopolit und mutiger Kämpfer für die Menschenrechte war. Masaryk hatte in Wien und Leipzig studiert, war seit 1882 Professor für Philosophie an der neuen
Tschechischen Universität in Prag gewesen und seit 1891 auch
Abgeordneter im Reichsrat in Wien. Im Krieg floh er in die Vereinigten Staaten und nach England, heiratete eine Amerikanerin,
eine geborene Garrigue, deren Namen er dem seinen anfügte. Er
war vielsprachig und kein tschechischer Nationalist. Und er pro-
klamierte den Grundsatz, dass alle Bürger des neuen Staates demo-
kratisch zusammenleben müssten. Das war freilich, vor allem
was die verfeindeten Deutschen und Tschechen betraf, ein kaum
erreichbares Ziel.

Gegenüber dem reichen benachbarten Siegerstaat Tschechoslowakei verfiel das kleine Österreich nun in Elend und Armut und
konnte noch nicht einmal die Kriegsopfer – Invaliden, Kriegerwit-
wen und -waisen – genügend versorgen. Auch die Linzer kämpften
mit Arbeitslosigkeit, Wohnungsnot, vor allem mit Hunger und
Schwindsucht (Tuberkulose), der Krankheit der Armen.

Der Linzer Sozialdemokrat und Zeitzeuge Ernst Koref
schilderte diese Nachkriegszeit als »chaotisch und unsicher, die
ersten Umbruchsjahre von vielen hässlichen, aber doch zeitbe-
dingten Begleiterscheinungen verdüstert: Da und dort von verzweifelten oder von dunklen Elementen angestiftete Unruhen

und Plünderungen … unangebrachte, dumme Anpöbeleien heimgekehrter Offiziere, die nichts als ihre Pflicht erfüllt hatten, peinliche Zusammenstöße mit den sozusagen über Nacht aufgebauten Exekutivorganen, Heimkehrer und Flüchtlinge, die existenz- und wurzellos geworden waren und fürs erste auch keine Arbeit fanden, unvorstellbare Wohnungsnot und katastrophaler Mangel an den notwendigsten Lebensmitteln.«[1] Im Winter gab es weder Kohlen noch Holz zum Heizen, und das öffentliche Verkehrsnetz brach wegen Strommangels immer wieder zusammen.

Nach der Eingemeindung von Urfahr mit Pöstlingberg im Jahr 1919 hatte Linz rund 100 000 Einwohner, aber nur 24 000 Wohnungen, die überdies fast alle in schlechtem Zustand waren.[2] Für die Instandsetzung gab es weder Geld noch Baumaterial. Und immer noch lebten in den alten Barackenlagern der äußeren Bezirke viele Menschen, die nicht wussten, wohin sie gehörten. Dort war das Elend besonders groß.

Aber es gab auch deutliche Anzeichen für eine politische Aufhellung: Am 27. November 1918 setzte die sozialdemokratisch geführte Regierung das gleiche und allgemeine Wahlrecht für Österreicherinnen über 21 Jahre durch. Das war eine Genugtuung für so selbstbewusste Frauen wie Hermine Kafka und ihre Tochter Lilli Bloch, aber auch für die in bescheidenen Verhältnissen lebende Käthe Diernesberger, die Mutter von Rudolf Kafkas gleichnamigem, inzwischen 13-jährigem Sohn.

Am 16. Februar 1919 gaben Frauen zum ersten Mal ihre Stimmen bei der Parlamentswahl ab, und zwar zur verfassunggebenden Nationalversammlung des neuen Kleinstaats »Deutschösterreich«. Die Wahl ergab einen knappen Sieg der Sozialdemokraten mit 72 Sitzen gegenüber 69 für die Christlichsozialen, 26 für die Deutschnationalen und drei für Kleinparteien. Im Wiener Parlament stellte Linz mit Umgebung nun vier Abgeordnete: zwei Sozialdemokraten und je einen Christlichsozialen und einen Deutschvölkischen.[3]

Am 4. März 1919 trat die Nationalversammlung in Wien zur ersten Sitzung zusammen und bestätigte die republikanische

»Deutschösterreich« wünscht sich den »Anschluss«

Staatsform. Zum ersten Mal gaben nun auch weibliche Abgeordnete ihre Stimmen ab, acht an der Zahl, die meisten von ihnen Sozialdemokratinnen. Und wie in alten Zeiten war auch Hofrat Josef Kafka wieder als hoch angesehener Parlamentsstenograf und Redakteur der DEUTSCHÖSTERREICHISCHEN STAATSKORRESPONDENZ an seinem Platz. Seine Linzer Verwandten waren sehr stolz auf ihn.

Was das wichtigste Problem betraf, die Anschlussfrage, erklärte der Sozialdemokrat Anton David als Alterspräsident feierlich: »Ich bin überzeugt, im Namen aller Abgeordneten zu sprechen, wenn ich sage, dass wir den Anschluss an Deutschland verlangen.« Es folgte »lebhafter, allgemeiner Beifall und Händeklatschen«.[4]

Bei der Regierungsbildung gingen die Linken in eine große Koalition mit den Christlichsozialen. Erster Kanzler der Republik wurde der Sozialdemokrat Dr. Karl Renner. Die sozialdemokratisch geführte Koalition setzte Wichtiges durch: eine Sozialversicherung, den Achtstundentag, die Arbeiterkammer als Interessenvertretung, Arbeitslosenfürsorge und die große Schulreform von Otto Glöckel.[5] Als aber im April 1919 der Adel abgeschafft wurde, gab es Unmut bei den Monarchisten, aber auch bei vielen Bürgerlichen, die nun ihr »von« oder »Ritter von« abgeben mussten. Aus Herrn von Maier wurde nun wieder ein einfacher Herr Maier.

Bei den Linzer Gemeinderatswahlen am 18. Mai 1919 fiel die Stimmverteilung eindeutiger aus als im Gesamtstaat: Die Sozialdemokraten erhielten 33 von 60 Mandaten und damit die absolute Mehrheit. Zum ersten Mal wurde ein Sozialdemokrat Bürgermeister von Linz: Josef Dametz, seit 1916 Herausgeber der linken Tageszeitung TAGBLATT. Seine dringendsten Aufgaben waren eine bessere Versorgung mit Lebensmitteln, die Beschaffung von Wohnungen, Betriebsansiedlungen zur Verringerung der Arbeitslosigkeit, soziale Fürsorge in Form von Volksküchen und Kindergärten, aber auch die Verbesserung des Kulturangebots für Minderbemittelte. Das alles entsprach dem großen Vorbild des sozialdemokratisch regierten »Roten Wien«. Sogar ein Eisenhüttenwerk und ein Stadthafen waren geplant, konnten aber aus finanziellen Gründen nicht realisiert werden.

Im Sommer 1919 nahm der Nahrungsmangel solche Formen an, dass die Landesregierungen von Oberösterreich und Salzburg mitten in den Sommerferien alle Urlauber aus anderen Bundesländern zur sofortigen Abreise drängten, vor allem die Wiener. Die Illustrierte Kronen-Zeitung druckte daraufhin am 31. August rügend ein Titelbild zum Thema »Wiener hinaus!« und betonte energisch die Ungesetzlichkeit dieser Maßnahme: »Bei der Abreise der Sommerfrischler aus Salzburg und Oberösterreich spielen sich alltäglich Schreckenszenen ab … Ist es ein Wunder, wenn Reisende auf dem Bahnhof, wie in Salzburg, vom Schlage gerührt, tot

Mit dieser Titelkarikatur wehrt sich die Kronen-Zeitung gegen die Abschiebung von Wiener Touristen aus der Sommerfrische

zusammenstürzen?« Linz habe zwar seinen Sommergästen noch
eine achttägige Frist gesetzt, »aber dann müssen sie alle draußen
sein, sonst werden sie mit hohen Geldstrafen belegt und auf dem
Schubwege heimbefördert, wenn nicht gar eingesperrt«.[6]

In derselben Ausgabe der Zeitung geht es um eine massive
Brotpreiserhöhung bei gleichzeitiger Reduzierung der Löhne für
Bäckereiarbeiter, um zu hohe Mieten, Teuerung bei Fleisch und
Milch. Die Mindestvorsorge an Lebensmitteln wurde immer dürf-
tiger. Als für September 1919 die Heimkehr aller österreichischen
Kriegsgefangenen aus Italien angekündigt wurde, kam bei jenen
Österreichern, die keine Verwandten erwarteten, wenig Freude
auf: Sie hatten Angst vor insgesamt 80 000 weiteren Essern.

Angesichts all dieser Nöte wuchs der Antisemitismus auch in
Linz rapide an. Denn immer noch waren zahlreiche ostjüdische
Flüchtlinge in der Stadt. Sie wohnten meist in den alten Baracken –
und wussten nicht, ob der neue Staat Polen sie aufnehmen würde.
Auch sie brauchten Essen, Kleider und Schuhe – und wurden
schließlich für all das Elend und den Hunger verantwortlich gemacht. Am 25. September forderte eine antisemitische Großkundgebung in Wien die sofortige Ausweisung der Flüchtlinge. Aber
wohin sollten sie? Bereits am 30. Juni 1919 hatte der Vorstand der
Linzer Kultusgemeinde eine einstimmige Resolution beschlossen
und auch publiziert:

»Gewissenlose Hetzer – die zu feige sind, ihren Namen unter
eine Schmutzschrift zu setzen, welche sie nachts an alle Wände
schmieren – wenden sich in einem Flugblatt mit der durch kein
Wort begründeten Verleumdung: <u>Vernichtungsfriede – Werk der
Juden</u> – an die Bevölkerung von Linz und fordern sie unverhohlen
zu Pogromen auf.

Wir Juden, die wir im Felde wie im Hinterlande Not und Ent-
behrungen ebenso schwer wie unsere christlichen Mitbürger ertragen mußten, deren Söhne und Brüder genau so wie die aller
anderen Opfer eines Krieges wurden, den kein Jude gewollt, den
keine jüdische Zeitung… durch Wühlereien herbeizuführen geholfen hat; wir Juden, die wir gewillt sind, mit voller Kraft an der
Erstarkung des neuen Freistaates mitzuarbeiten, <u>wir erheben laut</u>

An Krücken gehende zerlumpte Österreicher erbetteln von den Siegermächten demütig milde Gaben: links Staatskanzler Karl Renner, rechts der Wiener Bürgermeister Karl Seitz; Karikatur von Theodor Zasche, 1919 (Ausschnitt)

vor der ganzen Öffentlichkeit von Linz Protest gegen den leichtfertigen und unverantwortlichen Versuch einer Schar Unreifer, die … die öffentliche Meinung fälschen, die Bevölkerung mit den gewissenlosesten Mitteln verhetzen und zu Pogromen, das heißt zu Gewalttätigkeit und Plünderungen aufreizen zu wollen.«

Unter den Unterzeichnern dieses einhelligen Protestes waren auch die Vorstandsmitglieder Eduard Bloch, Rudolf Kafka und Hermann Schneeweiß.[7]

Am 10. September 1919, zehn Monate nach Kriegsende, musste der Kleinstaat »Deutschösterreich« den Friedensvertrag von Saint-Germain unterzeichnen, der 381 Artikel umfasste. Darin verboten die Siegermächte den »Deutschösterreichern« den so ersehnten Anschluss an die Deutsche Republik. Sie wandten also das von US-Präsident Wilson versprochene nationale Selbstbestimmungsrecht nicht an: Rund drei Millionen Deutsche aus den Sudetenländern, Südböhmen und Südmähren wurden der Tschechoslowakei angegliedert. An Italien fielen Süd- und Welschtirol, das Kanaltal und Istrien mit überwiegend deutscher Bevölkerung. Deutschsprachige Teile der Untersteiermark gingen an das neue Königreich der Serben, Kroaten und Slowenen, das spätere Jugoslawien.

Trauer=Anzeige.

Schmerzerfüllt machen wir allen Verwandten und Bekannten die
tiefbetrübende Nachricht, daß unser lieber, guter, letzter

Brotlaib

im Alter von 8 Tagen nach langem, schweren Sparen heute 12 Uhr
mittags infolge eines eingetretenen Heißhungers aufgegessen worden ist.
Um eine Brotmarke für die Hinterbliebenen bittet
in großem Leibweh

Emil Kohlendampf,	August Hunger,
Ernst Schmalhans,	Ida Hunger, geb. Wenigfleisch,
Franz Ohnefett,	Anna Nimmersatt.

Das nun kleine Österreich mit 6,5 Millionen Einwohnern
durfte nur noch ein Berufsheer von 30 000 Mann halten. Rüstungsfabriken und Waffen mussten zerstört werden. Die Verliererstaaten Deutschland, Österreich und Ungarn mussten die gesamte
Kriegsschuld auf sich nehmen. Das bedeutete die Zahlung hoher
Reparationen über viele Jahre.

Am 21. Oktober 1919 wurde der Name »Deutschösterreich« in
»Republik Österreich« geändert. Der französische Ministerpräsident Georges Clemenceau nannte das winzig gewordene Land
abfällig, aber zu Recht »das, was übrig bleibt« (»ce qui reste«),
und meinte damit den Rest des riesigen alten Vielvölkerreichs der
Habsburger.

Der neue Kleinstaat hatte weder Geld noch Bodenschätze und
kaum Industrien. Denn diese befanden sich nun fast alle in den
ehemaligen Kronländern, vor allem in der Tschechoslowakei. Und
das ebenfalls klein gewordene Ungarn, zu Monarchiezeiten der
größte Nahrungsmittellieferant, hatte selbst zu wenig zu essen.
Um die hohen Reparationen an die »Siegermächte« aufzubringen,
war Österreich nun gezwungen, Schulden zu machen. In den Verliererstaaten herrschten Hunger, Verzweiflung, Krankheiten und
Arbeitslosigkeit. Es fehlte an allem.

Lebensmittel waren ebenso rar wie Wohnungen, Schuhe,
Wäsche, Holz und Kohle. Zu Beginn des Jahres 1920 streikten

in Linz sogar die Leichenträger. Im Februar demonstrierten die Kriegsinvaliden, Witwen und Waisen und besetzten zeitweise das Landhaus. Ab März wurden Notgeldscheine ausgegeben. Im April kam eine Verordnung heraus, dass Zeitungen wegen des Papiermangels nur höchstens acht Seiten haben durften. Und die Bauarbeiter streikten. Im Mai begann der Arbeiterrat damit, die Milchbestände zu kontrollieren.

Sogar im Haus des reichen Linzer Geschäftsmannes Egon Basch gab es eines Tages keine Milch mehr. Aber immerhin hatte er genug Geld, um eine Kuh zu kaufen und zu ernähren. Basch schildert 1920 eine Bahnfahrt von Linz nach Wien: »Ungeheizte Waggons ohne Beleuchtung, ohne Fenster, d. h. statt der Glasfenster Holzverschläge, zerfetzte Polsterung der Sitze, schmutzstarrende Fußböden und eine Fahrdauer von 14 Stunden nach Wien«[8] – für rund 200 Kilometer. Vor allem fielen immer wieder Züge aus oder blieben auf der Strecke irgendwo stehen, da die Kohlen ausgegangen waren.

Bei den Bürgerlichen wuchs die Angst vor den Linken, vor allem den Kommunisten. Der 22-jährige Lehrer Ludwig Pullirsch schrieb nach dem Besuch einer Kommunistenversammlung in sein Tagebuch, dass dort »sicher gegen 1000 Leute« waren und »die Bewaffnung des Proletariats gefordert« hätten. Und: »Ich glaub', es gibt bald kritische Zeiten, nach dem, was ich reden hörte.« Und nach einer Junglehrerversammlung, auf der die Hungergehälter der Lehrer zur Sprache kamen, schrieb er am 19. Mai 1920: »Mein Gehalt beträgt zur Zeit 660 Kronen (monatlich), ein junger Arbeiter aber verdient in der Woche 600 bis 800 Kronen.«[9] Im Mai 1920 waren 100 Kronen nur noch 8,17 Euro wert (Stand von 2007). Der Junglehrer Pullirsch verdiente also im Monat knapp 54 Euro. Kein Wunder, dass er ständig in Geldnot und hungrig war. Immerhin erhielt er von der »Schweizer Hilfsaktion für Lehrer« am 4. Juni 1920 zehn Kilo Kartoffeln à eine Krone – und 14 Tage später »eine Dose Kondensmilch und ¾ Kilo Dörrobst« gratis.

Im Juni 1920 brach die rot-schwarze Koalitionsregierung auseinander. Bei den Neuwahlen im Oktober siegten die Christlichsozialen und bildeten nun mit den Großdeutschen eine Koa-

Das Brautpaar Egon
Kafka und Claire
Woltär, geborene
Braunschweig

lition: den »Bürgerblock«, eine rechte Regierung mit komfortabler Mehrheit. Die Kluft zur linken Opposition wurde von Tag zu Tag größer, der Umgangston immer aggressiver. Und immer noch kamen Zigtausende Soldaten aus der Gefangenschaft heim, die versorgt werden mussten und keine Chance auf Arbeit hatten.

Familiensachen

In diesen widrigen Zeiten gab es bei den Kafkas etwas zu feiern: 1920 heiratete der 40-jährige Egon Kafka die 29-jährige verwitwete Schweizerin Claire Woltär, geborene Braunschweig. Sie brachte ihre kleine Tochter Grete mit in die Ehe.

Laut Familiensaga waren es die Blochs, die die beiden zusammengebracht hatten, und zwar in Igls in Tirol. Dort lernten Eduard und Lilli bei einem Verwandtenbesuch das wohlhabende Ehepaar Karl und Jutta Fuchs kennen, die in Innsbruck ein großes Möbelgeschäft und außerdem im nahen Igls zwei Landhäuser in idyllischer Lage hatten. Ein Landhaus wurde im Sommer als Fremdenpension genutzt, wo sich auch die Blochs für einige Zeit erholten. Und hier fiel ihnen Juttas jüngere Schwester auf, die große, blonde und kultivierte Claire, die tatkräftig in der kleinen Pension half, auch in der Küche.[10] Den Blochs gefiel sie so gut, dass Lilli auf die Idee kam, ihren immer noch ledigen Bruder Egon nach Igls einzuladen. Egon kam, und aus der netten Bekanntschaft wurde sehr bald eine Verlobung.

Claire Woltär stammte aus einer angesehenen und wohlhabenden jüdischen Familie in der Schweiz. Mit ihr kam eine elegante, selbstbewusste, aber auch sehr praktische Frau mit einem weltoffenen Geist in die unter Hermine Fuchtel stehende, etwas provinzielle Linzer Kaufmannsfamilie Kafka.

Die Freude war groß, als Claire am 2. Mai 1921 der Familie Kafka den ersten Stammhalter schenkte: Hans Sigmund. Er blieb Egon Kafkas einziges Kind und Hermines einziger legitimer Enkelsohn. Aus dem Linzer Knaben wurde später in den USA ein prominenter Psychiater und Psychoanalytiker: Dr. John S. Kafka. Er hat drei Söhne und mehrere Enkel. Gerne erzählt John von den Aufenthalten bei den Innsbrucker Verwandten. Denn dort lernte er sehr früh, auf Skiern zu stehen. Er ist auch noch als inzwischen 87-Jähriger ein leidenschaftlicher Skifahrer. Und immer noch schwärmt er von der damals naturbelassenen Winterlandschaft rund um Igls – ganz ohne Skilifte und Touristenmassen.

Die Beziehungen zu den Innsbrucker Verwandten blieben sehr rege, zumal dort auch Hermine Kafkas Bruder Leopold Dubsky, der »Branntweiner«, mit seiner Familie lebte, außerdem ihre sehr reichen Neffen Erich und Hugo Schindler, die Söhne ihrer Lieblingsschwester Sophie. Diese betrieben in Innsbruck eine Likörfabrik, eine Fruchtsaftpresserei, einen Weinhandel und eine Marmeladenfabrik und waren laut John Kafka beide in zweiter Ehe »mit sehr schönen nichtjüdischen Schauspielerinnen« verheiratet.

Eduard Bloch, der vier harte Kriegsjahre im Lazarett hinter sich hatte, arbeitete auch in diesen Notzeiten bis zur Erschöpfung, und seine Frau Lilli stand fest an seiner Seite. Die beiden hatten stets eine offene Hand für verzweifelte, hungernde Patienten, gaben Geld, Essen, Medikamente und vor allem Zuspruch. Inzwischen wurde Bloch mit sehr viel Respekt auch »Armeleutedoktor« genannt.

Weiterhin pflegte er seine alten Freundschaften in der Jüdischen Gemeinde. Sein bester Freund war der fast gleichaltrige Linzer Rechtsanwalt Dr. Hermann Schneeweiß, geboren 1872 in Bielitz in Österreichisch-Polen. Schneeweiß hatte 1904 in Linz seine Kanzlei eröffnet und 1909 die aus Wiesbaden stammende Klara Heymann geheiratet. In Linz wurden ihre drei Kinder geboren, eine Tochter und zwei Söhne.[11] Der B'nai-B'rith-Bruder Egon Basch beschrieb Schneeweiß so: »ein kleiner, untersetzter Mann mit grauen, sehr klugen und gütigen Gesichtszügen. Seine etwas gebückte Körperhaltung verleitete dazu, ihn für gebrechlich oder kränklich zu halten, was aber nicht zutraf. Dr. Schneeweiß war ein scharfsinniger Jurist und wegen seiner Integrität und Gerechtigkeitsliebe allgemein geachtet. Er war ein frommer, gesinnungstreuer Jude und sowohl ihm als auch dem Linzer Arzt Dr. Bloch konnte man alltäglich, vom Morgengebet kommend, am Heimweg aus dem Tempel begegnen.«[12] Bloch hatte seit jeher die Gewohnheit, täglich für jeden seiner gerade kranken Patienten im Tempel zu beten.[13]

Der politisch links stehende Schneeweiß engagierte sich in dieser Zeit für die Gründung einer Linzer Gruppe der »Sozialistischen Vereinigung geistiger Arbeiter«, »Sovega« genannt, und wurde 1919 deren erster Obmann. In der Linzer »Sovega« hielt am 15. Mai 1919 der marxistische Gelehrte Max Adler einen Vortrag vor großem Publikum, andere prominente Politiker und Wissenschaftler folgten. Gegen Ende des Jahres 1920 meldete das Linzer Tagblatt bereits »an die fünfhundert« Mitglieder.[14] Schneeweiß, der als Linzer Gemeinderat und Rechtsanwalt überlastet war, gab die Vereinsführung bald an den 29-jährigen Gymnasiallehrer Ernst Koref weiter.

Die Freunde Eduard Bloch (rechts) und Hermann Schneeweiß bei einer Geselligkeit der Linzer Jüdischen Gemeinde nebeneinander stehend (2. Reihe)

Da keine Mitgliederlisten der »Sovega« erhalten sind, wissen wir nicht, ob Eduard Bloch hier Mitglied war. Naheliegend ist dies schon, denn er hatte ja bereits in jungen Jahren bei seinen Prager Lieblingsprofessoren Berthold Hatschek und Ernst Mach die »linke« Wissenschaft schätzen gelernt, die sich auch und vor allem an Arbeiter, also Nichtakademiker, richtete. Bloch war von Natur aus ein eher unpolitischer Mensch und äußerte sich nie schriftlich, welcher politischen Partei er nahestand. Was aber seinen persönlichen Umkreis betraf – angefangen vom Linzer SP-Gemeinderat Schneeweiß –, so standen seine Freunde politisch alle auf der linken Seite, wie auch schon seine Prager Lieblingsprofessoren. Das verfestigte sich, je aggressiver die Kämpfe zwischen Rechts und Links wurden und je rascher der Antisemitismus bei den Christlichsozialen um sich griff.

Nachkriegsnöte

Die rasche Geldentwertung war für die Regierung nicht nur negativ, denn sie erleichterte die Zahlung der Reparationen. Die größten Verlierer waren die fleißigen Sparer, deren Geld nun dahinschmolz, aber auch die Pensionisten, deren Renten immer kleiner wurden. Arbeiter waren in einer besseren Position, da ihr Lohn immer wieder kurzfristig an die Inflation angepasst wurde. Viele Arbeitslose erhielten allerdings keinerlei Unterstützung. Obdachlosigkeit, Hunger, Kriminalität und Krankheiten wie Rachitis und Tuberkulose quälten die Menschen.

Der Sozialdemokrat Ernst Koref erinnerte sich an diese Zeit in Oberösterreich: »Manchmal konnte nicht einmal mehr das Minimum der Lebensmittelkontingente zugewiesen werden: in dem damals noch betont agrarischen Bundesland! ... Auch der Schulbetrieb konnte nur teilweise aufrechterhalten werden. Zeitweise betrug die Wurstquote pro Person und Woche 3 dkg. [30 Gramm]. Die Eierversorgung versagte, Milch konnte nur noch für den Säuglingsbedarf zugeteilt werden, und Brot war zur erschütternden Mangelware geworden.«[15]

In der Metropole Wien, wo das soziale Elend weit größer war als in der ländlichen Kleinstadt Linz, kam es im Dezember 1921 zu Tumulten und Plünderungen. Wie trostlos die Stimmung war, beschreibt die Schriftstellerin Hermine Cloeter im Vorwort ihres 1922 erschienenen Wien-Buches: Sie könne nur das Wien der Vergangenheit schildern, denn: »Abgesehen von dem traurigen Eindruck der Verwahrlosung und Herabgekommenheit ... bleibt dem Beobachter nur die Wahl zwischen verhungerten, vergrämten und verzweifelten Gesichtern und solchen, denen die roheste Genußsucht und schamlose Beutegier den Stempel aufdrückt.« Das einst so prachtvolle Wiener Straßenbild sei »seiner ursprünglichen Farben fast gänzlich beraubt«. Der Wiener bleibe am liebsten zu Hause, »soferne ihm nicht auch das schon durch ein paar von der eigenen Not oder von der Behörde aufgezwungene Mieter entfremdet ist«.[16] Auch in Wien wurden Obdachlose zwangsweise bei völlig fremden Menschen einquartiert.

Je größer das Elend in Österreich wurde, desto lauter wurde der Ruf nach dem »Anschluss« an Deutschland. 1921 fanden in Tirol wie in Salzburg Volksabstimmungen statt. Dabei votierten in Tirol 98 und in Salzburg 99 Prozent der Wähler für den Anschluss, wenn auch die Wahlmodalitäten recht zweifelhaft waren. Weitere Abstimmungen wurden unterbunden.

Die Deutschnationalen fanden auch andere Wege, um für den Anschluss zu werben. So startete im Mai 1921 in Oberösterreich eine Aktion deutschnationaler Turnvereine: ein Stafettenlauf von Aussee über Braunau und Passau. Der Lehrer Ludwig Pullirsch, der 100 Meter weit an diesem Lauf teilnahm, erklärt dazu in seinem Tagebuch: »Dabei wurde eine Urkunde, in welcher der Wunsch nach dem Anschluss Österreichs an Deutschland ausgedrückt war, in einer Blechhülse weitergegeben. Diese Urkunde wurde dann von Passau durch deutsche Turner bis ins Ruhrgebiet getragen.«[17]

Am 1. Februar 1922 wurden die Fahrpreise der Eisenbahn auf das Vierfache erhöht. Der Lehrer Pullirsch erhielt für Februar 1922 ein Monatsgehalt von 49 800 Kronen.[18] Das sind heute (2007) umgerechnet knapp 45 Euro.

Trude Bloch engagiert sich für Rudolf Steiner

Im Sommer 1919 hatte Eduard Blochs 16-jährige Tochter Trude das Linzer Lyzeum »mit ausgezeichnetem Erfolg« abgeschlossen. Niemand war stolzer als der Vater: *sie legte mit Auszeichnung die Reifeprüfung am Lyceum ab und war nicht allein die beste Schülerin ihrer Classe, sondern auch an der ganzen Anstalt überhaupt; ganz besonderes Talent zeigte sie für Sprachen.*

Nun begann für das Mädchen der mühsame Weg zur »Gymnasialmatura«, die sie sich, da sie ja kein Gymnasium hatte besuchen dürfen, im Privatunterricht und in vielen Einzelprüfungen mühsam erarbeiten musste. Um zum Studium zugelassen zu werden, lernte sie natürlich auch Latein, und der Vater half ihr dabei mit großer Freude: *Meine Tochter, die die Absicht hatte, an die Universität zu gehen, bereitete sich fleissig für die Ablegung*

einer Ergänzungsprüfung für die Gymnasialmatura vor; es war
für mich eine Erholung, des abends mit ihr Vergil und Horaz wie-
derholen zu können.

In dieser Zeit zeigte Trude ein beachtliches Selbstbewusstsein und tat etwas, was keineswegs im Sinne ihrer Eltern war: Sie
schloss sich der kleinen Linzer Anthroposophen-Gemeinde an.
Bloch verschweigt in seinen Erinnerungen Trudes Engagement
für Rudolf Steiners Lehren und berichtet als stolzer Vater über anderes: *bereits mit 18 Jahren hatte sie die Staatsprüfung für Fran-*
zösisch abgelegt. Dabei erhielt sie Musik- und Gesangsunterricht;
ihre feindurchgebildete, äusserst wohlklingende Stimme entzückte
des öfteren eine begeisterte Zuhörerschaft. Eine Freundin berichtete, dass Trude zwei Jahre lang mit ihrem Musiklehrer Richard
Wagners Monumentalwerk DER RING DES NIBELUNGEN studiert
habe: »Sie konnte praktisch jede Note auswendig.«[19] Bloch pries
auch Trudes Tüchtigkeit im Haushalt, vor allem ihre *Kochkunst*,
und meinte stolz: *Ich hatte nie auch nicht den allergeringsten*
Grund, mit meinem Kinde irgendwie unzufrieden zu sein, Zart-
sinn und Herzensgüte zeichnen auch die Erwachsene aus.

Dass Trudes Onkel Rudolf Kafka das Mädchen für Steiners
Lehren begeisterte, ist eher unwahrscheinlich. Sicher ist, dass
sich die 18-jährige Trude eng an ihre neue Tante Claire anschloss.
Diese hatte Steiner in der Schweiz persönlich kennengelernt und
erzählte nun dem Mädchen viel über ihn, seine Vorträge und
Lehren. Trude war so begeistert, dass sie sich 1922 gegen alle Ein-
wände der Eltern durchsetzte und zum großen Ost-West-Kon-
gress der Anthroposophen nach Wien fuhr. Sie wollte dort endlich den bekannt guten Redner Steiner persönlich erleben, der für
Wien zwölf Vorträge in zwölf Tagen angekündigt hatte. Der Vor-
tragssaal war für je 2000 Zuhörer vorbereitet. Trude, die bisher nur
die kleine Linzer Steiner-Gruppe kannte, war von diesem Erlebnis
so hingerissen, dass sie sofort Mitglied der Anthroposophischen
Gesellschaft wurde. Sie blieb dies ihr Leben lang.

1923 reiste die nun 20-jährige Trude nach Stuttgart zur feierlichen Eröffnung der ersten Waldorfschule, die nach den Lehren
und unter kräftiger Mitwirkung Steiners konzipiert war. Die Ge-

Trude Bloch

schichte der Waldorfschule begann im Krisenjahr 1919: Emil Molt, der Direktor der Stuttgarter Niederlassung der Zigarettenfabrik Waldorf Astoria Company, bat Steiner angesichts des großen Elends in Deutschland, mit ihm eine Schule für die Kinder der Fabrikarbeiter zu gründen und dabei die Lehrerausbildung zu übernehmen. Es sollte eine interkonfessionelle und internationale Schule sein mit individueller Förderung für jedes Kind, vor allem aber eine gute Bildungsstätte für Kinder aus armen Familien. Neben der intellektuellen Erziehung war auch eine frühe handwerkliche Ausbildung von großer Wichtigkeit. Diese Prinzipien gelten für Waldorfschulen noch heute.

Auch in Stuttgart lernte Trude viele Steiner-Jünger kennen und erhielt gleich auch eine neue, besonders ehrenvolle Einladung, zu Weihnachten 1923 am Gründungstreffen des zweiten Goetheanums in Dornach bei Basel teilzunehmen. Das erste mit großer Sorgfalt von Steiner konzipierte Goetheanum war in der Silvesternacht 1922 von Gegnern in Brand gesetzt und zerstört worden. Nun war der Bau neu erstanden und sollte als internationales Zentrum für Anthroposophie feierlich eröffnet werden.

Lilli und Eduard Bloch, die die Steiner-Begeisterung ihrer Tochter weiterhin skeptisch beobachteten, zögerten, die 20-Jährige in dieser Zeit der zerfallenden Währung und sehr schlechter Verkehrsverbindungen allein auf die Reise gehen zu lassen. Außerdem hatten sie wohl auch zu Recht Bedenken, dass sich das Mädchen durch die Anthroposophie dem Judentum entfremden könnte. Denn sowohl Judentum wie Christentum waren mit manchen Thesen Steiners – vor allem der These der Wiedergeburt – nur schwer oder gar nicht zu vereinbaren.

Trudes Tochter Joanne meinte dazu später: »Trude war aufgewachsen und erzogen im jüdischen Glauben, und Steiners Lehren waren völlig entgegengesetzt zu allem, was Eduard und Lilli glaubten. Sie erlaubten es ihr schließlich, weil sie Trude sehr liebten. Vielleicht dachten sie, dass ohnehin nichts daraus würde. Sie waren sehr tolerant und erlaubten ihr, weiter Steiners Lehren zu folgen.« Trude habe mit dem Vater nie über diese Lehren gesprochen, wohl aber mit Mutter Lilli. Und diese sei damit gar nicht einverstanden gewesen.[20]

Trotz aller Probleme setzte Trude die mehrwöchige Reise in die Schweiz durch, nahm aber ihre 17-jährige Cousine Elfriede Ungar als Begleiterin mit, die sich ebenfalls für Steiner interessierte. Ihre Anthroposophen-Freundin Rose Herbeck erzählte später: »Es war ein großes Unternehmen, während der wirtschaftlichen Depression in die Schweiz zu reisen, als bei uns ein Laib Brot Tausende von Inflations-Kronen kostete, während der Schweizer Franken einen sehr hohen Wert hatte.« Und: »Sie kamen per Zug nach Dornach. Trude hatte einen Rucksack bei sich, gefüllt mit zwanzig harten Eiern, zehn Äpfeln und einem großen Laib Brot. Sie waren jung und enthusiastisch und wollten unbedingt nach Dornach, trotz aller Anstrengungen und Mühen.«[21]

Als die Linzer Mädchen nach langer Fahrt in Dornach, dem Mekka der Steiner-Jünger, ankamen, war der Neubau des Goetheanums noch nicht fertig, ebenso wenig wie die Nebengebäude. Für die Übernachtung der Gäste waren Massenquartiere im ebenfalls noch unfertigen und unbeheizten Gebäude der Eurythmie eingerichtet. (»Eurythmie« ist die von Steiner entwickelte rhythmische Bewegungstherapie als »Offenbarung der sprechenden Seele«, also kein Tanz.)

Steiner hielt seine Vorträge in der »Schreinerei«. Wie Trude später berichtete, gab es dort eine einzige niedrige Bühne mit einem langen blauen Vorhang, davor einfache, unbequeme Stühle, ordentlich in Reihen aufgestellt. Aber all das war für das Mädchen unwichtig. Sie hörte gebannt Steiners Vorträgen zu und fand ihren eigenen spirituellen Weg. Rose Herbeck erinnerte viel später – an Trudes Grab – an den Steiner-Spruch, wonach die Anthroposophie für ihre Anhänger entweder nichts oder alles bedeute, und kommentierte dies: »Für Trude wurde es alles. Sie widmete sich Steiners Werk und schlug Brücken zwischen der Anthroposophie und ihrer jüdischen Erziehung, die sie niemals verleugnete und dankbar als Bereicherung anerkannte.«[22]

Die 20-jährige Trude Bloch zog aus den sie bewegenden Erlebnissen in Dornach eine schwerwiegende Konsequenz: Sie ließ sich taufen und blieb engagierte Christin und Anthroposophin bis zu ihrem Tod.

Für die jüdischen Eltern Eduard und Lilli muss es ein Schock gewesen sein, dass sich ihr einziges Kind vom Judentum abwandte. Sie hätten Trude die Konversion verbieten können, da das Mädchen noch nicht volljährig war. Aber die Liebe zur eigenwilligen Tochter überwog. Bloch, der Trude in seinen Aufzeichnungen so gerne lobte und ihre Vorzüge pries, äußerte sich in seinen Erinnerungen über dieses heikle Thema mit keinem Wort.

Bundeskanzler und Prälat: Ignaz Seipel

In Wien regierte seit 1922 der christlichsoziale Bundeskanzler Prälat Dr. Ignaz Seipel, Professor für Moraltheologie, Obmann der Christlichsozialen Partei und unerbittlicher Feind der Sozialdemokraten. Er schaffte es, den Völkerbund in Genf dazu zu bewegen, dem verarmten Österreich finanziell zu Hilfe zu kommen. Die Unterzeichnung der »Genfer Protokolle« im Oktober 1922

verhalf Österreich zu einer bis 1926 in Raten auszuzahlenden
Anleihe von 650 Millionen Goldkronen für ein gründliches Sa-
nierungsprogramm unter strenger Kontrolle des Völkerbunds.
Als Gegenleistung verzichtete die Regierung Seipel neuerlich auf
einen Anschluss an das Deutsche Reich.

Da sich Seipel zu strikter Sparsamkeit verpflichtet hatte, reduzierte er nun rigoros die staatlichen Ausgaben. Vor allem strich
er viele – meist noch aus der Monarchie stammende und längst
überflüssig gewordene – Beamtenstellen. Auch die Pensionen ehemaliger Staatsbeamter wurden gekürzt bei gleichzeitig galoppie-
render Inflation. Dies entlastete zwar den Staat, aber die Bürger
verarmten sehr rasch. Im Dezember 1922 war ein Schweizer Franken bereits 15 000 österreichische Kronen wert.[23]

Da der Währungsverfall in Deutschland sehr viel rascher ablief
als in Österreich, waren geschickten Spekulanten Tür und Tor geöffnet. Auch der Junglehrer Ludwig Pullirsch kaufte in Deutschland mit der vergleichsweise härteren Kronenwährung günstig
ein. Jeder Kauf war freilich mit komplizierten Rechnereien verbunden, da der Kurs sich so rasch änderte. So notierte Pullirsch
am 7. Juli 1923 bei einem Kurzbesuch in München, dass er für
300 000 Kronen 700 000 Mark bekommen habe. Am 22. Juli kostete eine Krone bereits 4 Mark, am 26. Juli 11 Mark, am 23. September 2400 Mark. Pullirsch beobachtete die Kunden einer deutschen Bank: »Massenhaft warten Leute auf Geld. Ein Beamter kam
mit einem Rucksack mit 40 000 000 Mark.« Bei diesen Zuständen
konnten geschickte Spekulanten prächtig leben: Sie kauften über-
schuldete Grundstücke, Häuser, Wertgegenstände aller Art billig
auf und machten beim späteren Wiederverkauf große Gewinne.

Wenn die Inflation in Österreich auch nicht so rasch voran-
schritt wie in Deutschland, so war sie doch täglich schmerzhaft
spürbar. Als die Regierung Seipel im Dezember 1923 die Beamten-
gehälter nur minimal und deutlich unter der Inflationsrate anhob,
streikten die Postbeamten, und verständlicherweise murrten
auch die Lehrer. Der Lehrer Pullirsch erhielt zum Beispiel für
diesen Monat 1 425 000 Kronen, die 113 Schweizer Franken oder
20,3 Dollar wert waren.[24] Das war zum Leben zu wenig und zum

Der christlich-soziale Prälat Prof. Dr. Ignaz Seipel, ein unversöhnlicher Feind der Sozialdemokraten, war von 1922 bis 1929 mit einigen Intervallen Bundeskanzler

Sterben zu viel. Außerdem stieg durch die neuen Sparmaßnahmen die Zahl der Arbeitslosen rasant an, natürlich auch in Linz. Am 27. Januar 1923 machten die Arbeitslosen in einer großen Demonstration öffentlich auf ihre trostlose Lage aufmerksam. Aber die Arbeits- und Obdachlosenzahlen stiegen weiter an – wie die Inflation.

Sosehr die Regierung Seipel bei den Beamten und vor allem den Arbeitern sparte, so großzügig verhielt sie sich gegenüber den Bauern. Diese waren meist gute Katholiken und seit jeher christlichsoziale Stammwähler. Kein Wunder, dass der Zorn der Sozialdemokraten gegen die Regierung stieg und auch die Kommunisten Zuwachs erhielten.

Die Rechten um Bundeskanzler Seipel, die katholische Kirche und die Monarchisten prägten die Gesellschaft und den Staat. Ihr gemeinsames Feindbild waren die »Sozis«. Die politische Atmosphäre war so aufgeheizt, dass sich in Österreich seit 1923 zwei große bewaffnete, miteinander verfeindete Formationen etablierten: die linken »Arbeiterwehren«, aus denen sich der »Republikanische Schutzbund« entwickelte, und die rechten »Heimwehren«, die vom Ständestaat gut finanziert und ausgerüstet wurden. Angesichts der tiefen politischen und weltanschaulichen Gegensätze waren jederzeit gewaltsame Auseinandersetzungen zu befürchten.

Am Arbeiterfeiertag, dem 1. Mai 1923, demonstrierten in Oberösterreich rund 30 000 Sozialdemokraten unter der Parole: »Gegen die internationale Reaktion! Gegen den Faschismus!«[25] Die dadurch provozierten Heimwehren marschierten daraufhin gegen die »Sozis« und für die Regierung. Und sehr bald trat eine dritte politische Kampfgruppe auf: die NS-Sturmabteilungen.

Die politische Radikalisierung lässt sich auch anhand der Linzer Gemeinderatswahl vom Juli 1923 beobachten, bei der wieder die Linken dominierten. In Zahlen: 30 Sitze für die Sozialdemokraten, 16 für die Christlichsozialen, zehn für die Großdeutschen, die aber vier Mandate an eine neue Partei verloren, die Nationalsozialisten. Die kleine, radikal deutschnationale und antisemitische Partei Adolf Hitlers hatte also auch in dessen »Heimatstadt« Wähler gefunden – 4533 an der Zahl.[26] Die Kommunisten gingen leer aus. Da ja nun den 30 sozialdemokratischen Mandaten eine ebenso große Anzahl »bürgerlicher« Mandate gegenüberstand und sich die wirtschaftliche Lage weiter verschlechterte, wurde das politische Klima auch in Linz immer aggressiver.

Die christlichsoziale Regierung demonstrierte gerne und häufig ihre Macht gemeinsam mit der katholischen Kirche, und diese wiederum schmückte sich stolz mit dem Priesterkanzler Seipel. Ein prunkvoller Höhepunkt war das Fest zur Weihe des neuen Linzer Doms im April 1924. Sänger der Sixtinischen Kapelle waren im Einsatz. Bundeskanzler Seipel schritt im Priesterornat an der Spitze der Würdenträger, darunter Bischöfe aus vielen Ländern. Am Abend erstrahlte der neue Dom in Festbeleuchtung. Unter die weihevollen Sprüche mischten sich auch manche antisemitischen Töne.

Der in Österreich stationierte englische Korrespondent George Gedye schrieb über den Kanzler: »Seipel kämpfte mit unerschro-

Aufmarsch der Heimwehr in Linz mit Hahnenfedern am Hut

ckenem Mut für das, woran er glaubte. Er war ein großer Staats-
mann und ein Seher. Eines besaß er nicht – Herz … Mager, völlig
kahl, eine Adlernase, dünne Lippen, kalte, intelligente Augen,
die nichts verrieten, war er wie geschaffen, seinen Platz in der
langen Reihe glänzender politischer Intriganten einzunehmen,
die die Schule der Kardinäle im Laufe der Jahrhunderte hervor-
gebracht hat.« Er habe es »sich zur Aufgabe gemacht, die politische Macht der Kirche und der Habsburger wiederherzustellen,
die Sozialdemokratie aber, die er als den ›Roten Antichrist‹ hasste,
mit Stumpf und Stil auszurotten. Und er kam seinem Ziel ziemlich nahe.«[27]

Ernst Koref, sozialdemokratischer Gemeinderat in Linz, bekannte sich später dazu, in dieser Zeit ein Antiklerikaler gewesen
zu sein: Die Kirche sei »im Verlaufe jener Jahre so offensiv geworden, dass sie die zweite große Partei der Republik, die sich damals
bekanntlich christlich-sozial nannte, völlig beherrschte und diri-
gierte«. Und: »Die Kirche hat damals oft sozialdemokratischen
Veranstaltern die Lokale direkt oder indirekt abgetrieben und
Funktionäre diffamiert, die Kanzel und den Beichtstuhl systematisch mißbraucht und sogar mit der Exkommunikation der Partei-

gänger gedroht. Dadurch entstand leider eine wechselseitig zunehmende feindselige Haltung, die innenpolitisch die Atmosphäre arg
vergiftet hat, sehr zum Nachteil, ja zum Unheil für die Erste Republik ... Natürlich waren die Freidenker auch keine Unschulds-
lämmer; es trieb eben ein Keil den anderen.«[28]
Das Attentat, das am 1. Juni 1924 auf Bundeskanzler Seipel
verübt wurde, war ein Ausdruck dieser wirren Zeit. Seipel wurde
schwer verletzt und trat als Kanzler zurück. Zwei Jahre später war
er wieder im Amt.
Inzwischen hatte sich die finanzielle Lage entspannt. Im verarmten Deutschland gab es am 15. November 1923 eine erste
Währungsreform: Für eine Billion Papiermark bekam man eine
Rentenmark. Im zweiten Schritt wurde am 30. August 1924 die
Rentenmark durch die Reichsmark ersetzt. Von nun an ging es,
auch durch Kapitalanleihen aus dem Ausland, endlich aufwärts.
In Österreich, wo die Inflation nicht so spektakulär verlief,
wurde die Kronenwährung erst am 1. Januar 1925 abgeschafft.
Für 10 000 Papierkronen gab es einen neuen Schilling zu 100 Groschen. (Ein Schilling hatte den heutigen Wert von knapp drei
Euro.) Die Regierung zog nun eine konsequente Hartwährungs-
politik durch. Sie sparte Ausgaben, wo immer es ging, und hortete
zur Absicherung Gold und Devisen in der Nationalbank. Bald
wurde der Schilling wegen seiner Stärke auch »Alpendollar« genannt. Die extreme Sparsamkeit des Staates aber erhöhte die Arbeitslosigkeit und die Armut. So blieb die wirtschaftliche Situation trotz der Auslandsanleihen und der wachsenden Goldschätze
der Nationalbank in Österreich desolat.

Die Schindlers und die Kafkas

Die Kehrseite der armseligen Zwanzigerjahre waren die »Goldenen Zwanziger«, die Welt der Spekulanten, der Reichen und
Schönen. Seit der Stabilisierung der deutschen wie der österreichischen Währung kamen wieder Touristen nach Wien und auch
nach Innsbruck. Dort hatten Hermine Kafkas Neffen Erich und
Hugo Schindler in der Nachkriegszeit das alte Haus Maria-The-

resien-Straße 29 im Zentrum der Stadt umgebaut und 1924 darin
ein sehr modernes Tagescafé eröffnet, verbunden mit einer dahin-
ter liegenden eleganten Bar und einem edlen Tanzsaal. Für gesellschaftliche Anlässe gab es im ersten Stock noch ein weiteres Café.
1929 kamen nach einem neuerlichen Ausbau im zweiten Stock
noch Spielsäle dazu, die in Tirol einzigartig waren. Dieses Haus
wurde nun zum Zentrum der Innsbrucker eleganten Welt und
reicher Touristen.

Die Schindlers veranstalteten in den »wilden Zwanzigerjahren«
Künstlerfeste, Hausbälle, Silvester- und Faschingsfeste und Ähnliches für reiche Einheimische und internationale Gäste. Ein Orchester spielte zum Tanz auf: Tango, Charleston, Foxtrott, Swing,
Shimmy und was sonst noch modern war. Die Damen trugen
Bubikopffrisuren, enge kniefreie Kleider mit tiefen Dekolletés –
und sie rauchten Zigaretten. Wenn in der Bar Frauenüberschuss
herrschte – der Krieg hatte ja das Zahlenverhältnis zwischen Männern und Frauen verschoben –, tanzten die Frauen miteinander
und amüsierten sich. Manchmal spielte auch ein Damenorchester
zum Tanz auf.

Den wohlhabenden Gästen wurde hier im kleinen Innsbruck
eine willkommene Plattform geboten, die kaum weniger elegant
war als die großen Etablissements in Wien oder Berlin. Da sie viel
verdienten, gaben die Schindlers jederzeit auch großzügig Geld
für soziale Zwecke und Hilfsbedürftige jeder Art und waren aus
diesem Grund in Innsbruck sehr beliebt.

Irma Kafka, geborene Kohn

John Kafka erinnert sich an frühe Sommeraufenthalte in Tirol und seine Faszination, was Schindlers »Konditorei« betraf. Diese war für den Buben der Höhepunkt allen vorstellbaren Glamours: ein luxuriöser Nachtklub. Und er erwähnt stolz den Weltstar Richard Tauber, den er dort einmal hören durfte.[29]

Bei den Kafkas in Linz hatte es inzwischen wieder eine Familienfeier gegeben: Am 9. April 1923 heiratete der 52-jährige Firmenchef Rudolf Kafka seine langjährige Freundin, die sechs Jahre jüngere Irma Kohn aus Wien. Irma war die Schwester von Rudolfs großer Liebe Frieda Kohn. Diese aber hatte sich vor der Enge des Kafka'schen Familienkreises, vor allem der herrischen Hermine, gefürchtet und einen anderen Mann geheiratet. Auch Irma hatte schon manche Intrigen und Konflikte mit Hermine ausstehen müssen. Denn diese versuchte alles, um eine Heirat ihres von ihr vergötterten Ältesten zu verhindern.

Eine wichtige Voraussetzung Rudolfs für diese Ehe war, dass Irma keine Kinder mehr haben konnte. Denn er wusste seit

Langem, dass er sich mit Syphilis angesteckt hatte, und fürchtete, dass die damals weit verbreitete unheilbare Krankheit das Erbgut der Nachkommen schädigen könnte. Dieser Gefahr wollte er Irma und sich nicht aussetzen.[30] Irma soll zeitlebens ahnungslos gewesen sein über den speziellen Charakter von Rudolfs Krankheit, die ihn nach schweren Zusammenbrüchen immer wieder für Monate in ein Sanatorium oder eine Anstalt zwang.

Rudolf und Irma quartierten sich in Linz-Urfahr, Hagenstraße 7, in einem komfortablen Haus mit Garten ein und machten es zu einem Treffpunkt der Anthroposophen. Ihr Idol Rudolf Steiner erkrankte im Herbst 1924 schwer, konnte nicht mehr arbeiten und starb am 30. März 1930 in Dornach, von seinen Anhängern tief betrauert.

Als Rudolf und Irma heirateten, ging es der Firma Kafka nicht gut. Immer mehr Linzer konnten sich luxuriöse Liköre und Säfte nicht mehr leisten – und manche wollten dies auch gar nicht. Denn der Slogan »Kauft nicht bei Juden« fand immer mehr Zuspruch.

Die Mühen des Geschäfts überließ der Firmenchef Rudolf seinem Bruder Egon. Weiterhin war er viel auf Reisen. Als begeisterter Sammler kaufte er Kunstwerke und spezialisierte sich auf alte holzgeschnitzte Madonnenfiguren, für die er sogar einen eigenen Raum einrichtete[31] – eine eher ungewöhnliche Liebhaberei für einen Juden. Das Geld dafür verdiente er vor allem an der Börse. Auch als sich die Schulden häuften, blieb Egon gegenüber dem älteren Bruder loyal und machte ihm keine Vorwürfe.

Trude Bloch heiratet Franz Kren

Im Sommer 1924 brach Eduard Bloch den Unterricht für seine Tochter Trude ab: *Nur zu bald wurden die Lateinstunden durch die Vorbereitungen für ihre Hochzeit unterbrochen, denn sie hatte sich mit einem jungen Facharzt für Dermatologie, der in dem Hause wo ich wohnte, ordinierte, verlobt.* Die 21-jährige Trude Bloch wollte den zehn Jahre älteren Dr. Franz Kren heiraten.

Die Brautleute kannten einander seit Langem. Denn Krens verwitweter Vater Alexander war seit Jahrzehnten ein wichtiger Mit-

*Das Brautpaar
Franz Kren und
Trude Bloch 1924*

arbeiter der Firma Kafka und als solcher mit seinen beiden Kindern Franz und Martha zu allen Festen der Belegschaft eingeladen worden. Alexander Kren, geboren 1852 im ungarischen Körmend, war als Jude »extrem assimiliert«, wie sich John Kafka erinnert: Es sei schwer gewesen, sich ihn nicht »mit dem typischen österreichischen Trachtenhut mit Feder« vorzustellen.[32]

Sein Sohn Franz Kren war ein hoch geschätzter Kollege Blochs. Wie dieser hatte auch Kren an der Deutschen Universität in Prag Medizin studiert, war aber 1914 als Sanitätsleutnant in die Armee eingezogen und erst 1918 entlassen worden. Die Akten des Kriegsarchivs dokumentieren weit bessere soldatische Qualitäten für ihn als für seinen Schwiegervater: Kren sei ein »strammer militärischer Charakter, auch im feindlichen Feuer bewährt«, »zur Stellvertretung eines Kommandanten ... vorzüglich geeignet« und »hält stramme Zucht und Ordnung«. Der Sanitätschef der 10. Armee fügte noch hinzu: »Tüchtiger, strebsamer Mediziner, vielseitig verwendbar.«[33]

Privat war Kren aber alles andere als ein »strammer militärischer Charakter«, sondern liebevoll und sehr tolerant. 1920 war er in Innsbruck promoviert worden, absolvierte dann in Graz und in Wien bei Professor Salomon Ehrmann seine praktische Ausbildung zum Facharzt für Haut- und Geschlechtskrankheiten und eröffnete 1922 seine neue Praxis in der Landstraße 12, gleich über der Ordination seines Kollegen und späteren Schwiegervaters.

Am 5. August 1924 wurde in Linz Hochzeit gefeiert. Es muss Eduard und Lilli Bloch schwergefallen sein, die Hochzeit der einzigen Tochter nicht in der Synagoge besiegeln zu können, sondern nur am Standesamt. Denn beide Brautleute gehörten nicht mehr dem Judentum an: Trude war zum Christentum konvertiert, ihr Bräutigam, ebenfalls jüdischer Abstammung, war zwar römisch-katholisch getauft, aber nicht religiös.

Zur Hochzeit gab es viele Glückwünsche. Und auch der Brautvater erhielt zu diesem Anlass zahlreiche Briefe seiner Patienten, so zum Beispiel von der pensionierten Lehrerin Betty Schmidhammer. Nach langen guten Wünschen für das Brautpaar schrieb sie an Bloch: »Wie haben Sie meiner l[ieben] Schwester, meinen 2 Nichten, meinem Schwager u. mir in vielen, oft so schweren Krankheiten geholfen! Ja, eine Ihrer Patientinnen, eine ärmliche Frau, der Sie in einem schmerzlichen Leiden Hilfe gebracht, hatte recht, wenn sie kürzlich mir unter Zustimmung sämtlicher Patienten im Vertrauen sagte, man sollte Ihnen ein Denkmal setzen in einer Anlage in Linz für all Ihre erfolgreiche Hilfe, Ihren Edelsinn, Ihr Erbarmen mit den Armen. Und jeder Patient wusste etwas zu rühmen u. zu danken. Segensworte in schlichter, einfacher Form, aber tief gefühlt. Ich aber dachte, wie schon oft, Gott möchte all die Wohlthaten, die Sie anderen zuwenden durch Ihre so treue Hingabe an Ihren schweren Beruf u. Anwendung Ihres hohen Wissens, Ihrer Selbstlosigkeit u. Güte, Ihnen vergelten, indem Er einen reichen Segen auf das Haupt Ihres Kindes häuft, denn nichts Lieberes könnte Ihnen werden.«[34]

Das junge Paar gründete seinen ersten Hausstand im Stockwerk über den Blochs in der Landstraße 12. Der Familienzusammenhalt war eng und herzlich. 1926 wurde zum großen Stolz der Eltern und Großeltern Sohn Georg geboren.

In dieser Zeit freute sich Bloch noch darüber, dass ihm trotz des wachsenden Antisemitismus die meisten seiner Patienten weiterhin die Treue hielten: *Die Nachkriegszeit brachte in meinen*

Praxisverhältnissen keine wesentlichen Veränderungen, wiewohl ein grosser Zuzug von Ärzten nach der Landeshauptstadt zu verzeichnen war; mein grosser Clientenkreis blieb mir treu.

Die Linzer Judengemeinde nach 1918

Die kleine Linzer Judengemeinde hatte sich in der Republik inzwischen als geschlossene, selbstbewusste und geachtete Gemeinschaft etabliert, während sich die Wiener Juden weiterhin in Richtungs- und Kompetenzkämpfen zermürbten. Assimilanten stritten dort mit Zionisten, Orthodoxe mit Liberalen, östliche Einwanderer kämpften gegen bereits seit Generationen in Wien ansässige Juden, die sich als Österreicher und Deutsche fühlten. Da von Wien also keine einheitliche Linie für die jüdischen Gemeinden in der Provinz zu erwarten war, übernahm die Linzer Gemeinde die praktische Führung im judenarmen Oberösterreich. Seit 1919 gab sie die richtungweisende Zeitung heraus: JÜDISCHE NACHRICHTEN FÜR

Der »Reichsbund jüdischer Frontsoldaten« wehrte sich mit dieser Anzeige gegen Vorwürfe, die Juden seien im Krieg Drückeberger und Kriegsgewinnler gewesen

DIE DEUTSCHÖSTERREICHISCHE PROVINZ, später MITTEILUNGEN FÜR DIE JÜDISCHE BEVÖLKERUNG DER ALPENLÄNDER genannt. Der »bewährte Redaktor des Blattes« war über längere Zeit Erwin Piskaty, Hitlers ehemaliger Klassenkamerad in der Linzer Realschule.

Der Zusammenhalt der Linzer Gemeinde war in diesen trostlosen Jahren nach dem Kriegsende wichtig, da der Antisemitismus in Österreich wie in Deutschland bereits wilde Blüten trieb. Immer lauter wurde der Ruf, »die Juden« seien an allem Elend schuld, vor allem am verlorenen Krieg und all den wirtschaftlichen Problemen und Nöten. Die Linzer Jüdische Gemeinde gab sich größte Mühe, solche Behauptungen und Vorurteile mit Tatsachen zu widerlegen. Aber was auch immer sie an Fakten anführte, verpuffte wirkungslos.

Eduard Bloch war weiterhin als einer der Vorstände der Linzer Judengemeinde hochaktiv. Als Schulreferent setzte er sich sehr engagiert für einen besseren und fortschrittlicheren Religionsunterricht ein, um die Jugend im ständigen Kampf gegen den Antisemitismus zu stärken.

Um die jüdische Gemeinschaft in dieser schwierigen Zeit zu stärken, bemühten sich einige Gemeindemitglieder rund um Bloch, in Linz eine B'nai-B'rith-Loge zu gründen. Die ehemalige Großloge in Wien war seit 1918 durch den Zerfall der Donaumonarchie zersplittert und hatte sich in den Nachfolgestaaten in eigenen Großlogen etabliert, vor allem in der Tschechoslowakei und in Polen. Bloch dazu: *dadurch kam aber der Weiterbestand der österreichischen Grossloge in Frage, denn die Zahl der österreichischen Logen war nicht mehr genügend gross, um eine Grossloge bilden zu können. Das amerikanische Ordenspräsidium machte damals den Fortbestand einer Grossloge von der Gründung von mindestens zwei neuen Logen abhängig. In zahlreichen Besprechungen mit Professor Ehrmann, dem österreichischen Grosspräsidenten, mit dem mich seit Jahrzehnten treueste Freundschaft verband, wurde diese Ordensangelegenheit gründlichst beraten.*

Der aus Ostrowitz in Südböhmen stammende Salomon Ehrmann (1854–1926) war in dieser Zeit der berühmteste Dermatologe Österreichs, Klinikvorstand und Professor an der Universität

Wien mit bedeutenden Arbeiten über den Syphiliserreger, zudem
Autor des damals maßgebenden Handbuchs über Geschlechtskrankheiten. Er war es auch, der als Erster manche Hauterkran-
kungen auf Störungen innerer Organe zurückführte. Jahrelang
und bis zu seinem Tod war er im Vorstand der Jüdischen Kultusgemeinde in Wien und seit 1920 Großpräsident von B'nai B'rith in
der Republik Österreich.[35]

Die Beratungen mündeten in die Gründung von zwei weiteren
B'nai-B'rith-Logen im klein gewordenen Österreich: »Madassah«
in Wien und am 25. März 1922 einer Loge in Linz, die auf Blochs
Vorschlag den Namen »Ehrmann« erhielt. Die Mitglieder, unter
ihnen auch Egon und Rudolf Kafka, kamen jeden ersten und dritten Mittwoch im Monat im zweiten Stock der Klammstraße 7 in
Linz zusammen. 1923 wurde Bloch für ein Jahr zum Präsidenten
gewählt. Sehr stolz berichtet er später, dass B'nai B'rith gerade in
der noterfüllten Nachkriegszeit und während der Inflation sehr
großzügig für Notleidende spendete, sich auf diese Weise in Linz
einen guten Ruf erwarb und imstande war, *viel Leid und Kummer
zu lindern!* Auch Lilli Bloch war häufig bei B'nai B'rith und engagierte sich dort in der Armenfürsorge. Aber die Loge bot den Mitgliedern auch eine gepflegte Geselligkeit, die den Zusammenhalt
stärkte.

1923 gab es in der Linzer Jüdischen Gemeinde einen Genera-
tionenwechsel: Der sehr beliebte Rabbiner Moritz Friedmann,
der 40 Jahre lang die Gemeinde geführt hatte, übergab sein Amt
an den 45-jährigen Dr. Viktor Kurrein, der bisher in Meran, Salzburg und Karlsruhe amtiert hatte. Kurrein profilierte sich bald
als mutiger Reformer. Seine Predigten waren klar und immer am
Puls der Zeit. Vor allem eine Aktion wirbelte in der Gemeinde
viel Staub auf: Kurrein, Vater von zwei Söhnen, förderte nicht
nur die Jungen, wie traditionell üblich, sondern auch die Mädchen und führte diese entgegen der jüdischen Tradition sogar zur
Bath-Mizwa (»Tochter des Gebots«), also zur religiösen Mündig-
keit der Frauen. Diese Neuerung hatte der Reformrabbi Mordecai
Kaplan erst 1922 in New York eingeführt, und nur wenige euro-
päische Rabbiner hatten den Mut, sie zu übernehmen.

*Professor Salomon
Ehrmann*

Sehr viel Mühe verwandte Kurrein auch darauf, in Linz »die Unsitte des Weihnachtsbaumes bei den Juden auszumerzen und dem Chanukkafeste zu seinem Rechte, gefeiert zu werden, zu verhelfen«.[36] Aber hier misslangen seine Bemühungen. Seit jeher gab es in fast allen jüdischen Familien in Linz, auch bei den Blochs und Kafkas, zu Weihnachten einen Weihnachtsbaum und viele Geschenke – und selbstverständlich wurde auch Chanukka gefeiert. Und das behielten die Linzer Juden bei, was auch immer der Rabbiner dagegen einwandte.

Dass Kurrein von seinem Standpunkt aus durchaus gute Gründe für sein Anliegen hatte, zeigt sich an Blochs 1929 geborener Enkelin Johanna. Sie sagte später, das alljährliche Linzer Weihnachtsfest mit Christbaum sei für sie der Beginn ihrer Liebe zum Christentum gewesen, dem sie sich bereits früh zuwandte.

Wie stark der Antisemitismus bereits war, bewies auch das erste Bundesturnfest, das vom 21. bis 23. Juli (»Heumond«) 1922 in Linz

stattfand, ein gemeinsames Großereignis der Deutschnationalen
Österreichs, der Tschechoslowakei, des Elsass und des Deutschen
Reiches. Es gab ein riesiges Sportprogramm vom Bergsteigen bis
zum Rudern, von Vorführungen der Turner bis zu Mannschafts-
kämpfen wie Eilbotenlauf und Tauziehen. Auf dem Hauptplatz
traf man sich zur abendlichen Platzmusik und erfreute sich an der
nächtlichen Donaufahrt des Kajak-Ruderklubs in 40 beleuchte-
ten Booten. Höhepunkt war der fahnenreiche Festzug der Turner,
begleitet von völkischer Marschmusik.

Um beim Einzelwettturnen mitmachen zu dürfen, mussten die
Turner den »Nachweis der völkischen Kenntnisse« erbringen. Ge-
prüft wurde die Geschichte des Turnerbunds und des Turnvaters
Jahn, der Freiheitskriege von 1813 und 1848, aber auch des Krieges
von 1870/71, der das Deutsche Reich begründet hatte.

Juden waren beim Turnfest nicht zugelassen, denn es herrschten
die Parolen von »Rassereinheit«, »Volkseinheit«, dazu das Hakenkreuz als Emblem. Unter dem Titel »Deutschheit auch im Wirt-
schaftsleben ist jedes Turners Gebot!« fand sich im gedruckten
Festführer folgender Appell: »Turner, die ihr dem Handel- und
Gewerbestande angehört, wisset, dass der Jude eures Volkes hin-
terhältigster Feind ist. Mit seiner Geldmacht beherrscht Alljuda
die Wirtschaft der ganzen Welt; 85 % unseres deutschösterreichischen Volksvermögens wird durch das Großbankentum vom Judentum verwaltet und beherrscht. Dieserart frönt unser Volksver-
mögen zur Bereicherung unserer Gegner beim Börsenspiel; mit
unseren Geldeinlagen erobert das internationale Großbankentum
den beherrschenden Einfluss auf deutschen Wirtschaftsfleiß!« In
diesem Ton ging es weiter.[37] Die Deutschösterreichische Tageszeitung versprach »Ständige Berichterstattung über das gesamte
arische Turnwesen in Großdeutschland«.[38]

Kein Wunder, dass die Linzer Juden an diesen drei Tagen nach
Möglichkeit jeden Kontakt mit den euphorischen völkischen Tur-
nern vermieden.

Unter der christlichsozialen Regierung wurde der Antisemitismus stetig forciert und machte auch nicht vor den Schulen halt.
Auch in den höheren Schulen von Linz verbreiteten deutschnatio-

Festabend der Linzer B'nai B'rith mit den Blochs und den Kafkas

nale und christlichsoziale Lehrer antisemitische Parolen, die viele Schüler von ihnen übernahmen.

Lilli Blochs Vetter Fritz Kafka konnte sein Leben lang nicht seine acht unglücklichen Jahre im Linzer Gymnasium vergessen, die er als einziger Jude seiner Klasse durchlebte: »Antisemitismus von vielen Mitschülern und einigen Professoren umgab mich täglich, und da waren nur wenige auszunehmen. Im Jahre 1922 oder 1923, ein Hakenkreuz auf meine Bank genagelt, verkündigte meine ›Klassenacht‹, die bis zur Matura dauerte. Dies zu einer Zeit, als nur wenige Leute von Adolf Hitler gehört hatten.« Fritz Kafkas Maturanoten seien manipuliert worden, um ihm, dem Juden, keine Auszeichnung geben zu müssen. Und: »Die Atmosphäre während der Jahre meiner Entwicklung hat mein späteres Leben beeinflusst.«[39]

Andererseits gab es in der Kleinstadt noch manche Kontakte zwischen Christen und Juden. Man kannte einander – aus der Schule, vom Geschäft. So schrieb Fritz Kafka, dessen Familie 1902 aus Budweis nach Linz eingewandert war und hier eine florierende Kohlen- und Baustoffhandlung betrieb, im Rückblick: »Geli Raubal ging mit mir, eine Klasse unter mir, zur Schule, wäh-

rend Eichmann in die gleiche Klasse ging wie ich, aber in der Realschule... Mein Vater kannte Dr. Kaltenbrunner [den deutschnationalen Linzer Rechtsanwalt Hugo Kaltenbrunner, Vater des
berüchtigten Ernst Kaltenbrunner]. Dr. Anton Fellner, der Hitler
1938 offiziell in Österreich willkommen hieß, war mein Klassenkamerad.«[40]

Und als der Kaufmännische Verein Linz 1928 sein 60-jähriges
Bestehen feierte, befand sich auch Rudolf Kafka unter jenen Jubi-
laren, die mehr als 25 Jahre dem Verein angehörten. Aber solche
alten Beziehungen wurden zusehends schwächer, die Ausgrenzung der Juden immer sichtbarer und fast schon eine Normalität.
Dies war auch die Zeit, als die beiden Ärzte Bloch und Kren klag-
ten, immer weniger »arische« Patienten zu haben.

Hitler sucht Kontakt mit der Heimat

*»In den schwierigen Jahren nach Kriegsende ging in Deutschland
der Stern eines jungen Mannes auf, der sich als leidenschaftlicher
politischer Redner und deutscher Patriot einen Namen machte:
Adolf Hitler. In Linz brauchte man ziemlich lang, bis man in ihm
einen ehemaligen Linzer erkannte.«* Und: *»Gelegentlich tauchten in den örtlichen Zeitungen Notizen auf über eine politische
Gruppe, die Hitler in München um sich sammelte; Geschichten
über ihren Hass auf die Juden, den Versailler Vertrag und ähnliche Themen. Aber diesen Aktivitäten wurde keine besondere
Aufmerksamkeit geschenkt.«* Das sagte Eduard Bloch 1941 der
New Yorker Zeitung COLLIER'S.

Seit der 18-jährige Adolf am 12. Februar 1908 Linz verlassen
hatte, hatten seine Schwestern Paula und Angela nichts mehr von
ihm gehört. Paula glaubte, er sei gestorben. Als er dann 1921 plötzlich in Wien vor ihrer Tür stand, erkannte sie ihn nicht mehr. Er
erzählte ihr von seinen »wundervollen Abenteuern« im Krieg, von
Kameradschaft, seiner Verletzung und seiner Blindheit im Spital
von Pasewalk. Er war damals schon »Führer« der NSDAP.[41]

1923 scheiterte in München der sogenannte Hitler-Putsch.
Bloch: *»Erst als am 8. November 1923 beim Putsch im Bürger-*

bräukeller zwanzig Leute starben, erlangte Hitler lokale Aufmerksamkeit. War es möglich, fragte ich mich, dass der Mann, der hinter diesen Dingen steht, der stille junge Mann ist, den ich gekannt hatte – der Sohn der sanften Klara Hitler?«[42]

Und in anderem Zusammenhang schrieb er 1938 rückblickend: *»Als ich zum ersten Male vor der Machtergreifung im J. 1933 ein Bild des Führers sah, da stieg blitzartig die Vorstellung in meinem Bewusstsein auf, ›das ist ja der junge, blasse Student, den ich vor Jahrzehnten behandelt habe‹.«*[43] In diesem Moment erinnerte sich Bloch an die beiden Karten, die der junge Hitler ihm damals geschickt hatte und die er merkwürdigerweise viele Jahre lang aufgehoben hatte: *Für diese Karten wurde mir später ein Vermögen angeboten, doch habe ich sie nicht hergegeben aus Furcht, man könnte dieselben zu politischen Zwecken irgendwie missbrauchen.*

Nach dem misslungenen Putsch, als Hitler in Landsberg inhaftiert war und der Prozess gegen ihn vorbereitet wurde, nahm er über seine Halbschwester Angela Raubal Kontakt mit Linz auf, und zwar zu Dr. Eduard Huemer, seinem Klassenlehrer von 1901 bis 1904. Huemer, inzwischen Direktor der Linzer Realschule, gehörte zu den Honoratioren der Stadt und war auch mit Bloch gut bekannt, da Huemers Frau Blochs Patientin war. Ende November 1923 sei eine Dame zu ihm gekommen, so Huemer später, habe Grüße seines »ehemaligen Schülers Hitler« ausgerichtet und sich als Hitlers Schwester Angela Raubal vorgestellt. Huemer: »Ich musste mich erst besinnen u. fragte, ob es sich um den ›berühmten Hitler‹ handle, der in den Münchener bewegten Tagen jener Zeit schon viel von sich reden machte. Sie bejahte dies und überreichte mir ein Schreiben seines Prozeß-Vertreters.« Darin wurde Huemer ersucht, »eine sachgemäße Darstellung dieser seiner [Hitlers] Realschulzeit zu geben, um gewissen Ausstreuungen einer feindseligen Presse entgegentreten zu können.«[44] Es ging vor allem um eine Behauptung in der Münchner Presse, der junge Hitler sei wegen einer Hostienschändung aus der Linzer Realschule geworfen worden. Kurz gesagt: Er habe die Hostie ausgespuckt.

Der deutschnationale Lehrer, der den jungen Hitler einst wegen miserabler Französischleistungen hatte durchfallen lassen, ent-

Die junge Paula Hitler in Wien

lastete ihn nun in einer schriftlichen Zeugenaussage: Die Presse-
berichte seien nicht korrekt, sondern verrieten »den Charakter
böswilliger Verleumdungen nur zu deutlich«. Die Hostienschändung hätten nachweislich andere Schüler begangen, was auch weitere Zeugen bestätigten.

Über den Schüler Hitler sagte Huemer vorsichtig: »Er war entschieden begabt, wenn auch einseitig, hatte sich aber wenig in
der Gewalt, zum mindesten galt er auch für widerborstig, eigenmächtig, rechthaberisch und jähzornig, und es fiel ihm sichtlich
schwer, sich in den Rahmen einer Schule zu fügen. Er war auch
nicht fleißig; denn sonst hätte er bei seinen unbestreitbaren An-
lagen viel bessere Erfolge erzielen können.« Der junge Hitler habe
laut Huemer von seinen Mitschülern »unbedingte Unterordnung«
verlangt, »gefiel sich in der Führerrolle und leistete sich auch allerdings manch weniger harmlosen Streich, wie solche unter unreifen
Jungen nicht selten sind«. Diese Aussage einer angeblich frühen
»Führerrolle« Hitlers wurde von nun an häufig zitiert, deren
Wahrheitsgehalt aber wurde von einigen Klassenkameraden vehe-
ment bestritten.

Zum Schluss meinte der alte Lehrer devot, dass die Schule nicht
viel über das spätere Leben aussage, denn: »Während die Muster-
knaben gar oft spurlos untertauchen, entwickeln sich die Schul-

rangen erst, sobald sie die für sie nötige Ellbogenfreiheit erlangt haben. Von dieser Gattung scheint mir mein ehemaliger Schüler Hitler zu sein, dem ich von Herzen wünsche, dass er sich von den Strapazen und Aufregungen der letzten Zeit bald erholen und doch noch die Erfüllung jener Ideale erleben möchte, die er im Busen hegt und die ihm, wie jedem deutschen Mann, nur wahrhaft zur Ehre gereichen würde.«[45] Der einst so strenge Lehrer bekannte damit stolz und öffentlich seine Sympathie für die politischen Maximen seines ehemaligen schlechten Schülers.

Auf einen Dank für diese wichtige und schmeichelhafte Aussage wartete Huemer vergeblich. Vor allem musste er enttäuscht feststellen, dass Hitler in MEIN KAMPF nicht ihn als Klassenlehrer dankend erwähnte, sondern nur den Geschichtslehrer Leopold Poetsch, und zwar in geradezu hymnischen Worten. Poetsch habe ihm, dem jungen Hitler, die deutsche Geschichte nahegebracht und noch mehr: »Es wurde vielleicht bestimmend für mein ganzes späteres Leben, dass mir das Glück einst gerade für Geschichte einen Lehrer gab, der es als einer der ganz wenigen verstand, für Unterricht und Prüfung diesen Gesichtspunkt zum beherrschenden zu machen. In meinem damaligen Professor Dr. Leopold Poetsch, an der Realschule zu Linz, war diese Forderung in wahrhaft idealer Weise verkörpert. Ein alter Herr, von ebenso gütigem als aber auch bestimmtem Auftreten, vermochte er besonders durch eine blendende Beredsamkeit uns nicht nur zu fesseln, sondern wahrhaft mitzureißen. Noch heute [also 1924/25, als Hitler in der Landsberger Haft MEIN KAMPF schrieb] erinnere ich mich mit leiser Rührung an den grauen Mann, der uns im Feuer seiner Darstellung manchmal die Gegenwart vergessen ließ, uns zurückzauberte in vergangene Zeiten und aus dem Nebelschleier der Jahrtausende die trockene geschichtliche Erinnerung zur lebendigen Wirklichkeit formte. Wir saßen dann da, oft zu heller Glut begeistert, mitunter sogar zu Tränen gerührt.«

Und, so Hitler weiter: »Das Glück ward umso größer, als dieser Lehrer es verstand, aus Gegenwart Vergangenes zu erleuchten, aus Vergangenheit aber die Konsequenzen für die Gegenwart zu ziehen. So brachte er denn auch, mehr als sonst einer, Verständ-

nis auf für all die Tagesprobleme, die uns damals in Atem hielten.
Unser kleiner nationaler Fanatismus war ihm ein Mittel zu unserer Erziehung, indem er, öfter als einmal an das nationale Ehrge-
fühl appellierend, dadurch allein uns Rangen schneller in Ordnung brachte, als dies durch andere Mittel möglich gewesen wäre.«
Schließlich: »Mir hat dieser Lehrer Geschichte zum Lieblingsfach
gemacht. Freilich wurde ich, wohl ungewollt von ihm, auch damals
schon zum Revolutionär.« Damit meinte Hitler seinen radikalen,
antiösterreichischen, von Georg Schönerers Alldeutschen bezoge-
nen Deutschnationalismus. Aber ebendiese Meinung konnte und
wollte Poetsch als k. k. Beamter und treuer Diener des Kaisers
nicht teilen.

Der nunmehrige Politiker Hitler instrumentalisierte also
im Nachhinein seinen ehemaligen Lehrer für seine politischen
Zwecke, auch als er hasserfüllt über die Habsburger schrieb: »Wer
konnte auch unter einem solchen Lehrer deutsche Geschichte studieren, ohne zum Feinde des Staates zu werden, der durch sein
Herrscherhaus in so unheilvoller Weise die Schicksale der Nation
beeinflußte? Wer endlich konnte noch Kaisertreue bewahren einer
Dynastie gegenüber, die in Vergangenheit und Gegenwart die Be-
lange des deutschen Volkes immer und immer wieder um schmäh-
licher eigener Vorteile willen verriet? Wußten wir nicht als Jungen
schon, daß dieser österreichische Staat keine Liebe zu uns Deutschen besaß, ja überhaupt gar nicht besitzen konnte?«[46] Es folgten
Klagen über das angebliche Elend des deutschen Volkes im Habsburgerstaat – ganz im Tonfall der Schönerianer und Wolfianer.

Am 20. Juni 1929 nahm Poetsch brieflichen Kontakt zu seinem
ehemaligen Schüler Hitler auf: Er habe zufällig zwei durchrei-
sende »Reichsdeutsche« getroffen und ihnen, »die mit rührender
Anhänglichkeit und Begeisterung von Ihnen sprachen«, gesagt,
dass er Hitlers Lehrer gewesen sei. »Die Nennung meines Namens
veranlasste sie zur Frage, ob ich der Prof. Dr. Ludwig Poetsch sei,
dessen Herr Hitler in seinem Werk ›Mein Kampf‹ mit seltener
Schüleranhänglichkeit rührend gedenkt.« Er habe dies bejaht, aber
seinen Vornamen korrigiert: Er heiße Leopold. Nun bat er Hitler,
eine Abschrift der sich auf ihn beziehenden Stelle aus Mein Kampf

zu schicken, »die ich gerne als Vermächtnis meiner Familie hinter-
lassen möchte«.

Hitler antwortete am 2. Juli 1929 dem »Hochverehrten Herrn
Schulrat« schwärmerisch: »Sie können sich kaum vorstellen, welche
Freude Sie mir mit diesen [Zeilen] gemacht haben. Riefen Sie mir
doch mit einem Schlag die Erinnerungen an die Jugendjahre wach
und an die Stunden bei einem Lehrer, dem ich unendlich viel ver-
danke, ja, der mir die Grundlage gegeben hat für den Weg, den
ich inzwischen zurücklegte.« Er versprach, bei der Neuauflage
Poetschs Vornamen zu korrigieren, und schickte ihm nicht die er-
wünschten kopierten Seiten, sondern das Buch. Dann schloss er:
»Mit herzlichen Grüssen und dem Ausdruck meiner Verehrung
Ihr Ihnen stets ergebener Af Hitler.« Mit gleicher Post kam von
seinem Privatsekretär Rudolf Heß eine Einladung an Poetsch,
vom 1. bis 4. August 1929 am NSDAP-Parteitag in Nürnberg als
persönlicher Gast Hitlers teilzunehmen.[47]

Der so wortreich angeschwärmte 76-jährige Schulrat blieb
reserviert und nahm die Einladung nicht an. Sein Dankbrief für
die Buchsendung war geradezu beleidigend kurz und förmlich.
So gern auch immer er seinen Schüler Hitler einst gehabt haben
mochte, so kühl und abweisend verhielt er sich nun gegenüber
dem Politiker, der die alte Habsburgermonarchie derart abfällig
beurteilte. Ernst Koref schrieb anerkennend über Poetschs ehrliche Haltung: »Er war wohl ein national gesinnter, doch auch ein
guter Österreicher, eine höchst ehrenwerte Persönlichkeit.«[48]

(Zur Feier des 50-jährigen Bestehens des Linzer Lyzeums im
Mai 1939 wurde in der Festbroschüre auch ein Glückwunsch des
86-jährigen Poetsch abgedruckt, allerdings mit überraschenden
Jubeltönen über »unseren großen Führer Adolf Hitler, dessen
Fahne nun stolz über der Anstalt weht ... Glücklich die Jugend,
die mitten im Erleben so großen Weltgeschehens stehen darf!«[49]
Die faksimilierte Unterschrift hat allerdings einen deutlichen
Fehler: Poetschs Name ist falsch geschrieben. Er unterschrieb hier
als Dr. Pötsch. Es sieht ganz danach aus, dass der sehr alte und ge-
brechliche, aber immer noch von seinen ehemaligen Schülern hoch
verehrte Lehrer hier im Sinne der Nazis manipuliert wurde.)

Hitlers Linzer Anhängerschaft wuchs stetig. Aber kaum jemand
wird die öffentliche Erklärung gelesen haben, die der Landsberger Häftling im Oktober 1924 abgab – noch vor seinem offiziellen
Antrag auf Aberkennung der österreichischen Staatsbürgerschaft:
»Ich empfinde den Verlust der österreichischen Staatsbürgerschaft
nicht als schmerzlich, da ich mich nie als österreichischer Staatsbürger, sondern immer nur als Deutscher gefühlt habe. So groß meine
Liebe zur österreichischen Heimat ist, so tief meine Abneigung
gegen den österreichischen Staat. Ich sehe in ihm, so wie früher
im alten Habsburgerreich nur ein Hindernis für den Zusammenschluss des deutschen Volkes, sodass auch heute meine politische
Tätigkeit nur die Betreibung der Auflösung dieses unmöglichen
Gebildes sein könnte, solange bis der Zusammenschluss erfolgt
ist.«[50] Hitlers politisches Ziel war also bereits in dieser frühen Zeit
klar: Österreich wie die übrigen 1919 abgetrennten deutschsprachigen Gebiete dem Deutschen Reich anzuschließen.

Am 27. April 1925 bat Hitler den Linzer Magistrat brieflich um
die Entlassung aus der österreichischen Staatsbürgerschaft. Als
Gründe führte er an: »Ich befinde mich seit dem Jahre 1912 [in
Wirklichkeit verließ Hitler Wien erst 1913] in Deutschland, habe
nahezu 6 Jahre im deutschen Heere gedient, darunter 4 ½ Jahre
an der Front und beabsichtige nunmehr die deutsche Staatsbürgerschaft zu erwerben. Da ich zurzeit nicht weiß, ob meine österreichische Staatsangehörigkeit nicht ohnehin bereits erloschen ist,
ein Betreten des österreichischen Bodens durch eine Verfügung
der Bundesregierung jedoch abgelehnt wurde, bitte ich um eine
günstige Entscheidung meines Gesuches.«

Die oberösterreichische Landesregierung in Linz bestätigte
am 30. April 1925: »Der am 20. April 1889 in Braunau geborene,
bisher in Linz heimatberechtigte Schriftsteller Adolf Hitler in
München ist behufs Erlangung der deutschen Staatsangehörigkeit
aus dem österreichischen Staatsverband ausgeschieden.«

Hitler war nun staatenlos, durfte also weder in Deutschland
noch in Österreich wählen oder gewählt werden.

8 Wirre Zeiten

Soziales Elend und politischer Streit

Das Jahr 1926 verlief im kleinen Österreich turbulent mit raschen Wechseln der Regierungen. Im Sommer streikten sechs Wochen lang die Bauarbeiter und wurden von ihren Unternehmen zur Strafe ausgesperrt. Dann marschierten Demonstranten gegen die geplante Kürzung der Arbeitslosenunterstützung. Anfang September quälten sich Zigtausende Zivilkrüppel – Bein- und Armamputierte, Blinde, Gelähmte und Sieche – mit ihren Krücken und Rollstühlen in einem eindrucksvollen Zug über die Wiener Ringstraße und forderten endlich ein Fürsorgegesetz und den Bau von »Krüppelheimen«. Im Oktober drohten die Bundesbediensteten mit Streik, woraufhin Prälat Ignaz Seipel seine inzwischen vierte Regierung antrat. Das Elend wurde von Tag zu Tag größer.

Wie groß die Wut der Linken auf die christlichsoziale Regierung war, offenbarte sich Anfang November 1926 beim Parteitag der Sozialdemokraten in Linz. Hauptredner war der 45-jährige Parteiführer Dr. Otto Bauer, Jurist aus wohlhabendem jüdischen Haus. Er legte das »Linzer Programm« vor, worin er den »Übergang von der kapitalistischen zur sozialistischen Gesellschaftsordnung« forderte. Sehr fortschrittlich behandelte Bauer die Frauenfrage. Er ging auf soziale Probleme und Arbeiterrechte ein und prangerte die Macht der Großbanken wie der Industriekonzerne an. Und wieder plädierte Bauer für den Anschluss Deutschösterreichs an das Deutsche Reich »als notwendigen Abschluss der nationalen Revolution von 1918«.

Ein Kernsatz in Bauers radikalem und glasklar formuliertem Text überschattete all seine vernünftigen Vorschläge und wirkte sich politisch verhängnisvoll aus: »Wenn sich aber die Bourgeoisie gegen die gesellschaftliche Umwälzung, die die Aufgabe der Arbeiterklasse sein wird, durch planmäßige Unterbindung des Wirt-

Kleinrentner- oder Hausherrnhilfe

„Dieſes ſchöne Geldſtück ſollſt du als Kleinrentnerhilfe bekommen,

wenn du dafür dem Hausherrn dreißig ſolche ſchöne Geldſtücke als erhöhten
Mietzins zahlſt."

— „Aber um Gottes willen, das kann ich doch nicht zahlen!"
= „Ja, mein lieber Herr, da muaß i Ihner Wohnung halt an andern
geben, der mehr zahlen kann!"

Bundeskanzler Prälat Ignaz Seipel aus der Sicht der Sozialdemokraten 1926

schaftslebens, durch gewaltsame Auflehnung, durch Verschwörung mit ausländischen gegenrevolutionären Mächten widersetzen sollte, dann wäre die Arbeiterklasse gezwungen, den Widerstand der Bourgeoisie mit den Mitteln der Diktatur zu brechen.«

Diese radikale Aussage, von den Gegnern verkürzt zu einer angeblichen Androhung der »Diktatur des Proletariates« und eines angestrebten »Austromarxismus«, war von nun an ein willkommenes Schlagwort gegenüber allen Linken, ob Kommunisten, Bolschewisten oder Sozialdemokraten, und heizte den ohnehin aggressiven Kampf zwischen Rechts und Links erst richtig an. Bauer hatte mit diesem Satz seinen Feinden eine scharfe Waffe in die Hand gegeben. Nach dem Linzer Parteitag war eine vernünftige, sachliche Diskussion zwischen Links und Rechts kaum noch möglich.

Für 1927 stand der Wahlkampf für den Nationalrat an, in Linz außerdem für den Gemeinderat. Die aufgeheizte politische Stimmung zwischen der rechten Regierung und der ohnmächtigen linken Opposition explodierte am 30. Januar 1927 im kleinen Ort Schattendorf im Burgenland: Rechte »Frontkämpfer« schossen aus einem Wirtshaus auf unbewaffnete vorbeimarschierende linke »Schutzbündler« und töteten einen zehnjährigen Knaben und einen Kriegsinvaliden. Außerdem gab es elf Verletzte.

Als das Geschworenengericht die drei Täter am 14. Juli 1927 freisprach, schrieb die ARBEITER-ZEITUNG im Leitartikel des 15. Juli: »Die bürgerliche Welt warnt immer vor dem Bürgerkrieg. Aber ist nicht dieser bedingungslose, erschütternde Freispruch von Menschen, die Arbeiter töteten, schon an sich Bürgerkrieg? Wir warnen sie alle! Denn aus den Saaten des Unrechts kann nichts als schweres Unheil erwachsen.« Daraufhin protestierten die Linken in ganz Österreich in spontanen Aktionen, die sich zunächst gegen das Parlament in Wien richteten. Als aber berittene Polizei die unbewaffneten Demonstranten mit Säbelattacken verjagte, verlagerten sich die Proteste der Linken auf den nahen Justizpalast. In ihrer Wut über die Justiz drangen Arbeiter in das Gebäude ein, warfen bündelweise Akten aus den Fenstern und legten schließlich Brände.

Der brennende Justizpalast am 15. Juli 1927

Daraufhin ließ Bundeskanzler Seipel die Polizei mit Gewehren und scharfer Munition bewaffnen und den Justizpalast mit dem berüchtigten Befehl: »Schießen! – schießen! – schießen!« gewaltsam stürmen. Das geschah zu einem Zeitpunkt, als die Lage sich beruhigt hatte und viele Arbeiter bereits wieder abzogen. Die Polizisten folgten dem Befehl des Prälaten, schossen auf die unbewaffneten Demonstranten und verschonten auch die Flüchtenden nicht. Schließlich wurden 89 Tote gezählt, darunter 84 Arbeiter und Passanten und fünf Polizisten, von denen einer irrtümlich von einem Kollegen erschossen wurde. 600 Arbeiter wurden schwer und mehr als 1000 leicht verletzt.

Zur Zeit der Wiener Kämpfe fand in Linz gerade eine Sitzung des Gemeinderats statt, in dem die Sozialisten die absolute Mehrheit hatten. Der linke Gemeinderat Josef Gruber sprach in ernsten Worten über die Wiener Geschehnisse: »Das Bürgertum lebt in der Psychose, dem Arbeiter jeden Schimpf antun zu können ... Hunderte von Belegen bringe ich Ihnen dafür, dass man uns nicht nur als Staatsbürger zweiter Klasse betrachtet, sondern dass man uns auch als Menschen minderwertiger Sorte ansieht, weil man die Größe der Idee, von der wir getragen sind, nicht ahnt und nicht

Einige von vielen Todesopfern der Sozialdemokraten

verstehen kann.« Und: »In dem Augenblicke, wo in den Straßen
Wiens Blut fließt, hat die geschäftliche Tätigkeit zu ruhen. Nur
eines haben wir noch zu tun: Den Opfern dieser Politik unseren
Gruß zu übermitteln.« Darauf erhoben sich die Sozialdemokraten
von den Sitzen, und die Sitzung wurde geschlossen.[1]

Selbst angesichts so vieler Toter aus dem linken Lager verweigerte Kanzler Seipel seinen verhafteten Gegnern die Amnestie. Mit
seiner Härte und Mitleidlosigkeit ging er als »Prälat ohne Milde«
in die Geschichte ein. Zigtausende Österreicher traten noch 1927
unter Protest aus der katholischen Kirche aus. Die gedemütigten
und besiegten Linken verweigerten fortan jede Zusammenarbeit
mit den Christlichsozialen.

Die Nationalsozialisten profitieren

Ernst Koref, Linzer Gemeinderat und Parlamentsabgeordneter,
grübelte lange über die tiefe Feindschaft zwischen Otto Bauer,
dem Sozialisten, und Ignaz Seipel, dem Christlichsozialen. Diese
beiden, so Koref, »bewirkten, sicherlich das Gute wollend, eine
zunehmende Verschärfung des politischen Kampfes, die zu einer

maßlosen Verbitterung der Massen führte«. Koref betonte, »dass beide hochbegabte, von Ethos erfüllte Männer« seien, »aber leider verkrampfte Ideologen«. Und »dass sie in ihrer Wirksamkeit Österreich zum Nutzen gereicht hätten, muss ich retrospektiv ehrlich verneinen. Der beidseitige Radikalismus, von dem sie getrieben waren, war nicht zu dämpfen.«[2]

In dieser Zeit, als die beiden Großparteien und deren Mitglieder einander als unversöhnliche Feinde bekämpften, erstarkte im kleinen Österreich eine dritte politische Kraft: die Nationalsozialisten. Sie waren sowohl Gegner des klerikalen Seipel-Regimes als auch der Sozialdemokraten. Nachdem sich ihnen zunächst die österreichischen Deutschnationalen angeschlossen hatten, »fischten« sie nun auch Anhänger bei jenen politisch frustrierten deutschbewussten Linken, die den »christlichen« Ständestaat hassen gelernt hatten.

Überdies war der Anschlussgedanke immer noch in Österreich präsent, und das umso mehr, je heftiger sich die beiden Großparteien bekämpften. Träger des Anschlussgedankens waren in Österreich die Burschenschaften, die völkischen Turn- und Gesangvereine und alle möglichen deutschvölkischen Gesellschaften. So verkündete zum Beispiel am 2. Oktober 1927 die »Volkskundgebung« des »Verbandes deutschvölkischer Vereine Deutschösterreichs« anlässlich von Paul von Hindenburgs 80. Geburtstag: »Wir fordern den Zusammenschluss mit dem Deutschen Reiche!« Dem »Deutschen Reichspräsidenten Exz. von Hindenburg, Berlin W.8, Wilhelmstraße 73« wurden massenhaft Karten geschickt mit dem Text: »Das deutsche Wien und Deutschösterreich grüßen den Schirmherrn Deutschlands.«

Je erfolgreicher sich Hitlers politische Karriere in Deutschland entwickelte, desto größer wurde seine Anziehungskraft auch in Österreich und vor allem in Hitlers »Heimatstadt« Linz.

Unter diesen politisch widrigen Umständen feierte die Linzer Jüdische Gemeinde am 26. Mai 1927 ihr 50-jähriges Bestehen mit freundlicher Teilnahme christlicher Freunde. Im Jahr darauf wurde Benedikt Schwager, seit 1907 Präsident der Linzer Gemeinde, vom Bundespräsidenten mit dem Silbernen Ehrenzei-

Dr. Otto Bauer (1881 bis 1938), der Führer des linken Flügels der Sozialisten; nach dem Verbot der SPÖ floh er nach Brünn und von dort 1938 nach Paris

chen für Verdienste um die Republik Österreich ausgezeichnet. Auch Nichtjuden aus allen Schichten der Bevölkerung erschienen zur feierlichen Verleihung des Ordens im Tempel. Unter ihnen war auch Adolf Eichmann, der Älteste der Linzer Evangelischen Kirchengemeinde. Sein gleichnamiger 22-jähriger Sohn hatte zu dieser Zeit noch jüdische Freunde.

Benedikt Schwager, 27 Jahre lang Präsident der Linzer Jüdischen Gemeinde

Die Blochs und die Kafkas

Angesichts des wachsenden Antisemitismus und der rauen Zeiten rückte die Familie Bloch-Kafka eng zusammen. Großmutter Hermine bestand auf dem täglichen Familienritual am späten Nachmittag im Hause Kafka in der Landstraße 44: Es kamen der ältere Sohn Rudolf, sofern er nicht auf Reisen war, mit seiner Frau Irma, der jüngere Sohn Egon mit Frau und Kindern, Tochter Lilli Bloch mit Enkelin Trude Kren und dem 1926 geborenen Baby Georg. Als Überraschungsgäste erschienen manchmal auch die beiden viel beschäftigten Ärzte der Familie: Dr. Bloch und Dr. Kren. Sie alle versammelten sich bei einer Jause zum »Familienrat«. Es wurde gelacht, musiziert, natürlich auch gestritten und so manches Problem erörtert.[3] Im Sommer kam auch Blochs unverheirateter ältester Bruder Adolf für einige Wochen aus Prag nach Linz und erfreute sich an Eduards Familienglück. Die drei Pflegekinder der Blochs, Kurt, Felix und Elfriede Ungar, studierten bereits in

Eduard Bloch mit den Enkeln und Bruder Adolf in Urfahr

Wien. Zwei von ihnen wählten medizinische Berufe. Felix wurde
Arzt und Elfriede Kinderkrankenschwester.

In diesen Jahren gab es im Familienkreis so manches Problem
zu besprechen, von den politischen Fragen ganz zu schweigen.
Rudolfs Krankheit verschlechterte sich schubweise, und er musste
immer wieder längere Sanatoriumsaufenthalte einschieben. In
diesen wirtschaftlich sehr schwierigen Zeiten gingen auch die Geschäfte der Kafkas immer schlechter, und die Kapitaldecke wurde
sehr dünn. Der stille, fleißige Egon stand als Juniorchef meist
mit seinen Sorgen allein. Immerhin erfreute er sich eines har-
monischen Familienlebens mit seiner eleganten, gescheiten Frau
Claire und dem aufgeweckten sechsjährigen Sohn Hans Sigmund.
Dieser sollte einmal als einziger Namensträger der nächsten Generation das Geschäft übernehmen, wie es Familientradition war.

Es war ein großer Schock, als der 47-jährige Egon Kafka am
9. Oktober 1927 überraschend an einem Herzinfarkt starb. Er war,
so berichtete sein Sohn später, erst am Vorabend von Jom Kippur
von einer Geschäftsreise nach Hause gekommen, »nahm dann ein
sehr schweres Essen zu sich, wahrscheinlich wegen des bevorstehenden Fastens, erlitt daraufhin auf dem Weg zur Synagoge einen
Herzanfall und starb«.

Der kleine Hans Sigmund erlebte den Tod des Vaters nicht mit,
da er bereits mit der 15-jährigen Halbschwester Grete in die Synagoge vorausgeschickt worden war. Trude Kren berichtet über
die Vorgeschichte: »Er kollabierte ein paar Blocks entfernt vom
Haus Landstraße 12, wo sein Schwager Dr. Bloch wohnte.« Dieser
wurde sofort zu Hilfe geholt. Als Eduard und Trude den Kranken
nach Hause brachten, habe Bloch zu seiner Tochter gesagt: »Die
zweite Attacke wird fatal werden.« Und ebendas passierte. Egon
starb am folgenden Samstag.[4]

Um den kleinen Hans Sigmund zu schonen, nahmen ihn Eduard
und Lilli für zwei Wochen zu sich und verheimlichten dem Kind
den Tod und das Begräbnis des Vaters. Als ihn seine Schwester
Grete bei den Blochs besuchte, habe er sich gewundert, so Hans
Sigmund (inzwischen John S. Kafka) im Rückblick: »Sie war ganz
in schwarz gekleidet, und ich erinnere mich, dass ich dachte, meine

Großmutter sei gestorben.« Die Nachricht vom Tod des Vaters verstörte das Kind zutiefst.

Auf Egon Kafkas Grabstein im kleinen Linzer Jüdischen Friedhof steht der für ihn charakteristische Spruch: »Selbstlosigkeit und frohsinnige Güte Dein Sein«.

Bloch übernahm nun auch die Vormundschaft für den kleinen Hans Sigmund. Um eine »wirkliche Vaterfigur« für ihn zu sein, sei aber »Onkel Eda« zu gutmütig und zu freundlich gewesen, meinte der Neffe später. Eduard habe »sehr ausgeprägte Ideen von der Wichtigkeit einer klassischen humanistischen Bildung« spüren lassen, was bei der jüngeren Generation auf Unverständnis stieß – und schon gar bei einem Sechsjährigen.

Blochs Weltfremdheit hatte sich mit den Jahren verstärkt. In seiner kargen Freizeit las er immer wieder die alten Schriften, stellte tiefsinnige Überlegungen über die antike Geschichte an, erforschte sehr ambitioniert auch die Geschichte der Stadt Linz, so in einem langen handschriftlich vorliegenden Text über JOHANNES REUCHLINS AUFENTHALT IN LINZ.[5] Kurzum: Bloch fühlte sich nicht ohne Stolz auch als Gelehrter – auch wenn seine Aufsätze nicht gedruckt wurden. »*Die wenigen Mussestunden, die mir gegönnt waren, habe ich dem Studium religionsphilosophischer Schriften, ganz besonders dem der Psalmen gewidmet, das mir immer wieder zur unerschöpflichen Quelle neuer Spannkraft und Arbeitsfreudigkeit geworden und mich befähigt hat, all das menschliche Leid, das in so heterogener Form an mir vorbeigezogen, mitempfindend zu erfassen und so weit dies möglich gewesen, lindernd zu beeinflussen.*«[6] Für politische oder künstlerische Fragen interessierte er sich wenig, wie auch seine Memoiren zeigen.

Lilli Bloch nahm weiterhin ihrem schwer arbeitenden und philosophierenden Ehemann tatkräftig die Alltagsprobleme ab und bot ihm ein gepflegtes, gemütliches Familienleben. John S. Kafka erinnert sich: »Es herrschte eine weiche und sorgfältige Atmosphäre um Tante Lilli, ihr sehr seriöses Klavierspielen und ihr endloses Nüsseknacken bei Tischgesprächen kommen mir in den Sinn.«[7] Am innigsten aber schloss sich das vaterlose Kind an Tante Irma an, Rudolf Kafkas kinderlose Frau. Im großen Garten in Urfahr

*Hans Kafka und Grete
Pollak als Schauspieler*

lernte der Kleine bei ihr viel über »Natur, Tiere und Pflanzen«.
Irma habe eine sehr schöne Stimme gehabt und »in Wien im Chor
unter der Leitung von Bruno Walter« gesungen.[8]

In dieser schweren Zeit nach dem plötzlichen Tod des Vaters
wurde eine andere Bindung des Sechsjährigen besonders intensiv:
und zwar an seine gleichaltrige Freundin Grete Pollak, ebenfalls
ein Einzelkind. Die Familie Pollak wohnte im zweiten Stock der
Landstraße 44 über der gleich großen Wohnung der Kafkas. Die
Kafkas und die Pollaks waren nicht nur Nachbarn, sondern auch
Freunde. Wie Grete Pollak später berichtete, sei der Tod von Hans
Sigmunds Vater auch für sie die erste wirkliche Tragödie gewesen.

Die Kinder waren von nun an unzertrennlich. Sie gingen gemeinsam in den Linzer Jüdischen Turn- und Sportverein, dessen
Obmann Gretes Vater war. Dort lernten sie Eis- und Skilaufen,
im Sommer Schwimmen und Tennis – und Tanzen. Und sie agierten gemeinsam als begeisterte Laienschauspieler bei den beliebten
Festen des Sportvereins.

Die Linzer Hauptstraße um 1920; es ist noch Linksverkehr; die Straßenbahn dominiert; kein Auto ist zu sehen, nur ein Karren; die Atmosphäre ist eher trist

Der wohlhabende Oberbaurat Isidor Pollak arbeitete in Linz als Zivilingenieur und Mathematiker bei der Eisenbahn und entwarf zum Beispiel den Seltzthaltunnel in den Alpen und eine Donaubrücke. Er gehörte wie Bloch der Ehrmann-Loge von B'nai B'rith an und war auch einmal deren Präsident. Wie es Egon Kafka getan hatte, so engagierte sich auch Pollak sehr für die Jüdische Gemeinde. Auch Erna Pollak und Claire Kafka waren in der Gemeinde aktiv, und beide waren Vorstandsmitglieder des Linzer Jüdischen Frauenvereins.[9]

Bloch erinnerte sich später an die Zwanzigerjahre in Linz: *Die nun folgenden Jahre waren von wechselvollem Geschick erfüllt; ich sah meine geliebten drei Schwestern ins Grab sinken, ich sah beide Brüder meiner Frau in relativ jungen Jahren sterben; doch war mir auch Freude nicht versagt geblieben, wenn sie auch ein seltener Gast in meinem Hause gewesen; ich hatte das Glück, das Heranwachsen und das vorzügliche Gedeihen meiner beiden Enkelkinder beobachten zu können.*

Blochs Enkel Georg und die 1929 geborene Johanna wuchsen mit den Eltern, den mütterlichen Großeltern und dem verwitweten väterlichen Großvater Alexander Kren auf. Die Krens waren inzwischen aus der Landstraße zu Großvater Kren nach Urfahr jenseits der Donau übersiedelt (in die Rudolfstraße 34). Dort gab es einen großen Garten, der ausgiebig für Gartenfeste und Kinderjausen genutzt wurde. Der Fußweg über die Donaubrücke zum Linzer Hauptplatz und den Großeltern war nicht weit. Und da Dr. Kren seine Ordination weiterhin in der Landstraße 12 hatte, blieb auch die enge Bindung der beiden Ärzte erhalten. Im Sommer fuhren Eduard und Lilli gerne mit Pferd und Wagen zu den Krens nach Urfahr. Zu einem Führerschein oder gar einem Auto konnte sich Bloch nie entschließen.

Vor allem die kleine Johanna liebte ihren Großvater Eduard innig und schwärmt noch 70 Jahre später von ihm: »Er war nicht nur ein sanfter, herzlicher und liebevoller Mensch, sondern auch weise, hilfsbereit und sehr humorvoll. Wenn er in einen Raum kam, strahlte er … eine solche Friedlichkeit aus, dass alle Streitigkeiten sofort endeten.«[10]

Weiterhin pflegte Bloch seinen Linzer Freundeskreis und war wegen seiner launigen Ansprachen ein gefragter Redner. Wie treffend und herzlich seine Scherze waren, zeigt das Geburtstagsgeschenk, das er seinem B'nai-B'rith-Bruder und Patienten Egon Basch machte. Dieser, ein bekannter Hypochonder, der gerne Laienmedizin betrieb, erhielt von Bloch Josef Löbels humoristisches Buch HABEN SIE KEINE ANGST! 40 KAPITEL OPTIMISTISCHER MEDIZIN mit der Widmung: »Zur genauen Durchforschung meinem lieben ärztlichen Freunde und mit kollegialen Glückwünschen zum 60. Wiegenfeste«.

Basch charakterisierte später seinen Freund Bloch so: »Philosophische Ruhe, gepaart mit einem bis ins hohe Alter unlöschbaren Wissensdurst, wahre tiefe Religiosität und tätige Güte waren die hervorstechendsten Eigenschaften dieses wertvollen Menschen. Ich werde Bruder Eduard Bloch stets ein ehrendes Gedenken bewahren.«[11]

Die Linzer Judengemeinde rückt zusammen

Je mehr nun auch die Linzer Juden unter dem rasch wachsenden aggressiven Antisemitismus zu leiden hatten, desto stärker hielt die Gemeinde zusammen, desto kräftiger wuchsen ihre Abwehrkräfte, und desto heller leuchtete das kämpferische Vorbild Palästinas. Da Juden inzwischen aus fast allen Vereinen ausgeschlossen waren, gab es nun Turn- und Sportvereine, Tennisklubs und viele andere Vereine »nur für Juden«. Das bedeutete freilich auch eine fortschreitende Entfremdung der jungen Juden von der nichtjüdischen Linzer Jugend.

Eine großzügige Spende ermöglichte dem Linzer Wanderverein »Blau/Weiß« 1928 den Ankauf eines Landheims in Pulgarn bei Linz, das bis 1938 das Zentrum für die jüdische Jugendbewegung war und bald auch Wiener Gäste anzog.[12]

Hans Kafka hatte bereits bei den Pollaks viel von Palästina gehört. Denn Isidor wie Erna Pollak waren Zionisten und glühende Verehrer Theodor Herzls und begeisterten sich für Palästina als künftige Heimstätte der Juden. Erna Pollak engagierte sich im Zionistenverein für Frauen, und, so Grete später: »Sie strickte unentwegt Babyschuhe und Bettjäckchen für einen Kibbuz.« Außerdem organisierte sie Bridgepartys und gab alle Einkünfte und Spenden daraus an karitative Organisationen.[13]

Hans und Grete waren gemeinsam in allen möglichen Linzer zionistischen Kinder- und Jugendgruppen. John S. Kafka erinnert sich an die frühen Dreißigerjahre: »Unsere Jugendgruppe von vielleicht zwölf Buben zwischen 11 und 13 marschierten in Uniform herum, einem braunen Hemd mit einem blau/weißen Halstuch und trugen eine blau/weiße Fahne. Dazu sangen wir hebräische Lieder, die wir natürlich nicht verstanden.« Noch der 83-jährige Amerikaner rezitierte in Washington den Text des Liedes, das er und seine Freunde einst im Wanderverein Blau/Weiß sangen:

»Wenn die Sonne untergeht
und wenn die Nacht beginnt,
weht von Transjordanien's Bergen her

ein kühler Wind.
Um das Lagerfeuer stehn Soldaten dicht geschart.
Einer spricht – und jedes Wort klingt hart:
›Nie lassen wir gescheh'n,
dass die Grenze bildet der Jardén.
Unser Kampf geht weiter,
bis der Sieg uns sei.
Unser Feldruf: Rache für Tel Chai!‹«

Der zionistische Heldenmythos TEL CHAI bezieht sich auf Ereignisse des Jahres 1918. Damals hatten sich einige Männer einer
isoliert gelegenen jüdisch-sozialistischen Siedlung geweigert,
vor dem Angriff überlegener Araber zu fliehen. Trotz schlechter
Ausrüstung und in aussichtsloser Lage entschlossen sie sich zum
Kampf. Sechs von ihnen wurden getötet, so auch Trumpeldor, der
zum jüdischen Nationalhelden wurde. Sein letztes Wort »Es ist
gut, für unser Land zu sterben« wurde zum Schlagwort der Zionisten auch in Linz.

Bald aber verließ der junge Hans Kafka den zionistischen Wanderverein Blau/Weiß und schloss sich der Jugendgruppe »Betar«
an. Denn dort gab es auch Kurse in Jiu-Jitsu, die für die Selbst-
verteidigung gegen antisemitische Rowdys in seiner Schulklasse
nötig waren. So meinte der Junge: »Ich glaubte, etwas mehr Härte
wäre nötig, um einen Halt gegen die Nazibewegung zu finden.«[14]
Seine Cousine Elfriede Ungar hatte es inzwischen zur »Führerin«
bei Blau/Weiß gebracht.

1932 wurde die Jugend-Alijah gegründet, die die Auswanderung junger Juden nach Palästina propagierte und organisierte. Gemeinsam mit Gleichaltrigen konnte sich die zionistische Jugend,
Jungen wie Mädchen, in praktischer Landarbeit üben und sich so
für das Leben in Palästina vorbereiten. In Linz gab es für diesen
Zweck eine eigene Schrebergartenanlage.

Die inzwischen klare Scheidung von Juden und Christen wirkte
sich vor allem auf die junge Generation der Linzer Juden stark
aus. Während sich die Eltern noch mehrheitlich stolz als »Österreicher« oder »Deutsche« fühlten, waren die Jungen nun stolz auf

ihr Judentum und auch bereit, sich dafür kämpferisch einzusetzen. Das Erstarken und die wachsende Aggressivität der Nazis und Antisemiten hatten den Kampfgeist der Angegriffenen geweckt. Die Juden begannen damit, sich gegen antisemitische Angriffe zu wehren. Bei den österreichischen Schwimmmeisterschaften 1931 kam es im Linzer Parkbad bereits zu einer gefährlichen Rauferei zwischen »deutschen« und »jüdischen« Sportlern.[15]

Dass Eduard und Lilli Bloch Probleme damit hatten, ihre über alles geliebten Enkel Georg und Johanna ohne jede religiöse Erziehung aufwachsen zu sehen, ist als sicher anzunehmen. Aber es gibt von ihnen keine einzige schriftliche Äußerung zu diesem Punkt.

Weltwirtschaftskrise

Nach dem New Yorker Börsenkrach vom Oktober 1929 dehnte sich die bis heute größte Weltwirtschaftskrise allmählich auf Europa aus. Die Aktienkurse stürzten nun auch hier ins fast Bodenlose. Viele Banken und Firmen gingen in Konkurs, und die Arbeitslosenzahlen wuchsen rasant. Auch die Börsengewinne von Rudolf Kafka schmolzen dahin – zur selben Zeit, als seine Firma immer schlechter lief. Denn die bereits zahlreichen Linzer Nationalsozialisten boykottierten die »Judenläden« und forderten auch ihre »arischen« Mitbürger dazu auf, nicht mehr bei Juden einzukaufen.

In dieser schwierigen wirtschaftlichen Lage versuchte die bürgerliche Regierung, die Arbeitslosenversicherung abzuschaffen. Die Linken wehrten sich mit einem Volksbegehren gegen diesen Plan, der rund 70 000 Arbeitslosen ihre ohnehin kümmerliche Unterstützung entziehen und somit der Bettelei oder dem Hungertod aussetzen würde. Auch in Linz marschierten im Januar 1930 rund 2000 protestierende Arbeitslose durch die Innenstadt. Bei der Abstimmung gegen den Plan der Regierung kamen statt der dafür nötigen 200 000 mehr als eine Million Stimmen zusammen. Daraufhin musste die Regierung ihren Sparplan aufgeben.[16]

Die angespannte Stimmung in Linz verschärfte sich im März 1930 weiter: Bei den »Gautagen« der österreichischen NSDAP marschierten rund 1000 SA-Männer in Uniform durch die kleine Stadt, und das ausgerechnet am Tag, bevor in der Garnison Linz das zehnjährige Bestehen des Österreichischen Bundesheeres gefeiert wurde.

In diesen schlimmen Jahren erhielt Dr. Bloch manche Bettelbriefe von Patienten und half, wo immer es ging – mit Lebensmitteln, Medikamenten, aber auch kleinen Geldsummen. So dankte ihm am 20. Dezember 1929 die Witwe Anna Fischreder aus Aschach für die Übersendung von zwei Schilling (heute 5,60 Euro): »Der liebe Gott Lohne Ihre Gütte mit Heil und Wohlergehen, ein jeder Tag verfliesse Wohnevoll und Schön! ... Hochgeehrter Herr Doktor Bloch ich sage Ihnen ein herzliches Vergeltsgott für die zwei Schilling, was sie mir durch Frau Schwarz übersendet haben, ich war ganz überrascht, das sie auf mich denken in meinem Schmerz, da ich am 8. März 1929 meinen Mann durch den Schmerzlichen Tod Verloren habe. und heute die bittere Theurung, mich in Schmerz und Kummer tragen muss, als Witwe.« Dann dankte sie Bloch auch noch für die »Gütte nach dem sie mein Lebens Retter waren im Jahr 1907 in Urfahr«.[17]

Die Verarmung der Bevölkerung steigerte nicht nur den Antisemitismus, sondern auch den Fremdenhass, der sich vor allem gegen die Tschechen wandte. So beschwerte sich ein Linzer Bürger 1928 beim Magistrat über als »Randlbehm« beschimpfte angebliche Tschechen, die in der Stadt gelärmt hätten. Aber der von Sozialdemokraten dominierte Linzer Magistrat antwortete klar, dass es sich hier nicht um Tschechen, sondern um Mühlviertler handele, die Deutsch sprächen und sich legitim in Linz aufhielten. Der einzige Tscheche unter ihnen sei Franz Blaha aus Kalsching in Böhmen. Er war bereits seit 1912 in Linz »als Hausknecht und Kalfaktor bei der Fa. Kafka bediestet ... Dass diese Leute sich oft den städtischen Sitten noch nicht angepasst haben, ja deren Existenz oft gar nicht kennen, ist kein Grund für amtliches Eingreifen«,[18] so der Magistrat.

Im Sommer 1930 ereignete sich ein aktenkundiger, geradezu »kafkaesker« Betriebsunfall im weiten Hof des Kafka-Wohnhauses in der Landstraße 44, wo die Firma Liköre destillierte: In

Dem Versailler Vertrag als Ursprung (»The Source«) entkriecht die Hitler-Partei in eindeutig kriegerischer Aufmachung

der Nacht gab es dort Feueralarm, ausgelöst durch starke Überdampfgeräusche eines Dampfkessels. Der diensthabende Heizer Johann F. war unauffindbar. Eine Nachbarin sagte aus: »Er will am Klosett gewesen sein und konnte ihm nicht nachgewiesen werden, dass er sich bei der Partei R., im Vordertrakt des gleichen Hauses wohnhaft, aufgehalten hätte.« Die »Kriegsinvalidensgattin« Hedwig R. dagegen gab an, dass der Heizer »nur bei ihrem im Parterre gelegenen Wohnungsfenster mit seiner Geliebten Anna P., Hausgehilfin, gesprochen hat, bzw. hat er sie ersucht, sie möge ihm vom Hotel de l'Europe ein Glas Bier und zwei Semmeln holen, was sie auch besorgt hat«. Der Mann habe nicht auf den Zuruf der Nachbarin Amalie S. gehört: »Hans geh zu dein Schnaps, der siedet über!« Amalie S. wollte im Kesselraum sogar Feuer gesehen haben: »Befände sich nicht rückwärts im Hofe ein Brunnen, so wären wir Parteien des betreffenden Hausteiles ohne Rettung verloren gewesen.« Claire Kafka, die straßenseitig im Vorderhaus wohnte, soll sogar bereit gewesen sein, die Feuerwehr zu holen. Inzwischen war aber der Heizer wiederaufgetaucht und dämpfte die Überhitzung rasch mit Wasser. Als die Polizei eintraf, war die Gefahr bereits gebannt und alles wieder ruhig.[19]

Diese Beinahekatastrophe lässt begreifen, dass Fabriken mit nachts laufenden großen Maschinen mitten in der Stadt und in

Der kritische Journalist und Hitler-Biograf Konrad Heiden, geboren 1901 in München, gestorben 1966 in New York

räumlicher Nähe zu Wohnhäusern nicht mehr geduldet werden konnten. Einige Jahre später wurde die Brennerei stillgelegt und eine weitere industrielle Nutzung der Gebäude nicht mehr genehmigt. Für dringend nötige Investitionen auf dem weiten Firmengelände in Urfahr aber fehlte den Kafkas inzwischen das nötige Kapital.

Im August 1930 musste nach vielen Kleinbetrieben auch die traditionsreiche Linzer Lokomotivfabrik Krauß & Co. schließen, auf die die Linzer so stolz gewesen waren. Die Verzweiflung war groß, vor allem wegen der zahlreichen Arbeitslosen.

In Deutschland wurden die Nationalsozialisten bei den Reichstagswahlen am 14. September 1930 überraschend mit 18,3 Prozent zweitstärkste Partei hinter der führenden SPD mit 24,5 Prozent und vor den Kommunisten, die mit 13,9 Prozent die dritte Kraft waren. Damit herrschte auch in der deutschen Politik eine starke Polarisierung mit gefährlich aggressivem Potenzial. Der erfolgreiche Parteiführer Adolf Hitler war aber noch immer kein deutscher Staatsbürger.

In dieser Zeit erhielt Eduard Bloch den Besuch des ihm bis dahin unbekannten deutschen Journalisten Konrad Heiden. Dieser hatte, woher auch immer, erfahren, dass Bloch Autografe aus Hitlers Jugend besaß. Gemeint waren die beiden Ansichtskarten des jungen Hitler aus Wien. Der linke »Nichtarier« Heiden arbeitete in dieser Zeit an einer kritischen Hitler-Biografie und suchte dafür dringend Material. Nun bemühte er sich, Bloch die beiden Hitler-Karten abzukaufen, aber vergeblich. Auch für viel Geld, das er ja dringend gebraucht hätte, war Bloch nicht bereit, die Karten herauszugeben. Heidens Buch ADOLF HITLER: DAS ZEITALTER DER VERANTWORTUNGSLOSIGKEIT erschien 1936 im Pariser Exil, gefolgt von Heidens in Englisch verfasstem Werk DER FÜHRER, das ein riesiger internationaler Erfolg wurde. Da Heiden über ausgezeichnete Informationen verfügte, war das Buch für Hitler und die Nazis ein großes Ärgernis und wurde in Deutschland sofort verboten.

Bloch blieb auch weiterhin bei seinem Entschluss, die beiden Hitler-Karten bei sich zu behalten.

Austrofaschisten und Nationalsozialisten

Über lange Zeit war das politische Klima in Linz viel ruhiger als das in Wien gewesen. Das änderte sich, als Ernst Rüdiger Fürst Starhemberg 1929 Landesleiter der Heimwehr in Oberösterreich und 1930 in ganz Österreich wurde.

Starhemberg, Spross eines reichen alten Adelsgeschlechts, geboren 1899, war von 1921 bis 1923 in Deutschland Mitglied des berüchtigten »Freikorps Oberland« gewesen und hatte am Sturm auf den Annaberg in Oberschlesien teilgenommen. Nach dem Verbot des Freikorps nahm er im November 1923 an Hitlers Putschversuch in München teil. In Oberösterreich baute er die paramilitärische Heimwehr als sein persönliches Machtinstrument auf. Sein Vorbild und zugleich ein großzügiger Geldgeber war Benito Mussolini. Starhemberg sah es als sein politisches Ziel an, Österreich zu einem faschistisch regierten Land nach italienischem Muster zu machen. Hauptgegenstand seines Hasses waren »die Linken«.

Am 18. Mai 1930 war Starhemberg unter jenen 800 Heimwehrführern und Christlichsozialen, die bei einer Großkundgebung in Korneuburg bei Wien feierlich den »Korneuburger Eid« schworen. Darin bekannten sie sich zu den Grundsätzen des Faschismus –

Ernst Rüdiger Fürst Starhemberg (1899 bis 1956) in der Uniform der Heimwehr

zum Kampf gegen die »Linken«, dem politischen Bündnis mit der katholischen Kirche, zum »Deutschtum« und zu einem autoritären Kurs: »Wir verwerfen den westlich-demokratischen Parlamentarismus und den Parteienstaat! Wir wollen an seine Stelle die Selbstverwaltung der Stände setzen.« Und: »Wir kämpfen gegen die Zersetzung unseres Volkes durch den marxistischen Klassenkampf und liberalkapitalistische Wirtschaftsgestaltung.« Schließlich: »Jeder Kamerad fühle und bekenne sich als Träger der neuen deutschen Staatsgesinnung: Er sei bereit, Gut und Blut einzusetzen, er erkenne die drei Gewalten: den Gottesglauben, seinen harten Willen, das Wort seiner Führer!«

Starhemberg, der 1930 kurzfristig Innenminister war und als solcher auf die Verfassung schwören musste, verkündete gerne: »Die Verfassung ist für uns ein Fetzen Papier!« Und dem jüdischen Wiener Finanzreferenten Hugo Breitner drohte er: »Der Kopf dieses Asiaten wird in den Sand rollen!«[20] Zum Aufbau, der Bewaffnung und Ausrüstung der Heimwehr verbrauchte Starhem-

berg sein gesamtes großes Privatvermögen – bis zur Zahlungsunfä-
higkeit. Aber er wurde in dieser Krise von seinem Protektor Mussolini mit erheblichen, in die Millionen gehenden Geldern und der
Lieferung moderner Waffen kräftig unterstützt.

Im Herbst 1930 lief der Wahlkampf für die Nationalratswahlen
am 9. November auch in Linz auf Hochtouren und war von großer
Aggressivität und scharfem Antisemitismus geprägt. Der österreichische Justizminister Franz Hueber, Hermann Görings Schwager, wetterte bei einem Fackelzug auf der Wiener Ringstraße über
die Juden: »Wir wollen Österreich von diesem fremdrassigen Ge-
zücht befreit sehen und werden es auch befreien!« Die Menge
antwortete mit lauten »Heil Starhemberg«- und »Heil Hitler«-
Rufen.[21]

In Linz erschienen zu einer Starhemberg-Veranstaltung im
Oktober rund 7000 Menschen. Bis knapp vor der Wahl wurde
massiver Druck auf die Linken ausgeübt, vor allem durch polizeiliche Hausdurchsuchungen, die das Ziel hatten, verbotene Waffen
zu finden.

Die Sozialdemokraten erhielten bei der Nationalratswahl die
meisten Stimmen und stellten die stärkste Fraktion im Parlament.
Das linke Linz feierte den Sieg am 10. November 1930 mit einem
großen Fackelzug. Aber die Christlichsozialen bildeten neuerlich
eine Koalition mit den Deutschnationalen und dem Landbund
und regierten weiter.

Bei den Linzer Gemeinderatswahlen im April 1931 siegten mit
32 Mandaten ebenfalls die Sozialdemokraten. Die Linzer Nationalsozialisten eroberten immerhin bereits vier Mandate, und die
Aggressivität unter den verfeindeten Parteien wuchs von Tag zu
Tag. Im Juli stürmten Linzer Nazis gewaltsam eine Versammlung ihrer schärfsten Gegner, der Kommunisten. Es gab fünf Verletzte.

Auch die wirtschaftliche Lage verdüsterte sich rasch. Am
12. Mai 1931 war die Creditanstalt, die führende österreichische
Bank, zahlungsunfähig. Um nicht die gesamte Wirtschaft zu gefährden, gab der Staat das fehlende Geld und befriedigte die Gläu-
biger. Zur Finanzierung dieser teuren Aktion mussten nun Gehäl-

ter und Pensionen stark gekürzt werden. Die Not wuchs weiter
und ergriff immer breitere Bevölkerungsschichten.

Zu Jahresende 1931 gab es im kleinen Österreich mehr als
300 000 Arbeitslose und außerdem fast 100 000 »Ausgesteuerte«,
die ohne jede Unterstützung leben mussten. Demonstrationen
der Arbeitslosen wurden von bewaffneter Polizei auseinanderge-
trieben. Da die Gemeinden kein Geld für Kohlen hatten, wurden
im Winter immer wieder Schulen geschlossen. Beamte erhielten
bald nicht mehr das übliche Monatsgehalt, sondern eine 14-tägige
Auszahlung, damit der Staat Zinsen sparte.

In Deutschland war die Situation allerdings noch schlimmer,
was sich auch auf die grenznahen Gebiete Österreichs auswirkte.
So hatte die Linzer Jüdische Gemeinde große Probleme: »Die
ganz enorme Arbeitslosigkeit in den westlichen Ländern und Staaten, von der der jüdische Arbeiter in besonderem Maße betroffen
ist, weil jeder Staat seine einheimischen Arbeiter schützt, erfordert eine ganz besondere Wanderfürsorge.« Und, so die in Linz
erscheinenden MITTEILUNGEN FÜR DIE JÜDISCHE BEVÖLKERUNG DER
ALPENLÄNDER: »Ganz besonders ist die Kultusgemeinde in Linz
von diesen Rückwanderern in Anspruch genommen; an manchen
Tagen erscheinen 10–14 Mann an der Kassa, die von Passau aus
hieher gewiesen werden ... Die Not ist gross und Hilfe tut not.«[22]

Von all den Kalamitäten profitierten vor allem die Nationalsozialisten. Beflügelt durch die Erfolge in Deutschland, hatten
sich die Nazis auch in Österreich bereits etabliert und gewannen
umso mehr Anhänger, je größer die Not und der Hunger wurden.
Und sie kämpften sowohl gegen die Rechten wie gegen die Linken.
Ihre Anhänger kamen in diesen wirren Zeiten zunächst aus dem
deutschnationalen Lager, dann setzten Arbeits- und Obdachlose
auf die Hilfe der Nazis, dann die Gegner des rechten Regimes,
und schließlich ging auch so mancher enttäuschte Sozialist zu den
Nazis über.

Hitler beobachtete die Entwicklung in Österreich und vor
allem in seiner »Heimatstadt« sehr genau. 1931 erhob er Linz
zum Sitz der österreichischen NSDAP und gab der Stadt damit
eine Sonderstellung.[23] Ein Jahr später schickte er einen NS-Lan-

Der Linzer Anschlussturm: »Ein Volk Ein Reich«

desinspektor für Österreich nach Linz, den Deutschen Theo Habicht. Ernst Koref über diese Zeit: »Die braune Gefahr stand nicht
mehr vor den Grenzen, sondern hatte schon rings im Lande selbst
ihre agilen Brutstätten.«[24] Und Eduard Bloch schreibt in seinen
Erinnerungen: *Schon lange vor seiner Machtergreifung im Jahre
1933 hatte Hitler in Österreich, besonders aber in Oberösterreich … eine grosse Zahl von Anhängern, die sich »Illegale« nannten.* Linz sei bereits seit Jahrzehnten *die Hochburg der »Deutschnationalen«, jener politischen Partei, die den Anschluss an
Deutschland, »die Rückkehr zur Heimat«, wie sie es nannten, an-
strebte, deren antisemitische Einstellung hinlänglich bekannt war.
Die Deutschnationalen waren ja auch die ersten Schleppträger der
Hitlerpolitik, sie umfassten ganz besonders die Intelligenzclasse.*
    Weiterhin wurde gegen die Friedensverträge von 1919 und 1920
polemisiert und trotz aller Verbote der »Anschluss« an das Deut-
sche Reich gefordert. Am 15. Oktober 1932 »weihte« die Deutsche
Burschenschaft in Linz einen von ihr angekauften Turm der alten
Stadtbefestigung zu einem Mahnmal für den Anschluss an das
Deutsche Reich und zum Gedenken an die im »Volkstumskampf«
gefallenen Bundesbrüder. Der am Donauufer gelegene weithin

sichtbare Turm erhielt in großen Lettern die Aufschrift »Ein Volk
Ein Reich«. 1938 kam »Ein Führer« dazu.

1931 sollte Ignaz Seipel noch einmal als Kanzler die Regierung
führen. Endlich bemühte er sich, die Sozialdemokraten zur Regie-
rungsbeteiligung zu bewegen. Aber die Parteiführer Otto Bauer
wie Karl Renner sagten ab, da sie eine Spaltung der SPÖ befürchteten. So ging diese Chance ungenutzt vorüber.

Hitler war am 26. Februar 1932 pro forma braunschweigischer
Beamter und damit endlich deutscher Staatsbürger geworden.
Nun engagierte er sich als Gegenkandidat Hindenburgs im Wahlkampf um das Reichspräsidentenamt. Präsident wurde er nicht.
Aber durch seinen perfekt organisierten Wahlkampf mit bisher nie
dagewesenen »Deutschlandflügen« und unzähligen Reden vor riesigem Publikum war er nun in ganz Deutschland bekannt.

Unter den vielen, die in Deutschland wie in Österreich in die
Arme der Nazis flüchteten, war nun auch der 26-jährige Adolf
Eichmann, geboren in Solingen und mit seinen Eltern früh nach
Linz übersiedelt. Er trat am 1. April 1932 der NSDAP und auch
der SS bei.

Bei der Wiener Kommunalwahl am 24. April 1932 siegten
die Sozialdemokraten mit knapp 60 Prozent der Stimmen. Die
Christlichsozialen verloren fast die Hälfte ihrer Mandate. Und
zum ersten Mal zogen nun Nationalsozialisten auch in das Wiener
Rathaus ein – mit stolzen 15 Mandaten.

Die Nazis auf dem Vormarsch

Am 20. Mai 1932 präsentierte der neue Bundeskanzler und bisherige Landwirtschaftsminister Engelbert Dollfuß nach mühsamen
Verhandlungen eine rechte Koalitionsregierung von Christlichsozialen und den beiden kleineren rechten Parteien, dem Landbund und dem Heimatblock. Ihre Mehrheit gegenüber der linken
Opposition betrug 83 zu 82, also eine einzige Stimme. Ausgelöst
von der Angst, den verhassten Sozialdemokraten bei der nächsten
Wahl Sieg und Regierung überlassen zu müssen, wurde rund um
Dollfuß der Ruf nach Ausschaltung der Opposition immer lauter.

Für ein autoritäres Regime gab es ja im europäischen Umfeld genügend Vorbilder, vor allem das des von Dollfuß hoch verehrten
Mussolini. Man wartete nur noch auf einen passenden Moment,
um radikal durchgreifen zu können.

Ende Mai 1932 kam es in Linz, Innsbruck und anderen Städten zu heftigen Auseinandersetzungen zwischen heimischen Nationalsozialisten und Sozialdemokraten. In Linz hatten die Nazis
für den 28. Mai eine Versammlung im Volksgartensaal einberufen
und dazu die Arbeiterschaft eingeladen. Dort kam es zu Streitereien, die in eine Massenschlägerei ausarteten. Die Nazis setzten
Gummiknüppel ein, und die sozialistischen Arbeiter wehrten sich
mit Biergläsern und Tischbeinen. Laut der Zeitung DAS KLEINE
BLATT siegten die Sozis. Acht Schwerverletzte blieben zurück.

Die Krawalle weiteten sich auf viele andere Orte aus, und
sehr häufig zeigte sich, dass die angeforderten Gendarmen nicht
die Nazis, sondern die Sozis bekämpften. Denn viele Polizisten
waren bereits heimliche Mitglieder der NSDAP. In Wien wurden
in diesen Tagen jüdisch aussehende Studenten aus der Universität
hinausgeprügelt.[25]

Nach diesen und ähnlichen Erfahrungen misstraute so mancher Linke dem Kanzler Dollfuß, was dessen Beziehung zu den
Nazis betraf. Egon Basch schrieb: »Seine deutschnationale Vergangenheit war vermutlich auch die Ursache dafür, dass Dollfuß nur mit halbem Herzen bei der Bekämpfung des Naziterrors
war.« Die angeblich »gottlosen« Sozialdemokraten galten bei den
Christlichsozialen ohnehin als eine eher »jüdische Truppe«. Und
der traditionelle katholische Judenhass war inzwischen nicht
nur gesellschaftsfähig, sondern geradezu karrierefördernd. Die
Nazis fanden immer mehr Rückhalt in der verarmten, traditionell deutschnationalen und großteils auch antisemitischen Linzer
Bevölkerung. Die Heimwehr, die offiziell Dollfuß unterstützte,
hatte ohnehin starke Sympathien für die Nazis.

Die Linzer Nationalsozialisten taten sich nun auch im Gemeinderat provozierend lautstark und antisemitisch gegen die
»Linken« hervor. Ihr Lieblingsopfer war Eduard Blochs Freund,
der sozialdemokratische Stadtrat Dr. Hermann Schneeweiß.

*Hans Sigmund Kafka
(rechts hinten) neben
seinem »arischen«
Schulfreund Oskar H.*

Der NS-Gemeinderat Andreas Bolek kommentierte eine Aussage von Schneeweiß abfällig mit: »Das ist wieder ein jüdischer
Dreck.« Dann beschimpfte er den Sozialdemokraten Ernst Koref
als »Tempelbruder«, »Wunderrabbi« und »Halbjude«. Und der
NS-Gemeinderat Josef Mayrhuber provozierte Koref: »Reden Sie
nicht so mit den Händen, Herr Halbjude«, und: »Sind Sie ruhig,
Sie Halbjude, Sie.«[26]

In dieser Zeit begannen die Nazis bereits damit, demonstrativ
und systematisch jüdische Geschäfte zu boykottierten. In Linzer
Schulen wurden jüdische Mitschüler isoliert und gemieden. John
Kafka erinnert sich an seine Schulzeit in Linz um 1932: »Ich war
der einzige Jude in meiner Klasse. Mein bester, mein liebster Schulfreund sagte mir plötzlich in einer Pause, dass er diesen Nachmittag nicht zu mir kommen werde. Er sei Arier und ich nicht. Sein
Vater habe ihm verboten, mit mir zu spielen und in unser Haus zu
gehen.«[27] Diese Zurückweisung traf den Elfjährigen so tief, dass
er sich noch mit 80 Jahren immer wieder von Neuem darüber er-

Eduard Bloch mit
Enkelin Johanna um
1934 in Linz

regte. Umso verbissener aber versuchte der junge Hans Sigmund,
seine Fähigkeiten zu entwickeln, zum Beispiel »wenn möglich
sogar besser Ski zu laufen als meine Nazi-Mitschüler«.[28]

Auch der reiche jüdische Geschäftsmann Egon Basch war erbost
über »die unleidlichen politischen Verhältnisse, unter denen die
Kinder in letzter Zeit auch in der Schule zu leiden hatten«, und meldete 1932 seinen Sohn Ernst im Landeserziehungsheim in Grünau
im Salzkammergut an. Diese fortschrittliche Privatschule gehörte
dem Herzog von Cumberland, der Grünau als idyllischen Sommersitz bewohnte. Eigentlich war die Schule für die Kinder seiner
Angestellten gedacht, doch in besonderen Fällen gab es auch Ausnahmen. Antisemitismus war in Grünau jedenfalls verpönt.[29]

Ende des Jahres 1932 gab es im kleinen Österreich rund 400 000
Arbeitslose und fast 200 000 Ausgesteuerte. Und diese Zahlen stiegen von Tag zu Tag. Bloch stellte die Lage in seinen Erinnerungen
dar: *Infolge der traurigen Nachkriegsverhältnisse und nicht zuletzt*
infolge einer unglücklichen Wirtschaftspolitik Österreichs begann

aber auch auf die Arbeiterschaft eine bis dahin unbekannte Erscheinung ihren zersetzenden Einfluss auszuüben: die von Tag zu Tag zunehmende Arbeitslosigkeit; das Übrige tat schon die reichlich rollende Reichsmark! Not und Hunger aber sind die grössten Feinde der Moral! So wurde der grösste Teil der Arbeiterschaft zu Hitlers Fahnen herübergezogen! Dass der »größte Teil der Arbeiterschaft« in das Nazilager wechselte, ist freilich übertrieben.

Am 6. November 1932 erhielten die Nationalsozialisten bei der Landtagswahl in Vorarlberg bereits mehr als zehn Prozent der Wählerstimmen. In Deutschland brachten die Reichstagswahlen am selben Tag ein erstaunliches, für viele erschreckendes Ergebnis: Für die Nationalsozialisten stimmten fast 12 von 36 Millionen Wählern, also 33 Prozent. Die Nazis verfügten nun im Reichstag über 196 Sitze gegenüber 121 der SPD und 100 der KPD. Hitler, erst seit acht Monaten deutscher Staatsbürger, stand kurz vor seiner »Machtergreifung«.

Der zwielichtige Bischof Gföllner

Wie kompliziert die politische Situation in Österreich war, zeigt sich am Hirtenbrief RASSE UND VOLKSTUM, den der Linzer Bischof Johannes Maria Gföllner am 22. Januar 1933 von den Kanzeln seines Bistums verlesen ließ. Es ging darin um den Nationalsozialismus und den damit verbundenen Antisemitismus: »Der Nationalsozialismus krankt innerlich an materialistischem Rassenwahn – an unchristlichem Nationalismus – an nationalistischer Auffassung der Religion – an bloßem Scheinchristentum; sein religiöses Programm weisen wir darum zurück.« Der »Blutmythos des Nationalsozialismus« sei »ein Rückfall in ein abscheuliches Heidentum«, und der radikale Rassenantisemitismus der Nazis müsse abgelehnt werden.

Aber, so Gföllner weiter: »Verschieden allerdings vom jüdischen Volkstum und von der jüdischen Religion ist der jüdische, internationale Weltgeist. Zweifellos üben viele gottentfremdete Juden einen schädlichen Einfluss auf fast allen Gebieten des modernen Kulturlebens aus. Wirtschaft und Handel, Geschäft und Konkur-

renz, Advokatur und Heilpraxis, soziale und politische Umwälzungen sind vielfach durchsetzt und zersetzt von materialisti-
schen und liberalen Grundsätzen, die vorwiegend vom Judentum
stammen. Presse und Inserate, Theater und Kino sind häufig erfüllt von frivolen und zynischen Tendenzen, die die christliche
Volksseele bis ins Innerste vergiften und ebenso vorwiegend vom
Judentum genährt und verbreitet werden. Das entartete Judentum
im Bunde mit der Weltfreimaurerei ist auch vorwiegend Träger des
mammonistischen Kapitalismus und vorwiegend Begründer und
Apostel des Sozialismus und Kommunismus, der Vorboten und
Schrittmacher des Bolschewismus. Diesen schädlichen Einfluss
des Judentums zu bekämpfen und zu brechen, ist nicht nur gutes
Recht, sondern strenge Gewissenspflicht eines jeden überzeugten
Christen.«

»Um jüdischen Geist und Einfluss tunlichst zu bannen«, gebe
es ja keine Gettos mehr, so der Bischof bedauernd. Die moderne
Zeit müsse daher »in der Gesetzgebung und Verwaltung einen
starken Damm aufrichten gegen all den geistigen Unrat und die
unsittliche Schlammflut, die vorwiegend vom Judentum aus die
Welt zu überschwemmen drohen«.

Gföllners gedruckter Text erreichte acht Auflagen. Die Gegner
des Nationalsozialismus fanden darin ebenso brauchbare Ar-
gumente wie die Antisemiten. Die ausdrückliche Erwähnung
»gottentfremdeter« jüdischer Rechtsanwälte und Ärzte war für
Menschen wie Bloch und dessen Freund Schneeweiß eine persönliche Beleidigung.

Der so einflussreiche Nazigegner Bischof Gföllner spielte mit
dieser seinen Katholiken aufoktroyierten hasserfüllten Meinung
über Juden, Sozialisten und Liberale dem Nationalsozialismus
direkt in die Hände. Und dies machte zugleich ein generelles Problem des katholischen Ständestaates Österreich deutlich.

9 Diktatoren

Hitler wird deutscher Reichskanzler

Als Adolf Hitler am 30. Januar 1933 in Berlin als deutscher Reichskanzler vereidigt wurde, versetzte dies auch seine zahlreichen Anhänger in Österreich in Hochstimmung. Vor allem die oberösterreichischen Nationalsozialisten schwelgten voll Stolz über den Mann aus Linz, der es in Deutschland so weit gebracht hatte. Nun erhofften sie sich den baldigen »Anschluss« des kleinen, wirtschaftlich und politisch schwachen Österreich an das Deutsche Reich.

Am 31. Januar feierten die Linzer Nazis ihren berühmten Landsmann mit einem großen Fackelzug. Am 7. Februar antworteten die Sozialdemokraten mit einer Massendemonstration gegen österreichische wie deutsche Faschisten. Am 2. März wurde in Linz zum ersten Mal über Lautsprecher eine Hitler-Rede öffentlich übertragen – mit anschließendem Fackelzug.

Viele Glückwunschbriefe und Geschenke gingen nun von Linz nach Berlin, so auch von Hitlers einzigem Jugendfreund August Kubizek, der mit ihm monatelang in Wien ein düsteres, verwanztes Zimmer geteilt hatte. Auch Hitlers ehemaliger Klassenlehrer Eduard Huemer meldete sich: »Als die Erfolge seiner aufreibenden und durchaus nicht ungefährlichen Tätigkeit für Volk und Reich schließlich durch die Machtergreifung gekrönt wurden und Hitler Reichskanzler geworden war, brachte ich mich ... meinem ehemaligen Schüler durch Übersendung meiner Glück- und Segenswünsche wieder in Erinnerung.«[1]

Auf eine Antwort des »Führers« warteten die Gratulanten monatelang. Hitler hatte Dringenderes zu tun. Seine Macht war noch begrenzt, da es in der neuen Regierung nur drei Nationalsozialisten gab: Hitler, Wilhelm Frick als Innenminister und Hermann Göring als Minister ohne Geschäftsbereich. (Als Innenminister, dann auch Ministerpräsident von Preußen hatte Göring außerdem die wichtige Kontrolle über die dortige Polizei.) Die übrigen acht Minister kamen aus dem konservativen Lager, und Vizekanzler Franz von Papen äußerte selbstbewusst den später viel zitierten Satz: »In zwei Monaten haben wir Hitler in die Ecke gedrückt, dass er quietscht.«

Aber Hitler schaffte es in wenigen Monaten, seine Gegner politisch auszubooten. Noch am 30. Januar wurden viele Kommunisten und Sozialdemokraten in Schutzhaft genommen. Der Parteivorstand der SPD floh nach Prag, aber auch viele Kommunisten, kritische Journalisten, Schriftsteller und Intellektuelle, vor allem Juden, verließen Deutschland. Manche fanden in Österreich Zuflucht, darunter viele Künstler.

Bereits zwei Tage nach seiner »Machtergreifung« löste Hitler den Reichstag auf und verkündete für den 5. März Neuwahlen. Im Wahlkampf übten die Nazis massiven Terror gegen die Opposition aus. Linke und kritische Zeitungen wurden verboten.

Am 27. Februar brannte der Reichstag. Der Brand, vom Kommunisten Marinus van der Lubbe gelegt, wurde sofort von den Nazis zu ihren Zwecken genutzt: Kommunisten wurden zu Hunderten verhaftet, der Ausnahmezustand verhängt und die Grundrechte aufgehoben.

Reichskanzler Adolf Hitler.

Die Retter der Nation.

Reichspräsident v. Hindenburg.

Du deutsches Volk, erkenne deine Zeichen –
Es lösen sich die Fesseln schwerer Not,
Der Freiheits-Sonne muß die Knechtschaft weichen –
Ein neues Deutschland grüßt das Morgenrot.

Bei den Reichstagswahlen verfehlte Hitlers Partei die absolute Mehrheit, erhielt aber immerhin 43,9 Prozent der Stimmen. Zweitstärkste Partei war die SPD mit 18,3. Dass die KPD mit 12,3 Prozent die drittstärkste Partei wurde, war erstaunlich, bedenkt man die massive Bedrohung durch die Regierung und die große Anzahl der bereits Inhaftierten und Geflohenen. Hitlers Wahlsieg wurde am 7. März auch in Linz mit »Anschlusskundgebungen« gefeiert. Immer mehr Österreicher sahen nun in den Nationalsozialisten die wirksamste Opposition gegen die Dollfuß-Diktatur.

Nach der Wahl machte Hitler kurzen Prozess: Er entzog den gewählten kommunistischen Abgeordneten die Mandate und sicherte der NSDAP auf diese Weise die absolute Mehrheit im Reichstag. Aber dies war schon bald bedeutungslos. Denn am 23. März schaltete Hitler mit dem neuen »Ermächtigungsgesetz« das Parlament aus und übertrug das Recht für Verfassungsänderungen der Regierung, also sich selbst. Am 30. März 1933 ließ sich die Hitler-Regierung gegen die Stimmen der SPD eine Vollmacht für die nächsten vier Jahre geben und erließ nun ein neues Gesetz nach dem anderen. Dem Berufsbeamtengesetz vom 7. April folgend wurden zum Beispiel »nichtarische« und politisch nicht genehme, vor allem linke Beamte entlassen. Ausgerechnet am 2. Mai, nach dem Arbeiterfeiertag, wurden die Gewerkschaften aufgelöst und am 10. Mai durch die neue »Deutsche Arbeitsfront« (DAF) ersetzt. Und so ging es weiter.

In Österreich kam es in dieser Zeit immer wieder zu wilden Konfrontationen mit den Nationalsozialisten. Der Tagebuchschreiber Ludwig Pullirsch notierte am 22. April 1933 bei einem Linz-Besuch: »An der Landstraße ging's ganz nett zu. Auf der einen Seite stand ein Trupp Heimwehrler und auf der anderen Nationalsozialisten. Sie schrieen sich gegenseitig an und das ergab einen Mordsradau. Eine größere Anzahl von Wacheleuten lief umher, und sie zogen gelegentlich ihre Gummiwürste.«

Bald waren solche Vorfälle alltäglich. Denn am 29. Mai 1933 verfügte die neue deutsche Regierung gegenüber Österreich die »Tausendmarksperre«, angeblich als Strafe für die Ausweisung des bayerischen NS-Justizministers Hans Frank. Dieser hatte in Wien

verbotene NS-Propaganda betrieben und war daraufhin auf Anordnung von Engelbert Dollfuß des Landes verwiesen worden.

Von nun an mussten deutsche Staatsbürger für ein Visum nach
Österreich 1000 Reichsmark zahlen. Diese Verfügung richtete
sich vor allem gegen den Tourismus, die Haupteinnahmequelle
des kleinen Österreich, aber auch gegen kulturelle Einrichtungen,
vor allem die Salzburger Festspiele.

Österreich wehrte sich mit entsprechenden Geldforderungen
und Reisebeschränkungen für deutsche Staatsbürger. Dadurch
waren nun zum Beispiel auch die Bayreuther Festspiele gefährdet, die sich die zahlreichen österreichischen Wagnerianer nicht
mehr leisten konnten. Um den Bankrott der Festspiele zu verhindern, kaufte die NSDAP auf Hitlers persönliche Weisung sämtliche unverkauften Karten der von Winifred Wagner geleiteten
Festspiele von 1933 auf.[2]

Gegen die Tausendmarksperre wehrten sich sogar gestan-
dene Nationalsozialisten, so der österreichische Gauleiter Eduard
Frauenfeld. Er schrieb 1935 an die Reichskulturkammer, er habe
ja nichts gegen den Boykott österreichischer Waren wie zum Beispiel Tabak. Aber was die Kultur betreffe, berge der Boykott die
Gefahr, »Österreich vollständig den jüdischen, katholischen und
welschen Einflüssen preiszugeben«. Überall, vor allem bei den
Salzburger Festspielen und an der Wiener Staatsoper, nähmen nun
Juden und Ausländer die Stellen deutscher Künstler ein. Er appel-
lierte an die Reichsmusikkammer, deutschen Künstlern zu helfen.[3]
Aber vergeblich.

Das Dollfuß-Regime

Die österreichischen Nationalsozialisten beobachteten diese Vor-
gänge sehr genau. Hitlers rasche Erfolge gegen die Linken stärkten
auch das Selbstbewusstsein und den Kampfgeist seiner österreichischen Anhänger. Aber die Regierung Dollfuß sah die Bedrohung
durch das Hitler-Reich nicht, sondern tat alles, um die Linken zu
entmachten und die Demokratie zu beenden.

Am 4. März 1933 nahm Bundeskanzler Engelbert Dollfuß eine

Krise der parlamentarischen Geschäftsordnung zum willkommenen Anlass zur »Selbstauflösung des Parlaments« und übernahm unter Berufung auf das »kriegswirtschaftliche Ermächtigungsgesetz« von 1917 (Notverordnungen aus dem Krieg, deren Annullierung man vergessen hatte) die absolute Macht im Staat. Als die Opposition am 15. März versuchte, die Parlamentsarbeit wiederaufzunehmen, ließ Dollfuß die Abgeordneten von der Polizei gewaltsam entfernen. Ein Massenaufgebot von Kriminalbeamten vereitelte fortan alle Versuche der gewählten Abgeordneten, den Sitzungssaal zu betreten. Trotz aller Proteste der Sozialdemokraten blieb das Parlament geschlossen.

Dollfuß, der sich der Unterstützung seines Vorbilds Benito Mussolini sicher war, regierte nun wie dieser autoritär und diktatorisch, kräftig unterstützt von der katholischen Kirche. Die Opposition (Sozialisten, Kommunisten und Nazis) hatte striktes Versammlungs- und Aufmarschverbot. Linke und liberale Zeitungen wurden zensiert und häufig beschlagnahmt. Emil Fey, der mächtige Führer der Wiener Heimwehr und Staatssekretär für Sicherheit, kümmerte sich um die Verhaftung zahlreicher Linker. Der verhinderte SPÖ-Abgeordnete Ernst Koref: »Das Werk von politischen Desperados hatte in Österreich die Demokratie ausgelöscht. Viele Hunderttausende Österreicher und Österreicherinnen waren fassungslos und tief empört.«[4]

Bald darauf gründete Dollfuß die »Vaterländische Front« für alle regierungstreuen Organisationen, militärische wie zivile. Nichtmitglieder, vor allem Sozialdemokraten, hatten von nun an große Probleme bis zum Berufsverbot. Nach manchen Nazikrawallen erließ Dollfuß im Juni 1933 auch das Verbot der österreichischen NSDAP.

Eduard Bloch in der Rückschau: *Schließlich wurde sogar jede Erwähnung von Hitlers Namen in der österreichischen Presse verboten; aber immer noch erhielten wir Mund-zu-Mund-Nachrichten über unseren früheren Mitbürger: Geschichten über die Verfolgungen, die er in Gang setzte; von deutscher Wiederaufrüstung; von einem kommenden Krieg. Diese geschmuggelten Nachrichten erreichten entsprechende Ohren.*

Diktator Engelbert Dollfuß mit seinen engsten Anhängern, links hinter ihm Kardinal Theodor Innitzer, links oben Kurt von Schuschnigg, rechts außen Emil Fey; die Kinder vorn sind links ein Schuschnigg- und rechts ein Dollfuß-Sohn

Kanzler Dollfuß erreichte immerhin sein Ziel: die Errichtung eines katholischen deutschsprachigen Staates namens Österreich auf ständischer Basis und mit autoritärer Führung. Das Symbol dieses neuen Ständestaates war das dem Hakenkreuz ähnliche »Kruckenkreuz«, das Zeichen der Kreuzfahrer. Der neue Gruß hieß: »Front heil!«

Nun gab es auch in Österreich keine Demokratie mehr. Dollfuß, von seinen Gegnern wegen seiner Kleinwüchsigkeit »Millimetternich« genannt, herrschte unumschränkt und war sich des Schutzes der Geistlichkeit und Mussolinis sicher.

Eduard Bloch beobachtete sehr genau, wie die Regierung Dollfuß einerseits die NSDAP verbot, andererseits aber nicht gegen die rasch wachsende Schar österreichischer Nazis vorging. Im New Yorker Exil berichtete er später: *»Eine örtliche Nazipartei entstand. Theoretisch durfte eine solche Partei nicht existieren; es war von der Regierung verboten. Aber praktisch gaben die Autoritäten ihren Segen. Da Naziuniformen verboten waren, nahmen*

Das Logo der »Vaterländischen Front« mit Kruckenkreuz

die örtlichen Nazis eigene Methoden an, um sich für jedermann kenntlich zu machen: Sie trugen weiße Strümpfe. An ihren Jacken trugen sie kleine wilde Blumen, sehr ähnlich den amerikanischen daisies [Gänseblümchen], *und in der Weihnachtszeit zündeten sie zu Hause blaue Kerzen an. Wir alle wussten von diesen Dingen, aber es wurde nichts dagegen getan.«*[5] Das zeigt, dass Dollfuß seine Gegner immer noch vor allem in den »Roten« sah, aber weit weniger in den Nazis.

Hitler nimmt persönlichen Kontakt zu Linzern auf

Inzwischen hatte Hitlers ehemaliger Lehrer Eduard Huemer nach fünf Monaten endlich ein persönliches Dankschreiben von seinem früheren Schüler erhalten mit »dem Wunsche des Reichskanzlers … seinen ehemaligen Lehrer doch noch einmal zu sehen«. Aber wegen der Tausendmarksperre konnte Huemer die Einladung nicht annehmen und beschloss, »bessere Zeiten abzuwarten«.[6]

So war wohl Wilhelm Hagmüller, der ehemalige Kostgänger der Hitlers in Linz und nun Bäcker in Leonding, der einzige Linzer Privatmann, der Hitler in dieser Zeit besuchte. Wie er das schaffte, bleibt rätselhaft. Jedenfalls brachte Hagmüller seinen an Epilepsie leidenden Sohn in die Anstalt Bethel bei Bielefeld und besuchte bei der Rückfahrt am 19. März 1934 Hitler im »Braunen Haus« in München.[7]

Bald darauf wurde Hagmüller wegen seines Besuchs bei Hitler beschuldigt, an »Geheimbündelei« beteiligt zu sein. Er rechtfertigte sich in einem ausführlichen Brief an die Bezirkshauptmannschaft Linz. Er habe Hitler besuchen müssen, denn: »Ich würde

es als grösste Undankbarkeit auffassen, wenn ich dies nicht gemacht hätte, nachdem die Eltern des Reichskanzlers alle ihre Ein-
käufe in Brot und Gemischtwaren bei uns besorgt hatten und
der Reichskanzler als kleiner Junge fast täglich bei uns im Geschäft war. Ausserdem ist sein Vater mit meinem Vater fast täglich beim Bürgertisch beisammen gesessen«, also im Wirtshaus.
Und: »Selbstverständlich interessierte ich mich für sein Tun und
Lassen. Ich müsste mich als geisteskrank fühlen, wenn ich dies
nicht täte.« Und: »Ich betrachte es als kein Verbrechen, wenn man
einen Jugendfreund besucht, der von rund 40 Millionen Menschen
zu ihrem Führer und Reichskanzler gewählt wurde und diese ver-
trauensvoll zu ihm aufblicken.« Die »Aussprache über reines Fa-
milien- und Heimatinteresse« habe »20 bis 25 Minuten« gedauert.[8]
Er wurde nicht bestraft.

Der Bäckermeister Hagmüller machte sich in dieser Zeit auch
als Touristenführer in Leonding einen Namen und beschrieb
1935, also zur Zeit der Tausendmarksperre, wie es am Haus und
am Grab von Hitlers Eltern zuging. Laut Hagmüller fuhren viele
ausländische (aber nicht deutsche) Autos in Leonding vor. Die
Fremden kauften bei ihm Ansichtskarten und wollten alles über
Hitlers Familie wissen. »So war unter vielen anderen … ein amerikanischer Petroleumkönig hier, der unter die Kinder Kleingeld
warf und im Gasthaus die anwesenden Gäste zechfrei hielt. Einmal
war ein Neger hier auf der Weltreise, der 18 Sprachen beherrschte.
Zu Allerheiligen wurde an den Totengräber aus Kleinasien ein
Blumenstrauss gesandt. Vor ca. 2 Monaten waren zwei Damen
aus Tunis (Nordafrika) hier, die sich auf einer Europareise in der
Dauer von 1 Jahr befinden und schon 3 Monate waren.« Und: »Es
ist doch grösste Pflicht, den wenigen Fremden, die Österreich besuchen, wo wir doch in der Hauptsache auf Fremdenverkehr angewiesen sind und den grössten Teil früher immer Deutschland
stellte, in jeder Weise mit den gewünschten Auskünften entgegenzukommen.«

Er, Hagmüller, sei jedenfalls als Geschäftsmann »moralisch
verpflichtet«, den Fremden zu helfen, »da wir ja geschäftlich auf
jeden Groschen angewiesen sind, nachdem die Geschäftsumsätze

ohnedies stark zurückgingen, jedoch die Lasten und Steuern dagegen gewachsen sind«. Und: »Ich kann nur nicht verstehen, wieso sich unsere Regierung und die deutsche Regierung nicht einigen können, obwohl wir doch im Kriege in treuer Waffenbrüderschaft bis zum letzten Tag ausgehalten haben. Ich habe auch gesehen, dass Hitler das grösste Vertrauen vom grössten Teile der Bevölkerung Deutschlands besitzt, bin überall als Österreicher freundlichst aufgenommen worden.«[9]

Auch Eduard Bloch erwähnte später die Besucher des Leondinger Friedhofs vor 1936: »*Von Zeit zu Zeit fanden die örtlichen Behörden eine Nazifahne auf Klara Hitlers Grab in Leonding und nahmen sie ohne Aufsehen wieder fort. Noch schien der sich zusammenbrauende Sturm in Deutschland weit entfernt.*«[10]

Rückblickend berichtete Bloch über diese Zeit: *Hitler hatte seine* »*Illegalen*« *beinahe in allen österreichischen Ämtern sitzen, so dass er jederzeit über alle politischen Bewegungen aufs genaueste informiert war; sie gaben sich aber auch Mühe, ihrem Herrn zu dienen, denn sie witterten Belohnung und wohldotierte Stellen!*

Die Linzer Judengemeinde war sich der Bedrohung durch den mächtigen Nachbarn nur zu bewusst, zumal der Jubel der einheimischen Nazis über Hitlers Triumph immer lautere antisemitische Töne aufwies. Angesichts der Bedrohung meinte der Linzer Zionist Karl Schwager, nun sei »endgültig der Traum einer jüdischen Gemeinschaft als einer nur religiösen Bedürfnissen dienenden Kongregation ausgeträumt«. Nun müsse gekämpft werden.

Angesichts der bedrohlichen Lage zogen sich nun die meist liberal und deutsch gesinnten alten Würdenträger der Linzer Jüdischen Gemeinde in den Ruhestand zurück und überließen dem kämpferischen nationaljüdischen Nachwuchs die Führung. Auch Benedikt Schwager, der hochverehrte Präsident der Gemeinde, wich 1934 bereitwillig zugunsten der zionistischen Majorität und beschränkte sich auf seine Würde als Ehrenpräsident der Jüdischen Gemeinde und außerdem als Armenrat der Stadt Linz.[11] Auch die jüdischen Vereine radikalisierten sich. So schloss sich

zum Beispiel der Linzer Wanderklub »Blau/Weiss« der zionistischen »Maccabi Hazair«- Bewegung an.

Dollfuß hatte inzwischen nicht nur die NSDAP, sondern auch
die KPÖ und den »Republikanischen Schutzbund«, die Wehr-
formation der Linken, verboten. Wie in Hitlers Reich folgte nun
auch in Österreich ein Gesetz gegen die Linken nach dem anderen:
Versammlungs- und Aufmarschverbot, Vorzensur für linke Zeitungen und vieles andere. Sogar der »Glöckel-Erlass« wurde aufgehoben, der Wiener Schülern die Teilnahme an religiösen Übungen
freistellte. (Der Sozialdemokrat Otto Glöckel war Präsident des
Wiener Stadtschulrats und ein sehr effizienter Schulreformer.)
Nun wurden die Schüler wieder zur Teilnahme an Messen und
Prozessionen gezwungen. Im September 1933 ließ Dollfuß für
»sicherheitsgefährdende Personen« – gemeint waren natürlich
die Linken – Anhaltelager errichten, so auch in Wöllersdorf bei
Wiener Neustadt.

Je härter das klerikale Regime gegen die Linken durchgriff,
desto rascher wuchs auch in Linz die Zahl der illegalen Nationalsozialisten. Damit verschärfte sich die ohnehin schwierige Lage der
Juden, die meist dem linken Lager angehörten. Denn nun wurden
sie von zwei Fronten gleichzeitig angegriffen: von den Christlichsozialen wie den Nazis. Lange vor dem »Einmarsch« 1938 wurden
in Österreich, auch in der Kleinstadt Linz, wie schon erwähnt,
jüdische Geschäfte boykottiert. Hitler-Anhänger pöbelten jüdische Sommergäste in den Kurorten des nahen Salzkammerguts an.
Ein christlichsozialer Landbundabgeordneter forderte sogar, den
Arierparagrafen im Schulgesetz zu verankern und jüdische Kinder
vom Schulbesuch auszuschließen.[12]

Ausgerechnet am Vorabend des 15. Jahrestags der Gründung
der Republik Österreich, am 11. November 1933, führte die Regierung wieder die Todesstrafe ein, die die Linken 1919 abgeschafft
hatten. Die Strafe sollte bei Mord, Brandstiftung und öffentlicher
Gewalt verhängt und vollstreckt werden – eine deutliche Warnung an die politischen Gegner, sich nicht gegen die Regierung zu
erheben. Die Sozialdemokraten waren wie gelähmt und wehrten
sich kaum. So konnte Dollfuß seine Macht weiter ausbauen.

Das Jahr 1934

Ab 1933 übernahmen die paramilitärischen Heimwehrtruppen unter Emil Fey nach und nach die staatlichen Polizeibefugnisse. Sie agierten dabei rigoros parteipolitisch, nämlich gegen die bereits ohnmächtigen Linken. Deren nun illegaler »Republikanischer Schutzbund« musste seine – meist noch aus dem Weltkrieg stammenden – Waffen abliefern, hielt aber noch viele versteckt. Das wiederum gab der Heimwehr den willkommenen Anlass, die Sozialdemokraten mit überraschenden Waffensuchaktionen einzuschüchtern und zu kriminalisieren.

Unter all diesen Bedrohungen und Schikanen der Heimwehr wuchs die Entschlossenheit mancher Linker, sich gegen weitere Übergriffe zu wehren, wenn nötig auch mit Waffengewalt. Ein Anlass bot sich bald: Am 10. Februar 1934 setzten bewaffnete Heimwehrmänner den oberösterreichischen Landeshauptmann unter Druck, alle Linken aus ihren Ämtern zu entlassen und die sozialdemokratische Linzer Gemeindeverwaltung aufzulösen. Die

Das Linzer Hotel »Schiff«, wo am 12. Februar der Aufstand der Linken begann

Stellen sollten mit Heimwehrleuten besetzt werden. Gleichzeitig
gab es wieder Hausdurchsuchungen nach versteckten Waffen, und
einige Schutzbündler wurden verhaftet.

Als die Linzer Polizei zwei Tage später im Hotel »Schiff«, dem
Versammlungslokal der Linzer Sozialdemokraten, wieder eine
Waffensuchaktion durchführte, entschied sich der frühere Linzer
Arbeiterrat Richard Bernaschek zum gewaltsamen Widerstand:
»Ich bin entschlossen, alles zu wagen … Bevor ich in Österreich in
Schmach und Schande lebe, werde ich die Freiheit mit dem Einset-
zen meines Lebens verteidigen.«[13] Gemäßigte Linke wie der 1933
als SP-Nationalrat abgesetzte Ernst Koref versuchten, die kämpferischen Parteikollegen zurückzuhalten. Denn Koref schätzte
einen solchen Kampf gegen den haushoch überlegenen Gegner
als aussichtslos ein und fürchtete Todesurteile. Aber die Schutzbündler wollten sich nicht mehr alles ohne Gegenwehr gefallen
lassen.

Da die Regierung scharf bewaffnete Militärs einsetzte, begann
ein für die Linken blutiger und aussichtsloser Kampf. Bald griffen
die Unruhen von Linz auf andere Städte über, so auch auf Steyr in
Oberösterreich. Der Steyrer Lehrer Ludwig Pullirsch wunderte
sich an diesem 12. Februar 1934, dass plötzlich so viele Eltern die
Kinder aus der Schule holten. »Um 3:30 hörte ich starkes Gewehr-
feuer und plötzlich ratterte auch ein MG.« Um vier Uhr sah er mit
dem Feldstecher, wie aus dem Gemeindebau des Steyrer Arbei-
terviertels Ennsleite verpackte Gewehre hinausgetragen wurden.
»Ich erkannte, dass dies keine kleine Aktion, sondern ein schwerer,
blutiger Aufstand werden wird!« Beim Greissler stand ein Hilfs-
polizist »mit aufgestecktem Bajonett und das Gewehr schussbereit
in der Hand«. Pullirsch ging nach Hause und blieb auch dort. In
der Nacht hörte er Handgranaten und Schüsse.

Ab sechs Uhr früh am 13. Februar knatterten die Maschinen-
gewehre bei der Polizeikaserne. »Überall stehen Soldaten und
Heimwehrleute mit Stahlhelmen und aufgepflanzten Bajonetten.
Man wird gefragt, wo man hingeht und an manchen Stellen, die
von der Ennsleite eingesehen werden können, soll man laufen. Ar-
tillerie ist auch schon da und hat bereits fleißig geschossen. Ich

Auflösung der Sozialdemokratischen Partei.

Ein außerordentlicher Ministerrat hat gestern nachts die sofortige Auflösung der sozialdemokratischen Partei Oesterreichs beschlossen.

Der Gemeinderat der Bundeshauptstadt Wien und damit auch der Wiener Landtag wurden aufgelöst und zugleich Bürgermeister, Landeshauptmann und Stadtsenat ihrer Funktionen enthoben.

Zum Bundeskommissär für Wien wurde Bundesminister Richard Schmitz bestellt.

Standrecht in Wien und anderen Bundesländern.

Einer Waffensuche im Sozialdemokratischen Parteiheim in Linz setzte der ehemalige Republikanische Schutzbund bewaffneten Widerstand entgegen. Unter Heranziehung von Militär wurde das Gebäude im Kampf genommen. Im Verlauf des Tages kam es mehrfach zu opferreichen Zusammenstößen.

Mehrfache Ausschreitungen in einigen Wiener Bezirken sowie in verschiedenen anderen Bundesländern haben zur Verhängung des Standrechtes in Wien, Niederösterreich, Oberösterreich, Steiermark und Kärnten geführt.

Schlagzeilen vom 13. Februar 1934

habe selbst zehn Granateneinschläge auf der Ennsleite beobachtet.« Radio Wien aber erklärte: »Überall ist Ruhe, ausgenommen in Linz.« Pullirsch dazu: »Diese Meldung ist wirklich ein Hohn. Hier in Steyr schießt man, was nur geht.«

Um 13 Uhr: »Granatfeuer auf der Ennsleite. Ein Haus hat schon große Löcher, schwarze Rauchwolken steigen auf! Es kracht ganz abscheulich, alle 10 bis 20 Minuten fällt ein Schuss. Die armen Teufel da oben!« Eine halbe Stunde später: »es schnalzt wie im Krieg, wenn eine Kugel auf die Steinmauern geht«. Kurz vor 15 Uhr: »Generaloberst Schönburg-Hartenstein sprach im Radio. Er forderte ehemalige Soldaten und Offiziere auf, sich freiwillig zum Dienst zu melden.« Und: Es »steht das Auto des Direktor Herbst bei der Ausfahrt der Waffenfabrik oben zwischen den Feuerlinien und der Direktor soll tot drinnen sitzen.« Gegen halb vier: »Neben unserem Haus schießen die Heimwehrleute. Das lenkt das Feuer der Schutzbündler auf unser Haus.« 15 Minuten später kam der Einschlag.

Am 14. Februar endete in Steyr der Bürgerkrieg. Pullirsch: »Der Schutzbund auf der Ennsleite hat sich teilweise ergeben oder ist geflohen, einige hundert wurden gefangen genommen. Das Standgericht, so scheint es, beginnt heute zu tagen. Die Stadt ist noch immer voll Heimwehrleuten. Was da für Buben dabei sind, das spottet jeder Beschreibung.« Die Arbeiter von der Steyrer Ennsleite hatten viele Todesopfer zu beklagen. Und, so Pullirsch: »Am Rathaus hing den ganzen Tag eine Heimwehrfahne.«[14]

Im »roten Wien« wütete der mörderische Bürgerkrieg vier volle Tage. Der Kampf konzentrierte sich auf das Rathaus und die großen Gemeindebauten, die Zigtausenden Arbeiterfamilien moderne Wohnungen boten. Diese Bauten waren so kompakt angelegt, dass sie in einem gewaltsamen Konflikt wie Festungen funktionierten. Die veralteten Waffen der Linken waren allerdings der modernen Ausrüstung der Gegner nicht gewachsen. So wehrte sich manche Arbeiterfrau mit Bügeleisen und ähnlichen Geschossen. Als Dollfuß das Bundesheer und Heimwehrtruppen unter Feys Kommando aufmarschieren ließ, hatten die Aufständischen keine Chance mehr.

Die linken Schutzbündler zählten allein in Wien mehr als 200 Tote und rund 300 Verwundete, die Regierungstruppen 128 Tote und rund 400 Verwundete. Und Mussolini bestärkte Kanzler Dollfuß in seinem Hass gegen die Linken.

Viele Linzer Sozialdemokraten wurden verhaftet, darunter auch zwei Prominente, die gar nicht am Aufstand teilgenommen, sondern sich im Gegenteil bemüht hatten, ihre hitzigen Parteifreunde zurückzuhalten: Blochs bester Freund, der nun abgesetzte jüdische SP-Gemeinderat und Rechtsanwalt Hermann Schneeweiß, und der »halbjüdische« ehemalige SP-Nationalrat Ernst Koref, ein Freund von Franz Kren.

Die linken Parteiführer, Otto Bauer, Julius Deutsch und andere, retteten sich rechtzeitig über die Grenze ins nahe Brünn oder Pressburg. Die Sozialistische Partei wurde verboten, ihre Mandate im Landrat wie im Gemeinderat gestrichen. Der sehr beliebte linke Linzer Bürgermeister Josef Gruber wurde abgesetzt und durch einen Dollfuß-Anhänger ersetzt. Sämtliche linken Organisationen, von den Gewerkschaften bis zu kleinen Vereinen, wurden aufgelöst, alle linken Zeitungen verboten.

Verboten wurden auch links stehende wissenschaftliche Gesellschaften, darunter der vom Freidenkerbund unterstützte »Verein Ernst Mach«. Dieser berief sich auf Blochs verehrten Prager Lehrer und dessen Bestreben, Philosophie und Wissenschaft allgemein verständlich zu machen – auch für Arbeiter. Auch andere »nichtchristliche« Vereine wie der Freidenkerbund waren nun illegal.

Die Unterzeile dieses Titelbilds vom 22. Februar 1934 in der ÖSTERREICHISCHEN WOCHE *(Kanzler Engelbert Dollfuß mit Militärs) lautet: »Das Ende der Sozialdemokratie in Österreich«*

Das Gericht erlaubte den angeklagten Aufständischen zwar einen Verteidiger ihrer Wahl, nämlich den inzwischen aus der Haft entlassenen Hermann Schneeweiß. Als dieser aber Entlastungszeugen beantragte, lehnte dies der Gerichtshof als »unnötig« ab. Die Angeklagten hatten keine Chance.

Um die Anführer des Aufstands zum Tod verurteilen zu können, hatte Dollfuß inzwischen die Liste der Vergehen, für die die Todesstrafe verhängt werden konnte, um einen Punkt erweitert, nämlich »Aufruhr«. Schon am 22. Februar 1934 wurde der Arbeiter Anton Bulgari als Erster im Linzer Landgericht hingerichtet. Er starb mit den Worten: »Es lebe die Sozialdemokratie!« Viele weitere Hinrichtungen folgten. Der Wiener Schutzbundkommandant Karl Münichreiter wurde trotz schwerster Verwundungen auf einer Bahre zum Hinrichtungsort gebracht und dort gehenkt. Das widersprach allen gesetzlichen Bestimmungen.

Politisch verschärfte Dollfuß die Lage zusätzlich dadurch, dass er den Heimwehrführer Ernst Rüdiger Fürst Starhemberg zum Vizekanzler ernannte und damit den politischen Kurs und das große soziale Elend noch verschärfte.

Dollfuß hieß fortan bei den nun illegalen Sozialisten nur noch »der Arbeitermörder«. Pullirsch notierte am 20. Februar 1934 voll

Erbitterung über die schlimmen Zustände in Österreich in sein
Tagebuch: »Abertausende Kinder gehen hungernd an den Auslagen vorbei, wo ihnen die auserlesensten Leckerbissen hinter
einer Glaswand gezeigt werden. Abertausende gehen mit dem Tod
im Herzen an den Schildern der Spezialärzte vorbei und müssen
in Bälde sterben, weil sie diese Ärzte nicht bezahlen können, denn
ohne Bezahlung wird ihnen nicht geholfen. Abertausende wachsen in Jammer und Elend auf, hungernd, schmutzig, frierend und
seelisch verwahrlost laufen sie herum, während Abertausende in
Freude und Wohlstand fast ersticken.«[15]

Viele inhaftierte Sozialdemokraten wurden erst nach Monaten entlassen. Ernst Koref zum Beispiel kam nach fünfmona-
tiger Haft wieder frei, aber nur unter Auflagen: Er durfte nicht
mehr in seinen Beruf als Gymnasiallehrer zurück und musste
sich als Arbeitsloser durchschlagen. Trotz ständiger Angst vor
einer neuerlichen Verhaftung gab er illegal Nachhilfeunterricht. Immerhin hatte er als Kriegsgefangener Russisch gelernt
und beherrschte Englisch, Italienisch und Französisch perfekt.
Außerdem gab er Latein- und Griechischunterricht. Er, der den
Februaraufstand nicht befürwortet hatte, billigte ihn jedoch im
Nachhinein: »Im Grunde war die Erhebung vom 12. Februar
1934 ein legitimer Abwehrversuch, sittlich und politisch gerecht-
fertigt.«[16]

Ausgerechnet am Arbeiterfeiertag, dem 1. Mai 1934, verkündete die Regierung Dollfuß eine neue Verfassung. Darin wurde
der alte Text »Österreich ist eine demokratische Republik. Das
Recht geht vom Volk aus« ersetzt durch: »Im Namen Gottes, des
Allmächtigen, von dem alles Recht ausgeht, erhält das österreichische Volk für seinen christlichen deutschen Bundesstaat auf ständischer Grundlage diese Verfassung«. Aus der demokratischen
»Republik Österreich« wurde der »Bundesstaat Österreich« –
ein diktatorisch geführter, katholischer Ständestaat ohne Parlament, ohne Parteien, ohne Wahlen, praktisch eine faschistische,
der katholischen Kirche verpflichtete Diktatur. Den Verfassungs-
gerichtshof, der Einspruch hätte einlegen müssen, hatte Dollfuß
bereits 1933 abgeschafft.

Außenpolitisch stand das Regime unter Mussolinis Schutz. Im frisch errichteten Barackenlager von Wöllersdorf schmachteten inzwischen rund 900 politische Häftlinge, vor allem Sozialisten und Kommunisten, aber auch Nationalsozialisten.

Unter den Opfern des Dollfuß-Regimes war auch Hermine Kafkas Neffe, der jüdische Dermatologe Dr. Otto Schindler, geboren 1880 in Königshain in Böhmen. Er hatte in Wien sein Studium mit Auszeichnung abgeschlossen und sich dann noch in Paris weitergebildet. 1913 eröffnete er im 9. Wiener Bezirk, Schwarzspanierstraße 8/15, eine große Ordination, wo er als erster Wiener Privatarzt Radium als Therapie einsetzte. Das Dollfuß-Regime, das in dieser Zeit zahlreiche links stehende jüdische Ärzte schikanierte und entließ, beschuldigte nun Schindler, seine Kassenpatienten zu intensiv, das hieß zu teuer, zu behandeln (»Überarztung«), und ließ die Ordination schließen.

Als dies geschah, war Schindler, 54 Jahre alt und ledig, gerade nach zwei Operationen aus dem Spital entlassen worden. In seinem geschwächten Zustand nahm er sich die Demütigungen und vor allem den Verlust seiner Praxis so zu Herzen, dass er sich im Stiegenhaus seines Wohnhauses aus dem vierten Stockwerk stürzen wollte. Eine zufällig vorbeikommende Nichte hielt ihn in letzter Sekunde mit Gewalt zurück. Zur Erholung wurde er in ein Sanatorium seiner Heimatstadt Innsbruck gebracht, wo seine Mutter Sophie und die jüngeren Brüder Hugo und Erich lebten. Eines Morgens wurde Schindler im Sanatorium tot aufgefunden. Er hatte sich sein Taschenmesser direkt ins Herz gestoßen.

Der Dollfuß-Mord

Am 25. Juli 1934 mittags drangen rund 150 bewaffnete, als Bundesheersoldaten verkleidete österreichische Nationalsozialisten in den Hof des Bundeskanzleramts am Ballhausplatz ein, ohne auf Widerstand zu stoßen. Sie nahmen den anwesenden Minister Emil Fey und einige Beamte in Haft und fanden schließlich Bundeskanzler Engelbert Dollfuß, der in dem weitläufigen Gebäude noch zu fliehen versuchte. Ein Nazi namens Otto Planetta schoss den

Wehrlosen in den Hals. Dem Sterbenden wurden sowohl ein Arzt als auch ein Priester verwehrt.

Inzwischen hatten Mitglieder der illegalen österreichischen SA und SS den Rundfunk (RAVAG) besetzt und Losungsworte für die Aufständischen in den Bundesländern gesendet. Während Dollfuß in Wien verblutete, kam es in der Steiermark, in Kärnten, in Oberösterreich – auch in Linz – zu weiteren NS-Putschversuchen.

Hitler, der natürlich Bescheid wusste, hielt sich zurück. Er wartete das Ergebnis des Putsches ab, und zwar in Bayreuth, wo er gerade im Festspielhaus RHEINGOLD genoss. Friedelind Wagner beobachtete Ungewöhnliches: »abwechselnd liefen [die Adjutanten] Schaub und Brückner zwischen Hitlers Loge und dem Vorraum der unseren, wo sich ein Telefon befand, hin und her; der eine nahm die Nachricht entgegen, und der andere eilte zu Hitler und flüsterte ihm ins Ohr.« Auf diese Art ließ sich Hitler über den Verlauf des Putsches informieren. Nachdem er die Nachricht von Dollfuß' Tod erhalten hatte, bat er die Wagners, sich nichts anmerken zu lassen: »Ich muss eine Stunde hier aushalten und mich sehen lassen … sonst könnten die Leute glauben, ich hätte etwas mit der Sache zu tun.« Ruhig aß er, von zahlreichen Wagnerianern beobachtet, seine Leberknödelsuppe. Er war bereit und vorbereitet, die Macht in Österreich zu übernehmen.[17]

Als aber der mit Dollfuß verbündete Mussolini seine Truppen am Brenner aufmarschieren ließ – eine eindeutige Drohung –, brach der Putsch gegen 19 Uhr zusammen. Während in Bayreuth noch RHEINGOLD lief, wurden in Wien die Putschisten verhaftet und ins Lager Wöllersdorf gebracht. Hitler bewahrte öffentlich Haltung und tat so, als habe er von nichts gewusst.

Aber um zwei Uhr nachts riss er den ahnungslosen Exkanzler Franz von Papen in Berlin telefonisch aus dem Schlaf und befahl ihm, sofort mit einer Sondermaschine nach Bayreuth zu kommen. Papen musste nun als neuer Botschafter in Wien die Gemüter beruhigen. Gauleiter Theo Habicht, offiziell Presseattaché der Deutschen Botschaft in Wien, wurde ebenfalls nach Bayreuth zitiert, von Hitler für das Attentat verantwortlich gemacht und aus allen Parteifunktionen entlassen.[18]

Bundeskanzler Kurt von Schuschnigg

Als die Zeitungen am nächsten Morgen vom Dollfuß-Mord und dem missglückten Putsch berichteten, tat Hitler ahnungslos und überrascht.

Der 36-jährige bisherige Unterrichtsminister Kurt von Schuschnigg wurde nun Kanzler und führte den katholischen und diktatorischen Kurs fort. Zum Sicherheitsminister, der auch für die Polizei verantwortlich war, ernannte er den Fürsten Starhemberg.

Der Dollfuß-Mörder Otto Planetta wurde bereits am 31. Juli 1934 hingerichtet, andere Putschisten bald danach. Insgesamt forderte der Putsch rund 200 Tote. Rund 1000 Nazis wurden ins Lager Wöllersdorf eingeliefert, wo seit den Februarunruhen vor allem Linke in Haft saßen. In der gemeinsamen Opposition gegen den »christlichen« Ständestaat bildeten sich in Wöllersdorf seltsame Allianzen und sogar Freundschaften zwischen Sozis und Nazis.

Der ermordete Dollfuß wurde nun in Österreich offiziell wie ein Held und Heiliger verehrt. Nach der Nationalhymne wurde

nun stets das Dollfuß-Lied gesungen, vor allem in den Schulen.
Der Text lautete:

>>Ihr Jungen schließt die Reihen gut!
Ein Toter führt uns an.
Er gab für Österreich sein Blut,
ein wahrer deutscher Mann.
Die Mörderkugel, die ihn traf,
die riss das Volk aus Zank und Schlaf.<<

Refrain:

>>Wir Jungen stehn bereit!
Mit Dollfuß in die neue Zeit!
Wir Jungen stehn bereit!<<

Im August 1934 reiste Schuschnigg nach Rom zu Mussolini, um
ihm für die entscheidende Hilfe zu danken. In den >>Römischen
Protokollen<< wurde die weitere politische Zusammenarbeit be-
kräftigt. Auch England und Frankreich erklärten sich für die
Unabhängigkeit Österreichs.

Die Pleite der Firma Kafka

In seinen Erinnerungen verschweigt Eduard Bloch die großen Probleme, die es in dieser Zeit in der Firma Kafka gab. Verantwortlich
für die immer drückender werdenden Geldsorgen der Großfamilie war Rudolf Kafka. Er führte seit Egons Tod 1927 allein die Geschäfte, war aber wegen seiner Krankheit, die ihn immer häufiger
zu Aufenthalten in Spitälern oder Anstalten zwang, wenig präsent. Als nach dem österreichischen Börsenkrach 1930 die Aktien-
werte auf ein Minimum zusammenschrumpften, sah sich Rudolf
gezwungen, auf seine Sachwerte zurückzugreifen. Um wieder zu
Geld zu kommen, verkaufte er seine Antiquitäten und die geliebten Madonnenfiguren. Als das nicht reichte, nahm er teure Kre-
dite auf: auf die Fabrik, das Geschäft und beide Häuser. Die einst
solide Geschäftsbasis der Firma Kafka war dahin, die Firma wie
die Familie Kafka hoch verschuldet, und dazu blieben wegen des

Irma und Rudolf Kafka (hinten) im Sommer 1933 mit zwei Freundinnen im Salzkammergut

rasch anwachsenden Antisemitismus die Kunden aus. Rudolf Kafka, der Chef, war todkrank, ein Stellvertreter nicht vorhanden.

Trude Bloch machte in ihren Erinnerungen letztlich ihre Großmutter Hermine Kafka für das finanzielle Desaster verantwortlich. Denn als die Lage brenzlig wurde, habe der reiche Linzer Konkurrent Leopold Mostny den Kafkas angeboten, die Firma, beide Häuser und die Grundstücke in Urfahr zu kaufen. Die vorgeschlagene Kaufsumme war so hoch, dass sie für ein großzügiges Leben der Familie gereicht hätte. Aber Hermine hatte das gute Angebot aus Stolz zurückgewiesen.

Die Situation verschlechterte sich nun rasch. Hin- und hergerissen zwischen ihrem Ehemann und ihrem Bruder, der wieder in Gefahr war, in eine psychische Krise zu geraten, drängte Lilli Bloch ihren Mann, Rudolf das nötige Geld zu leihen. Der gutmütige Eduard gab nach, half mit Erspartem, zeichnete Schecks für seinen Schwager und vernichtete so den Großteil seines in Jahrzehnten schwer erarbeiteten bescheidenen Vermögens.

Im Sommer 1934 musste die Firma Kafka das Ausgleichsverfahren eröffnen. Der gesamte Besitz mit Häusern und Grundstücken wurde verkauft. Das stattliche Haus mit dem Ladengeschäft
und dem großen Innenhof in der Landstraße 44 ging an eine Versicherung. Das riesige Grundstück in Urfahr wurde mit der Fabrik
an einen Geschäftsmann verkauft, dem aber nach einigen Monaten ebenfalls das Geld ausging.[19]

Bloch verlor das gesamte Geld, das er seinem überschuldeten
Schwager geliehen hatte. Von nun an kämpften auch die Blochs
mit finanziellen Problemen, zumal wegen des wachsenden Antisemitismus und der Wirkung von dessen Kampfparolen auch die
Praxen der Ärzte Bloch und Kren in Schwierigkeiten gerieten.

Der 62-jährige Rudolf Kafka starb am 14. September 1934 in
einem Wiener Spital an den Folgen der Syphilis (syphilitische
Aortitis).[20] Seine Witwe Irma fand auf dem Nachtkästchen einen
Zettel mit dem Satz, der sie – im Sinne von Rudolf Steiners Glauben an die Wiedergeburt – trösten sollte:

> »Der Tod ist mir kein Schrecken,
> der Ausklang einer Melodie!
> Der Anklang einer neuen.«[21]

Die 57-jährige kinderlose Irma Kafka blieb in Armut zurück. Am
1. Oktober 1934 meldete sie sich in der Hagenstraße 7 in Urfahr
ab, blieb vorerst in Wien (Hietzing, Steckhovengasse 7) und übersiedelte dann zu ihrer Schwester Frieda nach Prag.[22] Dass sie in
all den Jahren jemals von Rudolfs vorehelichem Sohn erfuhr, dem
nun knapp 29-jährigen Rudolf Diernesberger, ist unwahrscheinlich.

Nach Rudolfs Tod und dem Verkauf ihres Wohnhauses übersiedelte die nun mittellose 85-jährige Hermine Kafka zu den Blochs
in die Landstraße. Laut Trude Kren kam Hermine nie mehr über
die Tatsache hinweg, ihr »Familienschloss« nicht mehr zu besitzen.
Sie starb verbittert am 20. März 1935 bei den Blochs, ein halbes
Jahr nach ihrem Sohn Rudolf. Auf ihrem Grabstein steht derselbe
Spruch wie auf dem Rudolfs: »Der Tod ist mir kein Schrecken…«
Von ihren vier Kindern war nur noch Lilli Bloch am Leben. Im

Im Garten von Urfahr: links Georg, Mutter Trude, Großmutter Lilli, der verhärmte Großvater Eduard Bloch und sein älterer Bruder Adolf

Sommer 1935 wurde der Name der Firma LUSKA handelsgerichtlich gelöscht.

In dieser schlimmen Zeit mag Eduard Bloch ein wenig Trost durch kleine Dankbriefe treuer Patienten erhalten haben. Die Geschwister Kogler schrieben ihm zum Beispiel: »für die oftmalige sorgfältige Behandlung unserer lieben Mutter und billig bescheidene Rechnung, fühlen wir uns Kinder verpflichtet, aufrichtigst zu danken«. Und Franz Mechold aus Linz dankte ihm »für den Empfang Ihrer überaus kulanten Honorarnote und Ihres so lange gewährten Kredites«.[23]

Angesichts der sich verschärfenden Lage in Österreich machte sich die aus der Schweiz stammende, als einziges Familienmitglied noch wohlhabende Claire Kafka Sorgen um die Zukunft. Immerhin hatte ihr 13-jähriger vaterloser Sohn Hans Sigmund, der einzige Namensträger der nächsten Kafka-Generation, nun keinen familiären Druck mehr, »eine kommerzielle Laufbahn einzuschlagen« und das Linzer Geschäft übernehmen zu müssen. Er wollte studieren.

Claire Kafka nahm ihren Sohn auch deshalb aus dem Linzer

Gymnasium, weil sie den wachsenden Antisemitismus nicht länger hinnehmen wollte. Sie ließ sich von ihrem Schwager Siegfried Weil überzeugen, den Knaben in einem französischen Internat anzumelden. Denn, so argumentierte Weil: Fremdsprachenkenntnisse seien in den von Hitler wahrscheinlich herbeigeführten schlechten Zeiten lebenswichtig. Der Vorschlag wurde als gut befunden und ausgeführt. Die Ferien verbrachte Hans Kafka natürlich in Linz.

1936 übersiedelte Claire Kafka ebenfalls nach Frankreich und mietete in Nancy ein kleines Haus für sich und den 14-jährigen Hans Sigmund, der nun Jean hieß. Er durfte das von ihm gehasste Internat verlassen, bei der Mutter wohnen und in Nancy ein Lyzeum besuchen. Claires Tochter Grete, die 1931 Karl Grabner geheiratet und mit ihm die Tochter Susanne hatte, blieb in Linz.

Hitler umgarnt die Österreicher

Eduard Blochs hochbegabter zehnjähriger Enkel Georg Kren kam 1936 ins Linzer humanistische Gymnasium. Wie in allen österreichischen Schulen dieser Zeit beherrschten auch hier die Grundsätze des katholischen Ständestaats den Alltag. Jeden Sonntag besuchten die Schüler gemeinsam die Messe im Festsaal der Schule. Nichtkatholische Schüler standen außerhalb der Gemeinschaft und waren isoliert, so auch der hochsensible Georg.

Egon Basch schrieb bedauernd über diese Zeit, dass Kanzler Schuschnigg keinen Versuch machte, sich im Kampf gegen die Nazis mit den Sozialdemokraten zu verständigen: »Die Terrorakte der Nazipartei in Österreich und später auch im Sudetenland nahmen den Charakter politischer Provokationen an. Man musste auf eine Explosion des Pulverfasses gefasst sein. Dennoch schien es, als ob die Arbeiter einem Frieden mit Schuschnigg nicht abhold gewesen wären, wenn letzterer rechtzeitig verstanden hätte, sich ihnen zu nähern. Dazu aber war der allzu klerikale und in die Dollfußdoktrin verbissene Bundeskanzler vorläufig nicht zu bewegen.«[24]

Im Gegenteil: Schuschnigg bewegte sich nicht auf die Sozialdemokraten zu, sondern auf die Nationalsozialisten. Am 11. Juli

1936, nur zwei Jahre nach dem Dollfuß-Mord, schloss er, von Hitler massiv unter Druck gesetzt, mit diesem ein »Freundschafts- und Normalisierungsabkommen«. Darin versprach er, dass »die österreichische Bundesregierung ihre Politik im allgemeinen und insbesonders dem Deutschen Reich gegenüber stets auf jener grundsätzlichen Linie halten wird, die der Tatsache, dass Österreich ein deutscher Staat ist, entspricht«. Dafür erkannte Hitler die Souveränität Österreichs an und hob die ruinöse »Tausendmarksperre« von 1933 auf. Im Gegenzug akzeptierte Schuschnigg eine Amnestie für verhaftete Nationalsozialisten und versprach, Vertreter dieser »nationalen Opposition« in die Regierung aufzunehmen. Damit hatte Hitler einen Fuß für den Einmarsch in Österreich in der Tür.

Zunächst aber wurde die Heimkehr der nun amnestierten Nazis »aus den Kerkern von Garsten und Stein« auch in Linz groß gefeiert. Edmund Glaise-Horstenau, einer der neuen deutschfreundlichen Minister unter Schuschnigg, erinnerte sich: »Zumal die Linzer hatten es sich angelegen sein lassen, den Befreiten, die mit Autobussen eingeholt wurden, einen möglichst feierlichen und freudvollen Empfang zu bereiten. Der Hauptplatz war von einer tausendköpfigen Menge besetzt, es hätte kaum eine Stecknadel zu Boden fallen können. Und brausende Heil-Hitler-Rufe erfüllten zusammen mit den Klängen des HORST-WESSEL-LIEDES die Luft.« Das aber sei der Regierung Schuschnigg dann doch zu viel gewesen, so Glaise-Horstenau: »Die ersten Verhaftungen und der Entzug einer Autobuskonzession waren die äußerlichen Folgen.«[25]

Gleich nach dem Juliabkommen begann ein intensiver Grenzverkehr zwischen Deutschland und Österreich. Vor allem der kleine Friedhof von Leonding wurde nun zur Pilgerstätte für deutsche Touristen. Aber Österreicher mussten noch immer sehr vorsichtig sein. Glaise-Horstenau: »Ein Ehepaar aus Morzg bei Salzburg – der Mann war pensionierter Bundesbahnbeamter – war am 1. November 1936 dabei ertappt worden, als es am Grabe der Eltern Hitlers in Leonding bei Linz einen Kranz niedergelegt hatte.« Wegen »staatsfeindlicher Demonstrationen« wurde

der Mann verhaftet und verlor 1937 seine Pension. Das war für die
Nazis ein gefundenes Fressen. Glaise-Horstenau: »Ein unerhör-
ter Sturm ging durch den deutschen Blätterwald. Die ganzen, seit
dem Juliabkommen [in Österreich] zugelassenen deutschen Zeitungen wurden an einem Tage konfisziert.«[26]

In der Linzer Realschule wurden inzwischen Fotos aller ehemaligen Schulkameraden und Lehrer des jungen Hitler gesammelt, um ihm mit einer solchen Sammlung eine Freude zu
machen. Natürlich wandte sich die Schule auch an Hitlers damaligen Lieblingslehrer Leopold Poetsch. Dieser aber sagte schriftlich ab mit der Begründung, »dass er mit Hitler wegen seiner
Schmähung Österreichs nicht einverstanden sei, er habe für Österreich einen Amtseid geschworen«. Zu einem Ordenspriester
soll Poetsch gesagt haben: »Ich halte diesen Hitler für ein großes
Unglück für Deutschland und schäme mich, dass ich sein Lehrer
war!«[27]

Der Linzer Lehrer Eduard Huemer zu Gast bei Hitler

Hitler nutzte die neue Freizügigkeit, um alte Kontakte zu seiner
Heimatstadt Linz wiederaufzunehmen. Zuerst lud er seinen Lieblingslehrer Leopold Poetsch nach Deutschland ein. Aber dieser
verwies brieflich auf sein hohes Alter und darauf, dass die Reise
für ihn zu beschwerlich sei. Daraufhin bat Hitler Ende April 1937
seinen ehemaligen Klassenlehrer Eduard Huemer, nach Berlin zu
kommen. Immerhin hatte dieser ihm einst beim Münchner Prozess mit einer entlastenden Aussage sehr geholfen. Außerdem gehörte Huemer zu den Linzer Honoratioren und hatte als solcher
großen Einfluss in der Stadt.

Der stark beeindruckte Huemer schrieb über seine Berlin-
reise einen langen, salbungsvollen Zeitungsartikel, der in Linz
Tagesthema wurde: »Bei Hitler zu Gaste«. Darin schilderte er
stolz, dass ein höherer Beamter aus Hitlers Privatkanzlei ihn am
28. April 1937 abends zu Hause am Pöstlingberg abgeholt und ihn
»im Schlafwagen 1. Klasse nach Berlin entführt« habe. Am nächsten Morgen begrüßte ihn Albert Bormann im Namen des Führers

auf dem Anhalter Bahnhof. Bormann, Leiter von Hitlers Privatkanzlei und freundlicher Bruder des gefürchteten Martin Bormann, brachte Huemer ins Hotel »Adlon«, »für Wissende das Berliner Hotel allerersten Ranges. Ich wurde dort während meines Aufenthaltes fürstlich einquartiert und von aufmerksamster Sorge umhegt. Ein ›Mercedes‹ mit einem Lenker, dem sonst nur Gäste von Rang anvertraut werden, stand mir den ganzen Tag zur freien Verfügung, und auf jeder Ausfahrt saß einer der bereits genannten Herren aus der nächsten Umgebung des Reichskanzlers als liebenswürdiger Schutzgeist an meiner Seite, mir zugleich als Cicerone dienend.« Der alte Herr war zum ersten Mal in Berlin, und Hitler zog alle Register, um ihn zu beeindrucken.

Zunächst blieb der »Führer« unsichtbar. Huemer erlebte ihn erst am 30. April vormittags bei der Eröffnung der Ausstellung »Gebt mir vier Jahre Zeit«. Es ging um Hitlers erste vier Regierungsjahre, die nun in pompöser Darstellung präsentiert wurden: als Erfolgsjahre in der Außenpolitik, der Wirtschaft, der Reduzierung der Arbeitslosigkeit, vor allem des Ausbaus der Schwerindustrie und vieler teurer Großprojekte. Die Beschäftigungszahlen waren seit 1933 rasant gestiegen. Vor allem das Letztere ließ viele Österreicher neidisch nach Deutschland blicken, denn offensichtlich sorgten die Nationalsozialisten dort gut für die kleinen Leute. Erst viel später wurde ihnen klar, dass diese großen Investitionen vor allem der Aufrüstung und der Vorbereitung eines Krieges dienten.

Erst der Nachmittag brachte dann, so Huemer, »das ersehnte Wiedersehen, dem mein Herz, wie leicht begreiflich, in namenloser Freude entgegenschlug … Mir wankte fast der Boden unter den Füßen.« Nach einem langen Weg durch »die Flucht von Gemächern, aus denen der Atem großer, erhebender, aber auch tragischer Vergangenheit den Geschichtskundigen anweht«, wurde er in Hitlers Büro geführt. Fünf Minuten später erschien Hitler »und hieß seinen bis ins Innerste ergriffenen Gast mit warmem Händedruck freundlich willkommen«.

90 Minuten hatte der Linzer Lehrer Zeit, um »unbefangen mit dem Manne zu plaudern, dem schon heute weltgeschichtliche Be-

deutung zukommt, der aber in seiner Anspruchslosigkeit und Bescheidenheit jedes Menschenherz im Sturm gewinnen muss, das sich ihm aufrichtig eröffnet. Dieses Auge, in dem heiliger Ernst und menschliche Güte wunderbar vereint Ausdruck finden, ist der untrügliche Spiegel seiner Seele. So kann nur ein Mensch in die Welt schauen, dem Verstellung und Lüge fremd sind, dem Wahrheit alles ist.«

Die beiden sprachen über Linz und Hitlers Jugend: »Die Erwähnung der geliebten Eltern des Reichskanzlers überzog sein seelenvolles Auge mit feuchtem Schimmer. Von unvergeßlichen Eindrücken erfüllt, fuhr ich ins Hotel zurück.« Sehr stolz war Huemer, dass der Reichskanzler ihn bat, ihn mit »mein lieber Hitler« anzusprechen.

Auch den 1. Mai erlebte der Linzer Lehrer in Berlin freudig mit: »Die Feier im Stadion, wo Hitler zur Jugend sprach, ein Märchenbild, das sich nicht beschreiben lässt; so etwas muss man gesehen haben. Die Festsitzung der Reichskulturkammer im Deutschen Opernhaus mit der gediegenen Ansprache Dr. Goebbels' und schließlich die Massenversammlung der Arbeiterschaft im Lustgarten, wo Hitler eine zündende Rede hielt, bannten meine Aufmerksamkeit.« Zum Abschied gab ihm Hitler noch viele Grüße mit »an die lieben Landsleute und die Heimat, die ihm sichtlich ans Herz gewachsen ist«.

Als Huemer schon im Weggehen war, sei Hitler »noch einmal, wie ein Jüngling, dahergesprungen, fasste mich am Arm und sagte: ›Kommen Sie, lieber Herr Professor, ich muss Ihnen noch etwas zeigen – unsere guten Leute!‹ Damit zog er mich die Treppe hinan und führte mich auf den historischen Balkon in der Wilhelmstraße, wo ihm eine berauschende Huldigung entgegenbrauste. Ein Menschenmeer wogte da unten. Ungezählte Tausende vereinigten ihre Stimmen zu einer gewaltigen Sinfonie der Liebe, die nicht mehr enden zu wollen schien … Ich war erschüttert.«

Huemer erinnerte sich in diesem Zusammenhang an die Triumphe der bisherigen deutschnationalen Führer, die er erlebt hatte: Georg von Schönerer, Karl Hermann Wolf, Karl Lueger und Otto von Bismarck. Hitler habe nun alle übertrumpft. Immerhin gestand Huemer zu, dass »die technischen Errungenschaften und Möglichkeiten gewiß auch das ihrige zu solch vulkanischer Wirkung auf die Massen beigetragen« hätten. Er nannte Hitler einen »gottbegnadeten Mann« und einen »Gottgesandten« und schwärmte: »Wenn ein Mensch, aus den kümmerlichsten Verhältnissen, ja aus dem Nichts hervorgegangen, dazu ausersehen ist, Führer von Millionen und der Abgott seines Volkes zu werden, ja vielleicht noch der Retter des Abendlandes, dann muss man an eine höhere Mission, an eine Sendung von oben glauben; anders ist das nicht zu verstehen.«

Er schloss: »Wir Oberösterreicher dürfen wahrlich stolz sein auf unseren großen Landsmann, dem der Allmächtige seinen gnädigen Schutz auch weiterhin gewähren möge, zum Wohle des deutschen Volkes, zum Heile der Welt!«[28]

Der Artikel hatte einen Riesenerfolg: »Eine Flut von entzückten Zuschriften, Zeitungsnotizen, Einladungen zu publizistischer Mitarbeit, Anfragen aller Art und Bettelbriefen« sei über ihn hereingebrochen, so Huemer. Vor allem war der lange Text eine gute Reklame für Hitler.

Ernst Koref dagegen kommentierte entsetzt das Verhalten seines Kollegen: »In einem Feuilleton der Linzer Tagespost beschrieb er emphatisch seinen Empfang beim Führer. So wandelbar erweisen sich bisweilen die Menschen.« Denn bisher habe Huemer gerne über die schlechten Französischleistungen seines ehemaligen Schülers gespottet und gescherzt: »ein solcher Franzosenhasser sei er [Hitler] damals bereits gewesen«.[29]

Noch 1946 rechtfertigte sich Huemer gegenüber solchen Vorwürfen: »Welcher Lehrer würde in einem Falle, wie er sich in einem Jahrtausend vielleicht einmal ereignet, nicht von den gleichen Gefühlen beseelt gewesen und dem Rufe seines Schülers nicht gefolgt sein?! Es dürfte in der Tat wenige Schulmeister noch gegeben haben, die einen ihrer unscheinbarsten Zöglinge als ein von der halben Welt angestauntes Wunder, ja gar als ihr Staatsoberhaupt, erlebt haben!!«

Und nun erst – nach Hitlers Tod – berichtete er auch über den Inhalt seines Gesprächs, das er 1937 mit Hitler in Berlin geführt hatte. Dieser habe ihm eine »weihevolle Geschichtsstunde« gegeben, »redete sich – förmlich entrückt – die Augen aufwärts gerichtet, laut werdend, in eine Begeisterung hinein, als hielte er eine seiner zündenden Reden vor einer Massenversammlung«. Auf Huemers Frage, »ob er einen zweiten Weltkrieg für wahrscheinlich halte, d. h. ob ein solcher in absehbarer Zeit zu befürchten sei«, habe Hitler geantwortet: »Ich glaube nicht daran, von uns geschieht alles, um auf friedlichem Wege zu unserem Recht zu kommen; sollte uns dies jedoch trotz meiner ehrlichen Bemühungen nicht gelingen, dann sind wir auch für alle Fälle vorbereitet.« Die »russische Dampfwalze« habe Hitler für überschätzt gehalten. Die Habsburger bezeichnete er als »abgetan« und »die friedliche Wiedervereinigung der Ostmark mit dem Reiche für den jahrhundertealten Sehnsuchtstraum aller Deutschen«.[30]

Unter jenen österreichischen Pilgern, die nach Berlin fuhren, um Hitler zu sehen, waren auch Abgesandte der in Österreich illegalen HJ (Hitlerjugend). Sie trugen keine HJ-Uniform, da das in Österreich verboten war, sondern traten in Lederhosen, weißen Stutzen und Trachtenschuhen an. Hitler empfing sie in der Reichskanzlei und schritt die Reihe der jungen Burschen ab.

Besucher auf dem Berghof

Im Sommer hielt Hitler gerne Hof auf dem Obersalzberg bei Berchtesgaden. Mit den reichlich fließenden Tantiemen von MEIN KAMPF hatte er 1933 das frühere Haus Wachenfeld und dann auch die benachbarten Häuser und Grundstücke gekauft und dabei massiven Druck auf die Eigentümer ausgeübt. Der »Berghof« wurde pompös ausgebaut. Gästehäuser, ein großer Gutshof, eine SS-Kaserne und ein stetig wachsendes Bunkersystem kamen bald hinzu. Und in angemessener Entfernung siedelten sich in weiteren Villen die wichtigsten Naziführer an. Neue Straßen und auch ein Flugplatz wurden gebaut. Um den Riesenkomplex zu sichern, war ein Großaufgebot an Polizei nötig. Denn der Berghof, in unbestritten herrlicher Landschaft, war inzwischen Hitlers zweiter Regierungssitz geworden.

Um hier den »Führer« bei einem seiner Spaziergänge zu sehen – wenn auch nur von Weitem –, kamen viele Touristen zum Berghof. Wenn Hitler gut gelaunt war oder gerade Pressefotos brauchte, winkte er seinen Verehrern leutselig zu. Besonders gerne ließ er sich mit jubelnden Jugendlichen fotografieren.

Gleich nach dem Ende der Tausendmarksperre begann ein wahrer Pilgerzug von Österreichern zum Berghof, vor allem auch aus dem nahen Linz. Das war Hitler keineswegs unangenehm. Denn er nutzte nun sehr geschickt die Nähe zur österreichischen Grenze, um bei seinen ehemaligen »Volksgenossen« auf Menschenfang zu gehen. Er lud möglichst einflussreiche dortige Anhänger zu sich ein, war charmant und großzügig und bereitete auch auf diese Art sehr zielbewusst ein günstiges Klima für den längst von ihm geplanten »Anschluss« vor.

Eduard Bloch erzählte 1941 in der Rückschau in New York: »Hitler pflegte seine Getreuen aus Oberösterreich auf seinem Sommersitz in Obersalzberg zu empfangen, das, an der salzburgisch-bayerischen Grenze gelegen, von Linz aus sehr leicht zu erreichen ist. Bei einer dieser Zusammenkünfte fragte er: ›Wie geht es meinem alten Hausarzt Dr. Bloch? Übt er seine Praxis aus, etc.

Hitler scherzt mit Mädchen auf dem Berghof

Ja, der ist eine Ausnahme, das ist ein Edeljude; wenn alle Juden so wären, würde es keine Judenfrage geben.‹ Natürlich berichteten mir mehrere meiner Patienten, die Mitglieder der illegalen Partei waren, ›wortgetreu‹ den Ausspruch des ›Führers‹.«[31] Hier also, auf dem Berghof, fiel zum ersten Mal der Ausdruck »Edeljude« für Eduard Bloch.

Der Satz vom »Edeljuden« war freilich wenig originell und in Antisemitenkreisen nicht selten zu hören. Er galt immer dann, wenn man einen ganz speziellen jüdischen Freund vom allgemeinen Antisemitismus ausnehmen wollte. Viele Antisemiten kannten solche »Ausnahmejuden«, auch noch in Zeiten der Judenverfolgung, wenn auch immer seltener. Aber ausgerechnet von Hitler als »Edeljude« bezeichnet zu werden machte seinen früheren Hausarzt Bloch in dessen Selbstverständnis zu einem außerordentlichen Menschen. Er war sichtlich geschmeichelt und wiederholte Hitlers Satz häufig, auch noch 1941 gegenüber der US-Zeitung COLLIER'S. Dort bezeichnete er Hitlers Worte als *»eine die lokalen Nazis irritierende Aussage«* und kommentierte: *»Es war eigenartig und in gewissem Sinn schmeichelhaft, dass Adolf Hitler in wenigstens einem Mitglied meiner Rasse etwas Gutes sehen konnte.«*[32]

Aber auch der »Edeljude« Bloch war hilflos gegenüber dem Druck, den die Nazis tagtäglich auf Juden ausübten. Bereits 1937 war seine Praxis meist leer. Viele Patienten trauten sich nicht mehr, zu einem jüdischen Arzt zu gehen, da Nazispitzel allgegenwärtig waren. Und sehr viele, ja die meisten österreichischen Nazis deklarierten sich nicht als solche, weil sie noch, etwa als Beamte oder Polizisten, vom Ständestaat abhängig waren. So herrschten große Unsicherheit, Misstrauen und Angst vor Repressionen. Bloch sagte rückblickend: *»Bereits ein Jahr vor Hitlers Einmarsch begann der Niedergang meiner Praxis. Darin hätte ich eine schlimme Vorbedeutung für kommende Ereignisse sehen können. Treue ältere Patienten waren ganz offen in ihren Erklärungen. Der von den Nazis gepredigte Hass erfasste vor allem jüngere Leute. Diese wollten nicht länger Patienten eines Juden sein.«*[33]

Welche Pläne in diesen Monaten in Berlin ausgeheckt wurden, erfahren wir aus Joseph Goebbels' Tagebuch vom 3. August 1937:

»In Österreich wird der Führer einmal tabula rasa machen. Hoffentlich erleben wir das alle noch. Er geht dann aufs Ganze. Dieser Staat ist kein Staat. Sein Volk gehört zu uns, und es wird zu uns kommen. Des Führers Einzug in Wien wird einmal sein stolzester Triumph werden.« Und am 19. Oktober 1937: »Von Österreich erzählt Funk tolle Dinge. [Walter Funk war Hitlers persönlicher Wirtschaftsberater und Staatssekretär.] Aber alle sind Nazis… Alles wartet auf die Erlösung. Es wird für sie ein furchtbares Erwachen werden.«[34] Und am 23. Oktober 1937: »Wir bekommen nun die Schillinge für die österreichische Werbung«, und zwar von Hermann Göring, der sehr zielbewusst und mit großem Kapitalaufwand den »Anschluss« Österreichs vorbereitete.

Dass nicht nur den »Peinigern Österreichs«, also dem christlichsozialen Ständestaat, »ein furchtbares Erwachen« bevorstand, sondern vor allem auch den österreichischen Juden, war vielen nicht klar – trotz all der Meldungen, die tagtäglich über die schlimme Lage der deutschen Juden eintrafen. Und immer noch verließ man sich in Österreich auf den Schutz der Westmächte, vor allem aber auf Italien – wie 1934 nach dem Dollfuß-Mord.

Österreich unter Schuschnigg

Statt sich nun endlich mit den Linken zu versöhnen und gemeinsam gegen die Nazis vorzugehen, ließ das Schuschnigg-Regime weiterhin Sozialdemokraten verhaften. Bevorzugte Opfer waren linke Ärzte, die außerdem jüdisch waren. Gegen sie ging der »Verein christlich deutscher Ärzte« aggressiv vor. In Spitälern erhielten sie beim kleinsten Anlass die Kündigung. Ihre Ordinationen wurden boykottiert. Und sie standen unter ständiger Beobachtung und wurden bei einem Fehler sofort angezeigt. Denn angeblich stellten Juden im katholischen Ständestaat einen allzu großen Anteil an der Ärzteschaft.

Eines dieser Opfer war im Herbst 1937 Dr. Hans Richter, der sehr beliebte Vertrauensarzt des Linzer Schutzbundes, Sozialdemokrat und Jude. Egon Basch nannte als Grund der Verhaftung »Sterilisierungen, die angeblich eigenmächtig von ihm vorgenommen wurden«. Richter wurde zu einer mehrmonatigen Gefängnisstrafe verurteilt, seine Praxis geschlossen. Sein Verteidiger und Anwalt Hermann Schneeweiß konnte »trotz der günstigen Zeugenaussagen der leider ebenfalls politisch unbeliebten Zeugen keinen Freispruch erwirken«. Denn alle Zeugen und der Anwalt waren ja Sozialdemokraten.

Nach der Abweisung der Berufung nahm sich Richter mit Veronal das Leben. Dazu bemerkte Basch traurig: »Die Tragik des Schicksals von Dr. Richter lag darin, dass er, der finanziell keineswegs auf Rosen gebettet, die ihm zur Last gelegten Operationen unentgeltlich und über Drängen seines Patienten ausgeführt hatte.«[35] An der Beisetzung von Richters Asche auf dem Jüdischen Friedhof in Linz nahmen sehr viele Menschen teil, vor allem Arbeiter, aber mit Sicherheit auch Hermann Schneeweiß und Eduard Bloch.

Schneeweiß trauerte immer noch um seine einzige Tochter Ruth, die 23-jährig an einer Lungenentzündung gestorben war. Sie war die beste Sportlerin des Linzer Jüdischen Turn- und Sportvereins gewesen und hatte sich die Krankheit beim Skifahren zugezogen. Die Linzer Judengemeinde nahm an ihrem frühen Tod großen Anteil und sammelte in Erinnerung an Ruth Schneeweiß Geld für die Stiftung des Herzlwalds bei Lydda in Palästina. Es kam Geld für 64 Ölbäume zusammen. Unter den Baumspendern waren natürlich auch die Blochs, die Kafkas, die Grabners, die Ehrmann-Loge und viele andere.[36]

Im September 1937 reiste Mussolini zum Staatsbesuch nach Berlin und wurde dort von Hitler mit größtem Pomp empfangen. Die beiden »Führer« waren nach 1934 enger zusammengerückt und bildeten nun die Erfolg versprechende neue Achse Berlin–Rom mit lukrativen Gegengeschäften: Italien brauchte im eroberten Abessinien politischen Rückhalt gegen England und bekam ihn durch Hitler. Im Gegenzug ließ der Duce Hitler in Europa freie Hand, vor allem in Österreich. Aber die Regierung Schuschnigg verließ sich immer noch auf den »Freund« Mussolini und rechnete fest damit, dass er Österreich im Notfall gegen das Deutsche Reich verteidigen würde – wie 1934 nach dem Dollfuß-Mord.

Der frühere Kronprinz Otto im Kreise der Heimwehr

Auch die Legitimisten waren in Österreich immer noch aktiv, und zwar als Gegner der Sozialisten wie der Nazis. Mit dem Slogan »Wir wollen den Kaiser« verteilten sie fleißig die Broschüre GEDANKEN UND AUSSPRÜCHE OTTO VON HABSBURGS, des im Ausland lebenden 25-jährigen »Thronerben«. In Linz hatten sie nur wenige Sympathisanten. Aber am 3. Dezember 1937 kam es im Linzer Volksgartensaal zu einer Saalschlacht zwischen Monarchisten und Nazis, »weil letztere die Versammlung durch Zwischenrufe zu stören versuchten. Mehrere Personen erlitten Verletzungen, fünf von ihnen mussten ins Spital geführt werden. Gegen hundert Personen wurden verhaftet.«[37]

Die Nazis sind siegessicher

Die österreichischen Nazis, deren Anzahl nun mit kräftiger Unterstützung der deutschen Parteigenossen rasch wuchs, wurden immer selbstbewusster, aggressiver und ungeduldiger. Aus heutiger Sicht kann kein Zweifel daran bestehen, dass sie fest mit der baldigen Machtergreifung in Österreich rechneten und deshalb siegessicher ins Jahr 1938 gingen.

So veröffentlichte der von Anton Fellner herausgegebene
ÖSTERREICHISCHE BEOBACHTER in der ersten Ausgabe des Jahres
1938, des »Jahres der Entscheidung«, ein Kampflied nach der Melodie »Der Gott, der Eisen wachsen ließ, der wollte keine Knechte«
mit der Aufforderung: »Abschreiben, auswendig lernen!«:

> »Wer schlägt im deutschen Österreich
> Der Freiheit eine Gasse?
> Wer setzet Tod und Leben gleich
> In nimmermüdem Hasse?
> Wen beugt kein Terror, keine Not
> Und keines Kerkers Qualen?
> Sie ist es, die der Staat verbot:
> Die Front der Illegalen!«

Und als letzte Strophe:

> »Auf, auf zum Kampf! Schon lacht der Tag
> Der Freiheit uns entgegen,
> So gürte sich zum letzten Schlag,
> Wer furchtlos und verwegen.
> Das Hakenkreuz, es leuchtet weit
> Aus tausend Siegesmalen,
> Des Führers Heimat hat befreit
> Die Front der Illegalen.«

Trotz dieser gefährlichen Entwicklungen aber waren viele Österreicher noch nicht sonderlich besorgt und vertrauten weiter auf
den Schutz Italiens, Englands und Frankreichs. Auch der ja etwas
weltfremde Eduard Bloch erzählte später über die Zeit unmittelbar vor dem Anschluss: »*Es ist eigenartig, nun zurückzuschauen
auf das Sicherheitsgefühl, das wir hatten, weil wir auf der richtigen Seite einer imaginären Linie lebten, der internationalen
Grenze. Ganz sicher würde es Deutschland nicht wagen, in Österreich einzumarschieren. Frankreich war uns freundlich gesinnt. Eine Okkupation Österreichs würde mit den Interessen
Italiens nicht vereinbar sein. Oh, aber wir waren blind in diesen
Tagen!*«[38]

Für den 12. Februar 1938 lud Hitler Bundeskanzler Schuschnigg nach Berchtesgaden ein. Dort schüchterte er den Besucher mit einer lauten, aggressiven Rede ein und drohte mit dem Einmarsch seiner Truppen in Österreich, falls Schuschnigg nicht sofort das Verbot der NSDAP aufhob, das Dollfuß im Juni 1933 erlassen hatte. Außerdem forderte er die Beteiligung österreichischer Nationalsozialisten an der Regierung, Pressefrieden zwischen Deutschland und Österreich, eine einheitliche Militärpolitik mit dem Deutschen Reich und eine Amnestie für verurteilte Nationalsozialisten. Im Gegenzug versprach er, sich nicht in die innerösterreichische Politik einzumischen.

Als gedemütigter, hilfloser Mann kehrte Schuschnigg nach Wien zurück. Nur sehr wenige Informationen über dieses Treffen gelangten in die Öffentlichkeit, was der Gerüchteküche reiche Nahrung gab.

Nun ging alles rasend schnell. Auf deutschen Druck wurde am 16. Februar 1938 der 45-jährige Wiener Rechtsanwalt und katho-

Innenminister Arthur Seyß-Inquart

lische Nationalsozialist Arthur Seyß-Inquart österreichischer Innen- und Sicherheitsminister und hatte damit die Weisungsgewalt über die Polizei. Bloch erinnerte sich später bitter: *An dem Tage, da der österreichische Kanzler Dr. Schuschnigg gezwungen war, den Nationalsozialisten Seyß-Inquart ins Cabinet aufzunehmen, wurde Österreichs Freiheit zu Grabe getragen.* Auch der Linzer Nationalsozialist und Redakteur Karl Itzinger maß dieser Ernennung große Bedeutung bei, »denn schließlich muss es auch Herr Schuschnigg wissen, dass die Nationalsozialisten, wenn sie einmal seinen kleinen Finger haben, bald nach der ganzen Hand greifen«.[39] Sofort nach seiner Amtsübernahme reiste Seyß-Inquart zu Hitler nach Berlin.

Am 17. Februar meldete sich der 25-jährige Otto von Habsburg aus dem Exil zu Wort. Er schlug Schuschnigg brieflich vor, zur Abwehr der Nazis eine Allparteienregierung zu bilden und ihn, Otto, zum Bundeskanzler zu machen. Das lehnte Schuschnigg ab, obwohl er ein Monarchist war.

Wie Hitler es verlangt hatte, erließ die Schuschnigg-Regierung nun eine Amnestie für politische Straftaten der österreichischen Nazis. Für Itzinger war es »sehr erfreulich, dass jetzt nicht nur die vielen Eingesperrten aus den Kerkern kommen, sondern die entzogenen Pensionen und Unterstützungen wieder ausbezahlt und die zahllosen Maßregelungen von Schülern wieder zurückgenommen werden«. Auch die »Wiener Judenblätter« würden nun endlich in ihre Schranken gewiesen. Und am 17. Februar 1938 notierte Itzinger nach der Freilassung seiner Nazikollegen: »Eine Welle von Liebe schwelt den Befreiten entgegen, die leuchtenden Auges mit erhobener Hand und mit gläubigem ›Heil Hitler‹ vor die Gesinnungsgenossen treten … Sie sind nicht zermürbt, sondern noch mehr gehärtet worden hinter den Gitterstäben der Kerker eines Systems, das sich ›christlich‹ nennt.«

In diesen Tagen beobachtete der 27-jährige jüdische Linzer Geschäftsmann Viktor Gans bei einer Reise in die Steiermark, »wie es dort in den Nazikreisen kochte. Die Nazis erkämpften sich ihren Weg in die Regierung. Im Burgenland stationierte Armeeteile wurden in die Steiermark transferiert, angeblich zur Verstärkung, und all das ließ mich zum erstenmal erkennen, welcher Gefahr Österreich entgegensah.«

Die Angst vor dem Kommenden wurde in Mürzzuschlag verstärkt, so Gans: »Dort sah ich mit eigenen Augen, wie eine Kompanie österreichischer Soldaten, die zum Schutz vor den Nazis dorthin geschickt war, den Nazigruß erwiderten, womit eine begeisterte Bevölkerung sie begrüßte. In diesem Augenblick hatte ich die höchst niederdrückende Empfindung, dass alles bereits verloren war. Bei der Weiterreise konnte ich Scharen junger Leute mit Hakenkreuzbinden und Nazifahnen an ihren Fahrrädern sehen. ›Heil Hitler‹ war der akzeptierte und erwartete Gruß, und das bisher versteckte Emblem ›Freiheit und Brot‹ wurde nun öffentlich getragen. In Bruck a/Mur konnte ich Panzer, Gewehre und automatische Waffen sehen. Das alles war der Beweis, dass irgendetwas Militärisches in der Luft lag.«

Die Steiermark und Kärnten waren die Hochburgen der österreichischen Nazis. In Linz dagegen sei es laut Gans nicht so schlimm gewesen: »Ja, es waren dort überall Hakenkreuze zu sehen, auch verstärkte Aktivitäten der Illegalen. Aber so gut wie jedermann war der Meinung, dass weder England, Frankreich, die Vereinigten Staaten noch Italien einen Versuch Deutschlands zum Einmarsch in Österreich befürworten würden.«[40]

Am 20. Februar kam es auch bereits in Linz zu Freudenkundgebungen. Der NS-Redakteur Itzinger: »Hakenkreuzfahnen flattern überall auf, Hände erheben sich allerorts zum deutschen Gruß, Menschen sammeln sich am Abend, freudig bewegt, auf den Straßen und Plätzen. Ungezählte Freudenfeuer lodern auf den Berglehnen, viel hunderttausende Menschen in Österreich ... beenden heute bewegten Herzens und voll andächtigem Dank ihr Tagewerk mit einem aufrichtigen ›Heil Hitler!‹«

In dieser angespannten Situation versuchte Bundeskanzler Schuschnigg immer noch mit wachsender Verzweiflung, von Mussolini Hilfe und Unterstützung zu bekommen. Aber der Duce war für ihn nicht zu sprechen, da er »Ski fahren« war. Das kleine Österreich war isoliert.

10 Der »Anschluss«

Am 4. März 1938 schrieben die Linzer MITTEILUNGEN FÜR DIE JÜDI-
SCHE BEVÖLKERUNG IN DEN ALPENLÄNDERN: »Zeiten politischer
Unrast waren stets für die Juden schwierig. Daher sind auch die
jüngsten Vorkommnisse und die Unklarheit der Entwicklungen
für die Judenschaft in Österreich eine schwere Nervenprobe…
Niemand aber wird uns wohl daraus einen Vorwurf machen
können, dass wir mit leidenschaftlicher Ablehnung einem politischen System gegenüberstehen, das als seinen wichtigsten Grundsatz die moralische Ächtung und die ökonomische Vernichtung
unserer Gemeinschaft aufgestellt hat. Deshalb begrüssen wir
dankbar die Bemühungen, Österreich frei und unabhängig zu erhalten; in dessen Verfassung und in den Zusicherungen seiner lei-
tenden Männer erblicken wir die Gewähr, dass auch wir Juden mit
allen andern Einwohnern dieses Staates gleiche Rechte geniessen
und in keiner Weise herabgesetzt und benachteiligt werden sollen.«
Das war ein Appell an den Ständestaat, angesichts der Gefahr von
außen den Antisemitismus zu zügeln.

Dann appellierte die Zeitung an die Gemeindemitglieder:
»Nach aussen gelte unser Verhalten: Zurückhaltung und Ein-
schränkung, mehr als je zuvor. Jeder Jude muss sich heute doppelt
bewusst sein, dass er sein Verhalten nicht für sich zu verantworten
hat, sondern dass jeder von uns als Repräsentant unserer Gemeinschaft im Blickfeld seiner Umgebung steht… Stärkste Solidarität
haben wir zu beweisen. Gerade jetzt müssen wir alle Kräfte an-
spannen, um unsere Institutionen zu erhalten, nein, um sie verstärkt auszubauen… Und wir müssen uns soziale Einrichtungen
schaffen, welche uns ein geistiges und gesellschaftliches Leben im
eigenen Kreis, ungestört von einer feindseligen Umwelt ermöglichen.«

Am 5. März 1938 hielt der österreichische Innenminister Arthur Seyß-Inquart im Linzer Landhaus vor 500 NS-Vertrauensleuten eine Rede, die im Radio übertragen und in allen Zeitungen breit zitiert wurde. Er beschwor die »deutsche Sendung« Österreichs: »Das geistige volksdeutsche Reich ist heute bereits Tatsache, nicht nur eine kulturelle und geistige, sondern auch eine Tatsache von politischer Bedeutung.« Er rühmte Hitler, den »Sohn dieses oberösterreichischen Landes«, als Befreier des deutschen Volkes.

Ein deutscher Frühling über Oesterreich

Die programmatischen Erklärungen Seyß-Inquarts in Linz.
50.000 auf den Straßen der Stadt. — „Das geistige volksdeutsche Reich ist Tatsache."
„Mitarbeit und Mitverantwortung." — Neubesetzung der öffentlichen Körperschaften.

Dann erklärte er in vielen Beispielen, was österreichischen NS-Parteimitgliedern in der aktuellen Situation erlaubt sei und was nicht. Es ging dabei um das Singen des HORST-WESSEL-LIEDES (vorerst noch verboten), das Hissen von Hakenkreuzfahnen (nur erlaubt bei deutschen Staatsgästen), das Tragen des Hakenkreuzes (verboten in öffentlichen Ämtern und Schulen, erlaubt nur für Reichsdeutsche und als Vereinsabzeichen), schließlich um »Heil Hitler« (als Gruß erlaubt, aber in Behörden unzulässig). Das Singen der Bundeshymne war nur mit österreichischem Text erlaubt. Das musste betont werden, da sie exakt dieselbe von Joseph Haydn komponierte Melodie hatte wie die deutsche Hymne. Im Deutschen Reich sang man dazu »Deutschland, Deutschland über alles«, in Österreich den folgenden Text:

> »Sei gesegnet ohne Ende, Heimaterde wunderhold!
> Freundlich schmücken dein Gelände Tannengrün und
>   Ährengold.
> Deutsche Arbeit, ernst und ehrlich, deutsche Liebe, zart
>   und weich.

Vaterland, wie bist du herrlich, Gott mit dir, mein
Österreich!«

Das gab zu Verwechslungen Anlass, zumal sich die Österreicher
in ihrer Hymne zu »deutscher Arbeit« und »deutscher Liebe, zart
und weich« bekannten. Jedenfalls konnten die österreichischen
Hitler-Anhänger beim Absingen der Hymne einfach den deutschen Text singen – nur nicht zu deutlich – und sich so im Hitler-
Reich fühlen. Dazu ein skeptischer Kommentar des Linzer Hitler-
Anhängers Karl Itzinger: »Jetzt wissen wir wenigstens, dass einige
Ventile geöffnet sind, es scheint aber doch, als wäre die Spannung
im österreichischen Dampf- und Wurstkessel schon zu groß, als
daß man nicht trotzdem die Gefahr einer plötzlichen Explosion
stark befürchten müßte.«[1]

Angesichts der Bedrohung durch das »Hitler-Reich« kündigte
Kurt von Schuschnigg am 9. März 1938 äußerst kurzfristig eine
Volksbefragung für den 13. März an, also nur vier Tage später. Die
Parole: »Für ein freies und deutsches, unabhängiges und soziales,
für ein christliches und einiges Österreich!« Das Wahlalter war
auf 24 Jahre heraufgesetzt worden mit dem offenkundigen Ziel,
die zahlreichen jugendlichen Nazianhänger von der Wahl auszuschließen und auf diese Art die Mehrheit zu sichern. Die Abstimmung sollte nicht geheim, sondern offen sein. Präzise Wählerlisten zu erstellen war in der Eile nicht möglich. Es wurden nur
Ja-Zettel gedruckt und in Unmengen verteilt. Umschläge waren
für die Stimmzettel nicht erlaubt. So war der Manipulation Tür
und Tor geöffnet.

Da es keine Wählerlisten ab, konnte jedermann über 24 Jahren
solche »Ja-Zettel« in beliebiger Menge und in verschiedenen Lokalen zu den Wahlurnen bringen.

Erst jetzt, in dieser bedrängten Lage, nahm Schuschnigg Kontakt zu den bisher unterdrückten und entrechteten Sozialdemokraten auf und bat sie um Unterstützung bei der Abstimmung. Es
waren vor allem Juden, die dem autoritären, katholischen und antisemitischen Regime angesichts der drohenden Gefahr Gelder in
Millionenhöhe für den Wahlkampf zur Verfügung stellten. Für sie

*Da es keine Wähler-
listen gab, konnte jeder-
mann über 24 Jahre
solche »Ja-Zettel« in
beliebiger Menge und in
verschiedenen Lokalen
zu den Wahlurnen brin-
gen; auch die Zeitungen
brachten im Großfor-
mat Ja-Zettel zum belie-
bigen Ausschneiden*

Stimmzettel für die Volksbefragung!

Ja!	Ja!	Ja!
Ja!	Ja!	Ja!
Ja!	Ja!	Ja!
Ja!	Ja!	Ja!
Ja!	Ja!	Ja!
Ja!	Ja!	Ja!
Ja!	Ja!	Ja!

Ausschneiden!   **Verteilen!**

war der Faschismus unter Schuschnigg immer noch das kleinere Übel als Hitlers rigoros antisemitischer Kurs.

Die österreichischen Nazis waren über die geplante Volksbefragung empört, ebenso wie Goebbels, der am 10. März 1938 in sein Tagebuch schrieb: »Schuschnigg plant einen ganz gemeinen Bubenstreich. Will uns übertölpeln. Ein dummes und albernes Volksbegehren machen. Dazu eine gemeine Rede. Wir überlegen: einfache Wahlenthaltung oder 1000 Flugzeuge mit Flugblättern über Österreich und dann aktiv eingreifen. Jedenfalls stelle ich gleich einen Arbeitskreis zusammen.« Und: »Noch bis 5 h nachts mit dem Führer allein beraten. Er glaubt, die Stunde ist gekommen. Will nur noch die Nacht darüber schlafen. Italien und England werden nichts machen. Vielleicht Frankreich, aber wahrscheinlich nicht. Risiko nicht so groß wie bei der Rheinlandbesetzung … Der Führer ist in großer Fahrt. Eine wunderbare Kampfstimmung.«[2]

Für den Vormittag des 11. März notierte der Redakteur und Hitler-Anhänger Itzinger eine lebhafte Tätigkeit der »Schuschnigg-Trabanten«: »Sie kleben überall Plakate an mit dem Kopf Schuschniggs und streuen massenhaft Zettel mit den uns schon langweilig werdenden Parolen: ›Rot-weiß-rot bis in den Tod!‹, ›Ja für Schuschnigg!‹« Ein Flugblatt hatte den Text: »Wir sind zu jedem Kampf bereit – Für Österreichs Unabhängigkeit!« Gehsteige und Wände wurden mit Kruckenkreuzen bemalt. Aus Flugzeugen wurden Zettel abgeworfen mit aufgedrucktem »Ja«. Itzinger: »Lautsprecherwagen brüllen den Passanten der Hauptstraßen überall ihr ›Ja für Schuschnigg‹ entgegen, Lastkraftwagen fahren durch die Stadt, mit ›Ja‹-Plakaten behängt.«

Während die Nazis von Haus zu Haus die Parole ausgaben, der Abstimmung fernzubleiben, streute die Vaterländische Front Flugzettel aus mit dem Text:

»Wollt Ihr Frieden, Freiheit, Brot,
Dann haltet zur Fahne Rot-weiss-rot!
Durchs Hakenkreuz zu Hass und Not,
Durchs Hakenkreuz zu Krieg und Tod!«[3]

Am frühen Nachmittag des 11. März mobilisierten die Linzer Nazis ihre Anhänger, überrumpelten die Polizei und strömten in die Innenstadt, um die Abstimmung zu verhindern. Dazu Itzinger: »Bald wird es sich zeigen müssen, was in Österreich mächtiger ist: der verfaulende, aber mit allen möglichen schäbigen Mitteln arbeitende Apparat der ›Vaterländischen Front‹ oder die erwachte deutsche Volksseele.«[4]

Der Linzer Jude Viktor Gans erinnerte sich: »So lang ich lebe, werde ich niemals die explosive Spannung vergessen, die in Nazikreisen vorherrschte … Uns gegenüber in der Bürgerstraße 11 war ein fast ununterbrochener Konvoi von Lastwagen, Motorrädern und anderen Vehikeln, jedes beladen mit Paketen und Materialien wie Flaggen und Plakaten. Ich erspähte Herrn Wolkerstorfer, einen bekannten Nazi, der diese Operationen mit einigen Helfern leitete.«[5]

Der Nazi Sepp Wolkerstorfer, der noch an diesem Tag Linzer

Bürgermeister werden sollte, berichtete später: »Viele Tausende
Menschen auf der Straße, jeder war unruhig, wusste nicht, wie die
Sache weitergeht. Währenddem war aber von den Formationen bereits die Polizei besetzt, [in den] einzelnen Kasernen waren Vertrauensleute von uns drinnen, bei der Gendarmerie, beim Sender,
lauter unsere Leute.« Gegen halb zwölf Uhr nachts »wurde durchgegeben, dass jeder Gendarmerieposten in Oberösterreich, jede
Gemeinde in Oberösterreich und alle öffentlichen Ämter und Gebäude von unseren Vertrauensleuten besetzt sind. Ziemlich dasselbe wurde auch durchgegeben von Niederösterreich, Steiermark, Salzburg, Kärnten.« Auf die Frage, ob politische Gegner in
Erscheinung getreten seien, meinte Wolkerstorfer: »Überhaupt
nicht ... Weder einzeln noch in Gruppen, noch in Gesprächen oder
auf der Straße oder in einem Lokal, sondern überall hörte man auf
einmal: ›Heil Hitler! Heil Hitler! Heil Hitler!‹«[6]

Jetzt kam es auf Innenminister Arthur Seyß-Inquart an, ob er
die Sache Schuschniggs oder Hitlers vertreten würde. Goebbels
schrieb am 11. März 1938 in sein Tagebuch: »Seyß-Inquart wird
das tuen, was der Führer befiehlt. Er hat von Schuschniggs Schur-
kenstreich nichts gewußt.« 4000 Mann der Legion, also österreichische Nazis im deutschen Exil, seien sofort marschbereit, dazu
noch 7000 Mann Reserve: »Wir zeichnen sie auf Karten ein und
entwerfen Transportpläne.«

Hitler gab an diesem 11. März unter dem Decknamen »Fall
Otto« (gemeint war der habsburgische Thronprätendent Erzherzog Otto) die Weisung Nr. 1 heraus. Darin drohte er, »mit bewaffneten Kräften in Österreich einzurücken«, falls Schuschnigg
nicht die von Seyß-Inquart an ihn gerichteten Ultimaten befolge.
Es sei sein Wunsch, »dass das ganze Unternehmen ohne Anwendung von Gewalt in Form eines von der Bevölkerung begrüßten
friedlichen Einmarsches vor sich geht«.

Goebbels schrieb an diesem Tag in sein Tagebuch: »Wieder mal
eine große Zeit. Mit einer großen geschichtlichen Aufgabe ... Der
Führer arbeitet mit den Generälen die Marschpläne aus.« Itzinger
erfuhr bereits gegen 16 Uhr: »Abstimmung abgesagt! Schuschnigg muss gehen!«

Viktor Gans dagegen war nicht so gut informiert. Er wunderte sich, dass sich gegen 17.30 Uhr »Gruppen von SA-Männern und anderer Nazis in unseren Straßen gesammelt [hatten], wieder unter Leitung Wolkerstorfers. Wir waren einfach verblüfft. Wo war unsere Polizei, um zu intervenieren oder diese illegalen Aktivitäten zu beenden? Die Spannung wuchs sichtbar, wenn das noch möglich war, bis sich gegen 8 Uhr abends Kanzler Schuschnigg wieder an das österreichische Volk wandte.«[7]

Und Eduard Bloch erinnerte sich: *Am Freitag, dem 11. März 1938, übertrug der Wiener Rundfunk ein leichtes Musikprogramm. Es war 7.45 Uhr am Abend, als sich plötzlich der Sprecher einschaltete. Der Kanzler werde sprechen. Schuschnigg ging auf Sendung und sagte, dass er, um Blutvergießen zu vermeiden, vor Hitlers Wünschen kapituliert habe. Die Grenzen würden geöffnet. Er beendete seine Ansprache mit den Worten:* »Gott schütze Österreich.«[8] Hierauf ertönte im Radio zum letzten Mal die österreichische Nationalhymne »Sei gesegnet ohne Ende …«, laut Bloch *der Grabeschoral von Österreichs Selbstständigkeit! … Dann wurden wir in einem atemlosen Sturm der Ereignisse gefangen genommen.*

Gans erlebte Schuschniggs Abschied über Lautsprecher auf der Straße in Linz mit: »Niemand kann jemals die Trauer und den Kummer dieser letzten Worte unseres Kanzlers vergessen.« Frauen weinten, und auch Männern sei es schwer gewesen, die Tränen zurückzuhalten: »Unser Kanzler war betrogen worden, Österreich von einer Horde von Mördern und Dieben überfallen, die in Wirklichkeit Feiglinge waren. Aber der größte Schlag kam vom Mob jugendlicher Fanatiker im Verein mit blutdürstigen und neidischen Horden, die den Dolch ins Herz ihres eigenen Volkes und Landes stießen … Die Straßen füllten sich mit [österreichischen] Braunhemden [SA] und Schwarzhemden [SS] und Fanatikern, die schrien, sangen und ihren ›Sieg‹ feierten. Fahnen erschienen überall, Fenster wurden eilig dekoriert – alles, um diese Vergewaltigung gebührend zu feiern. Aber niemand wird je wissen, wie viele, hätten sie genug Mut dazu aufgebracht, ihre Gefühle lieber mit schwarzen Trauerfahnen ausgedrückt hätten.«[9]

Um 20 Uhr notierte Itzinger in sein Tagebuch: »Das Stadtbild
hat sich vollkommen verändert! An Stelle der rot-weiß-roten Kru-
ckenkreuzfahnen wehen jetzt die Hakenkreuzfahnen. Nationalsozialistische Jugend marschiert durch die Stadt, ruft ›Heil Hitler!‹
und ›Sieg Heil‹, singt das ›Deutschlandlied‹, das ›Horst-Wessel-
Lied‹ und ›Es zittern die morschen Knochen‹. Hell und siegessicher
hallen die Klänge der jungfrischen Stimmen durch die verdäm-
mernden Gassen.«[10] Hakenkreuzfahnen wehten inzwischen von
fast allen Rathäusern und auch vom Bundeskanzleramt in Wien.

Um 23 Uhr an diesem 11. März gab Radio Wien bekannt, dass
Bundespräsident Wilhelm Miklas »unter dem Druck der innen-
politischen Verhältnisse den Bundesminister Dr. Seyß-Inquart
zur Aufrechterhaltung von Ruhe und Ordnung mit der Führung
der Regierungsgeschäfte betraut«, also zum Bundeskanzler er-
nannt hatte. Itzingers zufriedener Kommentar: »Jetzt geht die
Uhr richtig!«[11]

Um Mitternacht brachte Radio Wien das DEUTSCHLANDLIED,
gefolgt vom HORST-WESSEL-LIED. Der Textautor Horst Wessel war
ein junger Berliner SA-Sturmführer gewesen, der 1930 angeblich
von Kommunisten ermordet und deshalb nun von den Nazis als
Märtyrer verehrt wurde. Der Text des Liedes:

»Die Fahne hoch! Die Reihen dicht geschlossen!
SA marschiert mit ruhig festem Schritt.
Kam'raden, die Rotfront und Reaktion erschossen,
Marschieren im Geist in unsern Reihen mit.
Die Straße frei den braunen Bataillonen,
Die Straße frei dem Sturmabteilungsmann!
Es schau'n aufs Hakenkreuz voll Hoffnung schon Millionen,
Der Tag für Freiheit und für Brot bricht an!
Zum letzten Mal wird nun Appell geblasen,
Zum Kampfe stehn wir alle schon bereit.
Bald flattern Hitlerfahnen über alle Straßen.
Die Knechtschaft dauert nur noch kurze Zeit!«

Goebbels schrieb um Mitternacht zum 12. März zufrieden in sein
Tagebuch: »Die Würfel sind gefallen: am Samstag Einmarsch.

Gleich bis Wien vorstoßen. Große Flugzeugaktion. Der Führer
geht selbst nach Österreich.«

Der 12. März

Nachts um 1.18 Uhr des 12. März wurde im Radio die neue Minis-
terliste verlesen, auf der sich auch ein Linzer befand: Rechtsanwalt
Dr. Ernst Kaltenbrunner, seit 1935 österreichischer SS-Führer,
war nun Staatssekretär für die öffentliche Sicherheit, also für die
Polizei zuständig. Justizminister war der Notar Dr. Franz Hueber,
Hermann Görings österreichischer Schwager.

In dieser Nacht überschritten Hitlers Truppen Österreichs
Grenzen. Dass dies ohne Gegenwehr und ohne einen einzigen
Schuss geschehen konnte, hatte kaum einer der Einmarschierenden
für möglich gehalten. Egon Baschs Sohn erfuhr von einem deutschen Soldaten, »dass die Offiziere und die Mannschaft darauf
vorbereitet waren, beim Einmarsch in Österreich auf heftigen Widerstand zu stossen und dass sie sehr erstaunt gewesen wären, eine
so friedliche, fast freundliche Bevölkerung vorzufinden«.[12]

Am 12. März um sechs Uhr morgens notierte der Linzer Journalist Karl Itzinger, der sich gerade in Wels aufhielt: »Motoren-
gedröhne vom Westen her! Alles eilt an die Fenster oder auf die
Straße. Flugstaffel, gebildet von schnittigen Flugzeugen, rasen
heran… Bundeskanzler Dr. Seyß-Inquart hat also die Hilfe des
Deutschen Reiches angerufen, um Österreich vor einem Bürgerkrieg zu bewahren.« Dass die Regierung in Wien das Deutsche
Reich um den Einmarsch gebeten hatte, war freilich eine Schutz-
behauptung Görings. Er hatte zwar von Seyß-Inquart einen solchen Hilferuf eingefordert, ihn aber nie erhalten.

Itzinger: »Flinke, wendige Tanks kommen, riesige Lastautos
rollen heran, besetzt von heiter blickenden deutschen Soldaten.
Man kennt ihnen die Freude am Gesicht an, dass es in diesem
›Krieg‹ nur zu einem Wettlauf kommt, wer den Soldaten zuerst
die Hand drücken kann. Stellenweise drängen sich die Frauen mit
Körben, Paketen usw. heran, um den Soldaten einen Imbiß oder
Rauchzeug zu bringen.«[13]

Der Jude Egon Basch schilderte den »Einmarsch« anders: »Man hörte unaufhörlich ›Sieg Heil‹ und ›Heil Hitler‹ und die üblichen Gesänge. Die Terrorbanden warfen Papierbomben und tapezierten den Boden mit Hakenkreuzen. Zwischendurch marschierten Hitlerjünglinge durch die Straßen und sangen das Horst-Wessel-Lied und ›Heute gehört uns Deutschland und morgen die ganze Welt‹. Sehr geschäftige Patrioten trugen Armbinden mit dem Hakenkreuz, besonders Frauen schmückten sich gerne mit diesen Emblemen des Nationalsozialismus, die sie als Medaillon oder Anstecknadel zur Schau trugen. In den Auslagen der Geschäfte tauchten Bilder des Führers sowie der übrigen Parteigenossen auf. Am Abend gab es festlich beleuchtete Fenster. Demgegenüber herrschte unter den Gegnern des Nationalsozialismus Angst und Schrecken. Besonders unter den Juden führte die Angstpsychose zu überstürzten Handlungen und Selbstmorden.«[14]

Der Nazi Itzinger wiederum schwärmte um 12.10 Uhr des 12. März: »Zehntausende überglückliche Menschen stehen dichtgedrängt auf der zwei Kilometer langen Landstraße in Linz. Drei Panzerautos fahren ein, werden mit Blumen überschüttet und mit unglaublich großer Begeisterung empfangen. Ihnen nach fluten die Kolonnen der motorisierten Truppen. Man meint, die Häuser müssten zittern, ob der Freudenausbrüche der Linzer Bevölkerung.«

Hitler bereitete sich inzwischen auf seinen Einzug in Linz vor und ließ über das Radio jene Leute aufrufen, die er beim Empfang im Rathaus gerne sehen wollte: seinen alten Lehrer Eduard Huemer, den lokalen Parteifunktionär Oberhummer, den Uhrmacher Liedel und seinen Jugendfreund August Kubizek. Dieser freilich, inzwischen Stadtamtsleiter in Eferding, konnte nicht nach Linz kommen – wegen der vielen Arbeit, die der »Anschluss« den Beamten auch im kleinen Eferding abforderte.

Linzer, Flaggen heraus!

Heute, 20 Uhr, nationalsozialistische Siegesfeiern im ganzen Lande Oberösterreich

Schlagzeile des LINZER VOLKSBLATTS *am 12. März*

Um 13 Uhr verlas Joseph Goebbels im Radio und über Lautsprecher einen langen Hitler-Text: »Eine ewige geschichtliche Verbundenheit, die erst durch das Jahr 1866 gelöst wurde, im Weltkriege aber eine neue Besiegelung erfuhr, fügt sich Österreich seit jeher ein in die deutsche Volks- und Schicksalsgemeinschaft.« In grellen Farben malte er das Elend unter Dollfuß und Schuschnigg und kam schließlich auf die geplante Volksbefragung zu sprechen: »Ein Land, das seit vielen Jahren überhaupt keine Wahl mehr gehabt, dem alle Unterlagen für die Erfassung der Wahlberechtigten fehlten, schreibt eine Wahl aus, die innerhalb von knapp dreieinhalb Tagen stattfinden soll. Es gibt keine Wählerlisten, es gibt keine Wählerkarten. Es gibt keine Einsichtnahme der Wahl, es gibt keine Verpflichtung der Geheimhaltung der Wahl, es gibt keine Garantie für die unparteiische Führung des Wahlaktes, es gibt keine Sicherheit für die Auszählung der Stimmen usw. ...« Er dagegen, so Hitler, sei legal an die Regierung gekommen: »Durch hundert Wahlkämpfe sind wir gegangen und haben uns mühselig die Zustimmung des deutschen Volkes erobert.«

Und schließlich: »Ich habe mich dazu entschlossen, den Millionen Deutschen in Österreich nunmehr die Hilfe des Reiches zur Verfügung zu stellen. Seit heute morgen marschieren über alle Grenzen Deutsch-Österreichs die Soldaten der deutschen Wehrmacht.« Das deutsche Volk in Österreich sehe »in den zu Hilfe gekommenen Brüdern die Rettung aus tiefster Not.«[15]

Gegen Mittag traf General Kurt Daluege, Chef der Ordnungspolizei, aus Berlin in Linz ein, um Hitlers Rede vom Balkon des Rathauses vorzubereiten. Zahllose Lautsprecher wurden aufgestellt. Das Linzer Nobelhotel »Weinzinger« wurde für Hitler und das Gefolge hergerichtet. Der »Führer« hatte sich ein Zimmer mit Aussicht auf die Donau und den Pöstlingberg gewünscht, wie er es aus der letzten Wohnung seiner Mutter in der Blütenstraße gewohnt gewesen war. Inzwischen kündigte der Rundfunk Hitlers baldiges Kommen an. Menschenmassen strömten von nah und fern in die kleine Stadt Linz.

Um 13.50 Uhr notierte Itzinger: »Die breite Landstraße in Linz ist so überfüllt mit Menschen, dass man nur schrittweise vor-

Das Linzer Hotel »Weinzinger«, wo Hitler am liebsten abstieg

wärts kommt. Es mutet an, als ginge man durch eine Feststraße.
Von jedem Haus wehen Fahnen, die meisten Fenster sind geschmückt mit Führerbildern, Sprüchen oder Blumen. Unglaublich
viel Hakenkreuzfahnen, sodass man staunen muss, von woher sie
kommen … Besonders die Jugend ist unermüdlich im Bestaunen
der strammen, zumeist prächtig gewachsenen und sauber gekleide-
ten deutschen Soldaten.«

Um 15.50 Uhr passierte der deutsche Reichskanzler Adolf
Hitler die österreichische Grenze – mit Absicht und wohlbedacht
in seiner Geburtsstadt Braunau am Inn, wo einst sein Vater Zoll-
beamter gewesen war. Von dort aus rollte der lange Wagenkonvoi
über Ried und Wels nach Linz, Hitlers »Heimatstadt«. Die Fahrt
gestaltete sich zum wahren Triumphzug, und Hitlers Autokolonne
kam wegen der jubelnden Menschenmassen nur sehr langsam und
stockend voran.

Auf dem Linzer Hauptplatz drängten sich bereits seit Stunden die wartenden Menschen. Frierend hörten sie die Reden von
Parteileuten, die laut Viktor Gans »einer nach dem andern Österreich lächerlich machten und versuchten, sich in Lobpreisungen
Hitlers gegenseitig zu übertrumpfen«. Aus zahllosen Lautspre-

chern wurde verkündet, auf welcher Station seiner Reise sich »der
Führer« gerade befand.

Auch die Blochs waren in großer Aufregung, so Eduard: *In
den folgenden schlaflosen Tagen hingen wir an unseren Radios.
Truppen ergossen sich über die Grenzen in Passau, Kufstein, Mit-
tenwald und anderswo.*

Als erster der mächtigen Parteimänner traf Heinrich Himmler, Reichsführer SS und Chef der deutschen Polizei, mit dem Zug
in Linz ein. Nun hielt auch er vom Balkon des Rathauses aus eine
Rede und, so Itzinger: »Österreichisches Militär zieht auf, grüßt
mit dem deutschen Gruß und wird dafür ungeheuer bejubelt.«
Die bisher verdeckt agierenden Linzer Nazis demonstrierten nun
öffentlich, in welchem Lager sie bereits seit Langem standen.

Bereits am 12. März begannen österreichische SS-Männer und
die Gestapo damit, prominente Politiker und Beamte des Ständestaats aus den Ämtern zu entfernen und zu verhaften, darunter
katholische Priester, Monarchisten und andere Stützen des

*Vor dem Linzer Rat-
haus wartet österreichi-
sche SA auf Hitlers
Ankunft; in Ermange-
lung von Naziunifor-
men malten sie sich
Hakenkreuze auf die
Helme; die weißen
Strümpfe und die
Knickerbocker sind ihre
Erkennungszeichen als
(bisher illegale) Nazis*

Euphorische Massen vor Hitlers Mercedes

Schuschnigg-Regimes. So stürmte zum Beispiel »eine große Schar von Männern, im Gefolge des neuen kommissarischen Leiters der Arbeiterkammer« in das Amtszimmer von Dr. Alfred Maleta, dem Leiter der Linzer Arbeiterkammer. Maleta berichtete: »Alle trugen Hakenkreuzarmbinden und Parteiabzeichen. Mein staunendes Auge registrierte darunter sogar Bundes- und Cartellbrüder, die meine Mitarbeiter waren und seinerzeit von mir als Vertrauensmänner angestellt wurden. Einer darunter fungierte dann einige Tage später als Ankläger in einem Disziplinarverfahren, das mit meiner fristlosen Entlassung endete.« Unter den Nazis war auch Maletas bisheriger »Vizepräsident, der Jahre vorher als besonderer Vertrauensmann des Heimatschutzes in diese Funktion berufen wurde«.[16]

Eduard Bloch schrieb: *Viele der Verhafteten wurden ins Anhaltelager Wöllersdorf gebracht – und als dieses bald darauf geschlossen wurde, weiter nach Dachau.* Das Lager Dachau war von Wien aus nur mühsam zu erreichen. Zunächst wurden die Häftlinge in überfüllten Eisenbahnwaggons nach München und von dort aus mit Lastwagen weiter nach Dachau transportiert.

Inzwischen wurde es dunkel. Vom Balkon des Linzer Rathauses kam die Aufforderung, alle Fenster, die auf den Hauptplatz gingen, zu beleuchten und zu schließen. Viktor Gans: »Unglücklicherweise war im Haus der Familie Pick ein Raum, der als Büro vermietet war. Dort war niemand mehr, um das Licht anzudrehen. Dies gab den Herren auf dem Balkon genug Grund, ›den Juden Pick‹ zu kritisieren und lächerlich zu machen.«

Gans sinnierte darüber, wie es zu dieser Entwicklung kommen konnte: »Zugegebenermaßen war nicht alles in Österreich so gut, wie es hätte sein können. Ein Grund mag gewesen sein, dass die Regierung sich mehr um die arbeitenden Klassen hätte kümmern müssen und dass sie den in der Öffentlichkeit nicht sehr populären Geistlichen zu viele Rechte und Privilegien einräumte.« Der Hauptgrund sei aber gewesen, »dass die illegalen Nazis alles taten, um die Regierung zu sabotieren, sogar mit Steuer-Verweigerung«. Und: »Goebbels' Propagandamaschine arbeitete … so gut, dass eine große Anzahl anständiger Österreicher diese Lügen und Kritik glaubten.«

Die Linzer Polizei, nun schon mit Hakenkreuzarmbinden ausgestattet, war bereits durch (österreichische) SS und SA verstärkt worden. Gans: »Autos, Lastwagen und andere Fahrzeuge werden beschlagnahmt und von jugendlichen Nazis übernommen. Während das alles passiert, erreichen deutsche Truppen die Stadt, und deutsche Flugzeuge und Bomber überfliegen sie. Frauen, die sich schlimmer als Huren benehmen, werfen sich in die Arme der Soldaten, und es gibt wohl keinen [Deutschen], der sich nicht ohne die geringste Anstrengung ein Mädchen für die Nacht nehmen kann.«

Eduard Bloch bestätigte 1941 in New York gegenüber der US-Zeitschrift COLLIER's, dass Linz am 12. März »verrückt vor Freude« gewesen sei: »*Der Leser sollte nicht an der Popularität des Anschlusses mit Deutschland zweifeln. Die Bevölkerung wollte es so. Sie begrüßte die heranstürmenden Truppen mit Blumen, Beifall und Liedern. Die Kirchenglocken läuteten. Österreichische Truppen und Polizei fraternisierten mit den Invasoren, und es gab eine allgemeine Wiedervereinigung.*« Und: »*Am Linzer Hauptplatz, einen Häuserblock von meinem Haus entfernt, war ein*

Riesenkrach, der den ganzen Nachmittag mit dem Horst-Wessel-Lied und ›Deutschland über alles‹ konkurrierte. Flugzeuge donnerten über den Köpfen, und Vorauseinheiten der deutschen Armee wurden mit ohrenbetäubenden Jubelrufen bedacht.« [17]

Hitlers Ankunft in seiner Heimatstadt und der »Edeljude«

Karl Itzinger über die Lage um 20 Uhr: »Plötzlich steigt, von der Landstraße her, heller Jubel auf. Ein Begeisterungstaumel erfaßt die Menschen, wie die Stadt Linz in den tausend Jahren ihres Bestandes einen solchen noch nie gesehen hat und auch nie mehr erleben wird... Eine wahre Welle heißer Liebe und Dankbarkeit schlägt ihm, dem Befreier, entgegen und begleitet ihn auf seiner Triumphfahrt zum Rathaus.«

Als Hitlers Wagenkonvoi endlich bei wachsender Dunkelheit in Linz einrollte, stand der 66-jährige Eduard Bloch am geschlossenen Fenster seiner hell erleuchteten Wohnung in der Landstraße 12. Und vermutlich war er trotz allem auch stolz auf seinen ehemaligen Patienten, der es so weit gebracht hatte. In seinen in den Vereinigten Staaten geschriebenen Erinnerungen äußerte er sich zu diesem Abend: *Ich beobachtete voll banger Ahnungen für kurze Zeit den Einzug. Hitler grüsste, im langsam fahrenden Wagen stehend, nach allen Richtungen, auch zu meinem Fenster hinauf; ich setzte voraus, der Gruß habe nicht mir, sondern einer Hauspartei gegolten, die eine begeisterte Anhängerin Hitlers war. Wie mir Tags darauf mitgeteilt wurde, hat diese ›Ehre‹ mir gegolten, ›der Führer‹ habe sich gleich nach dem Einlangen im Rathause nach mir erkundigt.*

Und in einem Interview 1941 in New York schilderte er ausführlicher: »*Bald kam die Prozession näher – der große schwarze Mercedes mit sechs Rädern, flankiert von Motorrädern. Der schwache Knabe, den ich so oft behandelt habe und den ich seit dreißig Jahren nicht mehr gesehen hatte, stand im Wagen. Ich hatte ihm nur Freundlichkeit entgegengebracht; was würde er nun dem Volk antun, das ich liebte? Ich sah über die Köpfe der Menge zu Adolf Hitler. Es war ein Augenblick angespannter Auf-*

regung. Jahrelang war Hitler das Recht genommen, sein Geburts-
land zu besuchen. Nun gehörte dieses Land ihm. Der Stolz, den er
fühlte, war in sein Gesicht geschrieben. Er lächelte, winkte, grüßte
die Leute, die die Straße füllten, mit dem Hitlergruß. Dann, für
einen Moment, schaute er hinauf zu meinem Fenster. Ich zweifle,
ob er mich sah, aber er muss einen Moment der Nachdenklich-
keit gehabt haben. Hier war der Edeljude zu Hause, der bei seiner
Mutter die fatale Krebskrankheit diagnostiziert hatte; hier war die
Ordination des Mannes, der seine Schwestern behandelte. Hier
war der Ort, wo er als Bub seine kleinen Krankheiten behandeln
ließ. Es war ein kurzer Moment. Dann war der Festzug vorüber
und ging weiter zum Hauptplatz, einst Franz-Josephs-Platz, bald
in Adolf-Hitler-Platz unbenannt.«[18]

Bloch hatte, was Hitler betraf, höchst zwiespältige Gefühle.
Einerseits hasste und fürchtete er die Nazis als Jude. Andererseits
aber konnte er nicht seinen Stolz auf den früheren Patienten ver-
bergen, der es so weit gebracht hatte. Der junge Adolf, der einst
die todkranke Mutter so hingebungsvoll gepflegt hatte, hatte vor
mehr als 30 Jahren den erfahrenen Arzt sehr gerührt. Nun kam
dieser Hitler als deutscher Reichskanzler und umjubelter »Führer«
zurück nach Linz. Er vereinte Österreich und das Deutsche Reich,
korrigierte den historischen Fehler der Siegermächte von 1919 und
erfüllte damit einen lang gehegten Wunsch der meisten Österreicher.

Dass Hitler aber auch kam, um die Juden zu entrechten und
zu vertreiben, wie er es seit 1933 in Deutschland praktizierte,
muss den alten Dr. Bloch mit Panik erfüllt haben. Die Gefühle der
Eitelkeit, einst Hitlers Arzt gewesen zu sein, und die Gefühle des
Schreckens und der Angst vor dem Naziregime trafen bei Bloch
aufeinander.

Trotz allem aber wäre er gerne an diesem Abend im Rathaus gewesen, um mit Hitler, den er seit 1907 nicht mehr getroffen hatte,
über Mutter Klara zu sprechen. Aber Juden waren natürlich ausgeschlossen.

Im Balkonsaal des Rathauses hatten sich inzwischen bewährte
Hitler-Anhänger und frisch ernannte Würdenträger versammelt,

unter ihnen auch der neue kommissarische NS-Bürgermeister Sepp Wolkerstorfer. Itzinger dazu: »Am Tisch in der Mitte des Saales liegt der kranke SA-Brigadeführer Franz Peterseil, der aus dem Spital hierher gebracht wurde, damit er den Führer sehen kann.«[19] August Eigruber, Arbeiter der Steyr-Werke, seit 1935 oberösterreichischer Gaugeschäftsführer der verbotenen NSDAP und nun neuer Gauleiter, hieß Hitler in dessen Heimatstadt willkommen. Dann gratulierten die Linzer Nazihonoratioren ihrem Führer.

Als Hitler unter den vielen Menschen seinen alten Lehrer Eduard Huemer erkannte, begrüßte er ihn herzlich und sagte dann laut Itzinger »ernst, klar und allen vernehmbar: ›Jetzt ist die Stunde gekommen, die uns keine Macht der Welt mehr nimmt!‹«[20]

Dann sprach Hitler kurz mit Hofrat Adolf Eigl und fragte ihn leutselig: »Sagen Sie, lebt mein guter alter Dr. Bloch noch? Ja, wenn alle Juden so wären wie er, dann gäbe es keinen Antisemitismus.«

Hofrat Eigl überbrachte diese Worte am nächsten Tag seiner Anthroposophenfreundin Trude Kren. Diese gab die Äußerung sehr aufgeregt ihrem Vater Eduard weiter und beharrte ihr Leben lang auf der Richtigkeit dieser absonderlichen Aussage: »Das hat mir Hofrat Eigl am nächsten Tag erzählt, ich kann es beschwören.«[21] Bloch schrieb später enttäuscht: *Verständlich, dass er nicht mich, einen Juden, zu so einem Treffen bitten konnte. Aber er erkundigte sich über mich. Für eine Weile überlegte ich, ob ich um eine Audienz ansuchen wollte, entschied aber, dass dies nicht klug war.*

Kein Zweifel: Eduard Bloch war in diesen emotionsgeladenen und aufregenden Tagen sehr stolz darauf, dass sein ehemaliger Patient ihn nicht vergessen hatte und ihn lobte, obwohl er ein Jude war.

Linz im Freudentaumel

Um 20.25 Uhr trat Hitler endlich auf den Balkon heraus. Auf dem Hauptplatz brauste der Jubel der seit Stunden wartenden rund 60 000 Menschen orkanartig los, wie die Zeitungen des nächs-

ten Tages berichteten. Der neue NS-Bürgermeister Wolkerstorfer später: »Unten, das war dann kein Jubel mehr, sondern nach
meinem Empfinden war es wirklich der Aufschrei eines jahrelang
gequälten Volkes.«

Zwölf Minuten musste Bundeskanzler Seyß-Inquart warten,
bis er Hitler endlich offiziell begrüßen konnte: »Jetzt haben wir
Österreicher uns für alle Zeiten frei und offen deutsch und unabhängig zu dieser Führung bekannt, indem wir zugleich in feier-
licher Weise den Artikel 88 des Friedensvertrages als unwirksam
erklären.« Gemeint war jener Paragraf, der 1919 die Vereinigung
Deutschlands und Österreichs verboten hatte. Und: »Des Reiches
gewaltige Wehr rückt unter dem Jubel Österreichs in unser Land,
österreichische Soldaten begrüßen deutsche Gaue... Das volksdeutsche Reich der Ordnung, des Friedens und der Freiheit der
Völker ist unser Ziel und wir stehen an der Schwelle seines An-
bruches und Adolf Hitler ist sein Führer.« Er dankte Hitler »aus
dem Herzen von Millionen Österreichern«. Und, so Itzinger:

*Nächtliche Jubelstürme
am Linzer Hauptplatz*

»Bewegt antwortet der Führer und jedes seiner Worte fällt klar in die atemlos horchende Menge.«[22]

Hitler huldigte seiner Heimatstadt mit »innerer Ergriffenheit« und dem viel zitierten Satz: »Wenn die Vorsehung mich einst aus dieser Stadt heraus zur Führung des Reiches berief, dann muss sie mir damit den Auftrag erteilt haben, und es kann nur ein Auftrag gewesen sein, meine teure Heimat dem Deutschen Reiche wiederzugeben. Ich habe an diesen Auftrag geglaubt, habe für ihn gelebt und gekämpft, und ich glaube, ich habe ihn jetzt erfüllt.«[23]

Dann kündigte er eine Volksabstimmung zur Legitimierung des Anschlusses an: »Es muss dieses Ergebnis dann der Welt beweisen, dass jeder Versuch, dieses Volk zu zerreißen, ein vergeblicher sein wird.« Und weiter: »Sehen Sie in den deutschen Soldaten, die aus allen Gauen des Reiches in dieser Stunde einmarschieren, sehen Sie in ihnen opferbereite und opfergewillte Kämpfer für des ganzen großen deutschen Volkes Einheit, für unseres

Hitler auf dem Balkon
des Linzer Rathauses

Reiches Macht, für seine Größe und für seine Herrlichkeit jetzt und immer! Deutschland Sieg-Heil!«

Der Abend schloss mit dem Lied »Deutschland, Deutschland über alles«, gefolgt vom HORST-WESSEL-LIED. Der nun legale Nationalsozialist Itzinger: »Minutenlange Stürme der höchsten Begeisterung, Menschen umarmen sich, lachen und weinen, schreien und schluchzen.« Es dauerte Stunden, bis sich die euphorisch gestimmte Menge auflöste.

Bloch hatte Hitlers Rede im Radio verfolgt. Er war an diesem Abend stolz auf seinen ehemaligen Patienten, der von den Linzern so jubelnd empfangen wurde. Und er sah offenbar keinen Grund, sich vor Hitler zu fürchten. Nach den bitteren Erfahrungen im Ständestaat hatte er zunächst auch nichts gegen den »Anschluss«: *Historische Worte: Deutschland und Österreich waren nun eins.*

Kein Wunder, dass die stolzen Linzer nach diesem Großereignis den alten Franz-Josephs-Platz in Adolf-Hitler-Platz änderten. Eigentlich verstieß die Umbenennung gegen eine Anordnung, die lautete: »Nicht zu genehmigen ist z. B. die Umbenennung einer Kaiser-Franz-Joseph-Straße; dagegen bestehen keine Bedenken gegen die Umbenennung einer Kaiser Karl-Straße oder einer Dollfuß-Straße.«[24] Trotzdem: In Hitlers Heimatstadt Linz musste der alte Hauptplatz nun natürlich Adolf-Hitler-Platz heißen. Von 1919 bis 1932 hatte der Platz übrigens den »linken« Namen »Platz des 12. November« in Erinnerung an die Ausrufung der Republik 1918, was Dollfuß nicht akzeptieren konnte.

Sonntag, der 13. März

Unter dem Eindruck des nicht in diesem Ausmaß erwarteten Jubels und des fehlenden Widerstands entschloss sich Hitler am 13. März spontan, Nägel mit Köpfen zu machen: Österreich sollte nun nicht, wie eigentlich geplant, unter Kanzler Arthur Seyß-Inquart ein Satellitenstaat Deutschlands, sondern sofort ein Teil des Deutschen Reiches sein. Bundespräsident Wilhelm Miklas, der seine Unterschrift unter das ihm vorgelegte Anschlussgesetz

Hitler in Leonding am Grab seiner Eltern; dieses Foto wurde als Postkarte in großer Auflage verbreitet

verweigerte, trat am Morgen des 13. März widerstrebend zurück. Kanzler Seyß-Inquart wich nach knapp zweitägiger Regierung dem höheren Interesse und ging als Hitlers Steigbügelhalter in die Geschichte ein. Berühmt wurde sein Satz, er sei »nichts als ein historisches Telefonfräulein« gewesen.

Österreich war nun ein Teil des »Großdeutschen Reiches« mit der Hauptstadt Berlin. Militär wie Polizei wurden auf Hitler vereidigt. Nun galt auch hier die Losung: »Ein Volk, ein Reich, ein Führer!«

Am späten Vormittag des 13. März fuhr Hitler mit einem starken Wagenkonvoi nach Leonding, um das Grab seiner Eltern zu besuchen. Dort legte er, umringt von Pressefotografen, örtlichen Nazis und vielen Neugierigen, feierlich einen Kranz nieder.

Der Leondinger Bäcker Wilhelm Hagmüller, einst Kostgänger bei den Hitlers, hatte hier seinen großen Auftritt. Er übergab Hitler vor dessen ehemaligem Elternhaus einen Teller mit Äpfeln und sagte dazu feierlich: »Mein lieber Führer! Ich habe vor vier Jahren in München erfahren, dass Du Dich, wenn ich noch so sagen darf, einmal geäußert hast oder haben sollst: ›Österreich wird uns als reife Frucht in den Schoss fallen‹, und so möchte ich Dir als Symbol der reifen Frucht einen Teller Äpfel überreichen.«[25]

Und natürlich war auch wieder Hitlers früherer Lehrer Eduard Huemer erschienen, um den »Führer« ein weiteres Mal zu begrüßen.

Danach schaute Hitler in Leonding laut Eduard Bloch *örtlichen Nazis beim Marschieren zu. Da sie keine Uniform hatten, trugen sie Knickerbocker, Skihosen oder Lederhosen.*[26] Diese Provisorien waren nur kurzfristig nötig. Denn erstaunlich rasch wurden die neuen deutschen Uniformen angeliefert.

Zum Mittagessen waren Hitlers wichtigste Linzer Anhänger ins Hotel Weinzinger eingeladen. Das habe sich »etwas in die Länge gezogen«, berichtete Bürgermeister Sepp Wolkerstorfer später, denn: »Es sprach der Führer. Es war nicht möglich, das Gespräch zu unterbrechen oder gewisse Fragen zu stellen.«

Hitler befasste sich mit der möglichen politischen Reaktion der verschiedenen Mächte auf den »Anschluss« Österreichs: »Erstens die Engländer sind nicht vom Weekend nach Hause gekommen, kein englischer Minister befindet sich derzeit in London … Die Franzosen haben keine Regierung. Die Tschechen sind gefährlich, gelten als Sprungbrett für die Russen, aber dazwischen liegt ja Polen, mit dem wir einen Vertrag haben. Ungarn ist uns freundlich gestimmt.«[27] Was Italien anging, sorgte sich Wolkerstorfer wegen des alten Paktes, der ja 1934 gegen das Deutsche Reich funktioniert hatte. Aber Hitler hatte längst vorgesorgt und Mussolini auf seine Seite gezogen. Dieser telegrafierte nach Linz: »Adolf Hitler, ich gratuliere Ihnen zur Heimkehr Ihrer engeren Heimat.« Und Hitler telegrafierte zurück: »Mussolini, ich werde Ihnen das nie vergessen.«

Als Hitler zufrieden meinte: »Es ist heute so ein herrlicher, schöner Tag«, brachte der Journalist Anton Fellner einen Satz unter. Der Bürgermeister sei aber nicht so glücklich. So kam Wolkerstorfer endlich zu Wort: »Mein Führer, unsere Stadt hat derzeit 110 000 Einwohner, darunter rund 12 000 Arbeitslose. Am Rande unserer Stadt haben sich große Elendsquartiere angesiedelt … Hier leben Tausende Männer, Frauen und Kinder in nur

Hitler begrüßt vor seinem Elternhaus in Leonding seinen ehemaligen Französischlehrer Eduard Huemer

schlecht reparierten Baracken der Kriegsgefangenen des ... Weltkrieges.« Er erwähnte die vielen Bettler, die schlecht gehenden Geschäfte, die leeren Kassen der Stadt und wies dann vom Hotelfenster aus auf die primitive alte Donaubrücke nach Urfahr.

Daraufhin unterbrach Hitler den Redeschwall und meinte leutselig im oberösterreichischen Dialekt: »Burgamasta, ich baue Ihnen diese Brücke, und die Sorgen und Nöte dieser Stadt sind vorüber, denn ich übernehme die Patenschaft.« Tatsächlich erschien bereits eine Woche später »der erste Ingenieur der Organisation Todt« beim Linzer Bürgermeister, um Einzelheiten der geplanten und dann auch tatsächlich gebauten Brücke zu besprechen.[28]

An diesem Tag gab Hitler im Hotel Weinzinger Interviews, so auch dem englischen Sonderberichterstatter Ward Price. Dieser fragte Hitler, wie er auf die englischen und französischen Protestnoten gegen den Einmarsch reagieren werde.

Darauf Hitler: »Diese Leute hier sind Deutsche. Eine Protestnote von anderen Ländern über mein Vorgehen in Österreich hat nicht mehr Sinn, als eine Note der Reichsregierung sie haben würde, in der gegen die Beziehungen der britischen Regierung zu Irland protestiert würde.« Und: »Hier ist meine Heimat. Lange habe ich darunter gelitten, das Volk, zu dem ich durch Geburt gehöre, unterdrückt und leiden zu sehen.« Er, Hitler, habe ein »Friedenswerk« geleistet: »Wenn ich nicht interveniert und wenn die Schuschnigg-Regierung versucht hätte, ihren Trick-Volksentscheid durchzuführen, würde es hier eine blutige Revolution gegeben haben. Österreich hätte dann sehr gut ein zweites Spanien im Herzen Europas werden« und sich in einen mörderischen Bürgerkrieg verstricken können. Und schließlich: »Kommen Sie in vier Jahren hierher zurück und Sie werden feststellen, dass die Zahl der österreichischen Arbeitslosen sehr zurückgegangen ist. Sie werden dann sehen, wie viel besser es dann dem österreichischen Volke geht und wie es glücklicher sein wird.«[29]

Verhaftungen

Während Hitler noch seinen Triumph in Linz genoss, war Himmler bereits nach Wien geeilt, um dort »reichsfeindliche Elemente« rasch »auszuschalten« und Maßnahmen für »Sicherheit und Ordnung« zu treffen. Noch bevor Hitler in Wien eintraf, wurden bereits neben reichen Juden und oppositionellen Journalisten vor allem prominente Anhänger des alten Regimes verhaftet: Monarchisten, Heimwehrleute, Geistliche, aber auch deren Feinde, Kommunisten und Sozialisten.

Auch in Linz gingen die Verhaftungen weiter. Am 13. März erhielt der am Vortag aus seinem Amt entlassene Alfred Maleta zum zweiten Mal unwillkommenen Besuch: »Ich saß in meiner Wohnung in der Mozartstraße mit meiner Familie nach dem Mittagessen beim Kaffee. Plötzlich heftiges Klingeln an der Eingangstür! Schreckensbleich öffnete das Mädchen, Bewaffnete! Herein stürmten ungefähr zehn schwerbewaffnete SS-Männer, die mich verhaften sollten« – und zwar »wegen reichsfeindlicher Betätigung«. Als Maleta meinte: »Das kann ich mir nicht vorstellen, das ›Dritte Reich‹ ist doch erst vor wenigen Stunden ausgebrochen!«, wurden ihm ein paar Zähne ausgeschlagen. Und das

Schlimmste, so Maleta: »Der Anführer, wer war es? Mein Cartell-
bruder, Dr. Anton Fellner, seinerzeit Chefredakteur des Starhem-
berg-Heimatschutzblattes, aber gleichzeitig, ohne unser Wissen,
bereits illegaler Pressechef der NSDAP und Herausgeber des verbotenen ›Österreichischen Beobachters‹.« Bald darauf war Fellner
Presseleiter des Gaues Oberdonau.

Vor dem Haus stand der Polizeiwagen, worin bereits mehrere Parteifreunde Maletas saßen, »und aus den Fenstern blickten
meine Hausgenossen mit höhnischen Gesichtern und machten
spöttische Bemerkungen«. Im Polizeigefängnis, das sich damals
im alten Rathaus befand, wurde er in eine überfüllte Zelle gesperrt, »die einer Funktionärsversammlung der Vaterländischen
Front glich«.[30] Viktor Gans: »Die Zahl der verhafteten Mitglieder
der früheren Heimwehr und der Vaterländischen Front ging in
die hunderte, und alle diese Positionen wurden vom neuen Team
übernommen.« Bald war klar: »Deutsche aus dem Dritten Reich
bekamen die wichtigsten Posten, weil Österreicher angeblich zu
bequem waren.«[31]

In der Nacht vom 13. auf den 14. März ermordeten die Nazis
unter vielen anderen auch den Linzer Polizeidirektor Dr. Viktor
Bentz – er wurde erschlagen – und seinen engsten Mitarbeiter
Dr. Ludwig Bernegger – er wurde in einem fahrenden Auto erschossen.[32] Für die gründliche personelle und politische Neubesetzung der wichtigsten Posten brauchten die Nazis nur wenige
Tage.

Hitler in Wien

Am Montag, dem 14. März, fuhr Hitler mit großem Gefolge
nach Wien. Auf der Fahrt jubelten ihm wieder die Menschenmassen zu.

Mit dem Geläut sämtlicher Kirchenglocken, veranlasst vom
Wiener Kardinalerzbischof Theodor Innitzer, wurde Hitler in
Wien feierlich empfangen. Am 15. März hielt er vom Balkon der
Neuen Hofburg seine berühmte Rede zu den auf dem Helden-
platz versammelten Menschenmassen: »Ich kann somit in dieser

Hitler überholt auf der Landstraße Kolonnen der Wehrmacht, die nach Wien marschieren

Stunde dem Deutschen Volke die größte Vollzugsmeldung meines Lebens abstatten: Als Führer und Reichskanzler der deutschen Nation und des Reiches melde ich vor der Geschichte nunmehr den Eintritt meiner Heimat in das Deutsche Reich.« Der Jubel der unzähligen Menschen, wann immer sich Hitler öffentlich zeigte, glich einer Massenhysterie.

Diese geradezu euphorische Begeisterung war auch das Ergebnis der verfehlten Politik der katholisch-autoritär regierenden Christlichsozialen in Österreich. Eines der vielen Opfer dieses undemokratischen Regimes war 1935 der 24-jährige Bruno Kreisky gewesen, der spätere österreichische Bundeskanzler von 1970 bis 1983. Wegen seines Engagements für die Sozialdemokraten war der »mosaische«[33] (er war jüdischer Abstammung, aber nicht religiös) junge Mann aus wohlhabendem Haus vom Schuschnigg-Regime verhaftet und wegen »Hochverrats« zu einem Jahr schwerem Kerker verurteilt worden. In quasi letzter Minute schloss er am 14. März 1938 in Wien sein Jusstudium ab und wurde kurz darauf – nun von den Nazis – für fünf Monate in Schutzhaft genommen. Im August 1938 gelang ihm die Flucht nach Schweden.

Nach vielen Jahren milde geworden, schrieb Kreisky in seinen Memoiren: »Die österreichische Diktatur, die gut vier Jahre gedauert hatte, war der fruchtbarste Boden für die Drachensaat des Nazismus... Das Regime hatte immer mehr an Boden verloren und in steigendem Maße Unsicherheit verbreitet. Zwar wusste niemand genau, was der Nazismus bringen würde, aber dass er anders aussehen würde als das mit den Mitteln der Diktatur mühsam aufrechterhaltene System der Unfreiheit, lag auf der Hand. Anders als das, was man hatte – das hieß für die meisten eben, dass es nur besser werden könne.« Und: »Man muss die Menschen verstehen, die diese Realität erlebt haben; für die einen war der ›Anschluss‹ eher ein Akt der Befreiung, für die anderen zunächst nur das Loswerden des verhassten Regimes.«

Die Österreicher seien ja charakterlich nicht schlechtere Menschen als andere, so Kreisky weiter: »Nur war im Bewusstsein der Österreicher die Demokratie nicht so tief verwurzelt wie etwa bei den Schweizern, Engländern oder Skandinaviern. Sie verbanden mit der Demokratie viel zu wenig Positives. Die Erste Republik war für sie ein Staat der Unordnung, der Bürgerkriege und der großen Arbeitslosigkeit gewesen, und sie waren außerstande, den Sinn der Parteien in der Demokratie der zwanziger Jahre zu verstehen. Mit Hitler hat sich die Vorstellung verknüpft, dass sich das eigene Schicksal wenden würde.«[34]

11 Die Opfer des »Anschlusses«

Fluchten, Verhaftungen, Morde und Selbstmorde

Gleich nach den ersten Meldungen vom Einmarsch der deutschen Truppen begann noch in der Nacht zum 12. März eine Massenflucht gefährdeter Österreicher ins Ausland, vor allem von Juden, Sozialdemokraten, Kommunisten, Anhängern des Ständestaats und Monarchisten. Auch der Linzer Rabbiner Dr. Viktor Kurrein floh bereits in den ersten Stunden des neuen Regimes. Das nahmen ihm viele Gemeindemitglieder übel, da sie sich in der Not von ihrem Rabbiner verlassen sahen.

Während die Menschenmassen am 12. März am Hauptplatz Adolf Hitler umjubelten, waren die meisten Linzer Juden an diesem Abend zu Hause und sorgten sich um die Zukunft. Es war ja kein Geheimnis, was mit den deutschen Juden seit Hitlers Machtübernahme 1933 geschah. Ebendas hatten nun auch die österreichischen Glaubensbrüder zu erwarten. So laut der Jubel für den wie ein Erlöser gefeierten Hitler auf der Straße war, so sicher wussten die Mitglieder der Linzer Jüdischen Gemeinde und auch die nichtreligiösen »Rassejuden«, dass ihr Leben sich nun radikal ändern würde. Viele von ihnen waren bereits in den ersten Stunden nach dem »Anschluss« verhaftet worden – so auch Karl Schwager, der Präsident der Linzer Jüdischen Gemeinde. Noch am Tag des Anschlusses sollen sich laut dem Augenzeugen Rudolf Gans Schiller 19 Linzer Juden aus Verzweiflung das Leben genommen haben.[1]

Einige zur Flucht Entschlossene und von den Nazis Bedrohte hatten noch bis Montag, dem 14. März, in Linz ausgeharrt, weil sie dringend Geld bei der Bank abheben wollten. Nun standen sie stundenlang in Schlangen vor verschlossenen Türen. Die Banken öffneten nicht. Viele dieser Menschen gerieten in die Fänge der Nazis, und die übrigen mussten mittellos flüchten.

Eduard Bloch berichtete später über die Lage der Linzer Juden nach Hitlers Jubeltag: *Darauf begannen die gefürchteten Hausdurchsuchungen, die gewöhnlich in der Nacht oder in den frühen Morgenstunden vorgenommen wurden. Natürlich wurde nichts »Belastendes« vorgefunden, aber mit virtuoser Geschicklichkeit verstand es so ein Gestapomann, irgendein »Communistisches Blatt« in ein Buch hineinzupracticieren. Triumphierend zeigte er dasselbe dem unglücklichen, entsetzten Besitzer, als untrüglichen Beweis der Zugehörigkeit zu einer »staatsfeindlichen Partei«. So wurden Menschen, die sich nie auch nicht im geringsten mit Politik befassten, als »gefährliche Staatsfeinde« gebrandmarkt; damit war aber auch ihr Schicksal schon besiegelt! Anderen Glaubensgenossen wurden »Steuerhinterziehungen« unterschoben, kurz die Juden wurden unter den unglaublichsten Anschuldigungen verhaftet: nach Verlauf von einigen Tagen waren alle Polizeigefängnisse mit jüdischen Insassen überfüllt... der Angeberei und der Verleumdung wurde Thür und Thor geöffnet. Vor jüdische Geschäfte wurden nationalsozialistische Parteileute postiert, die jedem Käufer den Eintritt verwehrten; so wurden die Juden bald erwerblos; die rücksichtslos vorgenom-*

Kapitalsflucht ins Ausland ist, da Volksverrat, mit allen Mitteln zu verhindern. Alle Volksgenossen und insbesondere die Angestellten von Geldinstituten, werden dringend aufgefordert, bei der Verhinderung von Kapitalsverschiebungen ins Ausland mit allen Kräften mitzuwirken und verdächtige Wahrnehmungen sofort der Polizeidirektion Linz, Wirtschaftspolizei, Fernruf 5590, oder der nächsten Sicherheitsdienststelle oder Parteistelle auf kürzestem Wege mitzuteilen.

menen Enteignungen machten sie aber in kürzester Zeit auch besitzlos ...

Jüdische Richter und Staatsanwälte wurden des Amtes enthoben, ebenso wie die Beamten des Schuschnigg-Regimes. Noch im New Yorker Exil beklagte Bloch in einem Interview seinen »arischen« Kollegen und Freund Hofrat Karl Urban, der 1907 Klara Hitler operiert hatte. Dieser allseits hoch geachtete Arzt wurde noch im März 1938 als Anhänger des Ständestaats entlassen. Bloch: *»Wegen seiner politischen Verbindungen wurde Dr. Urban gezwungen, seine Position im Spital aufzugeben. Sein Sohn, ein Pionier der Gehirnchirurgie, wurde ebenso aus einigen Positionen entfernt.«* In Urban sah Bloch *»einen der renommiertesten Chirurgen Oberösterreichs, einen großzügigen* [generous] *Mann und eine Zierde* [credit] *seines Berufes.«*[2]

Tagtäglich wurden die Blochs nun mit Tragödien von Freunden und Patienten konfrontiert. Eduard sorgte sich vor allem um seinen engsten Freund, den Rechtsanwalt Hermann Schneeweiß. Dieser war nicht nur Jude, sondern auch der in Linz allbekannte Anwalt der Sozialdemokraten. Noch im März wurde Schneeweiß verhaftet. Am 4. Juli 1938 zog die Linzer Gestapo sein Vermögen ein und warf die Familie aus dem schönen Haus in der Stockbauernstraße.[3] Die Villa ging bald per »Kaufvertrag« an den Gauleiter von Oberdonau, August Eigruber, der nun hier residierte.

Am 25. Juli wurde der 66-jährige Schneeweiß als Nr. 18270 ins KZ Dachau eingeliefert. Dort verzichtete er am 31. August 1938 nach 34-jähriger Tätigkeit als Linzer Rechtsanwalt schriftlich und »freiwillig« auf die weitere Ausübung seines Berufs.[4] Am 22. September 1938 wurde er aus Dachau ins KZ Buchenwald bei Weimar überführt,[5] wo er bis zum 24. Januar 1939 im Block 9 unter der Häftlingsnummer 8806 lebte.[6] Dann gelang der Familie Schneeweiß endlich die Flucht nach Australien, wo Hermann Schneeweiß 1946 starb. Die beiden Söhne, Walter und Hans Georg, nahmen den Namen Snow an und wurden in Australien erfolgreiche Geschäftsleute.

Unter den vielen Juden, die bereits im März verhaftet wurden,

Verhaftungen in Linz

Linz, 13. März. Wegen volksverräterischer Tätigkeit wurden nachstehende Personen in Linz in Schutzhaft genommen: Gendarmerieoberst **Vogelhuber**, Landesschulinspektor Dr. Hubert **Messenböck**, Redakteur **Putz** vom „Linzer Volksblatt", Erster Sekretär der Arbeiterkammer Dr. **Maleta**, General i. R. **Englisch-Popparich**, Fabrikant **Mahler-Traun**, Schnapsindustrieller **Taussig-Urfahr**, Generaldirektor der Katholischen Aktion Professor Dr. **Ohnmacht**, Dr. **Aigner** jun. und verschiedene Legitimistenführer, außerdem Rittmeister i. R. **Welser-Gmunden** und Bürgermeister **Kundtner-Laakirchen-Steyrermühl**.

war auch der Geschäftsmann Egon Basch. Er wurde wie viele seiner Schicksalsgenossen zunächst in Polizeiarrest genommen. Am 19. März 1938 wurde er auf einem Motorrad zur Gestapo in die Mozartstraße transportiert und dort in Haft genommen. Das Gefängnis, das frühere »Hotel Europa«, war laut Basch frisch renoviert: »ganz moderne lichte Zimmer mit fließendem Wasser … ganz im Gegensatz zum alten Polizeiarrest, das sich im Rathausgebäude befand und dessen hygienische Einrichtungen jeder Beschreibung spotteten«. Der wohlhabende Mann schlief nun auf dem Fußboden auf einem Strohsack. Als Kopfkissen diente sein Mantel, zugedeckt war er mit einer Pferdedecke. Rasch freundete er sich mit seinen Zellengenossen an: einem Kommunisten, einem Sozialisten und einem Schuschnigg-Anhänger. Später fand er sogar anerkennende Worte für den Gestapo-Mann Greil, der ihn anständig behandelt habe.

Am 23. April wurde Basch mit strengen Auflagen für sein weiteres Verhalten aus der Haft entlassen. Während seiner wochenlangen Abwesenheit war die »Arisierung« seiner großen Firma weit fortgeschritten. Basch: »Mein Geschäft suchte ich nicht mehr wie früher als Chef, sondern mehr als Gast auf. Dass es für mich verloren war, sah ich bald ein, denn die Arisierung hat ja den Zweck, es fremden Elementen als reife Frucht in den Schoss fallen zu lassen.«[7] Die Familie Basch wurde nun innerhalb kurzer Zeit mit fünf Haus-

durchsuchungen schikaniert, ein Beispiel von sehr vielen. Trotzdem blieb sie vorerst noch in Linz.

Im kleinen Linz wurden nun rasch insgesamt rund 250 Fabriken, Geschäfte, Kinos, Arztpraxen, Rechtsanwaltskanzleien, Forstbetriebe, Häuser und Privatvermögen »arisiert«.[8] Unter den Ausgeplünderten befanden sich auch die ehemaligen Konkurrenten der Firma Kafka: die Spirituosenfabrik Mostny in der Rudolfstraße 6 und 8 und die Firma Spitz, die sich auf die Erzeugung von Fruchtsäften und Likören spezialisiert hatte und auch Läden betrieb. Beide Eigentümerfamilien waren sehr reich.

Die Likörfabrik Spitz war ein großes, angesehenes Familienunternehmen. Bereits am 19. März 1938 hatten drei Mitinhaber gemeinsam Selbstmord verübt: die 57-jährige Mutter und Seniorchefin Friederike Spitz, ihr 33-jähriger Sohn Alexander und sein zwei Jahre jüngerer Bruder Eduard. Im Juni 1938 erhielt die neue Firmenleitung, Josefine und Viktor Spitz, die amtliche Mitteilung, dass ihr gesamtes Vermögen eingezogen werde. Am 28. November

Diese Kundmachung erschien bereits am 16. März 1938 im LINZER VOLKSBLATT; die Firma Kraus & Schober war das größte Kaufhaus in Linz

Kundmachung.

Wir geben bekannt, daß die Juden aus der Firma

Kraus & Schober

Linz, entfernt worden sind und der Betrieb in eine nationalsozialistische Arbeitsgemeinschaft überführt worden ist.

Der Betrieb wird im vollen Umfange weitergeführt und ersuchen wir unsere P. T. Kunden um Ihre Unterstützung.

Heil Hitler!

Der komm Leiter:

Karl Franz

1941 wurde die 50-jährige Josefine Spitz aus einer Wiener »Judenwohnung« nach Litzmannstadt gebracht. Ihr Todesdatum ist unbekannt. Der 66-jährige Viktor Spitz wurde am 27. Mai 1942 aus Wien nach Maly Trostinec (bei Minsk) transportiert, wo er einige Tage später starb.[9]

Am 3. Juni 1938 erhielten der 40-jährige Firmenchef Erich Mostny und seine 38-jährige »arische« Frau Inka den Bescheid der Gestapo, dass ihr gesamtes Vermögen »zugunsten des Landes Österreich« eingezogen werde, und zwar rückwirkend zum 1. Mai 1938. Nur das Auto der Mostnys, ein »Chrysler-Airflow L 1002«, blieb nicht in Linz, sondern ging an den Chef der deutschen Polizei im Reichsinnenministerium in Berlin. Am 22. Juli 1938 zog die Staatspolizeistelle Linz auch die schöne Sommervilla der Mostnys in Weißenbach am Attersee ein, inklusive eines großen Seegrundstücks. Der »arischen« Inka Mostny, so hieß es auf Anfrage, sei nach durchgeführter Scheidung ein monatlicher Unterhalt von 300 Reichsmark zu gewähren.[10] Das sind heute etwa 1250 Euro.

In kurzer Zeit waren sämtliche jüdischen Geschäfte in Linz »arisiert«, also den jüdischen Eigentümern abgenommen worden – oft von der eigenen Nazibelegschaft oder von Kommissaren, die von der NSDAP eingesetzt wurden. Zuerst kontrollierten sie die Inhaber, dann entmachteten sie sie, und schließlich warfen sie sie aus ihrem eigenen Geschäft hinaus. Andere jüdische Geschäfte wie die große Kohlenhandlung von Lilli Blochs Onkel Richard Kafka mussten wegen des angeordneten Käuferboykotts (»Kauft nicht bei Juden«) schließen.

Der Alltag hatte sich inzwischen für die Linzer sehr verändert. Der Rundfunk begann sein Programm morgens um 6.15 Uhr mit der »Befehlsdurchgabe an die Dienststellen der NSDAP. Anschließend: vom Reichssender Hamburg: Hafenmusik«. In den Kinos wurde Hans Steinhoffs HITLERJUNGE QUEX, »Ein Film vom Opfergeist der deutschen Jugend«, gespielt mit dem UFA-Beiprogramm »Einmarsch der deutschen Truppen in Österreich« oder Franz Seitz' SA-MANN BRAND mit »Österreich kehrt heim ins Reich« oder Leni Riefenstahls TRIUMPH DES WILLENS, »Reichsparteitagsfilm der NSDAP«, oder DEUTSCH IST DIE SAAR. In Zeitungsanzeigen wurden »Arische Vertreter von prominenter Sterbekasse gesucht«. »Butter-Hoffmann« pries sich als »Arischer Lieferant!« an und fügte hinzu: »Der Betrieb steht geschlossen in der NS-Arbeitsfront« und so fort. Hakenkreuzabzeichen und -fahnen wurden in Massen verkauft.

Die österreichischen Zeitungen überboten einander mit antisemitischen Schlagzeilen, Gruselfotos und Horrorartikeln. So startete DAS KLEINE VOLKSBLATT im März 1938 die Umfrage »Warum bin ich Antisemit geworden?« und druckte täglich auf einer ganzen Seite die eingegangenen Geschichten ab, so zum Beispiel am 20. März 1938 »Die Plage in der Sommerfrische«: »Bei mir stimmt die Frage: ›Warum bin ich Antisemit geworden?‹ nicht, weil ich es immer war! Aber wenn einer noch Zweifel hegte, hat er sie im Bad Greifenstein a. d. Donau verloren. Was sich dort an Juden aller Kategorien tat, war grenzenlos. Die Weiber haben ihre Badehosen parfümiert gehabt, ihre Zehennägel sowie die Finger und Lippen rot gefärbt. Die Männer machten einem in vielen Fällen den Eindruck, als wären sie frisch vom Baum heruntergefallen. ›Rio de mazes‹ nannten wir das Bad an der schönen Donau. Die Wirte verdienten natürlich soviel wie nichts, denn entweder vergaßen die Ehrenmänner die halbe Zeche oder ließen sich zu sechs eine Omelette machen mit sechs Gedecken und zehn Groschen Soda zu dritt. Man kann ruhig sagen, wir waren zehn Prozent Arier gegen 90 Prozent Juden. Der heurige Sommer wird für uns ein Genuß sein.« Man freute sich also auf einen »judenfreien« Sommer.

Jüdische Vereine wurden, da »staatsfeindlich«, geschlossen, vom Wanderverein »Blau-Weiß« bis zur Linzer B'nai-B'rith-Loge »Ehrmann«, dessen eifriges Mitglied Eduard Bloch war. Er schimpfte: *Die Gestapo hat nicht allein den ansehnlichen Geldfonds der Loge weggenommen, sie hat auch die Zimmereinrichtung derselben fortgeschafft; ich habe die geschmackvollen Möbel der Loge anlässlich einer Vorsprache bei der Gestapo daselbst wiedergesehen!* Vor allem bedauerte er, dass *alle Aufzeichnungen über den B'nai B'rith, als »staatsfeindlich« angesehen, nach Besitzergreifung der Ostmark durch Hitler vernichtet werden mussten.*

Auch die Linzer Anthroposophische Gesellschaft, die grundsätzlich Christen wie Juden als Mitglieder aufnahm, wurde zwangsweise geschlossen. Der Grund war die Weigerung der Anthroposophen, den Rassismus gutzuheißen. Sie waren der Meinung, dass Kinder zwar von den Eltern ihre leibliche Gestalt hätten. Aber Geist und Seele kämen – entsprechend der »Seelenwanderung« – aus dem Geisterreich in den Menschenleib. Dem derart begründeten Glauben an die Gleichwertigkeit der Menschen entsprach ein Pazifismus, der im »Hitlerreich« nicht geduldet wurde.

»Normale« Vereine wie Tennisklubs und Gesangvereine durften nur noch »Arier« aufnehmen. Das aber war bereits vor 1938 in fast allen Linzer Vereinen üblich gewesen.

Judennot und Transporte nach Dachau

In der Not dieser Tage, als die Juden in jedem, auch dem allerkleinsten Ort eine Welle von Verachtung und Hass traf, hatten diese keinerlei Chance mehr, sich zu wehren. Die rasch kleiner

werdende Linzer Jüdische Gemeinde rückte eng zusammen, so
Fritz Kafka: »Es gab eine grundsätzliche soziale Aktivität in Linz.
Dort war die Jüdische Gemeinde eine einzige große Familie, fest
zusammengehalten durch den Druck von außen.«[11]

Am Abend des 1. April 1938 ging der erste Prominententrans-
port mit 150 Österreichern ins KZ Dachau. Unter ihnen waren
hochrangige Anhänger des Schuschnigg-Regimes wie der Wiener
Bürgermeister Richard Schmitz und die beiden späteren Kanzler Leopold Figl und Alfons Gorbach, Monarchisten wie Baron
Emanuel Stillfried, viele Geistliche, aber auch Sozialdemokraten
wie Franz Olah und Robert Danneberg, der zionistische Reichs-
ratsabgeordnete Robert Stricker (ein Neffe Theodor Herzls) und
der jüdische Schriftsteller Raoul Auernheimer, Vizepräsident des
österreichischen PEN-Clubs. Gegen Auernheimers Inhaftierung
protestierte im Juli 1938 der in Paris zusammengetretene internationale PEN sehr energisch, aber erfolglos.[12] Am 2. April folgten
gesondert die Herzöge Max und Ernst von Hohenberg, die Söhne
des ehemaligen Thronfolgers Erzherzog Franz Ferdinand. Weitere und größere Transporte standen an.

Alfred Maleta, der nach wochenlanger Linzer Polizeihaft
ebenfalls nach Dachau gebracht wurde, schilderte später den dortigen Tagesablauf: »Wir Österreicher wurden nämlich bereits um
3.10 Uhr in der Früh geweckt und mussten am Appellplatz bis
zum allgemeinen Morgenappell um 7.00 Strafe stehen, dann erst
begann durch lange, bange Stunden ,des Tages Last und Müh'.
Erst um 10 Uhr am Abend hieß es: ›Licht aus, Nachtruhe!‹ Fünf
Stunden unruhigen Schlafes, todmüde, und doch immer wieder
wach, nur mehr zwei, drei Stunden bis zum ›Wecken‹.«[13]

Eduard Bloch bekommt einen Sonderstatus

Die Linzer Nazis wussten zu diesem Zeitpunkt offenbar noch
nichts von den alten Beziehungen zwischen dem »Führer« und
dem »Juden« Dr. Bloch. Denn: *Am Tage nach Hitlers Einzug*
kamen zwei »Herren«, die in einer Grosshandlung in meinem
Wohnhause angestellt waren, und beschuldigten meine Frau,

Dachau 1938: Häftlingskolonne beim Einzug auf den Appellplatz

sie hätte den »Führer« beschimpft; sie brachten auch gleich zwei Zeugen mit, die dies bestätigen wollten. Es kam zu einigen unliebsamen Besprechungen, die mir meine Frau, um mich nicht aufzuregen, verschwieg.

Unverhofft kam Bloch eine Zeitungsmeldung vom selben Tag zu Hilfe: *ich liess die »Herren« die in der »Völkischen Zeitung« auf mich bezugnehmenden Stellen lesen, worauf sie sehr kleinlaut wurden und sich mit der einstudierten Phrase »aber Sie dürfen sich nicht mehr mit Politik beschäftigen« an meine Frau wendeten; etwas beschämt verliessen sie das Zimmer, denn der Versuch, 4000 Mark zu erpressen [18000 Euro], – dieser Betrag wurde als Sühnegeld genannt – war gründlich misslungen! Aber er zeigte ordentlich die beliebten Nazimethoden: Erpressung mit vorher bestellten, falschen Zeugen!*

Der so wirksame Zeitungsartikel war im Märzheft der MITTEILUNGEN DES DEUTSCHVÖLKISCHEN TURNVEREINES URFAHR erschienen unter dem Titel »Adolf Hitler in Urfahr«. Er beruhte auf einem Interview mit der betagten Postmeisterswitwe, einer ehemaligen Nachbarin der Hitlers in der Blütenstraße 9, die behauptete, 1903 bis 1908 die Nachbarin der Hitlers gewesen zu sein. Die

Familie Hitler war allerdings erst am 16. Mai 1907 in dieses Haus
eingezogen, und am 21. Dezember 1907 war Klara Hitler hier gestorben. Adolf hatte am 12. Februar 1908 Linz für die nächsten
fast 30 Jahre verlassen. Die Geschichten, die die ehemalige Nachbarin »reichsdeutschen« Journalisten erzählte, waren demnach
heillos übertrieben.

So schilderte sie unter anderem fälschlicherweise, dass der
junge Adolf nach dem Tod der Mutter edelmütig auf jede finanzielle Unterstützung zugunsten seiner jüngeren Schwester Paula
verzichtet habe. Gemeint war die Waisenrente von 50 Kronen
monatlich. Der junge Hitler hatte aber diesen Betrag keineswegs,
wie er verpflichtet gewesen wäre, der Schwester überlassen, sondern im Gegenteil ihr die Hälfte der Rente jahrelang unrechtmä-
ßig entzogen.[14] Die Phantasiegeschichten der ehemaligen Nachbarin geistern noch heute durch die Hitler-Literatur.

Für Bloch aber war ein Satz der Postmeisterswitwe von so
großer Bedeutung, dass er ihn noch in seinen späten Erinnerungen
zitiert: »*Der in Linz noch lebende Arzt Dr. Bloch hat Frau Hitler
trotz ihrer ärmlichen Lage äusserst entgegenkommend und gewis-
senhaft behandelt.*« Das war die Wahrheit. Außerdem brachte die
Zeitung noch einen wichtigen Satz: »Für die Hilfsbereitschaft und
Anteilnahme schenkte er [Hitler] Herrn Dr. Bloch und Herrn
Postmeister je ein selbstgemaltes Landschaftsbild.« Das ist jenes
Bild, an das sich Bloch nicht erinnerte und das wohl der Phantasie der Postmeisterswitwe entsprang. Trotzdem erwähnte Bloch
das nicht vorhandene Bild gerne, fügte aber hinzu, er habe es nicht
aufgehoben, da es seiner Frau Lilli nicht gefiel. Außerdem: *ich
habe von dankbaren Patienten sehr oft selbst gemalte Bilder erhalten.* Zum Schluss sagte die mitteilsame Nachbarin über den
jungen Hitler: »Er war etwas sonderlich, der Adolf, aber immer
artig und brav.«[15]

Für den Juden Bloch waren die wenigen schmeichelhaften
Sätze in diesem unbedeutenden Blättchen von größter Bedeutung.
Denn sie wirkten fortan wie ein Schutzbrief für ihn, bewiesen sie
doch seine ganz besondere Beziehung zum »Führer«. Bloch war
sich seiner privilegierten Stellung sehr bewusst.

Aber der anfängliche Stolz auf den ehemals so netten Patienten Hitler schwand auch bei Bloch sehr rasch: *Gleichzeitig mit Hitler war aber ein unheimlicher Gast in Linz eingezogen, die Gestapo, die sofort ihre hinlänglich bekannte verbrecherische Tätigkeit begann. Die Durchführung der Entrechtung der Juden, sowie deren Besitzenteignung vollzog sich in den Alpenländern sehr schnell und unter Anwendung drastischer Massnahmen; man hatte ja in Deutschland in dieser Hinsicht bereits grosse »wertvolle« Erfahrungen gesammelt!*

Und, so Bloch weiter: *Vorerst wurden allen Juden die Pässe abgenommen, um eine Flucht derselben zu verhindern; vor der Passabgabe blieb einzig ich verschont. Wohnungen und besonders die Geschäfte der Juden wurden durch gelbe Zettel, auf deren Grunde in schwarzen Lettern das Wort »Jude« stand, gekennzeichnet.* Auch Bloch war durch ein solches gelbes Schild gebrandmarkt und durfte fortan nur noch Juden behandeln: *»Das war, anders gesagt, die Aufforderung, die Praxis zu schließen. Denn es wurde ja bereits geplant, die Stadt von allen Juden zu befreien.«*[16]

Aber: *Nach einigen Tagen kamen »Gestapoleute« und teilten mir mit, ich könne über »Auftrag von Berlin« die Judenzettel entfernen; ich lehnte dies ab, da man mir vorwerfen könnte, ich hätte eigenmächtig eine Massnahme der Gestapo »missachtet«, worauf sie die Entfernung selbst vornahmen.*

Der Vorgang wird von einem Brief des persönlichen Stabes des Reichsführers SS an Ernst Kaltenbrunner, den Führer des »SS-Oberabschnitts Österreich«, bestätigt: »Der Reichsführer-SS hat davon Kenntnis genommen, dass Sie von den Namens- und Berufsschildern am Hause, Linz, Landstraße 12, des jüdischen Obermedizinalrates Dr. Eduard Bloch die Zettel mit dem Wort ›Jude‹ entfernen ließen. Er ist mit dieser Handlungsweise durchaus einverstanden.«[17]

Das war einerseits eine Bevorzugung Blochs, änderte aber dennoch nichts daran, dass er weiterhin nur jüdische Patienten behandeln durfte. Gerade diese wurden nun in Linz immer seltener. Blochs materielle Existenz war damit ruiniert.

Max Hirschfeld und die Zentralstelle für jüdische
Auswanderung

Da sowohl der Rabbiner Viktor Kurrein als auch der Gemein-
devorsteher Karl Schwager geflohen beziehungsweise verhaftet waren, stand die klein gewordene Linzer Judenschaft ohne
Führung da. Und bereits in den ersten Tagen des neuen Regimes
konnte ein großes Problem nicht gelöst werden: Die zahlreichen
Toten, vor allem jene, die in den ersten Tagen des Einmarsches
der deutschen Truppen Selbstmord verübt hatten, mussten begraben werden. Aber die Nazis hatten sämtliche Gelder der Jüdischen Gemeinde beschlagnahmt, darunter auch die der Beerdi-
gungsbrüderschaft Chewra Kadischa.

In dieser schwierigen Situation wandte sich der Schneider Max
Hirschfeld, der in der Jüdischen Gemeinde für die Chewra Kadischa verantwortlich war, mutig an einen ihm persönlich bekannten hochgradigen Gestapo-Mann und bat ihn, Geld für die
Begräbnisse freizugeben. Kurz entschlossen machte ihn sein Ge-
sprächspartner daraufhin zum kommissarischen Leiter der Linzer
Jüdischen Gemeinde und damit auch zum Verhandlungspartner
der Linzer Gestapo.[18] Hirschfeld bildete fortan, so Bloch, *das*
Bindeglied zwischen dem »Judenreferenten der Gestapo« und den
jüdischen Einwohnern, eine wahrlich heikle und gefährliche Position.

Um die Ausreise auch mittelloser Juden, also der Mehrheit, zu
ermöglichen, musste Hirschfeld Geld zur Verfügung stellen. Aber
es wurde weit mehr gebraucht, als er aufbringen konnte. Hirschfeld arbeitete nach dem Prinzip, reiche Linzer Juden um Geld
zu bitten und so die Ausreise der armen Gemeindemitglieder zu
finanzieren. Denn es ging ja nicht nur um die hohen Reisekosten
mit den verschiedenen Visa und Affidavits. (Ein Affidavit war eine
Garantie, worin US-Bürger bestätigten, dass sie für bestimmte
Flüchtlinge aus Deutschland finanziell sorgen würden. Die in-
volvierten internationalen Organisationen verlangten solche Garantien, damit die Einwanderer im Ankunftsland keinesfalls der
öffentlichen Wohlfahrt zur Last fielen.)

Inzwischen waren bereits viele, vor allem junge, Juden aus der »Ostmark« geflohen. Manche aber blieben und versuchten, noch möglichst viel zu retten. So verlor zum Beispiel die wohlhabende Familie Gans kostbare Zeit, weil sie noch versuchte, ihr Lederwarengeschäft möglichst gut zu verkaufen. Sie wollte auch einige Maschinen mitnehmen, um im Ausland leichter eine Existenz gründen zu können. Aber ihre Angestellten, die Nazis waren, warfen ihre früheren Chefs einfach aus dem einst blühenden Geschäft, schlachteten die Vermögenswerte aus und trieben dann die Firma in den Konkurs. Die Familie Gans erhielt schließlich gar nichts.

Die Chancen für Juden, legal ins Ausland zu kommen, verringerten sich von Tag zu Tag, und der dazu nötige Aufwand an Zeit und Geld wurde immer größer. Gute Beziehungen waren zudem unentbehrlich. Aber wer half schon in dieser Zeit einem Juden, der kein Geld hatte?

Angesichts der sich häufenden Probleme und der Verzweiflung der Gemeindemitglieder brauchte der mit Arbeit überhäufte Hirschfeld dringend tatkräftige Hilfe. Er ging zu dem ihm damals persönlich noch unbekannten wohlhabenden Linzer Geschäftsmann Rudolf Schiller (Gans Schiller genannt), einem tüchtigen und energischen Mann, und sagte: »Herr Schiller, so kann es nicht weitergehen. Die Gemeinde ist eine Herde ohne Hirten. Wir müssen etwas tun.« Er bat Schiller, mit ihm zusammen die verstörten Gemeindemitglieder zu beraten, zu betreuen und ihnen bei der Vorbereitung auf die Auswanderung zu helfen.

Am 20. Mai 1938 bestellte Hirschfeld den 52-jährigen Schiller zum Hauptverantwortlichen für die »Auswanderung« der Juden im gesamten »Gau Oberdonau«, wie Oberösterreich nun hieß. Daraufhin wurde Schiller in Wien von Adolf Eichmann empfangen.

Der in Linz aufgewachsene Eichmann war seit 1932 Mitglied der österreichischen NSDAP und der SS. Nach dem Verbot der Partei in Österreich im Juni 1933 war er nach Deutschland übersiedelt, wo er in der »Österreichischen Legion« militärisch ausgebildet wurde. Seit dem 1. Oktober 1934 arbeitete er im Juden-

referat des SD-Hauptamts in Berlin und wurde dort ein Spezialist
für die »Auswanderung«, also die Vertreibung der Juden aus dem
Deutschen Reich. 1938 übernahm er diese spezielle Funktion auch
in Wien.

Wie Schiller später verwundert seiner Tochter Edith erzählte,
habe sich Eichmann bei dieser Unterredung »ganz menschlich«
benommen und ihm, dem Juden, sogar einen Sessel angeboten.[19]
Hirschfeld und Schiller, die fortan Seite an Seite arbeiteten, mussten sich bei Eichmann sehr sorgsam um ein gutes Klima bemühen,
um mit seiner Genehmigung möglichst vielen Linzer Juden die
Ausreise zu ermöglichen. Bei den Verhandlungen mit Eichmann
ging es vor allem um die Finanzierung der Ausreise der zahlreichen
bedürfigen Linzer Juden.

Um die Juden noch rascher ausrauben zu können und dann los-
zuwerden, wurde im August 1938 in Wien die »Zentralstelle für
jüdische Auswanderung« gegründet und Eichmann unterstellt.
Dieses Amt war eine Organisation zur systematisch betriebenen
Ausplünderung der Juden mit ihrer anschließenden Vertreibung.
Eichmanns Amt sollte aber auch willkürliche »Arisierungen« durch
Privatleute verhindern, wie es anfangs noch möglich war. Um dies
so rasch wie möglich durchsetzen zu können, stellte das Amt
umfangreiche Dateien aller österreichischen Juden zusammen.

Wie zum Hohn etablierte sich Eichmanns Amt im von den
Eigentümern verlassenen Wiener Rothschild-Palais in der Argen-
tinierstraße. Täglich standen dort nun lange Schlangen wartender,
verzweifelter Menschen, die auf eine Ausreisemöglichkeit hofften. Auch die Linzer Juden mussten im Kampf um die zahlreichen
Ausreisespapiere immer wieder nach Wien fahren, so auch Franz
und Trude Kren.

Nun war Hirschfeld als »Kommissär der Jüdischen Kultusgemeinde in Linz« fest in die Eichmann-Organisation eingebun-
den und verantwortlich für die rasche »Auswanderung« der Juden
aus »Oberdonau«. Die Finanzierung der »Auswanderung« war
einfach: Vom enteigneten Vermögen wohlhabender Juden flossen fünf bis zehn Prozent in einen Fonds, der mittellosen Juden
die Auswanderung ermöglichen sollte. Die reichen Juden mussten

also ihre eigene Vertreibung und außerdem noch die armer Glaubensbrüder und -schwestern finanzieren. Immerhin war es 1938 den Vertriebenen noch erlaubt, einen kleinen Vermögensanteil von rund 2000 Reichsmark pro Person mitzunehmen.[20] Später waren nur noch zehn Reichsmark erlaubt.

Die schwerste Belastung für Hirschfeld war es, als Jude dazu gezwungen zu sein, nicht nur mit Eichmann in Wien, sondern auch mit dem mächtigen und berüchtigten »Judenreferenten« der Linzer Gestapo einigermaßen sachlich zusammenzuarbeiten. Dieser Judenreferent, der im März 1938 sein Amt antrat, erscheint in der Literatur unter verschiedenen Namen. Bloch erwähnt ihn als Böttke: *Es gab keine Demütigung, Erniedrigung und Verhöhnung, die der »Judenreferent der Gestapo«, ein Herr Böttke, den Juden nicht zugefügt hätte; er war ein Sadist schlimmster Sorte, der sich an den Leiden seiner wehrlosen Opfer weidete. Eine Vorladung zu diesem Individuum brachte den Betroffenen schlaflose Nächte und Unglück; wie grausam seine »amtliche Tätigkeit« gewesen, beweist allein der Umstand, dass in der ersten Woche seiner Anwesenheit in Linz in der kleinen jüdischen Gemeinde acht Fälle von Selbstmord zu verzeichnen waren!*

Viktor Gans erinnerte sich noch im Exil in Schanghai an die Linzer Mozartstraße, wo sich außer der Polizei auch das Büro für

»Jüdische Angelegenheiten« befand. Dessen Chef habe Bethge ge-
heißen: »Ich darf niemals diesen Namen vergessen... Praktisch
alles, was den Juden in Linz angetan wurde, geschah auf seinen
Befehl. Er ließ sogar einige Juden aus dem Gefängnis zu sich bringen, nur um sie wieder einmal persönlich zu demütigen. Zu einem
sagte er, dass Juden noch nicht einmal im Grab als Menschen angesehen werden könnten. Auf diesem Niveau führte er seine ›Interviews‹ – unabhängig vom Alter, Geschlecht oder der früheren
Position der armen Person. Man durfte noch nicht einmal seinen
Schreibtisch oder ein sonstiges Möbel berühren, weil diese angeblich danach stinken würden. Im Fall Eichner stahl der Kommis-
sar, was er tragen konnte, und der arme Eichner musste von einem
Verhör zum anderen gehen. Aber die Zeitungen schrieben, wie
absolut korrekt sich die Nazis verhielten.«[21]

Und Egon Basch erwähnt im Bericht über seine Verhaftung am
8. November 1938 »das menschliche Vorgehen des Linzer Judenreferenten Greil«, aber in Klammern danach: »Boettke war glücklicherweise nicht mehr in Linz.«[22]

Viel später äußerte Hirschfeld in seiner schriftlichen Aussage
im Prozess gegen Franz Stangl, der 1938/39 Assistent der Linzer
politischen Polizei in der Abteilung »Judensachen« war, dieser habe
dort keine Befehlsgewalt gehabt, sondern seine Anweisungen von
zwei vorgesetzten Beamten erhalten, Botke und Greil: »Sein Büro
lag neben dem von Botke, und diesen habe ich tatsächlich mehrfach aufgesucht. Stangl konnte alles mitanhören.« Der 30-jährige
Stangl sei laut Hirschfeld »nie unhöflich« zu ihm, dem Juden, gewesen: »Er nannte mich Hirschfeld, aber das war damals so üblich;
er sprach mich nie mit ›du‹ oder ›Jude‹ an. Eichmann war da ganz
anders – er sprach mit mir nur in der dritten Person.« Jedenfalls
habe er, Hirschfeld, mit Stangl offener sprechen können als mit
anderen Beamten dieser Dienststelle.[23] Da auch Greil als umgäng-
lich geschildert wird, kann nur »Botke« derjenige sein, mit dem
man sehr vorsichtig sein musste.

Bethge, Böttke oder Botke: Wer sich hinter diesen Namens-
varianten verbirgt, war schwer herauszufinden. Es handelt sich
nicht um einen Österreicher, sondern den Deutschen Theodor

Bethcke, geboren am 26. Mai 1910 in Glatz in Niederschlesien. Er stammte aus einer angesehenen und wohlhabenden Akademikerfamilie, war seit 1. Mai 1932 Mitglied der NSDAP, seit 1936 auch der SS (Nr. 277883).[24] Im März 1938, als er nach Linz kam, hatte er als Jurist die erste Prüfung mit Note »ausreichend« bestanden, die große Staatsprüfung schaffte er 1940. Er hatte rasch wechselnde Wohnadressen in Deutschland und arbeitete in der von Eichmann geleiteten Abteilung IV B 4 (Judenangelegenheiten).[25]

1942 wurde Bethcke Mitglied der »Ordnungspolizei« und SS-Hauptsturmführer im besetzten Riga, wo auch eines seiner drei Kinder geboren wurde. Seine »große« Zeit kam 1944, als er Eichmanns Sonderkommando in Budapest zugeteilt wurde und dort maßgebend an der Organisation der Judendeportationen in die Vernichtungslager beteiligt war.[26] Bethcke starb angeblich am 9. April 1945 im Reservelazarett 102 in Wittenberge, Bezirk Potsdam, im Alter von 34 Jahren. Eine Sterbeurkunde liegt nicht vor. Jedenfalls konnte er nicht mehr vor Gericht gestellt werden. Und da es zu keinem Prozess und keinem Urteil kam, fehlen auch weitere Informationen über Bethcke.

Politik in der Schule

Ein sehr empfindsamer und intelligenter zwölfjähriger Junge war den extremen Eindrücken dieser Zeit nicht gewachsen: Eduard Blochs Enkelsohn Georg Kren. Er registrierte sehr genau die Verzweiflung, die bei seinen jüdischen Schulkollegen und deren Eltern herrschte. Und er reagierte verstört darauf, dass sein Großvater immer noch – wenn auch immer seltener – mit Stolz über seinen ehemaligen Patienten Hitler sprach. In diesen Wochen begann der Enkel, seinen Großvater mit kritischen Augen zu sehen.

Georg besuchte 1938 die zweite Klasse des Linzer humanistischen Staatsgymnasiums, einer Schule mit acht Jahren Latein und fünf Jahren Griechisch. Er war ein guter Schüler und hatte nur wegen eines »Genügend« in Zeichnen keinen »Vorzug« – die österreichische Version der »Auszeichnung«. Im Schuljahr 1937/38 besuchten nur fünf von insgesamt 561 jüdischen Linzer Schülern das

Staatsgymnasium.[27] Denn viele Linzer Juden waren Geschäftsleute und schickten ihre Söhne eher auf Schulen, an denen lebende
Sprachen unterrichtet wurden. Insgesamt gingen mehr jüdische
Schüler auf höhere Schulen, als ihrem Bevölkerungsanteil entsprach. Ein Mädchengymnasium gab es in Linz noch nicht.

Blochs hochbegabter Enkel sollte und wollte jedenfalls studieren. Sein Klassenkollege, der spätere Wiener Mediziner Othmar
Förster, wohnte damals in Urfahr nah bei den Krens und ging
häufig mit Georg zur Schule. Er schildert den jungen Georg als
einen nicht gerade kontaktfreudigen Jungen, der keinen Freund
in der Klasse hatte und sich auch mit seinem einzigen jüdischen
Klassenkollegen, Paul Eisenberger, nicht sonderlich befasste. Da
Sport in der Schule eine große Rolle spielte, habe der damals etwas
untersetzte und unsportliche Georg meist außerhalb der Gemeinschaft gestanden, sei also ein Einzelgänger gewesen. In Georgs
Klasse seien vor allem Kinder gut situierter Eltern mit konserva-
tivem und deutschnationalem Hintergrund gewesen.[28]

Der »Anschluss« änderte auch das Klima im Linzer Staatsgymnasium grundlegend. Am 16. März wurde in der Schulaula
eine Feier zur »Wiedervereinigung Österreichs mit dem Deutschen Reich« abgehalten. Dazu ein Zitat aus dem Jahresbericht der
Schule: »... zum ersten Mal trägt der Festsaal Hakenkreuzfahnen
als Schmuck und grüßt das Bild des Führers auf Lehrer und Schüler herab; zum ersten Mal erklingen das Deutschlandlied und das
Horst-Wessel-Lied in diesem Saale; Hitler-Jugend zog zum ersten
Male im Gleichschritt ein.«[29]

Am 17. März wurde der beliebte Schuldirektor Dr. Hans
Edmayr entlassen, der die Schüler nach modernen Methoden zu
Selbstverantwortung erzogen hatte. Andere unbequeme Lehrer
folgten. Die von der Politik vorgeschriebenen Unterrichtsthe-
men des Jahres lauteten: »Deutsche Wende«, »Sport und Volk im
Dritten Reich«, »Führergestalten der Deutschen Geschichte« und
natürlich »Rassenkunde«,[30] die die »nichtarischen« und »arisch-
versippten« Mitschüler ganz offiziell zu »Minderwertigen« erklärte, die nur Verachtung verdienten. Am 22. März vereidigte der
neue Landeshauptmann und Gauleiter August Eigruber die ge-

August Eigruber
Gauleiter des Oberen Donaugaues

samte Linzer Lehrerschaft auf die Grundsätze des Nationalsozialismus.

Die beim »Einmarsch« erst achtjährige Johanna Kren erinnert sich später nur an einen Vorfall: Eines Tages sei die Gestapo in die Schule gekommen, habe das Jesus-Bild von der Wand abgenommen und an dessen Stelle ein Hitler-Bild aufgehängt. Und dieses mussten die Kinder nun immer grüßen.[31]

Am 25. März 1938 wurden im früheren Österreich alle »arischen« Jugendlichen zwischen 10 und 18 Jahren, Jungen wie Mädchen, Pflichtmitglieder der Hitlerjugend. Die feierliche Aufnahme in die HJ fand von nun an jährlich zu Hitlers Geburtstag am 20. April statt. Juden und »Jüdisch-Versippte« waren ausgeschlossen. Die beiden elfjährigen »Nichtarier« Georg Kren und Paul Eisenberger wurden also nicht in die HJ aufgenommen und durften auch nicht am »Maiausflug« der Schule und an ähnlichen Aktionen teilnehmen.[32] Der sensible Georg Kren erfuhr schmerzlich, wie sich der Umgang mit seinen christlichen Mitschülern rasch und radikal veränderte. Othmar Förster erinnert sich daran, wie aggressiv seine Mitschüler ihn, den »Arier«, nun unter Druck setzten, nicht mehr gemeinsam mit dem »Juden Kren« zur Schule zu gehen.[33] Im Vergleich zu Wien, wo ja weit mehr Juden lebten, war das Linzer Schulklima aber noch gemäßigt.

Schüler wie Lehrer waren bereits aus der Zeit des Ständestaats an politische Einmischungen in den Unterricht und den Alltag der Schule gewöhnt. Nun aber bestimmte die NSDAP weitgehend den Unterrichtsablauf. Dieser drehte sich immer mehr um die Politik, so auch in Form zahlreicher unterrichtsfreier Tage, etwa an »Führers Geburtstag«, an allen möglichen politischen Gedenktagen und Parteifesten. Der Samstag gehörte ohnehin weitgehend der HJ.

Walter Buchberger, ein Mitschüler Krens, erzählte viel später: »Irgendwie waren wir in diesen Monaten auch wie in Trance. Wir gingen freiwillig – oder auch nicht – zur HJ, kauften uns die Uniformen und Abzeichen, marschierten… sangen die Lieder der Pimpfe… wurden von Mitschülern der Volksschule, die aus nationalen Familien kamen, plötzlich kommandiert, wurden ›geschliffen‹ wie Soldaten. Manche Dinge machten uns aber auch Spass. Geländespiele, Lagerfeuer, Zeltlager, Altmaterialsammeln, Singen alter bündischer Lieder. Die Schule war plötzlich nicht mehr Lebensmittelpunkt.« Und Othmar Förster erinnerte daran, dass die HJ »neben der politischen Indoktrinierung vor allem auch der vormilitärischen Ausbildung« diente: »Kampfspiele und körperliche Ertüchtigung wurden groß geschrieben und fanden bei Jugendlichen dieses Alters natürlich auch Anklang. In der HJ lockten verschiedene Angebote: Es gab Sondereinheiten wie die Motor-HJ, Marine-HJ, Flieger-HJ etc., bei der die entsprechenden Sportarten gratis ausgeübt werden konnten.«[34]

Den meisten Schülern war es gar nicht unangenehm, nun weniger zu lernen und dafür mehr zu turnen und zu marschieren. Die Anziehungskraft der »Gemeinschaft« am Lagerfeuer war groß und wurde von vielen Jugendlichen als fortschrittlich empfunden. Der skeptische Zeitzeuge Carl Zuckmayer meinte dazu, man habe sich damals falsche Vorstellungen gemacht, »denn die Hitlerjugend hat neben ihrer militärischen und aggressiven Tendenz die Elemente aller freien Jugendbewegungen Deutschlands in sich aufgesogen und verarbeitet, und hat eine für heranwachsende Kinder faszinierende und fanatisierende, revolutionäre, anti-bürgerliche Haltung. Mit Drill, Zwang und Gewalt allein hätte sie sich nicht diese fast religiös ergebene Jüngerschaft erzogen.«[35]

Am 30. April 1938 beging der 53-jährige Max Eisenberger, der Vater von Georg Krens jüdischem Klassenkameraden Paul, Selbstmord. Er stürzte sich aus dem dritten Stock seines Hauses in Urfahr, Kaarstraße 9, auf die Straße. Kurz zuvor war er als Teilhaber der »Ersten oberösterreichischen Bier- und Mineralwasser-Großhandlung« enteignet worden. Seine Witwe Elsa, die inzwischen Haus und Wohnung verloren hatte, schaffte es im Dezember 1938, 1400 Reichsmark aufzubringen, und ermöglichte damit ihrem Sohn die Ausreise mit der Jugendalijah nach Palästina. Ihr selbst gelang noch am 25. Oktober 1939, also bereits während des Krieges, die Ausreise nach Palästina.[36] Elsa Eisenberger und ihre jung verwitwete Schwiegertochter Hermine waren zwei von den sehr wenigen Juden, die nach 1945 nach Linz zurückkehrten.[37]

Als der nunmehrige Historiker Professor George Kren kurz vor seinem Tod von einem Journalisten gefragt wurde, wie es war, als Kind im Linz der Nazizeit zu leben, antwortete er bitter und kurz: »Wenn Sie an das Linz jener Zeit denken, so müssen Sie sich erinnern, dass nicht nur Hitler, sondern auch Adolf Eichmann und Franz Stangl aus dieser Stadt kamen. Das soll Ihnen eine Vorstellung der Linzer Atmosphäre von damals geben.«[38]

George hatte auch ein waches Auge für die Geschehnisse in Wien, die in den Tageszeitungen täglich in Bild und Schrift ausgebreitet wurden: Juden wurden dort von johlendem Volk öffentlich gedemütigt und beschimpft, zum Straßenwaschen auf die Knie gezwungen, mit Fußtritten misshandelt, an den Bärten gerissen. Das gab es in Linz in diesem Ausmaß nicht. Kren über die Wiener: »Es war so schlimm, dass die Deutschen sagten: ›Passt auf, diese Leute [die Wiener Nazis] müssen zurückgehalten werden.‹ Denn all dies würde die deutsche Ehre beschmutzen.« Nach Krens Meinung seien die Wiener Nazis weit aggressiver und gehässiger gegen Juden vorgegangen, als es in Linz, aber auch seit 1933 in Deutschland üblich war.³⁹ Und dies ist eine Tatsache, die nicht zu bestreiten ist.

Am 18. Mai 1938 brachten die Zeitungen die Meldung, dass der Linzer Bürgermeister Sepp Wolkerstorfer als Vorsitzender des Stadtschulrats »die Absonderung von Schülern jüdischer Konfession und Rasse an den Volks- und Hauptschulen von Linz« verfügt habe. Die neunjährige Johanna Kren musste also die »Bundesübungsschule« verlassen und ab dem 23. Mai 1938 in die von der Linzer Judengemeinde finanzierte »Judenschule« gehen, eine primitive zweiklassige Nachmittagsschule in der Hahnengasse 10. Anfangs besuchten 18 Kinder »jüdischer Konfession und Rasse« diese Schule.⁴⁰ Aber die Anzahl der Schüler reduzierte sich von Woche zu Woche, da immer mehr Juden aus Linz flohen.

Auch die kleine Johanna Kren ging nur sehr kurz in die »Judenschule«, denn, so Großvater Bloch: *Ich habe vorerst einen angehenden, sehr begabten Hochschüler Hans K. in mein Haus genommen, der den Enkelkindern Unterricht erteilte … Der junge Student wurde dadurch, dass er bei uns weilte, vor der Verschickung ins Concentrationslager bewahrt, als eine jener berüchtigten Razzien vorgenommen wurden.*

Der aus armer jüdischer Familie stammende 17-jährige Hans Kronberger war in der Zeit, als er zu den Blochs kam, obdach- und mittellos und überdies mitten in der Vorbereitung für die Matura. Die Linzer Wohnung der Familie war aufgelöst. Vater Norbert befand sich in Haft. Die aus Wien stammende, künstlerisch sehr begabte Mutter Olga war mit ihrer 16-jährigen Tochter Agathe in Wien.

Die Blochs nahmen den hochbegabten Hans zu sich und waren sehr stolz, als dieser im Mai 1938 mit ausgezeichnetem Erfolg die Matura schaffte. Hans Kronberger blieb als Privatlehrer der kleinen Johanna bei den Blochs, wenn auch nur für kurze Zeit. Im Sommer 1938 floh er allein und mittellos über Zürich nach England, begann sein Studium, wurde im Krieg als feindlicher Ausländer auf der Isle of Man interniert, war dann in Australien in Haft und kehrte 1942 nach England zurück, wo er sein Physikstudium erfolgreich abschloss. Er arbeitete nun an der Entwicklung der Atombombe, machte nach 1945 eine atemberaubende Karriere in der Kernenergieforschung und wurde sogar in die »Royal Society« aufgenommen. 1951 heiratete er die britische Wissenschaftlerin Joan Hanson und hatte mit ihr zwei Töchter. Seine an einem Gehirntumor erkrankte junge Frau starb bereits 1962, gerade in der Zeit, als Kronberger vom Schicksal seiner Linzer Familie erfuhr:

Seine durch all die Schicksalsschläge geistig verwirrte Mutter Olga war am 2. April 1940 in die Wiener Nervenheilanstalt am Steinhof eingeliefert und von dort am 22. Juli 1940 nach Hartheim bei Linz gebracht worden, wo sie am 8. August 1940 der Euthanasie zum Opfer fiel. Hans' jüngere Schwester Agathe, genannt Agy, die Kinderärztin werden wollte, geboren am 1. Juni 1922, wurde in eine Judenwohnung nach Wien (2. Bezirk, Flossgasse 4/7) gebracht, von dort am 1. Oktober 1942 nach Theresienstadt und am 19. Oktober 1944 nach Auschwitz, wo ihr 22-jähriges Leben endete. Vater Norbert Kronberger überlebte in Dachau.

Hans Kronberger blieb mit seinen zwei kleinen Töchtern allein. 1970, in einer Zeit, als mehrere Atomphysiker auf rätselhafte Weise starben, wurde der 50-Jährige in seinem Haus in Cheshire ermordet aufgefunden. Der Täter wurde nie ermittelt.[41]

Vor den Sommerferien 1938 erfuhren die Linzer Juden, dass von nun an kein jüdisches Kind mehr eine öffentliche Schule besuchen dürfe. Die Krens suchten nach einer Lösung, ihren Kindern weiteren Unterricht geben zu lassen, was aber nur noch außerhalb von Linz möglich war. Schließlich empfahl ihnen Franz Krens in Berlin wohnende Schwester Martha Lust eine jüdische Privatschule, die als Internat geführt wurde. Es gab in Berlin mehrere solcher Institute, die meist von wohlhabenden jüdischen Lehrerinnen in ihren Privathäusern geleitet wurden. Hier fanden auch jüdische Lehrer Arbeit, die ja seit 1933 nicht mehr an öffentlichen Schulen unterrichten durften. Die bekannteste dieser Privatschulen war die von Dr. Eleonore Goldschmidt in Wilmersdorf. Das Abitur dieser Schule berechtigte sogar zum Studium an den meisten englischsprachigen Universitäten.

Im Sommer 1938 brachten die Eltern Kren Johanna und Georg nach Berlin. Das Schulgeld für diese elitären Schulen war sehr hoch, nachzulesen im Jahresbericht für die Wiener Vermögensverkehrstelle, wo »Nichtarier« ihre Ein- und Ausgaben des Jahres auflisten mussten. Franz Kren gab dort im Dezember 1938 an, für »Zahlungen für meine beiden Kinder für Kosten des Internates, Schulgeld, Taschengeld u. kleinere Ausgaben, sowie Ausrüstung für beide Kinder, Reisen der Kinder ins Institut samt Begleitung nach Berlin u. dgl.« 3000 Reichsmark (etwa 13 500 Euro) ausgegeben zu haben.[42]

Die neunjährige Johanna, die noch nie von ihren Eltern getrennt gewesen war und sehr unter Heimweh litt, erinnerte sich später nur noch dunkel an diese Schule. Es sei für sie dort schrecklich gewesen, und sie habe sich sehr nach Linz, den Eltern und Großeltern zurückgesehnt. Und, so klagt sie noch heute: Niemals habe sie in Berlin Besuch von den Eltern bekommen. Auch ihren Bruder sah sie kaum, da Jungen und Mädchen, wie damals üblich, getrennt unterrichtet wurden, und zwar in verschiedenen Häusern. Die Goldschmidt-Schule zum Beispiel hatte wegen des großen Andrangs auswärtiger Schüler inzwischen vier Gebäude.

Als eines Tages Großmutter Lilli die kleine Johanna in Berlin anrief, flehte das Mädchen sie an, wieder nach Hause fahren zu dürfen. Und, so erinnert sich die heutige Joanne noch 70 Jahre später dankbar: »Bereits am nächsten Tag war Lilli in Berlin, kam zur Schule und nahm mich mit dem Zug zurück nach Linz.« Das Mädchen liebte Großmutter Lilli sehr: »Es war so eine Freude, mit ihr zusammen zu sein.«[43] Georg dagegen gefiel es in der Schule. Er blieb in Berlin.

12 Eduard Bloch als Schützling der Gestapo

Hitlers Dankkarten

Am 28. März 1938 erhielten die Blochs wieder unangenehmen Besuch: *»Eines Tages ... ich war gerade auf der Fahrt zu meinen Patienten – kamen Gestapobeamte in meine Wohnung und ersuchten meine Frau um Herausgabe des Landschaftsbildes und der mir vom ›Führer‹ geschenkten Karten. Meine Frau erklärte ihnen, dass ich mich eines Landschaftsbildes nicht erinnern könne, übergab ihnen aber die Karten; sie bestätigten die ›Beschlagnahme‹ derselben, ersuchten aber meine Frau am nächsten Tage zur Gestapo zu kommen, um die Karten wieder in Empfang zu nehmen. Was hätte eine Weigerung, die Karten herauszugeben, genützt? Eine Hausdurchsuchung, von der ich bisher verschont blieb, hätte ja dieselben zutage gefördert, überdies hatte ja die Gestapo ganz andere Machtmittel, um eine Herausgabe zu erzwingen; so war eine ruhige, friedliche Lösung sicherlich die richtige.«*[1]

Die Gestapo und der SS-Sicherheitsdienst in Oberösterreich hatten die Beschlagnahmung verfügt. Der ausführende Beamte hieß Helmut Greiner und war kein Österreicher, sondern Deutscher.[2] Der Anstoß für diese Aktion war das Interview, das die Postmeisterswitwe im März den Mitteilungen des deutschvölkischen Turnvereines Urfahr gegeben hatte. Darin hatte sie Hitlers Dankkarten und ein (angebliches, aber nicht vorhandenes) Landschaftsbild erwähnt.

Eduard Bloch in seinen späten Memoiren: *Als meine Frau am nächsten Tage zur Gestapo kam, wurde ihr bedeutet, dass man sich nicht getraue die Karten zurückzugeben; man müsse die Entscheidung darüber »Berlin« überlassen, wohin die Karten geschickt würden. Das Wort »Beschlagnahme« wurde in »Sicherstellung« umgewandelt.*

Nun ließ sich Bloch einen Termin beim Chef der Linzer

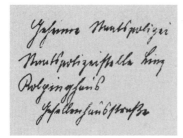

Unterschrift unter dem Akt, der die Abnahme von Blochs Hitler-Karten bestätigt: »Geheime Staatspolizei, Staatspolizeistelle Linz Kolpinghaus Gesellenhausstraße«

Gestapo und des SS-Sicherheitsdienstes geben, dem 46-jährigen Juristen und SS-Sturmbannführer Dr. Dr. Otto Rasch. Bloch: *Für mich bildete die »Sicherstellung« der Karten genügenden Grund für eine Vorsprache beim Chef der Linzer Gestapo, die nur in seltenen Fällen zu erreichen war; ich wollte eine allgemein gehaltene Petition und einen Brief an Hitler selbst zur Weiterleitung überreichen.*

Rasch, der im früheren Kolpinghaus in der Gesellenhausstraße residierte, war im Ersten Weltkrieg bei der Kaiserlichen Marine gewesen, hatte seine Studien in Jura, Volkswirtschaft und Philosophie mit zwei Doktoraten abgeschlossen und war dann zehn Jahre lang Rechtsanwalt in Leipzig. 1932/33 trat er der NSDAP wie der SS bei und war beim SD, dem Sicherheitsdienst der Polizei. 1936 war er kurze Zeit Oberbürgermeister von Wittenberg und ab 1937 kurz Gestapo-Chef von Frankfurt am Main. Seit März 1938 leitete er die Linzer Gestapo.

Rasch empfing den Armenarzt Bloch, und dieser berichtete in seinen Memoiren:

Die bei dem Betreten des Gestapogebäudes vorgeschriebenen Formalitäten wurden mir erlassen. Ich wurde vom Chef der Gestapo besonders freundlich empfangen, er streckte mir beide Hände zum Grusse entgegen, lud mich höflich zum Sitzen ein, was bei der Gestapo einem Juden gegenüber durchaus nicht gebräuchlich war.

Regierungsrat R., dem es bekannt war, dass ich der Hausarzt der Familie Hitler gewesen, interessierte sich natürlich sehr um deren Verhältnisse, besonders aber um alles, was auf seinen »Führer« Bezug hatte; durch diese Conversation war bald eine günstige At-

mosphäre geschaffen, die ich dazu benützte, die Petition zu über-
reichen und der »Sicherstellung« der Karten Erwähnung zu tun.
Ich sagte, die Karten seien mein ethischer Besitz, durchaus nicht
mit materiellen Mitteln erworben, und so glaube ich berechtigter-
weise ein Ersuchen um Rückgabe derselben stellen zu können.

»Das ist doch selbstverständlich, antwortete der Beamte, ich
verstehe überhaupt nicht, wie man Ihnen Herr Obermedizinalrat
dieselben wegnehmen konnte!«

Aus dieser Antwort ersah ich zweierlei: erstens, dass der Regie-
rungsrat von der ganzen Angelegenheit gar nichts wusste – er war
ja so sehr mit anderen Dingen beschäftigt – zweitens, dass er mich
für keinen Juden hielt, denn sonst wäre er nicht so überaus freund-
lich gewesen und hätte mich auch nicht mit dem Titel »Obermedi-
zinalrat« angesprochen!

»Sind Sie vielleicht politisch irgendwie verdächtig?«, fragte er
weiter.

»Ich habe mich meinem Berufe bisher ganz gewidmet, ohne
mich politisch in irgendeiner Weise zu betätigen.«

»Oder haben Sie mit den Gerichten, oder mit der Partei Ver-
druss gehabt?«

»Keines von beiden« sagte ich. Nun folgte einige Minuten pein-
liches Stillschweigen; während desselben beobachtete er mich
genau, dann sprach er mit sichtlicher Enttäuschung: »Oder sind
Sie am Ende gar nicht Arier?«

»Ich bin Volljude, Herr Regierungsrat.«

Diese meine Antwort wirkte, als ob eine Mauer aus Eis zwi-
schen uns aufgerichtet worden wäre, die jedes freundliche Wort
zum Erstarren bringen sollte. Tatsächlich war jeder wohlwol-
lende, entgegenkommende Ton aus der Rede des Regierungsrates
gewichen, doch versprach er, unverzüglich meine Petition weiter-
zuleiten und auch der Kartenangelegenheit seine besondere Auf-
merksamkeit zuwenden zu wollen.

Er zögerte, mir beim Verlassen des Amtszimmers die Hände
zu reichen, ich bemerkte dies und konnte es mir nicht versagen die
Bemerkung zu machen, »Herr Regierungsrat dürfen mir schon die
Hand reichen, denn Ihr ›Führer‹ hat meine Hand wiederholt in

Dankbarkeit gedrückt«; ein wenig beschämt, streckte er mir die Hände entgegen! Ich hatte die feste Überzeugung gewonnen, dass mein Ansuchen von dieser Stelle aus nie weitergeleitet werden würde!

Bis in seine letzten Lebensjahre in den Vereinigten Staaten betonte Eduard Bloch, von der Linzer Gestapo gut behandelt worden zu sein, und begründete dies so: *»Ich glaube wirklich, dass das Linzer Gestapo-Büro besondere Weisungen vom Reichskanzleramt hatte, mir alle vernünftigen Vorteile zu gewähren.«*[3]

Als von Hitler keinerlei Reaktion auf die beschlagnahmten Karten kam, bat Bloch seine Tochter Trude um Hilfe. Sie sollte, da sie gerade in Wien zu tun hatte, Hitlers Schwester Paula einen Brief übergeben. Paula, die sich auf Anordnung ihres Bruders nicht mehr Hitler, sondern Wolf nannte, lebte unverheiratet in einer winzigen Zweizimmerwohnung in Wien und war äußerst scheu. Hitler hatte angeordnet, dass sie nicht arbeiten, nicht über die Familie reden und schon gar keine Interviews geben dürfe. Dafür ließ er ihr monatlich durch seinen persönlichen Chauffeur und Vertrauten Julius Schaub eine geringe Geldsumme bar ins Haus bringen. Die Alleinstehende finanzierte damit die Miete und ihr bescheidenes Leben.

Immer wieder versuchten alte Linzer Bekannte der Familie Hitler, Paula Wolf zu Intervdentionen bei Hitler zu bewegen, aber vergeblich. Bloch hoffte sogar, durch Paulas Vermittlung eine weitere Sondererlaubnis zu erwirken: Er wollte den Rest seines ersparten Geldes mit in die Vereinigten Staaten nehmen, was Juden verboten war.

Trude Kren bemühte sich, mit Paula Wolf Kontakt aufzunehmen, und klopfte an die Tür der bescheidenen Wohnung im 19. Bezirk, Gersthoferstraße 26. Paula Wolf, *die ein sehr zurückgezogenes Leben führte, empfing niemanden; aber eine Nachbarin derselben, eine äusserst freundliche vornehme Dame, machte sich sofort erbötig Frau W. den Brief zu überreichen; nach kurzer Zeit überbrachte sie beste Grüsse und die Versicherung, Frau W. werde alles, was nur in ihrer Macht ist, thun.*

Zufällig besuchte Hitler an diesem Tag in Wien unangemeldet die Oper, und Bloch war sicher, dass Paula Wolf ihrem Bruder bei diesem Anlass persönlich den Brief übergeben würde. Aber es ist höchst unwahrscheinlich, dass Hitler seine wenig geliebte Schwester bei diesem Kurzbesuch traf, in der Oper schon gar nicht. Jedenfalls reagierte Hitler wieder nicht. Eduard Bloch war sehr enttäuscht.

Hitlers alte jüdische Freunde in Wien

Offensichtlich war Eduard Bloch der Meinung, dass er aufgrund von Hitlers Dankkarten eine einzigartige Sonderstellung bei ihm habe. Er wusste ja nicht, dass Hitlers Sendboten sofort nach dem Einmarsch 1938 auch andere jüdische Kontaktpersonen des »Führers« aus der Wiener Zeit suchten, bei ihnen vorsprachen und ihnen mit erheblichem Druck Papiere des nunmehrigen »Führers« abverlangten. Vor allem ging es dabei um die kleinformatigen aquarellierten Bilder, mit denen sich der junge Hitler im Männerheim von 1910 bis 1913 seinen spärlichen Lebensunterhalt finanziert hatte.

Hitler hatte damals drei Hauptabnehmer seiner Bilder, zu denen er Vertrauen hatte und die er persönlich aufsuchte: den Glasermeister Samuel Morgenstern, den Rahmenmacher Jakob Altenberg und den Händler Landsberger, über den es keine weiteren Informationen gibt. Alle drei waren Juden. Laut dem Männerheimkollegen Reinhold Hanisch meinte Hitler damals, »dass man nur mit den Juden Geschäfte machen könne, weil nur sie bereit waren, ein Risiko einzugehen«.[4] Den engsten Kontakt hatte der junge Hitler mit Samuel und Emma Morgenstern, die einen Laden in der Liechtensteinstraße 4 in Wien hatten, nahe der Praxis Sigmund Freuds.

Tatsächlich hatten zumindest Morgenstern und der aus Galizien stammende Altenberg so viele Bilder des jungen Hitler gekauft, dass sie ein Vierteljahrhundert später immer noch unverkaufte Stücke im Laden hatten. Beiden Händlern war Hitler offensichtlich sympathisch gewesen, und sie hatten Mitleid mit dem schüchternen 20-Jährigen gehabt. Dass die Bilder keine große

Kunst waren, wussten sie sehr wohl – und kauften trotzdem.
Ein postkartengroßes Aquarell kostete zwischen drei und fünf
Kronen (2008: 15 und 25 Euro). Altenberg später: »Es waren die
billigsten Artikel, die wir jemals verkauften. Die einzigen Leute,
die Interesse daran zeigten, waren Touristen, die nach billigen
Wien-Souvenirs Ausschau hielten.«[5] Jedenfalls konnte sich Altenberg später an keine antisemitische Äußerung des jungen Hitler
erinnern.[6]

Außerdem setzte Adolf für den Bilderverkauf vertrauenswür-
dige Männerheimkollegen ein, die von ihm die Hälfte des erzielten
Preises erhielten. Der jüdische Vertreter Siegfried Löffner aus
Mähren wurde zu einem verlässlichen Freund. Als der »arische«
Männerheimkollege Reinhold Hanisch Hitler bei der Abrechnung
von Bildern betrog, stellte sich Löffner sofort an Hitlers Seite und
zeigte Hanisch bei der Polizei an, woraufhin dieser zu sieben Tagen
Arrest verurteilt wurde.[7]

Eine enge Beziehung hatte der junge Hitler auch zu dem zehn
Jahre älteren Kupferputzer Josef Neumann, der als Händler für
Waren aller Art agierte und dem jüngeren Freund aus mancher
Verlegenheit half. Zum Beispiel schenkte er ihm, als Adolf sämtliche Kleider verschlissen hatte, einen alten Gehrock (»Braten-
rock«) und half ihm mit Geld aus.[8] Auch der einäugige Invaliden-
rentner Simon Robinson aus Galizien war trotz seiner Armut
immer bereit, dem jungen Adolf kleine Beträge zuzustecken.

Die Sendboten des Bayerischen Hauptarchivs machten 1938
anhand Morgensterns gut geführter Kundendatei einige Besit-
zer von Hitlers Bildern ausfindig. Als bester Käufer der kleinformatigen Aquarelle erwies sich der Wiener jüdische Rechtsanwalt
Dr. Josef Feingold. Er hatte um 1910 für seine neue Kanzlei am Ste-
phansplatz eine ganze Serie von Hitler-Bildern gekauft und sie von
Morgenstern im Biedermeierstil rahmen lassen. Als die Münchner
Fahnder ihn nun 1938 aufsuchten, sprach Feingold kein Wort über
Hitler und besaß auch keines seiner Bilder mehr. Allein vier dieser
Bilder habe er der Tochter seines Friseurs geschenkt, die Sympa-
thien für die Nazis hatte. Am 4. August 1938 gelang Feingold die
Flucht nach Frankreich.[9]

Alle aufgespürten Besitzer von Hitler-Bildern mussten diese nun auf Befehl des Führers »kurz ausleihen«. Keiner von ihnen erhielt je ein Bild zurück, und Geld wurde nie gezahlt – zu einer Zeit, als Sammler und Hitler-Verehrer bis zu 10000 Mark pro Bild ausgaben.

Wilhelmine Pichler, die »arische« Frau eines von Hitler einst kontaktierten Tapezierers, half den Sendboten des Bayerischen Hauptarchivs bei der Suche, schrieb aber am 17. Mai 1938 in einem Bericht nach München: »Es ist nur sehr unangenehm, dass die jetzigen Besitzer Juden sein dürften.«[10]

Erst bei dieser intensiven Bildersuche 1938 in Wien stellte sich also für die verdutzten Münchner Archivare heraus, dass der berühmte Antisemit Adolf Hitler – im Gegensatz zu seinen Aussagen in MEIN KAMPF – in seinen Wiener Jahren bevorzugt mit Juden befreundet gewesen war. Er hatte mit ihnen gerne Geschäfte gemacht und hauptsächlich jüdische Männerheimkollegen als Verkäufer seiner Bilder eingesetzt. Aber dies alles kam nicht an die Öffentlichkeit.

Die Vorliebe des jungen Hitler für Juden beschränkte sich keineswegs auf die Bildergeschäfte. So verehrte er Gustav Mahler – zwar nicht als Komponisten, aber als idealen Dirigenten der Werke Richard Wagners. 1908 schloss er sich in der k. k. Hofoper in Wien den lautstarken Protesten gegen Mahlers »arischen« Nachfolger Felix Weingartner an, der in antisemitischen Wiener Blättern als Held im Kampf gegen seinen unbeliebten jüdischen Vorgänger und gegen Juden im Allgemeinen gefeiert wurde.[11] Aber für den jungen Hitler hatte sich Weingartner mit erheblichen Strichen in Wagners Partituren am »Meister« versündigt. Mahler dagegen hatte – zum ersten Mal in Wien – Wagner ohne jede Kürzung aufgeführt. Und das hielt Hitler sein Leben lang für richtig.

Als emsiger Opernbesucher kritisierte der junge Hitler gerne die Wiener, die, wie er meinte, vor allem wegen des Vergnügens und zum Flirten die Oper besuchten. Die Juden dagegen, vor allem diejenigen, die stundenlang neben ihm im Stehparterre begeistert Wagners Musikdramen erlebten, seien einfach intelligenter und gebildeter als die Wiener.

Direktor Felix Weingartner als aggressiver Judenfeind 1908

Auch im Alltag gab es keinerlei Anhaltspunkt dafür, dass der junge Adolf vor Juden zurückschreckte. Als er 1908 in der Stumpergasse wohnte, ging er zum Beispiel gerne in das kleine Caféhaus des aus Galizien stammenden jüdischen »Branntweiners« Jakob Wasserberg in der nahen Webgasse 20. Dort bestellte er stets einen Tee und ein »Laberl«, ein billiges Gebäck, und unterhielt sich gerne und unbefangen mit dem Cafétier.[12] Der beim »Anschluss« 72-jährige Wasserberg verlor 1938 seinen Laden, kam in eine überfüllte Judenwohnung in der Seegasse 9 und wurde am 7. Januar 1943 von dort nach Theresienstadt gebracht. Sein Todesdatum ist unbekannt.

Um Hitlers jüdisches Umfeld in frühen Wiener Zeiten zu verschleiern, hatten Abgesandte des Münchner Archivs bereits am Tag des »Einmarsches« seine sämtlichen Meldezettel im Wiener Meldeamt einkassiert. Sie kamen damit Journalisten zuvor, die sehr leicht aufgrund dieser Formulare ehemalige Hitler-Freunde hätten ausfindig machen können, vor allem im Männerheim. Öffentlich präsentiert wurde anfangs nur ein kleines, sauberes Zimmer in der Simon-Denk-Gasse 11 im bürgerlichen 9. Bezirk.[13] Aber dort hatte Hitler nie gewohnt. Er musste sich mit billigen verwanzten Zimmern wie dem in der Stumpergasse begnügen, einige Wochen lang wie ein Bettler mit Parkbänken und Obdachlosenasylen vorliebnehmen und schließlich mühsame Jahre im Männerheim verbringen. In diesen Elendsjahren erwachte sein Hass auf das »Völkerbabylon« Wien.

Die frühen jüdischen Freunde des prominentesten Antisemiten seiner Zeit mussten vor der Öffentlichkeit verborgen bleiben. Alle Briefe und Bilder, die auf solche Freunde und Bekannte im Umfeld des jungen Hitler verwiesen, verschwanden sofort in den Safes des Bayerischen Hauptarchivs oder bei Hitler persönlich.

Hitler trifft seinen Jugendfreund Kubizek

Im Vorfeld der für den 10. April angesetzten Volksabstimmung für den »Anschluss« kam Hitler am 8. April 1938 ein zweites Mal nach Linz, um in der Werkshalle der Lokomotivfabrik als dem größten Versammlungsort der Stadt eine politische Kundgebung abzuhalten.

Dies nutzte August Kubizek, um seinen Jugendfreund endlich persönlich in Linz zu treffen. Schließlich hatte ihm Hitler bereits am 4. August 1933 geschrieben: »Ich würde sehr gerne – wenn die Zeit meiner schwersten Kämpfe vorüber ist – einmal persönlich die Erinnerung an die schönsten Jahre meines Lebens wieder wachrufen.« Nun also sprach Kubizek im Hotel Weinzinger vor, zeigte Hitlers Briefe als Referenz und arbeitete sich bis zur Diele des Hauses vor: »Dort aber ging es zu wie in einem Bienenschwarm. Generäle standen wartend in Gruppen beisammen und besprachen die Ereignisse. Staatsminister, die mir durch die illustrierten Zeitungen bekannt waren, hohe Parteiführer und andere Uniformierte kamen und gingen … Mir wurde wirbelig im Kopfe und ich sah ein, dass mein Unterfangen sinnlos war.«

Immerhin sprach er kurz mit dem Leiter von Hitlers Privatkanzlei und Bruder des berüchtigten Martin Bormann, Albert Bormann. Dieser bat Kubizek sehr freundlich, am nächsten Tag wiederzukommen, da der Führer sich krank fühle.

Am 9. April kam das Treffen der alten Freunde in Linz endlich zustande. Die beiden hatten sich laut Kubizek Anfang Juli 1908 in der Halle des Wiener Westbahnhofs voneinander verabschiedet. Dann hatte Kubizek sehr lange nichts mehr von seinem Freund gehört. Während Adolf in Wien höchst armselige Jahre verbrachte, stand Kubizek am Beginn einer vielversprechenden Karriere als

*Hitlers Linzer Jugend-
freund August Kubizek
beim Komponieren*

Musiker. Diese Hoffnungen wurden im Krieg durch eine schwere
Verwundung zerstört. Und so wurde Kubizek ein bescheidener
Beamter in Eferding.

Hitler erkannte seinen alten Freund sofort, ließ »mit dem
hocherfreuten Ausruf: ›Der Gustl!‹ sein Gefolge stehen« und begrüßte ihn, aber nicht mit »du«, sondern mit »Sie«. Die beiden
zogen sich in Hitlers Hotelzimmer zurück und schauten von dort
aus dem Fenster auf die Donau und den Pöstlingberg. Dabei versprach Hitler, die uralte schäbige Gitterträgerbrücke bald durch
eine moderne große Brücke zu ersetzen: »Glauben Sie mir, Kubizek, ich habe in Linz noch sehr vieles vor.« Dann sprach er
lange über seine weiteren Linzer Baupläne: ein neues Opernhaus, eine moderne Tonhalle zu Ehren Anton Bruckners und so
fort.

Er erkundigte sich nach Kubizeks Werdegang und warum er
nicht, wie geplant, Musiker geworden sei. Dass Kubizek drei sehr
musikalische Söhne hatte, freute ihn sehr: »Ich habe keine Familie.
Ich bin allein. Aber um Ihre Söhne möchte ich mich kümmern.«
Denn: »… ich möchte nicht haben, dass junge, begabte Menschen
den gleichen Leidensweg gehen müssen, den wir gegangen sind.«
Tatsächlich bezahlte Hitler über sein Büro die Ausbildung der drei

Kubizek-Söhne unter anderem auch am Linzer Bruckner-Konservatorium.

Schließlich zeigte Kubizek seinem alten Freund all die Briefe, Karten und Zeichnungen, die ihm der junge Adolf geschickt und die der Freund sorgfältig aufgehoben hatte. Dann erzählte er, dass bereits im März drei Uniformierte aus Berlin bei ihm in Eferding aufgetaucht waren, um ihm diese Schätze abzunehmen: »für den Führer!« Daraufhin bestätigte Hitler seinem Jugendfreund: »Diese Dokumente sind Ihr alleiniger Besitz, Kubizek, niemand kann Ihnen dieselben streitig machen.« So blieb Kubizek als Einziger von Hitlers alten Linzer und Wiener Kontaktpersonen im Besitz dieser nun sehr teuren Autografe.

Dann riet Hitler Kubizek eindringlich, ihm keine Briefe zu schreiben. Denn die Post werde von seinem Büro bearbeitet und komme meist nicht in seine Hand: »Ich habe ja kein Privatleben mehr wie damals und kann nicht so wie jeder andere Mensch tun, was ich will!« Nach einer Stunde verabschiedete sich Kubizek.[14]

Mit Sicherheit erhielt Hitler auch nicht den im Hotel abgegebenen Brief der kleinen Gerhild Salfer aus Linz, datiert am 8. April 1938: »Unsere Frau Oberlehrerin hat uns schon so oft erzählt, dass Du die Kinder so gerne hast. Ich habe Dich auch lieb, aber ich kann mich garnicht freuen, da mein lieber Vati schon solange in Schutzhaft ist und ich ihn nie sehen kann. Bitte gib mir meinen Vati wieder.«[15]

Am Nachmittag des 9. April fuhr Hitler weiter nach Wien. Er hielt dort am Vorabend der Volksabstimmung für das »Großdeutsche Reich« eine Rede vor 35 000 Zuhörern in der pompös ausgestatteten Nordwestbahnhalle. All jene, die Gegenpropaganda hätten machen können, waren vorher in Schutzhaft genommen worden.[16] Juden, Kommunisten, Sozialisten und sonstige Feinde des neuen Regimes waren von der Wahl ausgeschlossen.

Die Propaganda für diese Abstimmung war von Berlin aus perfekt organisiert und in ihren Dimensionen für österreichische Verhältnisse schier unfassbar. So fuhren sämtliche Lokomotiven acht Tage vor der Abstimmung mit großen bunten Hakenkreuzschildern an der Frontseite, geschmückt mit Reisig und unzäh-

Wien im Zeichen der Volksabstimmung im April 1938

ligen Hakenkreuzfähnchen durch die Lande, ebenso die Busse, die Schiffe, auch die der Donau-Dampfschifffahrtsgesellschaft. Flugzeuggeschwader der deutschen Luftwaffe kreisten über den Städten und warfen Propagandazettel ab. Prominente Künstler riefen zum »Ja« auf.

Seit Wochen reisten hohe Parteileute auch durch das ehemalige Österreich und hielten ihre Wahlreden. Am 29. März 1938 war in der Wiener Ausgabe des Völkischen Beobachters unter dem Titel »Bollwerk Salzkammergut. Oberösterreich bewacht künftig alle Volksverräter des Landes« auch die in Gmunden gehaltene Rede August Eigrubers zu lesen, des Gauleiters von Oberösterreich, bald »Oberdonau« genannt. Sein mit dem größten Jubel aufgenommener Satz war: »Wir Oberösterreicher erhalten aber noch eine andere, besondere Auszeichnung für unsere Leistungen während der Kampfzeit ... Nach Oberösterreich kommt das Konzentrationslager für die Volksverräter von ganz Österreich.« Das KZ Dachau in Bayern war ja inzwischen mit österreichischen Häftlingen überfüllt. Nun sollten rasch und bevorzugt in Oberösterreich KZs gebaut werden: in Linz, Gusen, Ebensee, vor allem in Mauthausen.

Der triumphierende Hitler in Wien, links hinter ihm sehr unscheinbar der frühere Bundeskanzler Arthur Seyß-Inquart

Die Abstimmung für das »Großdeutsche Reich« erbrachte 99,75 Prozent Ja-Stimmen.

Am 26. April 1938 wurde in der »Ostmark« die Schillingwährung abgeschafft und die Reichsmark als einzig gültige Währung eingeführt. Der Umrechnungskurs (eineinhalb Schilling für eine Reichsmark) war für Österreicher höchst ungünstig. Nun kamen deutsche Käufer in Scharen, um im ehemaligen Österreich all das billig einzukaufen, was im »Reich« längst nicht mehr zu haben war – inklusive der viel zitierten »Schlagsahne«.

An diesem 26. April 1938 wurde auch die Verordnung für Juden erlassen, ihr gesamtes Vermögen amtlich offenzulegen, soweit es 5000 Reichsmark (22 500 Euro) übertraf. Wertgegenstände wie Kunstwerke und Schmuck mussten angegeben werden, außerdem Bargeld, Versicherungen, Liegenschaften und Aktien. So erhielt der Staat genaue Kenntnis darüber, wo etwas zu holen war und wie viel.

Dass die Nazis gleich nach dem Einmarsch bereits die großen Goldbestände der Österreichischen Nationalbank abtranspor-

tiert hatten, wusste die Öffentlichkeit nicht. Immerhin ging es
dabei um rund 80 Tonnen Feingold im damaligen Wert von rund
470 Millionen Schilling und außerdem um Devisen in Höhe von
rund 60 Millionen Schilling.

Die jüdischen Vermögen in Österreich wurden sehr rasch konfisziert und schließlich auch die Vermögen reicher Nazigegner und
vieler Aristokraten sowie vor allem der üppig bestückte habsburgische Familienfonds. Hitler brauchte dringend Geld für die weitere Rüstung und den geplanten Krieg.

Franz Kren wird verhaftet

Da Eduard Bloch wegen der ihm abgenommenen Hitler-Karten
untröstlich war, versuchte sein Schwiegersohn Franz Kren, ihm
zu helfen. Er ging zur Linzer Gestapo und protestierte dort in
Blochs Namen gegen die Beschlagnahmung.

Kurz darauf wurde er unter dramatischen Umständen verhaftet. Die Gestapo kam an jenem Tag ins idyllische Familienhaus
der Krens, als die Kinder – Georg, Johanna und deren siebenjährige Freundin Ilse Fränkel – allein im Haus waren. Die Männer
drangen gewaltsam in das Parterre ein, warfen vor den Augen
der erschrockenen Kinder Möbel um, leerten die Bücherregale
aus, warfen die Bücher aus dem Fenster und zerstörten einen Teil
der Einrichtung. Schließlich bedrängten sie die Kinder, ihnen zu
sagen, wo der Vater sei. Die Krens besuchten gerade die befreundeten Fränkels, Besitzer einer kleinen Linzer Spirituosenfabrik.
Daraufhin gingen die Gestapo-Leute zu den nur drei Häuser entfernt wohnenden Fränkels (Rudolfstraße 26), verhafteten dort
Franz Kren und brachten ihn ins Gefängnis.[17]

Daraufhin verließ die verstörte Trude mit den Kindern ihre
verwüstete Wohnung und flüchtete zu den Eltern in die Landstraße, wo sie von der Gestapo nicht bedroht werden konnten.
Der betagte Großvater Alexander Kren blieb allein in seinem
Haus zurück.

Die Familie Bloch/Kren war verzweifelt, so auch Eduard:
Ohne jeden Grund wurde mein Schwiegersohn … gefangen ge-

nommen. Niemand durfte ihn sehen, und wir erhielten keinerlei
Nachrichten von ihm.

Nach einiger Zeit wagte es Ehefrau Trude, zur Gestapo zu
gehen. Dort habe sie laut Bloch sehr mutig gesagt: *»Würde der*
Führer gerne erfahren, dass der Schwiegersohn seines alten Arztes
ins Gefängnis geworfen wurde?« Für diese Verwegenheit wurde
sie rüde und brüsk behandelt. Waren nicht die Judenschilder
von Blochs Haus entfernt worden? War das nicht genug? Letztlich aber hatte der Besuch Erfolg. Nach drei Wochen Haft wurde
Franz Kren freigelassen.[18]

In den knapp drei Wochen seiner Abwesenheit war allerdings
der »arische« Geschäftspartner der Familie Kren sehr aktiv gewesen. Johann Danninger, der mit dem Kapital von Vater und Sohn
Kren die Linzer Firma »Donau Garage, Auto- und Maschinen-
werkstätte GmbH« betrieb, setzte am 11. Mai 1938, während Franz
Kren sich in Schutzhaft befand, einen »Kaufvertrag« durch. Darin
kaufte er Krens 50-Prozent-Anteil am Grundstück der Firma für
die geringe Summe von 5667 Reichsmark auf. Da aber der greise
Alexander Kren auch mit 50 Prozent an der auf diesem Grund-
stück tätigen Firma beteiligt war, also der Autowerkstatt, kaufte
Danninger am 12. Mai 1938 für 9333,33 Reichsmark auch diesen
Anteil billig auf, mit dem ausdrücklichen Hinweis, Alexander
Kren sei Jude. So wurde der Kompagnon Alleineigentümer der
Firma wie des Grundstücks.

Um das Geld auszahlen zu können, nahm Danninger am
15. Mai 1938 eine Hypothek von 25 000 Reichsmark für das soeben
erworbene Grundstück auf. Daraus kann man Schlüsse auf dessen
wahren Wert ziehen: Der Kredit allein machte knapp das Fünf-
fache des an die Familie Kren gezahlten Preises aus. Am 14. Januar
1939 wurde der Vertrag von der Wiener Vermögensverkehrsstelle amtlich genehmigt. Daraufhin löste Danninger die Firma
am 24. Februar 1939 auf, bestellte sich selbst zum Liquidator der
Firma, behielt aber das wertvolle Grundstück.

(Vor der Rückstellungskommission 1949 gab Danninger an,
dass die Firma »unmittelbar vor dem Anschluss mehr oder minder
konkursreif war; es ist dies darauf zurückzuführen gewesen, dass

die Firma als jüdisches Unternehmen schon lange vor dem Anschluss gemieden wurde«. Der 80-jährige Alexander Kren habe
ohnehin aus der Firma ausscheiden wollen und sei ja nach Wien
»übersiedelt«. Und Dr. Franz Kren habe in die Vereinigten Staaten
ausreisen wollen, obwohl er durch seinen privilegierten Schwiegervater Dr. Bloch »ruhig in Linz hätte weiter leben können«.[19]
Danninger mußte 1950 in einem gerichtlichen Vergleich 100000
Schilling (2007: 62500 Euro) an Alexander Krens Kinder
Franz Kren und Martha Lust zahlen, beide in den Vereinigten
Staaten.)

Als Franz Kren nach 18 Tagen ohne Verhör aus der Linzer
Schutzhaft entlassen wurde, hatten also sein Vater und er den
Großteil des Vermögens verloren und nicht die geringste Chance,
sich dagegen zu wehren.

Die Krens waren sich nun darüber im Klaren, dass sie Österreich so bald wie möglich verlassen mussten. Für die Ausreise
brauchten sie aber Geld und viele Formulare und Genehmigungen.
So begannen sie schweren Herzens mit dem Verkauf ihrer Möbel,
Bücher, Bilder und Wertgegenstände. Sie bemühten sich auch, das
Haus in Urfahr zu verkaufen, das zu drei Vierteln Alexander Kren
und zu einem Viertel seinem Sohn Franz gehörte. Das allerdings
kostete viel Zeit.

Am 20. Mai 1938 traten auch in der »Ostmark« die Nürnberger
Rassengesetze in Kraft, und zwar alle auf einen Schlag. Im Deutschen Reich waren diese Gesetze in den fünf Jahren seit Hitlers Machtübernahme nach und nach, eher schleichend, erlassen
worden, und die deutschen Juden hatten sich allmählich an die
Diskriminierungen gewöhnen können. Für die »Ostmark«-Juden
waren die Gesetze nun ein Schock. Von einem Tag zum anderen
akzeptierte das »Reichsbürgergesetz« nur noch Menschen »deutschen und artverwandten Blutes« als Reichsbürger. Alle anderen
einschließlich der »Mischlinge« waren nun Staatsbürger zweiter
Klasse und damit abgetrennt von der Gemeinschaft der »Deutschen«. Das »Gesetz zum Schutze des deutschen Blutes« verbot
»Eheschließungen und außereheliche Beziehungen zwischen

Juden und Angehörigen deutschen oder artverwandten Blutes«, was nicht nur Juden, sondern auch Zigeuner und andere nicht »Artverwandte« betraf.

Täglich wurden nun Juden und Hitler-Gegner verhaftet. So erschien bei Trude Kren eines Tages ein verzweifelter jüdischer Bekannter und flüsterte ihr zu, dass die Nazis seinen ebenfalls jüdischen Freund verhaften wollten. Daraufhin lief Trude rasch zu ihrem Vater und drängte ihn, sofort seine Praxis zu verlassen und für den Mann ein gutes Wort bei der Gestapo einzulegen. Eduard tat dies, und der Freund überlebte.[20] Die Angst vor den Nazis wuchs von Tag zu Tag.

Am 25. Juni 1938 wurde Lilli Blochs 38-jähriger Neffe und ehemaliger Pflegesohn Kurt Ungar in Linz verhaftet und als Nr. 17211 ins KZ Dachau eingeliefert, gemeinsam mit seinem Freund, dem Buchhändler Bernhard Rubinstein. Dort verrichteten die beiden Zwangsarbeit und wurden am 7. September 1938 in ein anderes, nicht genanntes Lager gebracht.[21] Ob und wie Bloch in diesem Fall einschritt, ist nicht bekannt. Jedenfalls überlebte Ungar, siedelte sich in Palästina an und kehrte nach 1945 nach Linz zurück.

Auch Ungars jüngere Geschwister schafften die Ausreise, so berichtete Bloch: *Der eine Junge* [Felix] *hat Medizin studiert und ist gegenwärtig als Arzt in der Schweiz tätig ... das Mädchen* [Elfriede, verheiratete Howell] *hat nach abgelegter Reifeprüfung die berühmte »Reichsanstalt für Mutterschutz« in Wien absolviert und kam rechtzeitig nach London, wo sie an einem grossen Hospital tätig war und glücklich verheiratet ist.*

Inzwischen war Blochs Wohnung zum einzigen Zufluchtsort in Linz geworden. Eduard schrieb unermüdlich weitere Briefe, um Hitlers Karten zurückzubekommen, und wandte sich auch an Hitlers ehemaligen Klassenlehrer Eduard Huemer, dessen Ehefrau seine Patientin war. Wie Bloch erfahren hatte, war Huemer im Sommer 1938 als Hitlers Ehrengast zum Reichsparteitag nach Nürnberg eingeladen. Aber Huemer antwortete nicht.

Führerkult

Hitler verstand es nach dem »Anschluss« sehr geschickt, seine demonstrative Liebe zu Oberösterreich und Linz mit einem wahren »Führerkult« zu verbinden. Schwer fiel ihm das nicht, denn nach dem März 1938 kamen von überall her Angebote, dem »Führer« ehemalige Wohnhäuser der Familie Hitler zum Geschenk zu machen. Josef Bürckel, der aus der Pfalz stammende »Reichskommissar für die Wiedervereinigung Österreichs mit dem Reich«, kündigte gleich nach dem Anschluss an, »dem Führer zu seinem Geburtstag das Geburtshaus in Braunau und die Anwesen, in denen die Eltern des Führers in Leonding und Lambach wohnten, zum Geschenk zu machen«.[22]

Von besonderer Wichtigkeit für Hitler war das kleine Haus in Leonding, wo er mit seiner Familie von 1898 bis 1905 gewohnt hatte. Der Sinn des Ankaufs sei, so der VÖLKISCHE BEOBACHTER, »für alle Zeiten dem deutschen Volk das Haus und das Zimmer in seiner unverfälschten Art als Ehrenstätte des ganzen deutschen Volkes sicherzustellen«. Die kleine Stube im ersten Stock, die der damalige Realschüler Adolf bewohnte, sei bereits Anfang Mai 1938

Hitlers Elternhaus in Leonding bei Linz als NS-Pilgerstätte

»zum Ziel aller Volksgenossen geworden, die die Stätten der Jugendzeit des Führers im Heimatgau Oberösterreich besuchen«.[23]

Das Hitler-Haus in Leonding grenzte an den nun stets mit Touristen überfüllten kleinen Friedhof, wo der Bäckermeister Wilhelm Hagmüller als kompetenter Fremdenführer fungierte. Aber er hatte einen Rivalen: Johann Scheiblhofer, der den einzigen Gemischtwarenladen des Ortes betrieb und außerdem – gleich neben der Kirche und dem Friedhof – auch eine »Tabaktrafik« (österreichischer Ausdruck für einen winzigen Laden, wo es vor allem Zeitungen und Zigaretten zu kaufen gibt). Diese machte nun zum Ärger des Bäckermeisters bei den in Massen einströmenden Hitler-Verehrern einen Riesenumsatz.

Am 1. September 1938 protestierte die NS-Gauvermittlungsstelle schriftlich gegen Scheiblhofers Aktivitäten. Dieser sei »ein Günstling des vergangenen Regimes« und trotzdem »alleiniger Nutznießer des durch den Umbruch nun einsetzenden Friedhofbesuches in Leonding«. Als einer der wenigen im Ort sei er »der nationalsozialistischen Gesinnung abseits und schickt seine Kinder nicht einmal in deren Gliederungen«. Es sei »nicht angängig und der Würde des Ortes als Wallfahrtsort des deutschen Volkes entsprechend, dass Scheibelhofer Johann dort Inhaber der Tabaktrafik ist. Ich beantrage daher den sofortigen Entzug der Tabaktrafik.«[24] Was auch geschah – und in ähnlichen Fällen in dieser Zeit alltäglich war.

Zum »Führerkult« gehörte auch der »Mutterkult«, worin Hitler öffentlich die Liebe zu seiner Mutter kultivierte und Klara als ideale Frau darstellte: liebevoll, opferbereit, geduldig, tapfer auch in Krisenzeiten. Auf dem Nürnberger Reichsparteitag von 1937 hatte er Klara bereits öffentlich geehrt und ihren Geburtstag, den 12. August, zum »Tag der deutschen Mutter« erhoben. Schwülstige Lobpreisungen folgten in der Presse: »Über allem, was Mütterlichkeit und Frauentum heißt in unserer Zeit, steht dieser eine Name: Klara Hitler ... weil es den Namen dessen umschließt, der uns heute Deutschland ist.«[25]

Beim Reichsparteitag 1938 veredelte Hitler als nunmehriger Herrscher in »Großdeutschland« diesen »Tag der deutschen Mutter« noch dadurch, dass er an Klaras Geburtstag das Mutterkreuz verleihen ließ. Dieser Parteiorden war den militärischen Orden für Männer gleichgesetzt und wurde nur »reinrassigen« deutschen Frauen verliehen. Es gab drei Klassen: die erste in Gold für Mütter mit mehr als acht Kindern, die zweite in Silber für Mütter mit mehr als sechs und die dritte in Bronze für solche mit mehr als vier Kindern. Die derart ausgezeichneten Frauen mussten auf der Straße mit dem Hitlergruß gegrüßt werden und hatten Anspruch auf einen Sitzplatz in der Straßenbahn und im Zug.

Mit der viel beschworenen Mutter Klara erhöhte Hitler gleichzeitig seine Familie und seine Person, aber auch seine Heimat, die nunmehrige »Ostmark«. Der winzige Friedhof von Leonding gleich neben dem ehemaligen Elternhaus des »Führers« wurde zu einem berühmten Wallfahrtsort für Hitler-Anhänger und ist es – verdeckt und unauffällig – in geringem Ausmaß auch heute noch.

In wenigen Monaten entstand in Oberösterreich eine Hitler-Erinnerungsstätte nach der anderen. Die Volksschule in Lambach, die der kleine Adolf kurze Zeit besucht hatte, erhielt einen schönen Neubau. Hitler spendete dafür aus seiner Privatschatulle 40 000 Reichsmark. Als dies nicht ausreichte, erhöhte er 1939 die Summe auf satte 220 000 Reichsmark,[26] umgerechnet heute eine knappe Million Euro.

Am 13. Juni 1938 kaufte Martin Bormann als Treuhänder der NSDAP den Gutshof in Hafeld in der Gemeinde Fischlham bei Lambach, wo Vater Hitler einst zwei Jahre lang erfolglos seine Bienenzucht betrieben hatte.[27] 1939 wurde auch die einklassige Dorfschule von Fischlham, wo Hitler 1895 eingeschult worden war, angekauft, renoviert und zum Heim der Hitlerjugend gemacht.

Um rasch die bäuerliche Bevölkerung und die kleinen Geschäftsleute für die Partei zu gewinnen, erließ Hitler in der »Ostmark« als eines der ersten neuen Gesetze das zur Entschuldung der Kleinbauern und kleinen Geschäftsleute, was ihm viele Sympathien einbrachte. Hitlers »Füllhorn« galt natürlich ausschließlich Menschen »deutschen Blutes«. »Nichtarier«, mochten sie sich auch noch so »deutsch« fühlen, hatten eine einzige Aufgabe: so bald wie möglich aus dem Großdeutschen Reich zu verschwinden – und zwar unter Zurücklassung ihrer materiellen Werte.

Verwandte der Blochs und Kafkas in schlimmer Zeit

Auch die Stadt Innsbruck warf ihre jüdischen oder »jüdisch-versippten« Mitbürger hinaus, darin tagtäglich kräftig unterstützt von den INNSBRUCKER NACHRICHTEN. Diese brachten Schlagzeilen wie: »Hunderte von millionenschweren Juden ungeschoren«. Bald wurde auch die als sehr großzügig bekannte reiche Familie Schindler, also Hermine Kafkas Neffen, in einem Hetzartikel angegriffen unter dem Titel »Das Märchen vom anständigen Juden«.[28] Kurz darauf, am 2. Juni 1938, brachte die Zeitung folgende Anzeige: »Café Schindler ist am Mittwoch mit Bewilligung der Vermögensverkehrsstelle im Ministerium für Handel und Gewerbe in den Besitz eines bewährten illegalen Parteigenossen und alten Kämpfers übergegangen.«

Im Juli 1938 wurde in Innsbruck nach zahlreichen anderen Verboten auch der Erlass veröffentlicht, dass Juden fortan keine Trachten mehr tragen durften, also weder Lederhosen noch Dirndlkleider. Außerdem wurde bemängelt, dass die jüdischen Innsbrucker Firmen und ihr Kapital nicht schnell genug in »arische« Hände übergingen, dass »die Auswanderungslust unter der Judenschaft in zunehmendem Maße abgenommen hat, und zweitens sich eine gewisse Überheblichkeit im Benehmen der Juden bemerkbar machte«.[29] Im Einvernehmen mit der Gestapo Innsbruck sollten nun die jüdischen Firmeninhaber bis zum 19. September 1938 einen Pass für die Auswanderung beantragen und innerhalb von 8 bis 14 Tagen das Land verlassen.

Wer sich wehrte, wurde von der Gestapo abgeführt, so auch der 50-jährige Hugo Schindler, Inhaber der in Innsbruck allbekannten »Konditorei«. Einer seiner Leidensgenossen, Rudolf Brüll, sagte später aus: Am 21. September 1938 sei er, Brüll, mit etwa 20 Innsbrucker Juden, alles wohlhabende Geschäftsleute, darunter auch Schindler, um halb sieben Uhr früh aus dem Bett geholt und in einem überfüllten Polizeiwagen zur Gestapo gebracht worden. »Wir mussten von 8 bis ca. 11 Uhr sogenannt ›Mauerstehen‹. Dieses besteht darin, dass man in Habt-Acht-Stellung scharf an der Mauerkante, mit dem Gesicht zur Mauer, stehen musste. Dauernd gingen SS-Leute auf und ab und beschimpften uns. Es ging zu wie in einem Tollhaus. Gegen 9 Uhr wurde der neben mir stehende Abraham Leibl von einem der Gestapoleute dauernd mit kurzen geraden Faustschlägen auf die Kinnladen traktiert ... Nach einiger Zeit brach Leibl, der damals ca. 78 Jahre alt war, ohnmächtig zusammen.«

Dann wurden die derart geschundenen Männer zum SS-Oberst Werner Hilliges geführt. Dieser teilte ihnen mit, »dass wir ehestens von hier zu verschwinden haben, und dass wir alle unseren Besitz zu verkaufen haben, und zwar an diese Leute, die sie uns angeben. Hierauf verteilte Ing. Hermann Duxneuner, der uns während der Mitteilungen Hilleges höhnisch anlachte, an uns Zettel, worauf wir unseren Realbesitz anzugeben hatten ... Hilliges und Duxneuner erklärten gemeinsam, wer sich weigere, wird eingesperrt und kommt ins KZ.«[30]

Nachdem er seinen gesamten Besitz verloren hatte, floh Schindler mit seiner nichtjüdischen Frau Grete, geborene Herschan, und dem siebenjährigen Peter nach England, wo bereits sein Bruder Erich lebte. Unter den »beschlagnahmten und eingezogenen Vermögenswerten der Stapo Innsbruck« ist auch sein zurückgelassenes Auto registriert, ein Pkw, Marke Auburn, mit dem Kennzeichen E 1086. Die »in Aussicht genommene Endverfügung« war: »Dienstkraftwagen«[31] für die Partei.

Egon Kafkas Witwe Claire und ihr Sohn Hans Sigmund waren damals schon in Sicherheit, und zwar in Frankreich. Der 17-Jährige, der nun Jean hieß, lernte rasch Französisch und war »von der Idee besessen, dass ich mit meinem Deutsch leicht irgendwie nach Deutschland reisen und versuchen könnte, Hitler zu erschießen«.[32] Claires Tochter Grete aber war mit ihrer Familie immer noch in Linz und bemühte sich verzweifelt um die Ausreisegenehmigung. Ihr 16 Jahre älterer, ebenfalls jüdischer Mann Karl Grabner, einst erfolgreicher Geschäftsführer eines großen Linzer Schuhgeschäfts

(Del Ka), war im Juni 1938 wegen »Arisierung« entlassen worden und nun arbeitslos. Schließlich ergatterte Mutter Claire nach langen Mühen drei französische Visa und finanzierte sie auch. So gelang den Grabners mit der kleinen Susanne im August 1938 endlich die Flucht nach Frankreich.

Eduard Bloch, der seine privilegierte Stellung nutzte und in Linz blieb, sah um sich herum nur noch Hektik und Furcht: *Was Wunder, wenn sich die Juden bald nach Hitlers Einzug fieberhaft bemühten, aus dieser Atmosphäre des Hasses und der Erniedrigung, der Rechtlosigkeit und Demütigung um jeden Preis herauszukommen, sei es auch nur, um das nackte Leben zu retten! Man versuchte eine Einreisebewilligung nach Australien, Palaestina, Frankreich, Italien etc. zu erlangen, doch aller Sehnsucht strebte dem Lande der Freiheit, Amerika, zu!*

Linz, Patenstadt des Führers

Am 20. Juli 1938 erinnerte der Linzer Magistrat Arthur Seyß-Inquart als Reichsstatthalter der Ostmark an ein Versprechen, das Hitler bereits am 13. März gegenüber oberösterreichischen Nationalsozialisten gegeben hatte: nämlich die Patenschaft über Linz zu übernehmen, jene Stadt, »in der er einen Teil seiner Jugend als unbekannter Student verbracht hat«. Und: »Mit dieser Erklärung hat der Führer eine noch engere, persönliche und einzigartige Verbindung mit der Stadt Linz hergestellt. Ich bitte, die Erklärung des Führers rechtswirksam zur Kenntnis nehmen zu wollen und der Stadt Linz die ehrenvolle aber auch sie verpflichtende Sonderbezeichnung zu verleihen, die sie vor den übrigen Gemeinden besonders hervorhebt: ›Linz, die Patenstadt des Führers‹.«[33]

Tatsächlich ernannte Hitler Linz bald darauf zur »Patenstadt des Führers«. Dieser Titel war einzigartig und hob das kleine Linz gegenüber den vier weit größeren »Führerstädten« Berlin, München, Nürnberg und Hamburg heraus.

Für Linz war Hitler nichts zu teuer, und er hatte den Ehrgeiz, seine »Patenstadt« zur schönsten Stadt an der Donau zu machen, noch schöner als Wien und Budapest. Neue Brücken, überdimen-

Hermann Göring am 13. Mai 1938 beim ersten Spatenstich für den Bau der Hermann-Göring-Stahlwerke in Linz, der heutigen Voest

sionale Hafenanlagen, riesige Stahl- und Chemiewerke, eine Technische Hochschule, eine Universität und viele andere Vorhaben wurden nun geplant. Außerdem sollte Linz ein Kulturzentrum werden mit Museen, vor allem dem »Führermuseum«, das mit den schönsten Beutestücken aus fremden Galerien gefüllt werden sollte, und einem neuen Opernhaus.

Martin Bormann schrieb am 20. März 1939: »Der Führer betrachtet Linz als seine Heimatstadt und es ist sein Herzenswunsch, dass diese Stadt entsprechend ausgebaut wird. Der Führer persönlich fördert diesen Ausbau nach Kräften; er hat unter anderem persönlich die Pläne für die Linzer Oper, deren Bau demnächst begonnen wird, entworfen.« Und: »Der Führer würde es ausserordentlich begrüßen, wenn Sie an dem Opernplatz ein großes K.d.F.-Hotel bauen lassen könnten; der Bau müsste allerdings baldigst geplant und ausgeführt werden.«[34]

Mit ungeahnter Schnelligkeit und Energie wurde Linz nun ausgebaut und auch wirtschaftlich erheblich gestärkt. Die am 4. Mai

1938 gegründeten »Reichswerke Hermann Göring« wurden sehr schnell und mit großem Kapitalaufwand zum Zentrum eines riesigen Industriekomplexes der Stahlindustrie ausgebaut. Die Werksanlage war zehn Quadratkilometer groß und damit dreimal so groß wie die Krupp-Werke in Essen. Die Linzer konnten nicht wissen, dass dieses Werk vor allem der Rüstung dienen sollte und nur deshalb so rasch gebaut wurde, weil Hitler einen Krieg plante. Laut Albert Speer erklärte Hitler jedenfalls sein Engagement für die Stahlwerke so: »Mit den steuerlichen Einkünften aus den Hermann-Göring-Werken sei die Zukunft von Linz für alle Zeiten gesichert.«[35]

Auch der kleine Linzer Flugplatz wurde ausgebaut, für den die Stadt Linz bereits 1928 von der Herrschaft Weißenwolff-Szápáry weitläufige Grundstücke rechts und links der Donau angekauft hatte. Die Linzer hofften auch auf den baldigen Bau der geplanten Reichsautobahn Salzburg–Wien, die auch Linz zu einem wichtigen Verkehrsknotenpunkt gemacht hätte. Immerhin hatte Hitler medienwirksam am 7. April 1938, also kurz vor der Volksabstimmung, höchstpersönlich dafür den ersten Spatenstich in Salzburg getan. Aber der große Plan reduzierte sich bald auf eine Strecke von wenigen Kilometern weitab von Linz.

Eduard Bloch sagte 1941 in seinem Interview für die US-Zeitung COLLIER'S: »*Hitler betrachtet Linz als seine wahre Heimat, und die Veränderungen, die er brachte, sind erstaunlich. Die einst ruhige, verschlafene Stadt wurde nun durch ihren ›Paten‹ – ein Ehrentitel, der Hitler besonders lieb war – umgestaltet. Ganze alte Häuserblocks wurden abgerissen, um modernen Wohnhäusern Platz zu machen, verursachten aber auch einen akuten, aber nur zeitweisen Wohnungsmangel. Ein neues Theater entstand und eine neue Donaubrücke. Einer örtlichen Legende gemäß soll die Brücke von Hitler selbst geplant worden sein. Aber die Pläne waren bereits vor dem Anschluss fertig.*«[36]

Es handelte sich um die »Nibelungenbrücke«, die ihren Namen Hitler verdankt und indirekt dessen Lehrer Leopold Poetsch. Denn dieser hatte einst seine Schüler, vor allem Hitler, für die Nibelungen begeistert und erzählt, dass Kriemhild auf ihrem Weg

zum Hunnenkönig Etzel mit ihrem großen Gefolge in der Gegend
von Linz die Donau überquert habe.

Bereits am Abend seines triumphalen Einmarsches in Linz
hatte Hitler, wie erwähnt, dem Bürgermeister versprochen, die
viel zu schmale alte Eisenbrücke nach Urfahr (s. S. 58) durch eine
neue und breitere Brücke zu ersetzen. Am 13. Mai 1938 befahl er
den Bau. Im September begannen die Bauarbeiten. Der Bildhauer
Bernhard Graf Plettenberg erhielt den Auftrag für vier jeweils
sechseinhalb Meter hohe Reiterstandbilder für die Brückenköpfe,
die Gestalten aus der Sage darstellen sollten: Kriemhild und Siegfried, Brunhild und Gunter. Außerdem waren für die Aufgangs-
stiegen in Urfahr noch zwei Statuen von Hagen und Volker vorgesehen.

Speer erwähnte später, dass Hitler sich mit dieser Brücke »einen
Jugendtraum verwirklicht« habe. Als dieser 1943, zur Zeit, als die
Lage an der Ostfront für die deutschen Truppen bereits sehr gefährlich war, in Linz die Modelle der Brückenfiguren besichtigte,
habe er angesichts der »Kriemhild« gegenüber Speer geschwärmt:
»Sehen Sie, welch bildschöner Körper! Da stand sicher die verehrte Frau des Grafen Modell. Meisterhaft die Haltung!« Speer
kommentierte dies viel später mokant in seinem Spandauer Tagebuch: »Die halbnackte ›Kriemhild‹ mit den über eineinhalb Meter
langen, Sittsamkeit andeutenden Zöpfen wirkte in Wahrheit eher
auf eine fatale Weise erotisch.« Er habe einem Begleiter zugeflüs-
tert, »der balkonartige Busen werde vermutlich ein idealer Nist-
platz für Tauben sein«.

Hitler aber habe laut Speer weiter geträumt: »Wenn das alles
steht, ist der Grundstein für Linz als Stadt der Kunst gelegt, meine
Herren. Sehen Sie, wie verwahrlost das Donauufer ist. [Der Architekt Hermann] Giesler muss mir dort eine Reihe von Gebäu-
den hinstellen. Eins schöner als das andere. Vor allem muss Linz
ein neues Museum bekommen, eine neue Oper. Mit den Bergen
im Hintergrund ist seine Lage um so vieles schöner als die von
Budapest oder Wien.« Dann schwärmte er von einem zu schaf-
fenden Orchester als dem »besten Klangkörper der Welt«. Später
spottete Speer über Hitlers feierlichen Gesichtsausdruck und

Hitlers Skizze eines neuen Linzer Landestheaters, das nie gebaut wurde

meinte, er hätte das Gefühl gehabt, »als sei dies alles eine grandiose Spielerei mit Bauklötzchen«.[37]

Hitler betätigte sich bei diesem Linz-Aufenthalt 1943, der eigentlich nur den Göring-Stahlwerken und den dort entwickelten neuen Panzern galt, auch als sachkundiger Fremdenführer. Er zeigte seiner Begleitung das Hotel, in dem Karl May 1901 monatelang gewohnt hatte, das Palais des Grafen Thun, für den Mozart die LINZER SINFONIE komponierte, das Landestheater, das Landhaus mit dem schönen Renaissancehof und das Landesmuseum, das er als »ein Gipfelwerk deutscher Baukunst« bezeichnete.[38]

Jedenfalls goss der »Führer« nach dem »Anschluss« ein Füllhorn an Geschenken über Linz aus und machte die ländliche Kleinstadt in kürzester Zeit zu einem blühenden Industriezentrum. Er hielt auch sein Versprechen »Fünf Millionen Mark für Volkswohnungen«,[39] ließ in Linz heruntergekommene alte Häuserzeilen abreißen und dort große Wohnblocks errichten, die »Führer-Siedlungen«.

Die Folge all dieser Aktionen war, dass es bereits wenige Monate nach dem »Anschluss« in Linz keine Arbeitslosigkeit mehr gab und Tausende Arbeiter nun aus dem Umland angeworben werden mussten. Linz blühte auf. Die Zahl der Einwohner wuchs rasch an. Und immer mehr Linzer wurden zu Hitler-Anhängern.

Noch im Krieg beauftragte Hitler den Architekten Giesler, ein einheitliches Baukonzept für das neue Linz zu entwickeln. Sehr viel Wert legte er dabei auf eine neue Uferverbauung auf der an-

Hitler diskutiert das Modell des neuen Linz; links der Architekt Hermann Giesler, rechts Martin Bormann

deren Seite der Donau, in Urfahr. Drei Brücken sollten den Strom überqueren (aber nur eine, die Nibelungenbrücke, wurde realisiert und besteht noch heute). In großen Modellanlagen plante Hitler mit Giesler eine neue, moderne Donaustadt – mit weiten Uferterrassen, dem »Stadthaus« als Haus der Linzer Bürger, diesem zugeordnet eine eigene Gebäudegruppe, die das »Technische Rathaus« darstellte, außerdem eine riesige »Halle der Volksgemeinschaft«, einen hohem Turm am Donauufer, eine Adolf-Hitler-Schule auf dem Spatzenberg, Gästehäuser für die Linzer Industrie, Hochhäuser für diverse Parteiorganisationen und so weiter.

Um sich die rasch wachsenden Linzer Großbaustellen anzusehen, kam Hitler während des Krieges mehrmals inkognito nach Linz. Er informierte vorher den Eigentümer des Hotels Weinzinger, dass seine Anwesenheit geheimgehalten werden müsse und er seine Besichtigungstour morgens machen werde. Bloch in der Rückschau: »*In seiner Freude, einen so bedeutenden Gast in seinem Haus zu haben, konnte der Hotelinhaber nicht widerstehen, damit zu prahlen und einigen Freunden die Neuigkeit tele-*

fonisch durchzugeben. Für diesen Vertrauensbruch bezahlte er schwer. Sein Hotel wurde konfisziert.«[40]

Zur selben Zeit, als er Linz mit Gaben überschüttete, beschnitt und entmachtete Hitler das von ihm gehasste Wien, wo er von 1908 bis 1913 seine schlimmsten Jahre verbracht hatte. Er betrachtete Wien nicht als eine »deutsche Stadt« wie Linz, sondern als »Rassenbabylon«: eine Zweimillionenstadt mit einer Bevölkerung von zehn Nationalitäten des habsburgischen Vielvölkerreichs. Vor allem aber war Wien jene westeuropäische Stadt, die den höchsten Anteil an Juden hatte – rund zehn Prozent.

Nun ließ Hitler die verhasste alte Kaiserstadt Wien »büßen«. Viele Kunstschätze aus Wiener Museen und Privatsammlungen, so der berühmten Rothschild-Sammlung, wurden nach Hitlers »Patenstadt« Linz gebracht, wo er ein riesiges Kunstmuseum plante. Speer meinte dazu später: »Eine Auszeichnung war ihm oft ein Mittel, einen anderen in die Schranken zu weisen.« Als Beispiel nannte er, dass Hitler »mit dem Ausbau von Linz das große Wien für die Unbill seiner Jugend demütigen wollte«.[41]

Für Anton Bruckners Wirkungsstätte, das nahe Stift Sankt Florian, erträumte sich Hitler Bruckner-Festspiele nach dem Muster der Bayreuther Festspiele – und zwar mit einem erstklassigen Orchester, das der Dirigent Eugen Jochum zu einem »der besten Klangkörper der Welt« machen sollte.[42] Dieser Plan fiel so wie viele andere dem Zweiten Weltkrieg zum Opfer.

Die »Patenstadt des Führers« ließ es sich einiges kosten, an Hitlers Jugendstätten Gedenktafeln anzubringen. Sein letztes Wohnhaus in Urfahr, Blütenstraße 14, wo seine Mutter gestorben war, erhielt eine Tafel – ebenso wie das winzige Haus in Leonding. Ansichtskarten dieser »Führerstätten« wurden in hohen Auflagen verbreitet. Die Linzer Realschule, die der junge Adolf wegen mangelnder Leistungen ruhmlos hatte verlassen müssen, schmückte sich mit einer gemeißelten Steintafel, versehen mit Widmung, Hakenkreuz und immer wieder frischem Laub zur Verzierung. Und das Linzer Landestheater, wo einst der junge Hitler seine ersten Wagner-Opern erlebt hatte, zierte nun eine Säule mit der hakenkreuzgeschmückten Inschrift:

VOLKSGENOSSE, DER DU AN DIESER SÄULE STEHST, WISSE, DASS IN
DEN JAHREN 1901–1906 AN DIESER STELLE OFTMALS EIN KUNST-
BEGEISTERTER DEUTSCHER JUNGE STAND UND HIER UNTER ANDEREM
DAS ERSTE MAL IN SEINEM LEBEN SCHILLERS »WILHELM TELL« UND
WAGNERS »LOHENGRIN« SAH; DER SPÄTER DAS STAATSOBERHAUPT
UND DER GRÜNDER GROSSDEUTSCHLANDS WURDE.
UNSER FÜHRER ADOLF HITLER!
SEIN WEG SEI AUCH DIR VORBILD UND ANSPORN![43]

Der Zustand des Landestheaters blieb allerdings schlecht. Das bemerkte auch Speer, den Hitler 1943 in einer kleinen Gruppe zu
den Linzer Sehenswürdigkeiten führte, so auch ins Landestheater. Speer: »Der Raum war ungepflegt, die Plüschbezüge der Be-
stuhlung waren abgesessen und verschlissen, der Theatervorhang
verstaubt. Aber das schien Hitler nicht zu stören. Mit sichtlicher
Rührung zeigte er uns im oberen Rang den billigen Platz, von
dem aus er Lohengrin, Rienzi und andere Opern erstmals gesehen
hatte, und gab durch eine knappe Geste zu verstehen, daß er allein
sein wollte. Einige Zeit lang träumte er vor sich hin, sein Blick war
abwesend, seine Gesichtszüge erschlafft. Unterdessen standen wir
leicht betreten herum ...«[44]

Noch einmal der »Edeljude«

Da Juden nun Menschen zweiter Klasse und ohne Rechtsschutz
waren, zwang die Gestapo die Hausbesitzer, *allen jüdischen Mie-*
tern die Wohnungen zu kündigen; auf diese Weise wurden die
Juden auch obdachlos! Als sein *überaus ängstlicher* arischer Ver-
mieter sich bei der Gestapo erkundigte, ob die Blochs in ihrer
Wohnung bleiben dürften, erhielt er die Antwort, Eduard Bloch
sei diesbezüglich einem »Arier« gleichzuhalten. So durften er und
seine Frau als einzige Linzer Juden in ihrer schönen großen Wohnung im Palais Weißenwolff bleiben. Blochs freudiger Kommentar: *Hitler hatte sich offenkundig erinnert.*
  Ob die Weisung von Hitler persönlich ausging, ist nicht schwarz
auf weiß zu belegen. Sicher aber ist, dass die Gestapo sehr vorsich-

tig war, wenn es um Bloch ging, und sich auffällig zurückhielt. Nie durchsuchte die Polizei oder die Gestapo Blochs Wohnung. Bei den Ämtern, sogar bei der Gestapo, wurde er höflich behandelt. Das alles wäre ohne eine Extraverfügung von allerhöchster Stelle unmöglich gewesen.

Im September 1938 erhielt Bloch eine wichtige Nachricht: *Dass ein Erlass Hitlers, mich betreffend, bei der Linzer Gestapo erliege, war mir bekannt, doch hat die Gestapo mich hievon nicht gleich verständigt; mein Schwiegersohn Dr. Kren sah denselben zufälligerweise; später machte die Geheime Staatspolizei keinerlei Hehl mehr daraus. Der Erlass lautete, in der Form wie ihn mein Schwiegersohn sah, folgendermassen:*

Erlass des Reichsministers und Chef der Reichskanzlei vom 14.9.1938 »wonach Obermedizinalrat Dr. Ed. Bloch Linz alle zulässigen Erleichterungen, auch in devisenrechtlicher Hinsicht zu gewähren sind«.

Welches waren nun die Begünstigungen die mir gewährt wurden? Ich konnte vor allem meine Wohnung behalten; dem Oberbürgermeister der Stadt Linz, der dieselbe für sich bei der Gestapo anforderte, wurde mitgeteilt, er könne dieselbe erst dann erhalten, wenn die Mitteilung kommt, ich befände mich am Bord eines Schiffes; ich durfte meinen Telephonanschluss haben; ich erhielt eine Kleiderkarte [die Juden normalerweise nicht bekommen durften], *mein Dienstbote musste sich beim Bezug von Lebensmitteln nicht anstellen, da ich das J* [Jude] *nicht auf dem Bezugsschein hatte, ich blieb im Besitze meines Passes, hatte keinerlei Hausdurchsuchung, ich durfte jederzeit nach Amerika telegraphieren etc., die Gepäcksrevision wurde in meiner Wohnung vorgenommen zu einer Zeit, wo dies nicht mehr erlaubt war. Die Behörden kamen mir, wohl auch mit Rücksicht auf meine frühere ärztliche Tätigkeit, sehr höflich entgegen. Die Gestapoleute, die sonst rücksichts- und erbarmungslos waren, kein Herz im Leibe hatten, belästigten mich nie; meine Gesuche wurden immer höflich befürwortet; es waren ja so manche unter den Beamten, die zu meinen ehemaligen Patienten gehörten.*

Mit seiner privilegierten Position quasi als Schutzjude der Ge-

Lilli Bloch um 1939

stapo stellte Bloch für die Linzer Nazibehörden ein außergewöhnliches Problem dar. Denn sie konnten gegen ihn nicht wie gewohnt durchgreifen, ja, mussten ihn gut behandeln, um keinen Ärger mit übergeordneten Stellen zu bekommen. Bloch: *Wiederholt wurde von der Geheimen Staatspolizei bei mir angefragt, ob ich denn doch nicht irgendeinen Arier in meiner Familie hätte, ob es denn wirklich richtig wäre, dass ich Jude sei. Schliesslich wurde von der Gemeinde ein Matrikenauszug verlangt, da man meiner Angabe, ich sei Volljude, nur sehr ungern Glauben schenken wollte. Man wollte mich zum »Ehrenarier« ernennen, um mir so eine glänzende Carriere zu ermöglichen; ich habe es rundweg abgelehnt, eines persönlichen Vorteiles willen meinen angestammten Glauben zu verleugnen.*

Kein Zweifel besteht daran, dass Bloch sehr stolz war auf seine Sonderposition beim »Führer«. Und Ehefrau Lilli, Tochter Trude, Schwiegersohn Franz Kren und auch die kleine Enkelin Johanna waren stolz auf ihn.

Bloch berichtete in seinen Erinnerungen auch, wie sich die Linzer ihm gegenüber nun verhielten, zum Beispiel seine Ärztekollegen: *Die jüngeren Berufsgenossen, beinahe durchwegs der Nazipartei angehörend, schauten bei einer Begegnung verlegen zur Seite, um nicht grüssen zu müssen.* Als positive Ausnahme nannte er Dr. Wimmer, den Gauamtsleiter für Volksgesundheit. Und: *Die freundlichen Beziehungen der älteren Collegen zu mir hatten sich in keiner Weise geändert, vielleicht waren dieselben nur noch herzlicher!*

Und, so Bloch launig: *Es kam sehr oft vor, dass Patienten oder Bekannte bei einer Begegnung auf der Strasse fürchteten, mich mit dem Hitlergrusse zu verletzen, doch ohne Gruss vorüberzugehn wollten sie auch nicht, so fanden sie einen Ausweg und riefen, die Hand zum Hitlergruss ausstreckend »Heil Doctor Bloch«, eine Situation die recht komisch wirkte!* Und allgemein über seine Erfahrungen mit früheren Kollegen und Patienten: *Ein Theil der Bevölkerung, besonders derjenige, der im Staatsdienste stand oder einen Ruhegenuss bezog, hielt sich scheu zurück, aus Furcht vor dienstlichen Unannehmlichkeiten oder Parteianfeindungen. Doch gab es anderseits wieder viele ehemalige Patienten, die ohne Rücksichtsnahme auf die Partei mich oft besuchten, um mir ihre Abscheu über das den Juden zugefügte Unrecht auszusprechen.*

Der Druck auf die Juden, Hitlers Reich so schnell wie möglich zu verlassen, wuchs von Tag zu Tag, so der Linzer Viktor Gans in seinen Erinnerungen: »Jeder Tag brachte neue Anschuldigungen gegen die Juden; der ›Stürmer‹, Streichers eigene Erfindung, war vielbegehrt und Pflichtlektüre sogar für Schulkinder... Inhaftierte Juden wurden fotografiert, und diese Fotos wurden mit idiotischen Überschriften und Lügen publiziert. Nach wochenlanger Haft waren natürlich solche Bilder nicht gerade schmeichelhaft. Sogar frühere Mitglieder der österreichischen Regierung entkamen dieser Art von Publicity nicht.« Die Fotos waren auch deshalb so schlimm, weil sich die Häftlinge weder waschen noch die Haare schneiden, noch rasieren durften. In diesem verwahrlosten Zustand wurden sie dann im STÜRMER als »Untermenschen« präsentiert.[45]

Herbst 1938: Einmarsch in die sudetendeutschen Gebiete

Joseph Goebbels trug bereits am 3. August 1937 in sein Tagebuch ein, welcher Nachbar nach Österreich das nächste Opfer
des Deutschen Reiches werden sollte: »Auch die Tschechei ist
kein Staat. Sie wird einiges Tages überrannt werden. Nun hat sie
wieder verboten, dass sudetendeutsche Kinder nach Deutschland
zur Erholung kommen. Weil hier ›Mangel an Lebensmitteln‹ sei.
Ich gebe Anweisung an die Presse, dagegen ganz scharf vom Leder
zu ziehen. Die Tschechen sind ein Drecksvolk!«[46]

Der Hinweis der Tschechen auf den Lebensmittelmangel im
Deutschen Reich war jedoch berechtigt. Denn während es im
wohlhabenden Siegerstaat Tschechoslowakei reichlich und gut
zu essen gab inklusive aller denkbarer Delikatessen, war dies alles
für Normalverbraucher in Hitlers Reich längst nicht mehr zu
haben.

Seit dem »Anschluss« Österreichs hetzte die deutsche Presse
immer heftiger gegen die Tschechoslowakei. Aggressiver denn je
forderte Konrad Henlein, der Führer der Sudetendeutschen Partei,
in Hitlers Auftrag die autonome Selbstverwaltung der Deutschen
in der Tschechoslowakei und bald darauf auch das Recht auf Selbst-
bestimmung, also auf freie Entscheidung der Deutschen darüber,
zu welchem Staat sie gehören wollten.

Anfang September 1938 drohte Hitler mit dem Einmarsch in
die Tschechoslowakei und löste damit in Europa große Kriegsangst aus. Die Menschen, die noch die Katastrophen des Ersten
Weltkriegs vor Augen hatten, fürchteten sich vor einem neuen
Krieg – auch viele Soldaten. Viktor Gans hielt es für offensichtlich,
»dass etwa 80 % der mobilisierten Truppen nicht gerne ihr Leben
riskierten, um die Sudetendeutschen zu befreien. Wir Juden rea-
lisierten, dass ein Kriegsausbruch das Ende für uns alle wäre.« In
London wie in Berlin und Wien wurden bereits Zigtausende Gasmasken an die Bevölkerung verteilt. Die Atmosphäre war bis aufs
Äußerste angespannt.

In dieser Phase schaltete sich der britische Premierminister
Neville Chamberlain als Vermittler ein und traf Hitler am 15. Sep-

tember zu einer Besprechung auf dem Berghof. Um eine friedliche Lösung des Konflikts zu erreichen, erklärte sich Chamberlain bereit, nach Prag zu fahren, um mit Eduard Beneš über die Abtretung der sudetendeutschen Gebiete an das Deutsche Reich zu verhandeln – mit Hinweis auf das Selbstbestimmungsrecht. Hitler aber müsse im Gegenzug die Sicherheit der restlichen Tschechoslowakei garantieren.

Bei einem weiteren Treffen in Bad Godesberg am 22. September akzeptierte Chamberlain Hitlers Forderungen, bat aber nun auch Benito Mussolini und den französischen Ministerpräsidenten Édouard Daladier für den 28./29. September zu einem gemeinsamen Treffen nach München. Aus der Tschechoslowakei, also jenem Land, um das es ging, war kein Vertreter eingeladen.

Im Münchner Abkommen wurde die Abtretung der Sudetenländer an das Deutsche Reich beschlossen und damit der drohende Krieg verhindert. Die Mächte wiesen darauf hin, dass damit die Bestimmung des Versailler Friedensvertrags über die Sudetendeutschen gestrichen sei. Der Bestand der restlichen Tschechoslowakei wurde einmütig garantiert.

Hitler und Mussolini nach dem erfolgreichen Abschluss der Münchner Konferenz auf der Fahrt zum Hauptbahnhof

Chamberlain wurde bei seiner Rückkehr in London von Menschenmassen als Retter des Friedens umjubelt. Seine »Appeasement-Politik« hatte funktioniert. Nun vertraute er darauf, dass Hitler sein Versprechen halten und keine weiteren territorialen Forderungen stellen würde. Denn mit den Sudetendeutschen war ja der Großteil der Volksdeutschen in das Deutsche Reich zurückgeholt worden. Und damit war der erste Punkt des Parteiprogramms der NSDAP aus dem Jahr 1920 erfüllt: »Wir fordern den Zusammenschluss aller Deutschen auf Grund des Selbstbestimmungsrechtes der Völker zu einem Groß-Deutschland.«

Hitler aber, der sehr wohl den Krieg gewollt hatte, musste weiter warten. Immerhin konnte er sich nun unfreiwillig als Friedensfürst feiern lassen und sich der Dankbarkeit seiner Deutschen erfreuen.

Bereits am 1. Oktober 1938 begann stufenweise der kampflose Einmarsch deutscher Truppen in die Sudetengebiete. Damit überschritten sie die einst in Versailles festgelegten Grenzen. Die Soldaten wurden von den »erlösten« Volksdeutschen jubelnd empfangen. Als Hitler dann auch noch persönlich erschien, wurde ihm in euphorischen Dankesszenen gehuldigt. In den deutschen Zeitungen wurde jedoch nicht erwähnt, dass rund 400 000 Tschechen, die in den nun annektierten Grenzgebieten lebten, ausgewiesen wurden.

Viktor Gans: »Danach jedoch nahmen die Siegesfeiern kein Ende, und die Tatsache, dass Chamberlain nachgegeben hatte, erhöhte Hitlers Prestige. Die Menge wiederholte wieder und wieder Goebbels Dank an Hitler, ›das Leben nun schöner gemacht zu haben‹.« Die allgemeine Meinung auch bei den Deutschen war, dass Hitler nun sein nationales Ziel erreicht habe. Immerhin ging es um viele Millionen Menschen, die seit 1933 ins Deutsche Reich »zurückgeholt« wurden: 1935 das Saarland, 1936 das Rheinland, 1938 Österreich und nun die »Sudetenländer«.

Gans: »Um keine Zeit zu verschwenden, schickte Hitler bayrische ›Befreiungstruppen‹ zu den angeblich armen und hungernden Sudetendeutschen. Dabei war die Tschechoslowakei ein Land, das in großer Menge Rohstoffe, gute Waren und alle Arten

Sudetendeutsche in Tracht am 3. Oktober 1938 mit dem handschriftlichen Text: »Zur Erinnerung an den denkwürdigsten Tag meiner Vater- und Heimatstadt Asch ging ich, um unseren lieben Führer an dem Tag, da er zum erstenmal in Asch weilte, überhaupt zum ersten Male Sudetendeutsches Land besuchte, mit meiner Gruppe in Tracht, um den Führer zu grüßen und ehren. Heil Hitler!«

von Lebensmitteln besaß – aber nur so lange, bis sie von ihren Besetzern ›versklavt‹ wurden.« Viele Leute im »Altreich« hätten dieser Propaganda geglaubt, so Gans, während gleichzeitig ein neues Gesetz Privatpersonen verbot, das »befreite Gebiet« zu betreten: »Der Grund dieses Befehls war, dass jedermann dieses angeblich von Armut befallene Gebiet besuchen wollte, um seine dahinschwindenden Vorräte aufzufüllen, lauter Dinge, die inzwischen im ›mächtigen Dritten Reich‹ unbekannt geworden waren.«

»Reichsdeutsche« Parteileute ließen es sich nicht nehmen, nun eiligst in die neuen Länder zu fahren und dort alles das einzukaufen, was es in Deutschland längst nicht mehr so selbstverständlich zu kaufen gab: Fleisch, gute Schuhe und Stoffe, feines Porzellan und viele andere für die Bürger des Deutschen Reiches kaum erreichbare Luxusgüter. Erst als die Geschäfte in den Sudetenlän-

Die vier Besetzungsetappen des sudetendeutschen Gebiets (schwarz); von Linz aus war das nahe Südböhmen mit Krumau betroffen

dern fast leer waren, durften auch Normalbürger aus dem »Reich« die annektierten Länder besuchen.

Die in den sudetendeutschen Gebieten lebenden Juden hatten nun allen Grund, besorgt zu sein. Viele von ihnen flohen in diesen Tagen in die unbesetzten Gebiete der Tschechoslowakei, vor allem nach Prag. Diejenigen, die blieben, teilten sehr bald das Schicksal aller Juden in Hitlers Reich: Verfemung, Beschimpfung, Ausplünderung, Verhaftung und Schlimmeres.

Gleich nach Hitlers Truppen fuhren nun auch die »Abgesandten« Adolf Eichmanns in die angrenzenden sudetendeutschen Gebiete, um die planmäßige Ausraubung der dortigen Juden zu organisieren. Aus Linz schickte Eichmann vier Männer mit dem Auto ins nahe Krumau. Dabei handelte es sich um zwei Polizeibeamte aus dem berüchtigten Linzer »Mozarteum«, der politischen Polizeistelle in der Mozartgasse: Der eine war Franz Stangl, der spätere Chef des Vernichtungslagers Treblinka, der andere sein jüngerer Kollege Greil. Die anderen beiden waren Juden: Max Hirschfeld, der provisorische Vorsteher der Linzer Jüdischen Gemeinde, und sein Assistent Otto Unger. Wie Stangl 1971 der Journalistin Gitta Sereny erzählte, sollten die vier Männer in den neuen Ländern herausfinden, »wie viele Juden dort noch lebten und was sie besaßen«.[47]

Hirschfeld und Unger hatten dabei die Aufgabe, nun auch für Krumauer Juden, darunter Angestellte der Fürsten Schwarzenberg, die Ausreise zu organisieren, natürlich erst dann, wenn diese ihr Vermögen an die Nazis abgetreten hatten.

Im Nachhinein wunderte sich Stangl, wie harmonisch diese Reise verlief. Sie hätten gemeinsam in einem Hotel übernachtet. »Wir haben auch zusammen gegessen. Wie soll ich das nur erklären? Es war alles ganz normal und freundlich.« Hirschfeld bestätigte später im Stangl-Prozess in einer schriftlichen Aussage das gemeinsame Mittagessen in Böhmen. »Ich habe die Rechnung bezahlt, ohne darum gebeten zu sein.« Er wusste aber nur von zwei Tagesreisen ohne Übernachtung, was angesichts der kurzen Entfernungen von Linz nach Krumau einleuchtet.[48] Der deutschsprachige Bezirk Krumau wurde bald darauf dem angrenzenden Gau »Oberdonau« zugeschlagen und den Linzer Behörden unterstellt.

In den Tagen der Sudetenkrise und im allgemeinen Jubel über den Einmarsch in die deutschsprachigen Gebiete der Tschechoslowakei war Eduard Bloch verständlicherweise sehr besorgt. Es ging ja um seine geliebte Heimat Südböhmen, wo zahlreiche seiner Neffen und Nichten, Studienfreunde und Verwandte lebten, die nun als Juden gefährdet waren. Frauenberg und Budweis waren zwar vorerst noch nicht von Nazitruppen besetzt. Aber die Angst vor weiteren Vorstößen Hitlers war groß und begründet. Denn trotz all ihrer Versprechungen, das Deutsche Reich sei nun »saturiert«, beendete die deutsche Regierung die Kampagne gegen die Tschechoslowakei nicht.

Im Gegenteil: In Hitlers Auftrag hetzte das Propagandaministerium unter Goebbels äußerst phantasievoll weiter gegen die Tschechen. Hitler wollte mehr als nur die Sudetenländer, nämlich die ganze Tschechoslowakei, vor allem die alte Kaiserstadt Prag. Sein Auge richtete sich damit nicht mehr auf ein »deutsches

Die beiden Präsidenten der Tschechoslowakei nach 1918: Tomáš Garrigue Masaryk (1918–35; links) und Eduard Beneš (1935–38, 1945–48)

Land«, sondern eindeutig auf ein anderssprachiges Nachbarland. Und dieses hatte, da es weit nach Deutschland hineinragte, eine für Hitlers längst geplanten Krieg sehr ungünstige strategische Lage.

Eduard Bloch wird arbeitslos

Bloch war in dieser Zeit in größten Schwierigkeiten. Denn laut vierter Verordnung zum Reichsbürgergesetz waren am 30. September 1938 sämtliche Approbationen jüdischer Ärzte im Großdeutschen Reich erloschen. Sie mussten ihre Ordinationen schließen, durften keine Kranken mehr behandeln – auch nicht als »Heilbehandler« – und riskierten bei Nichtbefolgung eine einjährige Gefängnisstrafe. Diesmal gab es für Bloch keine Ausnahme.

So schloss auch Eduard Bloch am 1. Oktober 1938 seine geliebte Praxis – nach 37 Jahren erfolgreicher Tätigkeit. Seine Enkelin Johanna betonte später, dass dies der größte Bruch in Blochs Leben gewesen sei: »Er wurde davon abgehalten, das zu tun, was er am besten konnte – nämlich arbeiten … Seine Furcht wuchs.«[49]

In dieser Situation wurde Bloch vom Gauamtsleiter für Volksgesundheit, Dr. Wimmer, zu einer Unterredung gebeten. Dieser, der Bloch sehr mochte, schlug ihm *vor, ich möchte nach Wien übersiedeln, mit der Versicherung, dass ich dort sofort gut dotierte Stellen erhalten werde; auch der berüchtigte Chef für jüdische Angelegenheiten Eichmann gab mir zu verstehen, er sei für meine persönliche Sicherheit verantwortlich und würde es begrüssen, wenn ich nach Wien gehen wollte.* Und: *Eine mich ungemein ehrende Berufung an das berühmte Rothschildspital in Wien konnte ich leider nicht annehmen, doch habe ich mich über dieselbe sehr gefreut, da sie eine besondere Würdigung meiner ärztlichen Kenntnisse darstellte!* Dies zeigt: Linz hatte den Ehrgeiz, so rasch wie möglich »judenfrei« zu sein.

Bloch wollte aber Linz und seine Wohnung nicht verlassen und lehnte das Angebot ab, *nicht zuletzt aus Sicherheitsgründen für meine Familie.* Überdies hatte er – wie sein Enkel Georg – keine gute Meinung von den Wienern: *das Wort vom »goldenen Wiener Herzen« hat sich als leere, hohle Phrase erwiesen, der grösste Theil der Wiener Bevölkerung hat sich auf schmähliche, elendeste Weise gegen die unglücklichen Juden benommen!*

Bevor Bloch den Amtsraum verließ, sagte ihm der wohlmeinende junge Kollege: »*Übrigens, Herr Obermedizinalrat, es wird sich keiner von uns Ärzten irgendwie darum kümmern, ob Sie Praxis ausüben oder nicht.*« *Ich habe es, wiewohl zahlreiche arische Patienten, auch von Ärzten empfohlen, kamen, abgelehnt, dieselben zu empfangen, um nicht gegen die »bestehenden Verordnungen« zu verstossen und dadurch zu einem »amtlichen Einschreiten« gegen mich Anlass zu geben.*

Tatsächlich kamen auch nach der zwangsweisen Schließung der Ordination immer noch meist jüdische Patienten verschämt und heimlich zu ihrem alten Hausarzt, zumal es in Linz – im Gegensatz zu Wien – kein jüdisches Spital gab. So wurde im Oktober 1938 auch eine schwerverletzte, stark blutende Dame namens Emilie Freund zu Dr. Bloch gebracht. Er leistete Erste Hilfe und versorgte die Kopfwunden, die auf schwerste Misshandlungen hinwiesen. Da er die Patientin nicht in seiner Wohnung behal-

Prof. Dr. Leopold Freund

ten konnte, eine Jüdin aber auch nicht in ein Linzer Spital einweisen durfte, ließ er die unter Schock Stehende nach Wien zu ihrem Schwager bringen, dem Dermatologen Professor Leopold Freund. Dieser hatte zum ersten Mal Röntgenstrahlen als Therapie angewandt, war also ein Pionier der Röntgenologie.

Am 25. Oktober 1938 informierte Freund seinen Linzer Kollegen brieflich über den Zustand der Patientin: »Die Kranke kam mit einer sehr großen Blutbeule an der linken Schläfe mit einem fingernagelgroßen Hautspalt daselbst an. Ein Zahn war ausgeschlagen, der Daumen der linken Hand verstaucht.« Die Wunden seien inzwischen nicht mehr so schlimm, aber er habe die Patientin wegen schwerer Herzprobleme auf die Herzstation des Rothschild-Spitals überweisen müssen – also in das einzige Spital der »Ostmark«, das Juden aufnehmen durfte. Unmissverständlich deutete er an, dass der Zustand der 69-Jährigen aussichtslos sei und sie bald sterben werde: »Ich ... kann nur meinen armen Bruder recht beklagen, der mit seiner treuen Lebensgefährtin wohl nun den letzten Halt und Rest seines früher so glücklichen Lebens ins Grab sinken sehen wird.« Emilie Freund starb drei Wochen später in Wien.

Dann dankte Freund seinem Kollegen Bloch »für die Hilfe, den freundschaftlichen Beistand und Trost, die Sie den armen Menschen in so furchtbarer Lage geboten haben… Sie waren nicht nur ein idealer, kenntnis- und erfahrungsreicher ärztlicher Helfer, sondern auch ein edler Menschenfreund und haben damit unseren schönen Beruf repräsentiert, wie wir alten Ärzte es für unsere Pflicht hielten. Leider sind aber diese Maximen jetzt aus der Mode gekommen.« Und im Nachsatz: »Nehmen Sie noch meine herzlichsten Wünsche für Ihr weiteres Leben.«[50]

Dies war ein Abschiedsbrief. Bald darauf gelang Freund die Flucht nach Brüssel, wo ihn 1940 Hitlers Truppen einholten. Er starb dort im Januar 1943 74-jährig an Krebs. Sein in Linz gebliebener Bruder und nunmehriger Witwer Heinrich fiel mit 79 Jahren in Riga dem Holocaust zum Opfer.

Renato Attilio Bleibtreu

Anfang November 1938 erhielt Eduard Blochs Schwiegersohn Franz Kren den Besuch eines ihm unbekannten Herrn. Dieser stellte sich als Renato Attilio Bleibtreu vor und *legitimierte sich als Beamter im Stabe des »Stellvertreters des Führers« Hess; er sagte, er komme im Auftrage des Leiters des Münchener Hauptarchives und bat meinen Schwiegersohn, mich auf seinen Besuch vorzubereiten, da er nicht mit seiner Mission überraschend »ins Haus geschneit« kommen wolle.*

Bleibtreu hatte bisher hartnäckig und vergeblich versucht, Zugang zum wichtigsten Linzer Zeitzeugen, Hitlers hochgeschätztem »Edeljuden« Dr. Bloch, zu finden. Aber dieser hatte sich geweigert, ihn zu empfangen. Bleibtreu schrieb in einem offiziellen Bericht an seinen Auftraggeber Ernst Schulte-Strathaus in München: »Als auch diesmal wieder seitens des Obermedizinalrates Dr. Bloch immer neuerlich verschoben wurde, und auch Dr. Ehrhardt[51] nicht mehr vermitteln wollte, habe ich kurzerhand den Schwiegersohn des Dr. Bloch in dessen Privatwohnung aufgesucht, da ich erfahren konnte, dass dieser seit langem schon alle Angelegenheiten des alten Arztes ordnet. Dr. Franz Kren ist

gleichfalls Arzt. Als ich diesem den Brief des Herrn Reichsamt-
leiter Schulte-Strathaus vorlegte, sagte er mir, dass er nun ganz
offen mit mir reden könne, was er bisher aus Angst nicht getan,
da er anfänglich in mir einen Beauftragten der Gestapo vermutete
und fürchtete, in irgend eine Falle gelockt zu werden.«[52]

Der damals 45-jährige Wiener Journalist Bleibtreu war eine
von mehreren Vertrauenspersonen des Bayerischen Hauptarchivs,
die gleich nach dem Einmarsch sehr energisch Urkunden, Briefe,
Bilder und Augenzeugenberichte aus Hitlers Jugend vor Ort ein-
sammelten und dafür auch ein Budget zur Verfügung hatten. Der
selbstbewusst auftretende und sehr eloquente Bleibtreu war in
Oberösterreich und vor allem in Linz eingesetzt.

Sein Münchner Auftraggeber, der 57-jährige Ernst Schulte-
Strathaus, Reichsamtsleiter, Astrologe und Schwiegersohn der
Dichterin Ina Seidel, war ein enger Freund und Mitarbeiter von
Rudolf Hess. Die beiden waren als diskrete Vertrauenspersonen
für persönliche Dinge des »Führers« zuständig und eben auch für
die sorgfältige und möglichst lückenlose Sammlung biografischer
Belege aus Hitlers Vergangenheit. Die beschlagnahmten Papiere
wurden im Münchner Hauptarchiv deponiert und der Öffentlichkeit entzogen.

Bisher hatte Bleibtreu in Linz bereits den alten Klavierleh-
rer Josef Prewatsky-Wendt ausgefragt, der einst den 17-jährigen
Hitler drei Monate lang mit wenig Erfolg unterrichtet hatte. Die
NSDAP kaufte dem armselig lebenden Mann den durch seinen
prominenten Schüler »geweihten« Bösendorfer-Flügel ab. Und, so
Bleibtreu: »Da des Führers besondere Leidenschaft der oberösterreichische Bauernkrieg war, habe ich auch jene von Prof. Strnad
geschriebene Geschichte dieses Protestantenaufstandes aufgebracht, an deren Hand Prof. Poetsch seine Vorträge über diese
Zeit gehalten.« Und: »Aus dem Archiv des Linzer Landestheaters
bekomme ich die Bilder von Schauspielern und Sängern, die der
Führer als Wagner- und Schillerhelden gesehen, auch die Theater-
zettel. Lustigerweise waren es fast lauter Juden.«[53] Außerdem
kaufte er für je vier Reichsmark zwei Behälter »für Braunauer
und Leondinger Erde«, die Hitler zugedacht waren, beklagte

*Renato Bleibtreu in den
Vierzigerjahren*

aber, zum Ankauf weiterer Dinge über zu wenig Geld zu verfügen.[54]

In diesem Zusammenhang kritisierte Bleibtreu gegenüber
seinen Münchner Auftraggebern die unfreundlichen Archivare,
vor allem aber den »unangenehmen Geschäftsgeist« der Linzer.
Eine Frau habe für eine Todesanzeige Klara Hitlers 100 Mark
(heute 450 Euro) verlangt! »Auch der oft an Borniertheit gren-
zende Lokalpatriotismus macht sich peinlich fühlbar. ›Was geht
uns das Altreich an. Was geht uns München an!‹ kann man immer
wieder hören, und das bei illegalen Kämpfern, wenn man Material
aus ihrer harten Zeit für das Zentralarchiv will.« Und weiter: »Am
angenehmsten und entgegenkommendsten sind eigentlich die
Pfarrleute, die bei jeder Gelegenheit beweisen wollen, ›wie gern sie
dem Reich angehören!‹ Sogar die Stiftsherren von Lambach tun
glücklich.«[55]

Allerdings machten sich viele der von Bleibtreu Befragten
wichtig und erzählten ihm phantasievolle, oft auch erfundene Ge-

schichten, die der schlecht informierte Interviewer arglos in seine bunte Quellensammlung aufnahm. Seither geistern manche Märchen über Hitlers Jugend durch die Literatur.

Bleibtreu war eine schillernde Persönlichkeit, was schon seine wechselnden Vornamen zeigen. Er war angeblich als Ottilio geboren (in den Militärakten steht allerdings Otto), nannte sich aber auch Attila, Renato oder – wie gegenüber Dr. Kren – Renato Attilio. Er betonte gerne, dass er der Neffe der damals 70-jährigen und immer noch aktiven Hedwig Bleibtreu war, der in Linz geborenen Heroine des Wiener Burgtheaters. Aber stets bat er, gegenüber der Tante nicht seinen Namen zu erwähnen. Denn sie wolle nichts von ihm wissen.

Hedwig Bleibtreus jüngere Schwester Maximiliane hatte 1893 als 23-jährige Schauspielerin ihren unehelichen Sohn heimlich in der Alservorstadt in Wien geboren, wahrscheinlich im dortigen Findelhaus, wo diskrete Geburten üblich waren. Dann ließ sie das Kind zurück und sah es nie wieder.

1901 wurde der Achtjährige nach Linz gebracht, und zwar zu Katharina Brüstel, der Witwe eines Gefangenenaufsehers, wohnhaft in der Ludlgasse 16. Er blieb dort bis 1910, als er 17 war.[56] Später erzählte der phantasievolle Bleibtreu seinen Kindern, dass er in der Linzer Ludlgasse in einem Privatheim gewohnt habe, wo nur illegitime Kinder von Burgschauspielerinnen untergebracht gewesen seien. Denn diese hätten ihre Stelle sofort verloren, wenn es bekannt geworden wäre, dass sie ein uneheliches Kind hatten. Weiter erzählte er, dass er, als er als 17-Jähriger von Linz nach Wien kam, kurze Zeit bei seiner berühmten Tante Hedwig gewohnt habe. Da sie ihm aber kein Geld gab, habe er ihr Haus verlassen.[57] Ob dies alles so stimmt, ist sehr fraglich. Jedenfalls betonte Bleibtreu gerne, mit der berühmten Hedwig Bleibtreu verwandt zu sein, und gab sie manchmal sogar als seine Mutter aus.

Ottos Mutter Maximiliane Bleibtreu, inzwischen verheiratete Mebus, war »Königlich Sächsische Hofschauspielerin« in Dresden und hatte dort »als komische Alte im klassischen Stück, als Dialektschauspielerin, und als Darstellerin im modernen Drama brilliert«.[58] 1923 starb sie 52-jährig unerwartet nach kurzer Krankheit

Die beiden späteren Schauspielerinnen Hedwig (links) und Maximiliane Bleibtreu

in Dresden. Mutter und Sohn waren einander nie begegnet. Eheliche Kinder hatte Maximiliane nicht.

Jedenfalls war Bleibtreu ein wenn auch illegitimer Sprössling der berühmten Schauspielerdynastie. Schon seine Großeltern, Sigmund und Amalie Bleibtreu, waren prominente Schauspieler – und seine späte Tochter Monica und deren Sohn Moritz setzen heute die Familientradition fort.

Bleibtreu versuchte sich nicht als Schauspieler, sondern als Autor von Theaterstücken, die weder gedruckt noch aufgeführt wurden. Er lebte in den Dreißigerjahren sehr bescheiden als freier Journalist mit seiner berufstätigen ersten Frau und vier Kindern im 2. Bezirk in Wien. 1934 erschienen zwei rund 30-seitige Broschüren von ihm in der Reihe BÜCHER DES VATERLANDS, offensichtlich Auftragsarbeiten des Ständestaats:

UNSER FEY. EIN BILD DES HELDEN. VON EINEM DEUTSCHMEISTER ist eine schwülstige Lobeshymne auf den damaligen Innenminister Emil Fey und dessen Heldentaten im Ersten Weltkrieg an der Italienfront. Kurz vor Erscheinen der Broschüre hatte Fey eine neue »Heldentat« geliefert: Als Chef der Polizei im Ständestaat schlug er im Februar 1934 den Aufstand der Sozialdemokraten brutal nieder (s. S. 216ff.).

Die zweite Broschüre war im Stil der damals gerade modischen Bauernromantik verfasst und galt dem Leben des am 25. Juli 1934 von den Nazis ermordeten Bundeskanzlers Engelbert Dollfuß: Der Heldenkanzler. Ein Lied von der Scholle. In beiden Broschüren erwies sich Bleibtreu als schwärmerischer Anhänger des autoritären katholischen Ständestaats.

Vier Jahre später, als er zu Kren kam, hatte Bleibtreu die Seiten gewechselt und stand nun im Sold der Mörder seines angeschwärmten »Heldenkanzlers« Dollfuß, also der Nazis. Auch Fey, sein anderes ehemaliges Idol, war bereits tot. Nach Hitlers Einmarsch in Österreich hatte er am 16. März 1938 Frau und Sohn erschossen und dann sich selbst.

Nun erfuhr Bleibtreu von Dr. Kren, dass Eduard Bloch zwei von Hitler handbeschriebene Dankkarten von 1907/08 aufgehoben hatte. Laut Kren sei Bloch bereit, die Karten dem Münchner Hauptarchiv zu zeigen, »doch müsse sich das Archiv die Stücke bei der Gestapo abverlangen, von der dieselben im März beschlagnahmt wurden«. Er, Kren, habe im Namen seines Schwiegervaters gegen die Abnahme der zwei Karten protestiert und sei daraufhin von der Gestapo verhaftet und 18 Tage ohne Verhör festgehalten worden. »Er bringt die Inhaftierung mit seinem Protest in Verbindung.«

Schließlich kam durch Krens Vermittlung doch noch ein Treffen mit Bloch zustande. Dieser schrieb später, Bleibtreu sei *ein Mann von sehr guten Umgangsformen und ungemein redegewandt* und habe ihm bei seinem ersten Besuch einen Brief folgenden Wortlauts übergeben: »Ich bitte Sie, mir die zwei Aquarelle von Adolf Hitler für kurze Zeit zu treuen Händen zu überlassen, damit ich sie dem Führer vorlegen kann. Das Weitere wird Herr B[leibtreu] mit Ihnen besprechen. Ernst Schulte-Strathaus, Reichsamtsleiter im Stabe von Rudolf Hess, Adresse: München, Braunes Haus.«

Die Karten waren aber angeblich bereits bei der Gestapo. Offensichtlich wetteiferten verschiedene Parteistellen darin, dem »Führer« mit Erinnerungsstücken an seine österreichische Jugend eine Freude zu bereiten.

Der beredte Bleibtreu versprach nun dem alten Herrn, bei
der Gestapo vorzusprechen und die Hitler-Karten für Bloch zurückzuholen, und sagte: *Das ist ja nur eine Kleinigkeit zu erfahren, wo dieselben sind, ich bin in etwa 14 Tagen beim Führer in
Obersalzberg wegen des Buches geladen, dann werde ich darüber
sprechen und wir bekommen die Karten in kürzester Zeit zurück.*
Er plane nämlich, *ein grosses Werk »über die Jugend des Führers«
zu veröffentlichen; meine Beziehungen zur Familie Hitler, deren
Hausarzt ich war, wären für ihn von ganz besonderer Wichtigkeit, zumal ich ja auch Adolf Hitler in der Jugend behandelt habe.*
Bleibtreu zeigte sich *über alle Verhältnisse der Partei, der er seit
Jahren angehörte, glänzend informiert, ganz besonders über Hitlers intimste Vertrauten.* Laut Parteiakten war Bleibtreu kein Parteimitglied, obwohl er sich sehr darum bemühte, aufgenommen
zu werden.

Außerhalb des Archivauftrags, so sagte Bleibtreu, sammle er in
Linz für sich persönlich auch Material für eine von ihm geplante
Hitler-Biografie: frühe Hitler-Briefe, Dokumente und Zeugenaussagen von Linzern über den jungen Hitler. Bisher habe er in
Linz bereits Hitlers engsten Jugendfreund August Kubizek, seinen
Lehrer Eduard Huemer und viele ehemalige Mitschüler ausgefragt
und sie gebeten, ihre Erinnerungen an den Schüler Hitler aufzu-
schreiben. Er berichtete darüber nach München: »aber stolz sind
sie alle, Mitschüler des Führers gewesen zu sein«.

Schließlich bat Bleibtreu den offenbar beeindruckten Eduard
Bloch, für das Münchner Hauptarchiv seine »Erinnerungen an
den Führer und dessen verewigte Mutter« niederzuschreiben, so
wie dies auch die übrigen Augenzeugen täten. Das dreiseitige Manuskript, bereits am 7. November 1938 abgeschlossen, ist in einem
langatmigen, geradezu feierlichen Stil abgefasst und zeigt deutlich
Blochs Bemühen, den »Führer« an die alten Zeiten zu erinnern.
Natürlich ging es vor allem um die Krankheit und den Tod von
Klara Hitler:

*»Mir war das Glück zu teil, in schwerer Krankheit der Mutter
des Führers hilfreich beistehen zu dürfen, am 14. Januar des J.
1907 sah ich die Verewigte in meiner Sprechstunde.«* Zwar dürfe

er als Arzt nicht über die Krankheiten seiner Patienten sprechen, aber er tue es diesmal im Bewusstsein, dass sein Brief ja für Hitler persönlich bestimmt sei. *»Frau Hitler war eine Frau von ganz besonderer Herzensgüte, die sich in ihren gütigen Augen, deren Glanz auch die Krankheit nicht verändert hat, wiederspiegelte. Mit größter Geduld ertrug sie Schmerzen, immer von der Sorge um das Wohl ihrer Kinder erfüllt. Bisweilen ahnte sie wohl die Schwere ihrer Erkrankung und da hörte ich sie scheinbar ganz unvermutet sagen: ›Der Adolf ist noch so jung.‹ Am 22. Dezember 1907 haben sich diese gütigen Augen zu ewigem Schlummer geschlossen. Mit sanfter Hand hat sie der Todesengel an jene strahlende Pforte geführt, von der es kein Zurück mehr gibt.«*

Während der häufigen Krankenbesuche habe er, Bloch, oft Gelegenheit gehabt, den damals 18-jährigen Adolf zu beobachten: *»In innigster Liebe hing er an seiner Mutter, jede ihrer Bewegungen beobachtend, um rasch ihr kleine Hilfsleistungen angedeihen lassen zu können. Sein sonst traurig in die Ferne blickendes Auge hellte sich auf, wenn die Mutter sich schmerzfrei fühlte. Ich habe in meiner beinahe 40jährigen ärztlichen Tätigkeit nie einen jungen Menschen so schmerzgebrochen und leiderfüllt gesehen, wie es der junge Adolf Hitler gewesen, als er am Tage nach dem Begräbnisse seiner Mutter mit seinen lieben Angehörigen zu mir kam, um mir mit thränenerstickter Stimme für meine ärztlichen Bemühungen Dank zu sagen.«*

Adolf war laut Bloch in dieser Zeit *»ein blasser, für seine Jahre hochaufgeschossener Junge, mit melancholischem Blick in weite Fernen sehend, nachdenklich, selten lustig. Seine Antworten waren folgerichtig, kurz. Nichts ließ zu dieser Zeit die überwältigende Größe des kommenden Führers ahnen.«* Und: *»Adolf Hitler hatte ein besonderes Zeichentalent. In Dankbarkeit sandte er mir von seiner ersten Reise nach Wien Ferngrüße, sowie eine sehr schön gemalte Karte mit herzlichen Neujahrsgrüßen und Dankesworten. Diese Karten habe ich durch Jahrzehnte lang aufbewahrt gehabt; dieselben waren bis zum 28. März 1938 in meinem Besitze. Unzählige Dankenskarten habe ich von ergebenen Patienten im Laufe der Jahre erhalten, ohne dass ich dieselben län-*

gere Zeit aufbewahrt hätte. Warum ich gerade diese Karten so sorgsam bewahrt habe? War es ein Vorausahnen der kommenden Größe? Nein! Ich habe dieselben als Andenken an einen braven, musterhaften Sohn bewahrt, der in so inniger Liebe und Fürsorge an seiner teueren Mutter gehangen, wie man sie nur in ganz ausnahmsweisen Fällen in diesem Erdenwallen findet. Ein so innigliebender Sohn kann nur ein Mensch mit grundgütigem Empfinden sein!«[59]

Der Brief zeigt, welch großen Wert Bloch darauf legte, dass der radikal antisemitische »Führer« ihn, den Juden, wegen der besonderen, sehr emotionalen Vorgeschichte als Arzt und als Mensch akzeptierte. Aber auf ein Zeichen des Dankes für seine Bemühungen oder wenigstens irgendeine freundliche persönliche Reaktion Hitlers in Erinnerung an alte Zeiten wartete er vergeblich. Er wusste ja nicht, was Hitler in Linz zu August Kubizek gesagt hatte: »... direkt an ihn zu schreiben, wäre nicht ratsam, denn die an ihn gerichtete Post käme vielfach gar nicht in seine Hände, weil sie bereits vorher aufgearbeitet werden muss, um ihn nicht zu belasten.«[60]

Mit Sicherheit aber hätte Bloch diesen Brief zwei Tage später ganz anders und vor allem weniger devot und blumig abgefasst. Denn am 9. November 1938 brannten im ganzen Deutschen Reich die Synagogen.

13 »Reichskristallnacht«

Die Vorgeschichte des 9. November

Am 28. Oktober 1938 schob das Deutsche Reich in der »Polenaktion« alle Juden, die die polnische Staatsbürgerschaft hatten und illegal oder staatenlos in Deutschland lebten, gewaltsam über die polnische Grenze ab und versperrte ihnen mit Waffengewalt den Rückweg. Aber der nicht gerade judenfreundliche polnische Staat weigerte sich, seine Landsleute aufzunehmen, und stellte ihnen seinerseits bewaffnete Soldaten entgegen. So saßen rund 17 000 hilflose, geschockte Menschen im Niemandsland in großer Kälte, ohne Nahrung und in primitivsten Umständen zwischen zwei scharf bewaffneten Fronten fest. Erst in letzter Minute wurde auf internationalen Druck ein Massensterben verhindert: Polen erklärte sich doch noch bereit, die verzweifelten und ausgehungerten Menschen ins Land zu lassen.

Unter diesen Vertriebenen war auch Grete Pollaks Verlobter Max, ein gebürtiger Pole. Die verzweifelte Grete, Hans Kafkas engste Jugendfreundin, suchte jahrelang nach Max, fand ihn nicht und erfuhr nie, was mit ihm geschehen war.

Auch die Eltern des 17-jährigen polnischen Juden Herschl Grynszpan waren unter den Vertriebenen. Grynszpan, in Hannover geboren und illegal in Paris wohnhaft, schoss am 7. November 1938 in der Deutschen Botschaft in Paris auf den 29-jährigen Diplomaten Ernst vom Rath und verletzte ihn schwer. In großer Aufmachung erschienen daraufhin in allen deutschen Zeitungen Hetzartikel, die die Tat als Attentat des »Weltjudentums« gegen das Dritte Reich hochspielten. Erst später ergab sich bei der Zeugenbefragung im Nürnberger Prozess, dass wahrscheinlich eine homosexuelle Beziehung zwischen Täter und Opfer bestand und der Diplomat geschlechtskrank war. Robert W. Kempner, einer der amerikanischen Ankläger, schloss nicht aus, dass die Nazis einen persönlichen Konflikt der beiden ausgenutzt und Gryn-szpan als Werkzeug benutzt hatten.[1]

Jedenfalls nahm die Regierung das Attentat zum willkom-menen Anlass, alle Juden im Deutschen Reich für diese Tat eines Einzelnen zu »bestrafen«, zu misshandeln, zu verhaften und ihrer Habe zu berauben. Bereits am 8. November brannten in einigen Städten die ersten jüdischen Geschäfte und Synagogen. Auch in Linz wurden schon am 8. November einige Juden verhaftet.

Als Ernst vom Rath am Abend des 9. November starb, gab der 34-jährige Reinhard Heydrich als Chef der Sicherheitspolizei eine geheime Weisung an sämtliche Gestapo-Stellen: Für die bevor-stehenden antijüdischen Demonstrationen und Aktionen sollte reichlich Sicherheitspolizei eingesetzt werden, damit durch den befohlenen Brand der Synagogen nicht die benachbarten Gebäude gefährdet würden. Und: »Geschäfte und Wohnungen von Juden dürfen nur zerstört, nicht geplündert werden.« Schließlich hätten ja Plünderungen für die späteren »Ariseure« eine große Wertver-nichtung bedeutet.

Vor allem seien überall so viele, insbesondere wohlhabende, Juden festzunehmen, »als in den vorhandenen Hafträumen unter-gebracht werden können. Es sind zunächst nur gesunde männliche Juden nicht zu hohen Alters festzunehmen. Nach Durchführung der Festnahmen ist unverzüglich mit den zuständigen Konzentra-tionslagern wegen schnellster Unterbringung der Juden in den Lagern Verbindung aufzunehmen.«[2] Und: Die Festgenommenen dürften nicht misshandelt werden.

Auch in Linz wurden in dieser Nacht fast alle arbeitsfähigen männlichen Juden verhaftet mit Ausnahme der Funktionäre der Jüdischen Gemeinde wie Max Hirschfeld, seines Assistenten Otto Unger und einiger Helfer. Auch die Familie Bloch/Kren blieb unbehelligt. Unter den Verhafteten waren auch die Brüder Viktor und Rudolf Gans. Im Polizeigefängnis in der Mozartstraße fanden die beiden neben vielen Nachbarn und Freunden auch ihren frisch verheirateten 29-jährigen Bruder Gustav als Mitgefangenen.

Da es in Linz im Unterschied zum »Altreich« und auch zu Wien kein jüdisches Geschäft mehr gab, konnten auch keine Schaufenster eingeschlagen werden. Zahlreiche Firmen waren nach der Verhaftung, der Flucht oder dem Selbstmord der jüdischen Inhaber bereits »übernommen« worden, und zwar von Angestellten, Kompagnons und Nazis – oft nach heftigen Streitereien um die reiche Beute. Andere Firmen waren zwangsweise »arisiert«, weitere wegen fehlender Kundschaft (»Kauft nicht bei Juden!«) und Überschuldung bereits vor 1938 pleite gegangen wie die der Kafkas. Das Wort »Kristallnacht«, also die Nacht des zerbrochenen Glases, passte deshalb nicht auf Linz.[3]

Der Linzer Tempel brennt

Umso gründlicher wurde in Linz der Befehl befolgt, die Synagoge abzubrennen. Die Pogromnacht begann hier um vier Uhr früh, als rund 40 SA-Männer in Zivil Einlass in die Synagoge forderten. Viktor Gans berichtete: »Rudi Löwy öffnete die Tür, und sie gingen in den rückwärtigen Teil, wo sich der Tempel befand und das ehemalige Büro des Rabbiners. Dieses war vorübergehend von der Familie Hesky bewohnt. Sie weckten Herrn Hesky und befahlen ihm, sie herumzuführen. Dann schlossen sie ihn in die Wohnung ein und versicherten ihm, dass ihm nichts passieren werde. Er hörte einen großen Lärm. Als die Tür wieder geöffnet wurde, sah Hesky alle Fenster zerbrochen, den Altar entweiht und zerstört. Als er in das vordere Gebäude eilte, wo früher die Büros waren, fand er dort die Löwys, Max Hirschfeld, Rubinstein und die Steins in größter Aufregung. Die Nazis hatten alle wertvollen Ritualgegenstände, Gold- und Silbersachen, Archivmaterial und sogar Sparbücher des Auswanderungsfonds mitgenommen und der Linzer Staatspolizei übergeben. Nur eine von ihnen gesuchte Briefmarkensammlung im Wert von 20 000 Schilling blieb unauffindbar.«

Viktor Gans weiter: »Da die SA-Männer gegangen waren, hofften sie, dass die größte Gefahr vorüber war.« Und: »Hesky rief die Polizei an in der Meinung, dass das in einem ordentlichen Land seine Pflicht sei. Bald darauf erschien ein Trupp SS- und SA-Männer und eine Anzahl junger Burschen in Zivil. Sie pochten an die Tür, und Rudi Löwy ließ sie herein. Ungefähr dreißig traten ein, wollten wissen, wo das Geld aufbewahrt sei. Als Rudi sagte, dass kein Geld vorhanden sei, wurden sie zornig und schlugen ihn ins Gesicht. Hesky musste seine Börse öffnen mit dem bißchen Geld, das er besaß, und sie nahmen auch seine Ausweispapiere mit. Dann machten sie aus dem Büro einen Trümmerhaufen, zerrissen alle Papiere und Akten, zerstörten die Bücher und alles andere. In den Wohnquartieren machten sie alles kaputt.«[4]

Zu diesem Zeitpunkt spielte sich vor dem Tempel folgende Szene ab, geschildert vom Augenzeugen Karl Löwy, der nach seiner Entlassung aus den KZs Dachau und Buchenwald mit seiner Familie notdürftig im Gemeindehaus neben der Synagoge wohnte und dort auf seine Ausreise wartete: »Der in der Nachbarschaft wohnende Gewerbetreibende G. holte sich aus dem Vorraum des Tempels, in dem manche Requisiten verwahrt waren, einen Zylinderhut, einen Talith, nahm eine Thorarolle in den Arm und setzte sich damit auf die Stufen zum Eingang des Gotteshauses, indem er, sich wiegend, einen hebräischen Singsang imitierte. Das Gegröhle des angesammelten Pöbels dankte ihm für seine ›humoristische‹ Vorstellung... Zu uns, die wir aufgewühlt und erschüttert die grausige Szene ansehen mussten, kamen SA-Männer, misshandelten uns und beschuldigten uns, dass wir Waffen versteckt hätten und dass wir Juden den Tempel selbst in Brand gesteckt hätten.«[5]

Das Weitere berichtet wieder Gans: »Als das alles getan war, fragten sie [die SA-Männer] nach Benzin oder Öl. Nichts davon war im Haus, aber sie bekamen es irgendwo. Denn nach kurzer Zeit begann es sehr stark zu riechen, und dann konnte man die Flammen aus dem Tempel schlagen sehen. Die Flammen arbeiteten rasch und zogen einen Polizisten an. Als er sah, welche Leute hier am Werk waren, zog er sich sofort zurück und ging weg. Erst als die Synagoge bis auf die Mauern niedergebrannt war, erschien die Feuerwehr. Aber es war zu spät... Alles, Heskys Unterkunft und die wenigen Dinge, die er noch besaß, war verbrannt. Es war ihm nur das geblieben, was er auf dem Leib trug. Sogar seine Geldbörse mit den Ausweispapieren gaben sie ihm nie zurück. Und um das alles noch zu übertreffen, nahmen sie Hesky, seinen Sohn und Rudolf Löwy in Haft.«[6] Die drei wurden völlig verstört ins Polizeigefängnis gebracht und in jene Zelle eingeliefert, in der bereits ihr Glaubensbruder Viktor Gans schmachtete. Er schrieb die frischen Aussagen der Augenzeugen nieder.

Noch am selben Abend wurden die drei Männer wieder aus der Haft entlassen. Den Grund erfuhren die zurückgebliebenen Leidensgenossen erst später: Hirschfeld hatte die Gestapo überzeugt, dass er ohne seine bewährten Mitarbeiter – Vater und Sohn Hesky und Rudolf Löwy – seine Arbeit nicht erledigen könne, nämlich die rasche Organisierung der Auswanderung. Außerdem habe die Zerstörung des Tempels ihn der Amtsräume beraubt und seine Arbeit erheblich erschwert.

Eduard Bloch erinnerte sich später in New York an die Pogromnacht: *Die »kochende Volksseele« machte sich in der Verbrennung von Synagogen Luft. Überall wurden Tempel angezündet, Friedhofsdenkmäler geschändet, zahlreiche Morde und andere Scheusslichkeiten an Juden begangen; die Feder sträubt sich, die begangenen Gräuelthaten vertierter Schergen zu beschreiben! Die Brände wurden in den Tageszeitungen als wie »zufälligerweise« entstanden dargestellt. Merkwürdig genug aber ist, dass sich diese Ausbrüche »kochender Volkswut« an allen Orten gleichzeitig entluden, und noch auffallender, dass in der Nähe der Brandobjecte Feuerlöscher vorbereitet waren, um bei einem eventuellen Übergreifen des Brandes auf Nachbargebäude rasch eingreifen zu können. So wurde auch der schöne Linzer Tempel ein Opfer neuzeitlichen Barbarentums. Die nicht geringe Brandschadenversicherungssumme strich die Gestapo ein!* – und zwar für sämtliche verbrannten Synagogen.

Außerdem trat eine weitere Schikane in Kraft: *Als Sühnegeld musste jeder Jude den vierten Teil seines ohnehin schon bis auf ein Minimum zusammengeschmolzenen Vermögens abgeben; diese Vermögensabgabe wurde »Juva« (Juden-Vermögens-Abgabe) genannt.* Die »Juva« betrug anfangs 20 Prozent jenes Vermögens, das die Juden zum Stichtag, dem 26. April 1938, zwangsweise angegeben hatten, und stieg im Oktober 1939 auf 25 Prozent. Allein die »Juva« brachte den Nazikassen eine Milliarde Mark ein. Dazu kam noch die »Reichsfluchtsteuer« von weiteren 25 Prozent des

Kapitals. Eduard Bloch schimpfte: *der letzte Rest der ohnehin nun zusammengeschmolzenen Habe wurde den Auswanderern dann unter dem Titel einer »Reichsfluchtsteuer« abgenommen!*

In dieser Nacht wurden in Linz 96 Juden verhaftet. Aber im Gegensatz zu Wien gab es hier kein Todesopfer und keinen Schwerverletzten.[7] Auch der wohlhabende Geschäftsmann Egon Basch, der nach dem Verkauf seines Hauses bereits für die ganze Familie die Flugkarten nach Übersee in der Tasche hatte, wurde mit seinem 20-jährigen Sohn Ernst in der »Kristallnacht« in Gestapo-Haft genommen. Am 17. November kamen die beiden frei »durch die Energie meiner Frau, das Eingreifen des Israelitischen Gemeindevorstandes Max Hirschfeld und das menschliche Vorgehen des Linzer Judenreferenten Greil«.

Allerdings musste Basch mit seiner Familie innerhalb von drei Tagen Linz verlassen. So fuhren die Baschs nach Wien, um von dort aus nach Übersee zu fliegen. Unendlich dankbar waren sie, als sie dort im Hotel Kremslehner in der Singerstraße trotz der obligaten Tafeln »Juden unerwünscht« herzlich, ja mit besonderer Aufmerksamkeit aufgenommen wurden. Vom Flughafen Wien-Aspern flogen sie am 13. Dezember 1938 über Frankfurt und Brüssel nach Antwerpen. Von dort ging es am 15. Dezember auf die lange Schiffsreise über Pernambuco, Rio de Janeiro, Santos, Montevideo nach Buenos Aires, wo sie am 10. Januar 1939 ein neues Leben begannen.[8]

Der Druck auf die Juden, das Land so rasch wie möglich zu verlassen, wurde nun mit Terror und nächtlichen Verhaftungen verstärkt. Nichtjuden wurden schwere Strafen angedroht, wenn sie Juden halfen. Bloch: *Welcher Arier hätte es noch wagen dürfen, einem Juden einen Raum zu vermieten, oder einen Juden auch nur eine Nacht hindurch zu beherbergen?*

Die Zahl der Linzer Gemeindemitglieder nahm nun sehr rasch ab, vor allem in der jüngeren Generation. Nach der Pogromnacht im November 1938 lebten in Linz nur noch halb so viele Juden wie im März 1938. Von der Familie Bloch/Kafka waren zu dieser Zeit nur noch Eduard Bloch mit Ehefrau Lilli, Tochter Trude, Schwiegersohn Franz Kren und Enkelin Johanna in Linz.

In Berlin war in der Pogromnacht auch das Haus jener jüdischen
Privatschule abgebrannt, die Georg Kren besuchte. Der Zwölfjährige blieb unverletzt, wusste aber nicht wohin und wurde sofort
von den Eltern nach Linz zurückgeholt. Seine jüngere Schwester Johanna erinnert sich nicht an die Pogromnacht. Aber sie erzählt, dass der Vater damals über Georg sehr aufgebracht gewesen
sei. Denn der einzige Gegenstand, den der Junge in Berlin vor
den Flammen gerettet hatte und mit nach Linz brachte, war seine
Flöte. Seine Kleider und Bücher dagegen waren restlos verbrannt.

Der Kampf um zwei Ansichtskarten

Als Renato Bleibtreu kurz nach der Pogromnacht Eduard Bloch
besuchte, fand er einen gebrochenen, verzweifelten alten Mann
vor. Mit spürbarem Mitgefühl appellierte er danach an seine
Münchner Auftraggeber, sich Blochs anzunehmen. Wieder ging
es um Hitlers Postkarten: Bloch habe sich wegen der Karten bereits zweimal brieflich an den Führer gewandt, einmal über den
Linzer Gestapochef Otto Rasch, das zweite Mal über Hitlers ehemaligen Lehrer Eduard Huemer. Aber: »Dr. Bloch hat noch keine
Erledigung auf seine Gesuche erhalten. Er spricht vom Führer und
dessen Mutter mit Tränen in den Augen und ist ganz gebrochen,
weil er mit der ganzen Familie bis 15. Dezember Linz verlassen
muss … Er hat sich sehr entschuldigt, dass er mich so lange hin-
gehalten und hat meine Frage nach dem Preis der Bilder für eine
Fangfrage gehalten, um damit herauszubekommen, welchen Ge-
schäftswert die Bilder für ihn hätten. Da er ausdrücklich erklärte,
die Karten dem Archiv zur Verfügung zu stellen, gab ich ihm für
das Aquarell einen Kaufpreis von 1000 Reichsmark an. Er sagte,
dass die Bilder des ideellen Wertes wegen ja unbezahlbar seien,
weshalb er sie dem Archiv bedingungslos zur Verfügung stellen
will.«

Bleibtreu habe Bloch geraten, »brieflich die abgenommenen
zwei Karten von der Gestapo zurückzuverlangen unter Hinweis
auf das Schreiben des Herrn Reichamtsleiter Schulte Strathaus
und zu verlangen, dass die beiden Stücke direkt an die Adresse

des Herrn Reichsamtsleiter München, Braunes Haus abgegeben werden sollen«.[9] Das allerdings geschah nicht.

Dass Bloch so verbissen um sein Eigentum kämpfte, zeigt, welch große Bedeutung er diesen von Hitler eigenhändig beschriebenen Karten aus dem Jahr 1907 beimaß: Sie gaben ihm vor den Nazibehörden den Beweis, ein ehemaliger Wohltäter des Führers und deshalb unantastbar zu sein. Je schlimmer die Situation der Juden – und seine eigene – wurde, desto dringender bat er um die Rückgabe von Hitlers Dankkarten, die im Notfall für ihn und seine Familie eine Lebensrettung hätten bedeuten können.

Verstört und verzweifelt schrieb der alte Herr am 16. November 1938, also kurz nach der Pogromnacht, an Bleibtreu einen zweiten langen, geradezu devoten Brief, der vor allem als Hilferuf zu lesen ist:

»Ihre unbegrenzte Verehrung für Seine Exzellenz den Führer, die offene und menschlich so tief mitempfindende Art, die Sie, sehr geehrter Herr Bleibtreu als Beauftragter der Wiener Dienststelle des Centralarchivs der N.S.D.A.P. in Angelegenheit der mir seinerzeit vom Führer gewidmeten Karten an den Tag gelegt haben, veranlasst mich, Ihnen sehr geehrter Herr, die an mich gestellte Frage, ›warum ich immer so versonnen und sorgenerfüllt dreinschaue‹, ebenso ehrlich und rückhaltlos zu beantworten! ...

Schwere Schicksalsschläge, bange Sorgen haben mich schweigsam und verschlossen gemacht. Doch bisweilen erreicht das, was mich so ganz erfüllt, eine derartige Intensität, dass ich es als wohlthuende Entspannung empfinden muss, wenn ich zu einem vertrauenswürdigen Menschen offen über mein Leid sprechen darf.

Mich erfüllt bange Sorge um die Zukunft, nicht um meine – denn was ist an einem alten Mann gelegen, dessen Lebensweg nur mehr ein kurzer ist – mehr aber um das Schicksal meines einzigen Kindes und dessen Familie!

Durch 10 Jahre hindurch habe ich einen Lebensinhalt gekannt: hilfreich zu sein, reinster Menschlichkeit zu dienen, mein ärztliches Wissen zu bereichern; das Gebiet der Politik ist mir stets fremd geblieben. Durch meine ärztliche Thätigkeit habe ich mir, wie ich ohne Selbstüberschätzung behaupten darf, die Achtung der Mitmenschen erworben ... Ich habe drei Waisenkinder in meine Familie aufgenommen und erziehen lassen. Der Arbeit und Wohlthätigkeit mich widmend, erhoffte ich einen ruhigen Lebensabend!«

Und immer noch hoffte Bloch auf Hitlers Dank und Bleibtreus Vermittlung und beschwor wehmütig alte Zeiten: *»Der triumphale Einzug des Führers in Linz führte mir so recht den Wandel des Geschickes vor Augen! Ich sah den blassen jungen Studenten vor mir, dessen Mutter ich zu behandeln ich das Glück gehabt; er kam mit den Angehörigen seiner Familie, um mir zu danken für die ärztlichen Bemühungen um die entschlummerte Mutter. Während meiner 40jährigen Tätigkeit habe ich nie einen jungen Menschen gesehen, der vor Schmerz und Gram so namenlos unglücklich gewesen war, wie der junge Adolf Hitler! Ich hatte die Empfindung hier steht ein Mensch vor dir, dem ein Stück seines Herzens, seines Ich entrissen worden ist! Was für ein braves, gutes Kind er gewesen, habe ich während der langen Dauer der Krankheit seiner geliebten Mutter, die eine unendlich gütige und besorgte Frau gewesen ist, beobachten können!«*

Er pries die *»vorbildliche, so gar so selten zu beobachtende Kindesliebe«* des jungen Hitler, und:

»Nun ist dieser junge Student eine der historisch hervorragenden Persönlichkeiten geworden! Ich habe die Überzeugung, dass er den Arzt seiner Mutter nicht vergessen hat, dessen Thätigkeit stets von ethischen, nie von materiellen Gesichtspuncten geleitet wurde; ich habe aber auch die Überzeugung, dass Tausende meiner Glaubensgenossen von den gleichen Grundsätzen erfüllt sind, die gleich mir seelisch so viel leiden!

Meine ärztliche Thätigkeit versickerte langsam und damit kam auch die Sorge um die Zukunft! Ich hoffe mit meinem Schwiegersohn Dr. Kren und seiner Familie nach Übersee eine Einreisebewilligung zu erlangen und durch neue Arbeit ein neues Leben zu beginnen ...

Genehmigen Sie sehr geehrter Herr den Ausdruck ganz besonderer Hochachtung und Werthschätzung von Ihrem ergebenen Obermedizinalrat Dr. Bloch.«[10]

Um seinen Worten Nachdruck zu verleihen, übergab Bloch an diesem 16. November 1938 seinen größten Schatz an Bleibtreu: sein altes Ordinationsbuch mit Klara Hitlers Krankengeschichte aus dem Jahr 1907, das er zur Wahrung des Berufsgeheimnisses versiegelt hatte. Dazu schrieb er: »*Meine ärztliche Thätigkeit hat ein Ende gefunden; dadurch ist meiner Familie Existenzmöglichkeit geschwunden. Ich betrachte es als meine Berufspflicht, um die Krankengeschichte der verewigten Frau Klara Hitler, der Mutter des Führers und Reichskanzlers, die meine Patientin war, und ein bedeutendes Document darstellt, vor allen Eventualitäten zu schützen, das diese Krankengeschichte enthaltende Ordinationsbuch zu treuer Hand dem Herrn Renato Bleibtreu, Beauftragter der Wiener Dienststelle des Centralarchivs der NSDAP in von mir versiegelter Packung zur Wahrung des Berufsgeheimnisses zu übergeben, damit dasselbe uneröffnet in die Hand des Führers und Reichskanzlers gelangt, der einzig und allein das Recht besitzt, über diese Krankengeschichte zu verfügen.*«[11]

Pünktlich kam die offizielle Empfangsbestätigung aus München:

»Sehr geehrter Herr Obermedizinalrat! Herr B. hat uns ordnungsgemäss das die Krankengeschichte der Frau Klara Hitler enthaltende Paket versiegelt übergeben. Wir bestätigen Ihnen dies und danken Ihnen auch für die uns zur Verfügung gestellten Photos.

Heil Hitler! gez. Dr. Uetrecht, Leiter des Hauptarchivs.«[12]

Damit hatte Bloch seine sämtlichen schriftlichen Erinnerungsstücke an die Familie Hitler ausgeliefert.

An diesem 16. November 1938 besuchte Bleibtreu, wahrscheinlich durch Bloch vermittelt, den Chirurgen Hofrat Dr. Karl Urban,

Dr. Bloch 1938 in seiner geschlossenen Ordination, fotografiert im Auftrag des Münchner Hauptarchivs; nur zwei Abzüge wurden genehmigt

der einst Hitlers Mutter operiert hatte. Urban war als Anhänger des Ständestaats von den Nazis als Chefarzt abgesetzt worden.[13] Nun nötigte Bleibtreu ihm für das Münchner Archiv zwei handschriftliche Zeugnisse ab, die den folgenden, recht dürren Wortlaut hatten: »Frau Klara Hitler musste sich am 18. I. 1908 im Krankenhaus der Barmh. Schwestern in Linz einer schweren Operation unterziehen, die eine volle Stunde in Anspruch nahm u. von mir ausgeführt worden ist. Wer die, trotz der gewiss bedeutenden Schmerzen, die mit einem grösseren Eingriff immer verbunden sind, nie jammernde Frau mit ihrem sonnigen Gemüt gekannt hat, begreift die grosse Liebe und Verehrung des Führers für seine Mutter.« Und: »Sr. Afra Fischer, gebürtig aus Fischlham bei Lambach-Oberdonau, hat die Mutter des Führers narkotisiert und sie mit besonderer Hingabe gepflegt. Diese Schwester kann ich rühmen, gegen 9000 Aethernarkosen ohne einen Todesfall durchgeführt zu haben.«[14]

Bloch klagte gegenüber Bleibtreu auch, dass sein Schwiegersohn Franz Kren große Probleme mit dem Verkauf des inzwischen leeren Hauses in Urfahr hatte. Bleibtreu gab dies wiederum an das Münchner Staatsarchiv weiter: »Auch zum Verkauf seines Hauses Rudolfstrasse 34 an einen Herrn Kreisleiter Dr. Keplinger will man ihn halten, obwohl er schon einen Käufer hat, der ihm für das Haus bar 50 000 Reichsmark ausbezahlen will.«[15] Bleibtreu könnte diesen Hinweis tatsächlich als Appell an die Behörden benutzt haben, den Krens zu helfen. Jedenfalls kam der Kreisleiter nach langen Streitereien als Käufer nicht zum Zug. Das Haus ging laut Linzer Meldeamt an eine Linzer Familie.

Fortan meldete sich Bleibtreu nicht mehr bei Bloch. Dieser wusste nicht, dass Bleibtreus Linzer Mission beendet war und er Bloch gar nicht mehr besuchen durfte. Im Münchner Hauptarchiv wurden Bleibtreus Linzer Ermittlungen am 8. Dezember 1938 schriftlich zusammengefasst. Darin geht es vor allem um Bloch und seine Aussagen zu den beiden von der Gestapo beschlagnahmten Hitler-Karten.[16]

Exkurs: Attilio (Attila, Renato, Ottilio, Otto) Bleibtreu

Als sich der besorgte Eduard Bloch bei einigen Leuten erkundigte, was mit Bleibtreu geschehen sei, bekam er viel Tratsch zu hören und notierte daraufhin enttäuscht: *Die Vielgeschäftigkeit des Mannes, sowie die sich verzögernde Herausgabe des Buches, liessen mich Verdacht schöpfen.* Bleibtreu hatte ihm ja großmundig erzählt, an einer Hitler-Biografie zu arbeiten. *Eines Tages hörte ich, er sei in München angeblich wegen »Beleidigung des Führers« verhaftet worden; sicherlich hat er aber auch seine Stellung zu schwerer materieller Schädigung anderer missbraucht, diese Vermutung wurde durch das Gerichtsverfahren vollkommen bestätigt. Wie sich später herausstellte, war er schon bevor er zur Partei gehörte, wegen Betruges mit einer längeren Freiheitsstrafe bestraft worden. Er hatte eine lange Freiheitsstrafe angeblich in Dachau zu verbüssen; ich habe nie mehr von ihm gehört.*

Dazu eine Korrektur: Bleibtreu wurde trotz all seiner Anträge nie in die NSDAP aufgenommen. Laut Nachfrage im Archiv des KZ Dachau ist dort keine Haft Bleibtreus nachweisbar. Auch seine Familie, so Tochter Monica, weiß nichts von einer solchen Haft.

In Wirklichkeit musste Bleibtreu vor, in und nach den Hitler-Jahren einige Haftstrafen für Kleindelikte in normalen Gefängnissen absitzen.

Nach dem Abschluss seiner Arbeit für das Archiv musste sich Bleibtreu anderweitig Arbeit suchen. Aber seine Situation war schwierig. Der Eintritt in die NSDAP war ihm verwehrt, einerseits wegen seiner früheren Verbindung zum Dollfuß- und Schuschnigg-Regime und andererseits, weil er keinen Ariernachweis erbringen konnte. Er wusste ja nicht, wer sein Vater war, konnte also seine »arische« Herkunft nicht belegen und wurde deshalb weder in die Reichsschrifttumskammer (RSK) noch in die Reichsrundfunkkammer (RRK) aufgenommen. Das bedeutete, dass er als Journalist wie als Schriftsteller nichts veröffentlichen durfte.

Weiterhin aber schmiedete er große Pläne. Im Januar 1939 versuchte er es mit der Idee eines patriotischen Sammelwerks DAS JAHR DER DEUTSCHEN und legte sein Konzept der NSDAP vor: 350 führende deutsche Schriftsteller und Parteileute sollten unter Bleibtreus Herausgeberschaft Beiträge liefern. Der Präsident der RRK schrieb daraufhin seinem Kollegen von der RSK, er könne sich »des unangenehmen Gefühles nicht erwehren«, dass Bleibtreu »auf diese Weise Anschluss an den Nationalsozialismus finden oder sich einen Namen machen will«. Er bezweifelte Bleibtreus Zuverlässigkeit.[17]

Auch die Wiener Abteilung der RSK wurde informiert, da Bleibtreu zwar seinen offiziellen Wohnsitz im 2. Bezirk in Wien, Wachaustraße 24, hatte, aber sämtliche amtlichen Aufforderungen, sich zu melden, ignorierte. So wurde ein Beamter zur Wohnung geschickt, traf aber nur Bleibtreus Ehefrau an, die dort mit ihren vier Kindern wohnte und auch nicht wusste, wo sich ihr Mann aufhielt. Er sei, soweit sie wisse, derzeit »im Altreich« und habe die Post sicher nicht bekommen. Seine derzeitige Adresse kannte sie nicht.[18]

Der redegewandte Bleibtreu war ein umtriebiger Mann. Auf seinen ausgiebigen Reisen hatte er Verhältnisse mit vielen Frauen und verließ sie bald wieder, nicht selten unter Hinterlassung eines gemeinsamen Kindes. Manchmal – natürlich fern von Wien, wo seine Ehefrau wohnte – heiratete er wegen eines Kindes und ließ sich bald wieder scheiden. Um nicht identifiziert zu werden, gab er bei den Ämtern unterschiedliche Geburtsjahre an – zusätzlich zu den verschiedenen Vornamen.

Als sich die erfolglose Suche nach Bleibtreu bereits über mehr als ein Vierteljahr hinzog, erschien am 4. Mai 1939 in der SS-Zeitung DAS SCHWARZE KORPS ein langer Hetzartikel unter dem Titel »Attila, bleibe treu!«. Darin wurde das eingereichte Buchprojekt als »entsetzlich schwülstiger Quatsch« angeprangert: »Entsetzt, vernichtet, legt man den grauenhaften Schwulst dieses ›Tatgeschichtstums‹ beiseite. Ein Verrückter? Ein Idealist, dem die Geschichte, die er wirklich miterleben durfte, den Geist verwirrte?«

Dann beschäftigte sich das Blatt mit Bleibtreus Vergangenheit: »Er ist neunmal vorbestraft, darunter wegen Betruges mit 8 bis 10 Monaten schweren Kerkers. Er veranstaltete Aufführungen und Tournees, engagierte Schauspieler und sonstige Künstler, die er in betrügerischer Weise schädigte. Anlässlich der Einsetzung des Kardinals Innitzer verfasste er für diesen eine Hymne nach der Melodie der alten österreichischen Volkshymne.« Danach wurden Bleibtreus Jubelschriften über Fey und Dollfuß höhnend erwähnt.[19]

Bleibtreu schaltete daraufhin zu seiner Verteidigung eine Münchner Rechtsanwältin ein. Diese schrieb am 25. Mai 1939 an die RSK in Berlin: »Die vom ›Schwarzen Korps‹ betonten Vorstrafen Bleibtreus können gegenwärtig nicht bestritten werden, doch liegen sie erstens mehr als 10 Jahre zurück, zweitens sind sie zum Teil Geldstrafen wegen Pressegesetzübertretungen und Ehrenbeleidigung. In den anderen Fällen wird nun von Bleibtreu die Wiederaufnahme der Verfahren angestrebt.«

Das Innitzer-Gedicht habe Bleibtreu bereits 1932 verfasst, und ein Unbekannter habe es für die Melodie der österreichischen Volkshymne verwendet: »Damals stand auch Innitzer jeder politischen Tätigkeit ferne.« Das freilich entsprach nicht den Tatsachen. Denn der Theologieprofessor Theodor Innitzer war 1929/30 bereits Sozialminister der rechten Regierung gewesen und seit 1932 als frisch ernannter Wiener Erzbischof geradezu eine Säule des Austrofaschismus rund um Dollfuß und später um Schuschnigg.

Bleibtreu habe, so die Anwältin, das Dollfuß-Buch unter dem unmittelbaren Eindruck des Mordes geschrieben:»Im Sinne dieses Buches haben damals Tausende und Tausende Ostmärker gefühlt, die heute alle ehrliche Nationalsozialisten sind.« Immerhin sei das Buch vom damaligen Regierungsblatt REICHSPOST und dem jüdischen WIENER JOURNAL heftig angegriffen worden.

Außerdem habe Bleibtreu bereits 1937 ein Buch über DIE HEIMAT DES FÜHRERS geschrieben und darüber auch mit Hitlers ehemaligem Lehrer Eduard Huemer gesprochen. Das Buch sei aber von der österreichischen Regierung verboten worden. (Für ein solches Buch fehlen jegliche Beweise.) Und 1935 sei er als Dramaturg von der Standard-Film entlassen worden, »weil er sich weigerte, für ein Sonderhonorar von 6000 Schilling den Berliner Emigranten Dr. Felix Joachimson als Autor für einen Franz Leharfilm zu tarnen«. (6000 Schilling von 1935 haben den heutigen Wert von 18 000 Euro.)

Es handelt sich um den österreichischen Musikfilm DIE GANZE WELT DREHT SICH UM LIEBE von 1935. Regie führte Viktor Tourjansky. Es spielten Martha Eggerth, Hans Moser, Annie Rosar und andere. Als Autoren sind zunächst genannt: Ernst Marischka, Hanns Sassmann und Renato A. Bleibtreu. Kurz darauf aber wird statt Bleibtreu Marischkas Bruder Hubert als Autor genannt. Der wirkliche und alleinige Drehbuchautor allerdings war der »Nichtarier« Joachimson, der in Hitlers Reich nicht genannt werden durfte. Ihm gelang bald darauf die Flucht in die Vereinigten Staaten, wo er unter dem Namen Felix Jackson eine große Karriere in der Filmindustrie machte.

Die Rechtsanwältin betonte nun die Linientreue ihres Mandanten: »Seit 1935 ist Bleibtreu zufolge eines tiefgreifenden Erlebnisses Nationalsozialist. Sein Sohn, der gegenwärtig HJ-Führer ist, gehörte schon seit 1934 der illegalen Hitler-Jugend an.«

Gemeint war der 17-jährige Peter Martin Bleibtreu, der am 8. Oktober 1938 als Einheitsführer der HJ maßgebend an den wüsten Krawallen im Wiener Erzbischöflichen Palais beteiligt war. Immerhin wird sein Name als einziger der Gewalttäter in den Tageszeitungen genannt.[20] Anlass der gewaltsamen Aktion war Kardinal Innitzers Rede bei einer Rosenkranzandacht für Jugendliche, wo Innitzer gegen die Auflösung katholischer Vereine durch die Nazis protestierte, die Hitlerjugend als religionsfeindlich bezeichnete und ausrief: »Christus ist unser Führer!« 24 HJ-Führer in Zivil und ohne Ausweise, darunter der junge Bleibtreu, stürmten daraufhin das Erzbischöfliche Palais und drangen bis in die Arbeitsräume des Kardinals vor, um ihn zu ermorden. Aber Innitzer gelang die Flucht in ein gutes Versteck.

Noch 1988 berichtete der nunmehrige Journalist Peter Bleibtreu über diese Krawalle mit unverhohlenem Stolz: »Die bürgerliche Pracht lag schutzlos vor uns. Schwere Vorhangstangen wurden zu Schlaginstrumenten und die Zerstörung begann. Planlos, wild, ungezügelt.« Auch die Hauskapelle wurde von den jungen Nazis nicht verschont, so Bleibtreu junior: »Mit dämonischer Klarheit wurden Möbel, Bücher und Papiere durch die offenen Fenster auf den Platz hinuntergeworfen, bis plötzlich der verabredete Pfiff kam. Ende der Aktion.« Vor dem Palais zündeten die Burschen die herabgeworfenen Möbel an, so Peter Bleibtreu: »Wir standen um das Feuer, reichten uns die Hände und sangen das Lied der mittelalterlichen Landsknechte des Florian Geyer: ›Wir sind des Geyers schwarze Haufen und wollen mit Tyrannen raufen‹...«[21] Ihren Feind, den Kardinal, konnten die HJ-Burschen freilich nicht finden. So überlebte Innitzer, der sich von einem Unterstützer Hitlers zu dessen Gegner gewandelt hatte.

Die Anwältin führte auch an, dass ihr Mandant Renato Bleibtreu im Ersten Weltkrieg Kampfflieger gewesen und dreimal schwer verwundet worden sei. In Wirklichkeit war er 1916 nur als Reserveleutnant zum »Flugzeugbeobachter« ausgebildet und bereits 1917 dieser Funktion enthoben worden, immerhin mit dem Militärverdienstkreuz 3. Klasse. Von Verwundung keine Spur.[22] Und im September 1938 habe er sich, so die Anwältin weiter, zum »Sudetendeutschen Bund« gemeldet.[23] Diese aus dem deutschvölkischen Turnerbund entstandene paramilitärische terroristische Organisation Sudetendeutscher und Nazisympathisanten bereitete 1938/39 mit lautstarken Demonstrationen und provozierten Unruhen den Anschluss der sudetendeutschen Gebiete der Tschechoslowakei an das Deutsche Reich vor.

Alle Beteuerungen, ein guter Nazi zu sein, halfen Bleibtreu nichts. Parteimitglied wurde er nie. Weiterhin hatte er keinen Beruf und kein Geld, um seine zahlreichen Kinder zu versorgen. Weder als Schauspieler noch als Schriftsteller oder Theatermann war er erfolgreich. Er lebte vor allem von Gelegenheitsarbeiten und schließlich als Vertreter, da er so charmant und überzeugend reden konnte.

Wie oft er heiratete und sich wieder scheiden ließ, ist nicht zu ermitteln. Jedenfalls brachte seine spätere Ehefrau, die er in Bochum kennengelernt hatte, 1942 und 1944 in Wien zwei Töchter zur Welt: Renate und Monica, die 1956 in Wien durch eine Eheschließung legitimiert wurden. Auch sie wuchsen in äußerst bescheidenen Verhältnissen auf, aber bei einer tatkräftigen, tüchtigen Mutter.

Immerhin machten die Mädchen in den Fünfzigerjahren bereits frühe und prägende Theatererfahrungen. Denn Vater Renato gründete damals in Mödling bei Wien das »Zimmertheater«, wo seine Töchter erste schauspielerische Versuche auf der freilich winzigen Bühne machten. Monica Bleibtreu fand hier ihre Berufung. Sie wie ihr Sohn Moritz verdanken dem schwierigen Renato und dessen tüchtigen Vorfahren trotz aller Probleme wohl ihr Talent und ihre Leidenschaft für die Schauspielerei.

Massenverhaftungen männlicher Juden auch in Linz

Die Pogromnacht war eine deutliche Warnung an die Juden, dass sie in Hitlers Reich keine Existenzberechtigung mehr hatten. Wer nicht freiwillig ging, wurde dazu gezwungen. Die Wiener VOLKS-ZEITUNG vom 15. November 1938: »Nach der ruchlosen Mordtat von Paris kann es keinem deutschen Lehrer und keiner deutschen Lehrerin mehr zugemutet werden, an jüdische Schulkinder Unterricht zu erteilen. Auch versteht es sich von selbst, dass es für deutsche Schüler und Schülerinnen unerträglich ist, mit Juden in einem Klassenraum zu sitzen.« Was aber für die Großstadt Wien mit ihrer immer noch hohen Anzahl jüdischer Einwohner wichtig war, hatte für das kleine Linz längst keine Bedeutung mehr. Denn hier gab es seit dem Frühsommer ohnehin keine jüdischen Schüler mehr, da keine Schule sie mehr aufnahm.

An diesem 15. November 1938 verhaftete die Linzer Gestapo alle greifbaren jüdischen Männer außer den Alten und überstellte sie – meist nach einer mehr oder weniger kurzen Polizeihaft – ins KZ Dachau. Eduard Bloch in der Rückschau: *Welchen Zweck verfolgten nun diese Massenverhaftungen unschuldiger Menschen? Ich wurde darüber von einem ehemaligen Generalstabsofficier, der ... der Partei schon lange angehörte, informiert: »Man beabsichtigt, erklärte er mir, die Juden durch lange Haft mürbe zu machen, und dann die Erklärung abzugeben, das Land in absehbarer Zeit zu verlassen.« Der Herr war ausgezeichnet informiert! Wollten die jüdischen Häftlinge nicht noch monatelang in den Gefängnissen zurückgehalten werden, so mussten sie sich verpflichten, innerhalb einer kurzbefristeten Zeit auszuwandern; sollte die Ausreise bis zu diesem Termine nicht erfolgt sein, so werde ihr und ihrer Kinder ganzer Besitz als verfallen erklärt werden.*

Auch für Hans Kafkas Linzer Jugendfreundin, die 17-jährige Grete Pollak, fiel im November 1938 »die Welt in Scherben«. Nach der bereits im Mai erfolgten Verhaftung und Abschiebung ihres Verlobten nach Polen wurde nun ihr 59-jähriger Vater, Oberbaurat Isidor Pollak, am 15. November mit vielen anderen Linzer Männern ins KZ Dachau transportiert (Häftlingsnummer 28207).[24] Seine Frau Erna flüchtete daraufhin mit Grete zur Großmutter nach Wien und nahm nur einen Rucksack mit Kleidern mit. Als in Wien Gerüchte von Arbeitslagern für junge jüdische Frauen kursierten, floh Grete allein nach England.[25] Immerhin gelang es Isidor Pollak, bald aus Dachau entlassen zu werden. Denn ein

Alle Schulen judenfrei!

Reichsminister Rust ordnet das sofortige Ausscheiden aller jüdischen Schüler aus deutschen Erziehungsanstalten an

Linzer Eisenbahnkollege, den er früher einmal aus prekärer politischer Lage gerettet hatte, hatte für ihn erfolgreich Fürsprache bei den Nazis eingelegt. Solche Aktionen gab es gerade in Kleinstädten wie Linz nicht selten.

In Dachau trafen die jüdischen Neuankömmlinge ehemalige Politiker wie den oberösterreichischen Landeshauptmann Heinrich Gleißner, zahlreiche Geistliche als die ehemaligen Stützen des Ständestaats, aber auch Monarchisten und Sozialisten. Der frühere Wiener Bürgermeister Richard Schmitz fegte in Dachau die Lagerstraße, und der Herzog von Hohenberg, Sohn des ehemaligen Thronfolgers Franz Ferdinand, fuhr mit einer Schubkarre Dreck und Steine weg.[26]

Viktor Gans, seine beiden älteren Brüder, sein Schwager Luis und andere Häftlinge wurden nach einiger Zeit aus dem Linzer Polizeigefängnis geholt und von dort zur Zwangsarbeit ins nahe

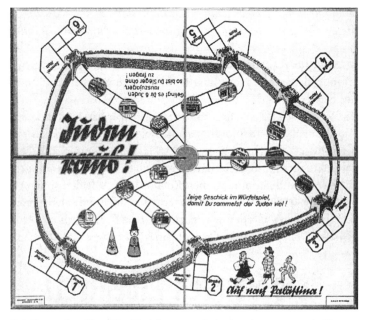

Bei diesem Familien-Würfelspiel gewann derjenige, der es zuerst schaffte, durch Würfeln sechs Juden aus ihren Häusern zu vertreiben

Das Passbild von
Eduard Bloch Ende
November 1938

Puchenau gebracht. Als die rund 40 Gefangenen auf einem Lastwagen durch Linz fuhren, überwacht von stehenden Polizisten
mit geladenen Waffen, entdeckten sie auf dem Gehsteig einige
Freunde. Viktor Gans dazu: »Ich muss zugeben, dass kein einziges
Gesicht einen Ausdruck von Freude oder Genugtuung zeigte. Im
Gegenteil, sie schauten bleich und traurig, als wir vorbeifuhren,
und von einer ›wütenden Menge‹ war nichts zu sehen.« Und, so
schrieb er später: »Wir alle hatten und haben noch eine Anzahl
arischer Freunde, und je größeres Unglück auf uns niederkommt,
umso mehr Sympathien haben diese Leute für uns. Es ist nicht
wahr, dass jeder Österreicher ein Judenhasser oder ein Tier geworden ist… Die meisten waren menschlich und blieben menschliche
Wesen.«[27]

Am 17. November 1938 erließ die Linzer Gestapo einen weiteren Befehl: »Alle Juden Oberösterreichs haben ihre Habe zu ver-
äußern, ihre Angelegenheiten zu ordnen und sich nach 48 Stunden
zum Verlassen des Landes bereitzuhalten.« Laut Bloch gingen Ge-

rüchte um, dass die Juden auf ein Donauschiff gebracht würden *ohne Angabe des Fahrtzieles.* Dies erschien ihm glaubwürdig, da kurz zuvor Hunderte slowakische Juden ein solches Schicksal erlitten hatten: *»Man muss sich den Schock vorstellen, den dieser Befehl auslöste. Leute, die ihr Leben lang in Linz wohnten, mussten innerhalb von zwei Tagen all ihren Besitz verkaufen, packen und die Stadt verlassen. Ich rief bei der Gestapo an. Musste ich weggehen? Man sagte mir, dass in meinem Fall eine Ausnahme gemacht worden sei. Ich durfte bleiben. Aber meine Tochter und mein Schwiegersohn? Da sie ohnehin zur Emigration nach Amerika entschlossen seien, durften sie noch bleiben. Aber sie würden ihr Haus räumen müssen. Wenn in meiner Wohnung Platz sei, dürften sie zu mir ziehen.«*[28]

Auch in seinen späten Memoiren schildert Bloch die Begegnung mit dem aus Deutschland kommenden Chef der Linzer Gestapo, Dr. Dr. Otto Rasch: Er, Bloch, habe Rasch eindringlich gebeten, den Befehl zur sofortigen Abreise aufzuheben: *... meine Vorsprache sei durchaus keine Opposition gegen denselben, aber eine Ordnung selbst der allerdringendsten Angelegenheiten lasse sich innerhalb 48 Stunden nicht einmal notdürftig bewerkstelligen, es sei denn dass die Juden Linz als Bettler verlassen sollten! Dr. R. mit dem ich längere Zeit sprach, hörte ruhig zu, dann sagte er, meine Argumentationen unterbrechend: »Sagen Sie Herr Doctor, warum nehmen Sie sich eigentlich der anderen Juden so warm an, was kümmert Sie das Schicksal derselben? Der Befehl, das Land zu verlassen, gilt weder für Sie, noch für die Familie des Schwiegersohnes Dr. Kren; Sie können hier bleiben, so lange es Ihnen beliebt.«*

Bloch erklärte ihm: *»Ich empfinde das Leid und das Geschick meiner Glaubensgenossen so, als ob ich persönlich es zu erdulden hätte.« ... Die Unterredung endete damit, dass mir Dr. R. auf die Schulter klopfte mit den Worten: »Gehen Sie beruhigt nach Hause, ich will über Ihre Worte nachdenken.«* Und weiter: *Tags darauf wurde der Befehl widerrufen, die Juden durften wieder bleiben! Waren da nicht die »Ausweisungen« des Mittelalters wieder aufgelebt?*

Das Kapital der alteingesessenen Linzer Juden steckte oft in unverkäuflichen Versicherungspolicen, in Grundstücken, Immobilien, auf gesperrten Konten und Ähnlichem und konnte in der Eile nicht rasch genug flüssig gemacht werden. So mancher Linzer Geschäftsmann, der nun über Nacht fliehen musste, ließ deshalb erhebliche Teile seines Vermögens zurück.

Adolf Eichmanns brutaler Druck auf die Juden, endlich die nunmehrige »Ostmark« zu verlassen, wirkte auf die längst eingeschüchterten Menschen wie gewünscht. Sie machten sich nun keine Illusionen mehr, dass ihnen, wenn sie Glück hatten, kaum mehr als das blanke Überleben blieb. So beantragte auch der verängstigte Eduard Bloch in dieser Zeit einen neuen Pass, ausgestellt am 29. November 1938, obwohl sein alter noch länger gültig war. Der neue Pass war nur für ein Jahr ausgestellt, aber auch »für Reisen nach und durch Spanien«. Dieses Transitvisum zeigt, dass nun auch Bloch trotz all seiner Privilegien damit rechnete, bald aus Hitlers Reich fliehen zu müssen. Das Passbild zeigt einen sehr ernsten, traurigen alten Mann.

Bloch unterstützt Max Hirschfeld

Die Linzer »Zentralstelle für jüdische Auswanderung« war seit der Pogromnacht in großer Not. Max Hirschfeld, der als kommissarischer Leiter der Linzer Kultusgemeinde auch für die Organisation der »Auswanderung« verantwortlich war, hatte den strikten Auftrag der Gestapo, die Heimat- und Lieblingsstadt des Führers so rasch wie möglich »judenfrei« zu machen und möglichst viele Juden zur Auswanderung zu bewegen. Aber das Feuer der Pogromnacht hatte auch Hirschfelds Büro mit allen Unterlagen zerstört. Außerdem verließ noch im November sein engster Mitarbeiter Rudolf Gans Schiller Linz, um sich ins Ausland zu retten. Immerhin spendete er dem Auswanderungsfonds am 15. November 1938 zum Abschied 4000 Reichsmark (18 000 Euro) »für die Befürsorgung und Auswanderung unbemittelter Juden«. Eine so hohe Ausgabe musste der Vermögensverkehrsstelle gemeldet werden. Aber in diesem Fall gab es keinen Einwand.[29]

Laut Bloch mussten *die Juden der Alpenländer nach Wien
übersiedeln, man wollte dieselben »centralisieren«, um die Leitung derselben einfacher zu gestalten. Der Grund dieser »Centra-
lisierung« wurde allerdings erst später klar: man wollte sie »beisammen« haben, um sie rascher in Arbeitslager und ins Ghetto
verschicken zu können!*

Als besondere Schikane nannte Bloch: *Die Angelegenheiten der
nun in Wien lebenden Linzer Juden wurden aber weiter von der
»Gestapostelle Linz« behandelt.* Das bedeutete, dass die zwangsweise in Wien lebenden Linzer Juden für jede Amtshandlung per
Bahn nach Linz fahren mussten. Das war besonders für ältere
Menschen eine große finanzielle, aber vor allem physische Belastung. Denn aufgrund der schlechten Verkehrsverhältnisse dauerte
die Fahrt von rund 200 Kilometern mindestens fünf Stunden, und
die Linzer Gestapo ließ sich gerne viel Zeit bei der bürokratischen
Abwicklung. So waren »die Juden« meist gezwungen, in Linz zu
übernachten, wussten aber nicht, wo. Denn weder Hotels noch
»arische« Bekannte durften Juden aufnehmen, und jüdische Familien in Privatwohnungen gab es in Linz nicht mehr, mit Ausnahme der Blochs.

So blieb als Zuflucht, falls sie nicht in der freien Natur nächti-
gen wollten, nur noch die Landstraße 12, die Wohnung der Blochs.
Nach Kräften setzten sich Eduard und Lilli für ihre Glaubensbrüder ein, gaben ihnen Unterkunft und Essen, Trost und Zuspruch: *... meine von Wien kommenden Glaubensgenossen haben
jederzeit bei mir Unterkunft gefunden; so kam es, dass bisweilen
acht oder noch mehr Personen in meiner Wohnung übernachteten. Auf diese Weise habe ich aber den ganzen Jammer, das namen-
lose Elend und Unglück meiner Mitbrüder nicht allein gesehen,
sondern auch in seiner ganzen Schwere und Tiefe mitempfunden!
»Ani hagewer raah anij«, »ich bin der Mann, der das Elend sah«
heisst es in dem ergreifenden Klageliede.*

In dieser schwierigen Situation stellte Eduard Bloch *einen Theil
meiner Wohnung, die mir ja über »Befehl von Berlin« nicht genommen werden durfte, der »commissarischen Leitung« zur Verfügung.* Auch sein Schwiegersohn Franz Kren engagierte sich und

übernahm bei Hirschfeld das Ressort für Gesundheitsangelegenheiten. Die beiden Männer bewunderten Hirschfelds Tatkraft, so Bloch später: *Es ist mir heute noch fast unbegreiflich, wie Herr Hirschfeld und seine getreuen Mitarbeiter die beinahe untragbare Last der Agenden überwunden haben!* Zu diesen getreuen Mitarbeitern gehörte vor allem Hirschfelds Adlatus Otto Unger, der mit Frau und Mutter noch in Linz lebte. Blochs Wohnung wurde auch in dieser Zeit von der Gestapo nie kontrolliert.

Auf Eichmanns Befehl konnten die zahlreichen jüngeren Juden, die in der Pogromnacht inhaftiert oder nach Dachau transportiert worden waren – wie zum Beispiel die Gans-Brüder –, nur dann befreit werden, wenn sie versprachen, innerhalb von drei Tagen mit der Familie auszureisen – und dies auch taten. Um diese Menschen zu retten und ihnen die immer teurer und komplizierter werdende Ausreise zu ermöglichen, musste Hirschfeld sehr viel Geld aufbringen. Sogar der berüchtigte Nazi Franz Stangl gestand viele Jahre später geradezu mitfühlend, dass es Hirschfeld sehr schwer gehabt habe, bei reicheren Glaubensgenossen das nötige Geld für die Ausreise der ärmeren Juden aufzutreiben.[30]

Was jeder einzelne Jude oder »Nichtarier« der »Ostmark« besaß, wussten die Nazibehörden ohnehin aus den Formularen der Wiener Vermögensverkehrsstelle, die alle »Nichtarier« der »Ostmark« regelmäßig ausfüllen mussten. Jede größere Ein- und Ausgabe musste dort deklariert werden.

Auch die Blochs füllten solche Formulare aus. Danach besaß Eduard Bloch im April 1938 außer der Einrichtung seiner altmodischen Praxis (Wert 1500 Reichsmark) Aktien und Anleihen im Wert von 23 450 Mark, Versicherungspolicen von 17 000 Mark, 2232 Mark flüssiges Geld, ansonsten Schmuck und Kunstwerke im Gesamtwert von 500 Mark. Lilli Bloch gab Aktien im Wert von 2666 Mark an, eine noch nicht fällige Versicherung im Wert von 15 000 Mark, Schmuck von 1600 Mark, Gegenstände aus Silber von 240 Mark und einen »Silberkasten im Gebrauch« von 100 Mark.[31]

Dieses Kapital schmolz rasch dahin. Vier Wochen später kam »mit Ermächtigung des Beauftragten für den Vierjahresplan« die

Verordnung, wonach Juden sämtliche ausländischen Wertpapiere sofort der Reichsbankstelle anbieten und an sie – weit unter Preis – verkaufen mussten. Lilli Bloch lieferte also ihre zehn ungarischen Zuckeraktien im Wert von 1000 Mark ab, während Eduard ohnehin nur österreichische Aktien besaß.

Wie schnell sich die finanzielle Lage der Blochs und sämtlicher anderer Juden im Hitler-Reich verschlechterte, dokumentieren die nächsten Vermögensanmeldungen von Eduard und Lilli gegen Jahresende 1938. Der Wert von Eduards jetzt leer stehender Ordination war seit April 1938 von 1500 auf 500 Mark geschmolzen. Statt Schmuck im Wert von 500 Mark konnte Bloch nur noch 150 Mark angeben. Seine Sparbeträge von über 2000 Mark waren verbraucht. Aktien im Wert von 9300 Mark hatte er abstoßen müssen. Sein Gesamtvermögen betrug Ende 1938 nur noch 11 000 Mark (49 500 Euro) – mit rasch schwindender Tendenz. Denn Bloch hatte ja keine Möglichkeit mehr, Geld zu verdienen. Lillis Vermögen war inzwischen unter den Gesamtbetrag von 5000 Mark (22 500 Euro) gefallen und nicht mehr meldepflichtig.[32]

Franz Kren hatte zu Jahresende 1938 andere Probleme. Er musste seine Einnahmen vom Verkauf seines Viertel-Hausanteils in Urfahr, Rudolfstraße 34 abrechnen, immerhin 10 000 Mark (45 500 Euro) und 7000 Mark für die Einrichtung seiner Wohnung. Inklusive der gebrauchten Ordinationseinrichtung und Schmuck im Wert von 100 Mark und des Sparguthabens summierte sich das Vermögen auf 25 745 Mark (97 140 Euro).

Davon gingen die Ausgaben des Jahres 1938 ab: Allein die Spediteure nahmen für den Umzug des greisen Alexander Kren nach Wien und der Krens zu den Blochs knapp 4500 Mark. 1600 Mark gingen an die Devisenstelle für »die Erhaltung meines 86jährigen Vaters, der seit dem 1. 1. 1938 vollkommen erwerbslos war«, sowie »Anschaffungen für diesen anlässlich seiner Übersiedlung nach Wien sowie Erhaltung dort ca. RM 3000«. Außerdem berechnete Kren zahlreiche »Berlinreisen im Zusammenhange mit der bevorstehenden Auswanderung ca. RM 2000« und 3000 Mark für das Berliner Internat der Kinder. Es blieb ein Überschuss von 7471 Mark (33 220 Euro).[33]

Kein Wunder, dass bei diesem raschen Kapitalschwund die Angst auch der Familie Kren wuchs, nicht mehr genügend Geld für eine eventuelle Ausreise in die Vereinigten Staaten aufbringen zu können. Die Hoffnung der zur Flucht entschlossenen Linzer, großzügige Aufnahmeländer zu finden, schwand ebenfalls immer mehr dahin. Denn die Nachbarländer hatten wirtschaftliche Probleme mit hoher Arbeitslosigkeit und befürchteten durch die fremden Flüchtlinge hohe Kosten für das ohnehin stark belastete Wohlfahrtssystem. Sie waren nicht daran interessiert, viele bitterarme Flüchtlinge aufzunehmen, zumal ja bereits seit 1933 viele Juden aus Deutschland eingewandert waren. Wenn überhaupt, so bevorzugten sie Leute mit Geld. Vor allem die europäischen Länder fürchteten auch, dass zu viele fremde Juden den Antisemitismus anheizen könnten. Ende 1938 gab es für viele nur noch die Möglichkeit, nach Schanghai zu fliehen, denn dort war die Einreise auch ohne Papiere möglich.

Je schwieriger die Flucht wurde, desto lauter war der Wunsch auch von Linzer Juden, nach Palästina auszureisen und endlich in einer jüdischen Gemeinschaft Ruhe zu finden. Aber England, die Schutzmacht Palästinas, blockierte mit Rücksicht auf die Araber die Einreise allzu vieler Juden. Und wenn es eine Bewilligung gab, dann brauchte Palästina Menschen, die jung und kräftig waren: Landarbeiter, Handwerker und Männer, die im Kampf gegen die Araber einsetzbar waren. Nur wer dementsprechend vorbereitet und befähigt war, wurde nach langer Prüfung zugelassen. Als die Linzer Gemeinde dringend an das Wiener Palästina-Amt appellierte, in der großen Not zu helfen, wurde nur ein einziges Einwanderungszertifikat unterschrieben. Es ging an den Linzer Zionisten Fritz Piesinger, der sich seit Langem gründlich auf die Arbeit im Kibbuz vorbereitet hatte.[34]

Den Juden der Ostmark wurde immer klarer, nur noch die Wahl zu haben, entweder rasch »auszuwandern« oder in einem KZ zu landen. Eichmanns effizientes Wiener Modell der »Zentralstelle für jüdische Auswanderung«, die mit den örtlichen Judengemeinden eng zusammenarbeitete, wurde inzwischen auch in Berlin, Prag und dann auch in den danach eroberten Ländern eingeführt.

Der organisatorisch begabte Eichmann hatte aus der »Zentralstelle« einen geradezu automatisch laufenden Betrieb gemacht, wie er später stolz erklärte: »wie eine Mühle, in der Getreide zu Mehl zermahlen wird und die mit einer Bäckerei gekoppelt ist. Auf der einen Seite kommt der Jude herein, der noch etwas besitzt, einen Laden oder eine Fabrik oder ein Bankkonto. Nun geht er durch das ganze Gebäude, von Schalter zu Schalter, von Büro zu Büro, und wenn er auf der anderen Seite herauskommt, ist er aller Rechte beraubt, besitzt keinen Pfennig, dafür aber einen Pass, auf dem steht: ›Sie haben binnen 14 Tagen das Land zu verlassen, sonst kommen sie ins Konzentrationslager.‹«[35]

Zu Jahresende 1938 jedenfalls konnte sich Eichmann in Wien in seinem großem Erfolg sonnen, der ihm den Ruf eines tüchtigen Organisators einbrachte. Innerhalb von acht Monaten waren 45 000 Juden aus der Ostmark ins Ausland geflohen, im viel größeren Deutschland dagegen in derselben Zeit nur 19 000. Weitere zehn Monate später hatten bereits fast 150 000 Juden, etwa 60 Prozent der religiös-jüdischen Bevölkerung und der ja gleichermaßen betroffenen »Rassejuden«, die Ostmark verlassen. (»Rassejuden« waren zwar jüdischer Abstammung, aber nicht religiös, wie zum Beispiel Franz und Trude Kren.)

Da Eichmann ständig den Druck erhöhte und sich die Vorbereitung für die Ausreise wegen schleppender Verkäufe von Grundstücken, Häusern und Inventar in vielen Fällen allzu lange hinzog – man bedenke, dass ja noch sehr viele Männer seit der Pogromnacht in Haft oder in Arbeitslagern waren –, resignierten manche wohlhabenden Linzer Juden und flohen, ohne auf das Geld zu warten. Vorher überschrieben sie ihre nicht verkauften Liegenschaften an Hirschfeld und baten ihn, den nötigen Verkauf in aller Ruhe durchzuziehen und den erzielten Betrag für die Finanzierung mittelloser Flüchtlinge einzusetzen.

Dies freilich hatte später recht unschöne Folgen. Denn so mancher wohlhabende Jude, der vor seiner Flucht noch rasch Immobilien oder Grundstücke an Hirschfeld überschrieb, unterstellte diesem später argwöhnisch, für die eigene Tasche gearbeitet zu haben.

Hirschfelds ehrenamtliche Helfer – darunter Eduard Bloch und Franz Kren – wiesen solche Vorwürfe stets energisch zurück. Sie betonten, dass Hirschfeld den durch den Verkauf der Liegenschaften erzielten Erlös ausschließlich der Finanzierung der Auswanderung jener Juden widmete, die sich ohne dieses Geld nicht hätten retten können. Und das waren nun bereits fast alle der wenigen noch in »Oberdonau« lebenden Juden. Sein Leben lang pries Eduard Bloch Hirschfelds Mut und Kraft in dieser so verzweifelten, komplizierten und gefährlichen Situation und konstatierte rückblickend, Hirschfeld sei *ein selbstloser, grundgütiger, unerschrockener Mann, der sich trotz aller Gefahren jederzeit für seine Glaubensgenossen einsetzte und sich dadurch unvergängliche Verdienste erworben hat.*

März 1939: Hitlers Einmarsch in Prag

Nachdem am 13. März 1939 der erste Jahrestag der »Wiedervereinigung der Ostmark in das Großdeutsche Vaterland« mit öffentlichem Jubel auch in den Straßen von Linz gefeiert worden war, gab es zwei Tage später bereits ein neues »berauschendes« Ereignis im Deutschen Reich: den Einmarsch der deutschen Truppen in die »Resttschechei« inklusive Prags. Diesmal handelte es sich nicht mehr um ein »deutsches Land«, das von Hitlers Truppen überwältigt wurde, sondern eindeutig um das Land der Tschechen.

Eduard Bloch war in großer Angst um seinen älteren Bruder Adolf, der ihm in den letzten Jahren besonders nahe gekommen war. Denn ihre drei Schwestern waren tot, und der unverheiratete und pensionierte Adolf hatte sich nun sehr an Eduard und dessen Familie in Linz angeschlossen. Bloch darüber: *mein Bruder war von einer Herzensgüte, Opferwilligkeit und Selbstlosigkeit, die beinahe an extremen Altruismus grenzte; ich hatte in den letzten Jahren, wo er bereits im Ruhestande lebte, das Glück, ihn während der Sommermonate als lieben Gast in meinem Heime beherbergen zu können.*

Nun musste Bloch befürchten, dass sein Bruder in Prag an die deutschen Behörden ausgeliefert worden war, und sorgte sich umso mehr, da keine Nachricht von Adolf mehr kam. Später, in den Vereinigten Staaten, klagte Bloch: *Ich habe mich sehr bemüht, meinen Verwandten die Einreise nach Amerika zu ermöglichen, doch scheiterten alle meine Anstrengungen an der finanziellen Situation ihrer Affidavitgeber!* Adolf Bloch und seine und Eduards zahlreiche böhmischen Neffen und Nichten saßen nun in der Falle. Bloch erfuhr nie, dass fast alle Hitlers Reich nicht überlebten.

Dass auch Rudolf Kafkas Witwe Irma in Prag war, wussten die Blochs ebenfalls nicht. Die 61-Jährige war am 29. Juli 1938 aus ihrer Wiener Wohnung in der Johnstraße 2/1/5 in den 7. Bezirk, Lindengasse 4/2/9, übersiedelt – und hatte sich von dort am 10. September 1938 nach Prag (12, Nynohradoka 14) abgesetzt. Hier in Prag geriet sie in die Fänge der Nazis. Sie wurde nach Theresienstadt gebracht und dann nach Auschwitz, wo ihr Leben im Dezember 1944 furchtbar endete.[36]

Die Krens wiederum sorgten sich um ihre besten Freunde und Nachbarn, die Familie Fränkel. Diese hatten in Linz noch bis zur Geburt ihrer zweiten Tochter Dorothea im Juli 1938 gewartet und waren dann mit den Kleinkindern nach Prag geflohen. Es kamen keinerlei Nachrichten mehr von ihnen.

Hitler machte auf dem Rückweg von seinem Prager Triumph für den Abend ganz privat Station im Hotel Weinzinger in Linz und lud dort am 18. März einige Auserwählte zu einer abendlichen Abschiedstafel, darunter auch seinen ehemaligen Lehrer Eduard Huemer. Hitler war in »begreiflicher Triumphstimmung«, und er habe, so der stolze Huemer, bei Tisch »fast ein und eine halbe Stunde ausschliesslich mit mir« gesprochen, »so dass es mir wegen der den Tisch rings einsäumenden Parteifunktionäre beinahe schon peinlich war. Er ließ wieder die deutsche Vergangenheit Revue passieren, wozu ihn hauptsächlich sein nächtlicher Aufenthalt im Hradschin angeregt haben mochte ... Der Herr Reichskanzler war bester Laune, konnte selbst scherzen u. lachen, was ja nach den scheinbar einzigartigen, grossen Erfolgen, die ihm Böhmen gebracht habe, nicht verwunderlich war.«

Gegen zehn Uhr abends verabschiedete sich Hitler von seinen Gästen und fuhr noch in derselben Nacht zurück nach Berlin.

Diese viel gedruckte Landkarte zeigt deutlich die strategische Bedeutung der Tschechoslowakei für das Deutsche Reich in einem von Hitler geplanten Krieg

Huemer sah ihn nicht mehr wieder, bekräftigte aber noch 1946, Hitler habe damals »den unbeirrbaren Eindruck eines normalen, wahrheitsliebenden u. grundgütigen Menschen« gemacht. Immerhin schickte Hitler seinem Lehrer zum 75. Geburtstag durch einen Kurier ein »Kistchen nahrhaften Inhalts«.[37]

Um den Einmarsch in die Tschechoslowakei zu feiern, hatten am 20. März alle Kinder im Deutschen Reich schulfrei. Und der aus Linz bekannte Dr. Dr. Otto Rasch ging nun als Chef der Sicherheitspolizei nach Prag, aber wieder nur für kurze Zeit, für rund fünf Wochen. Offenbar war er der Spezialist für Umbruchzeiten, in denen Polizei und Gestapo schnell und verlässlich politische Gegner ausschalten.

Nun strömte eine neue Flüchtlingswelle aus der Tschechoslowakei in neutrale Staaten. Tschechische Politiker und Juden flohen. Und die vielen Flüchtlinge, die sich seit dem März 1938 aus Österreich und seit dem Oktober 1938 aus den Sudetengebieten nach Prag in Sicherheit gebracht hatten, mussten nun neuerlich die Flucht ins Ausland versuchen. Sehr viele von ihnen, vor

allem jene, die kein Geld hatten, schafften dies nicht und gingen
den Nazis in die Fänge.

Ein besonderes Ziel der Eroberer war die alte Karls-Universität, die seit 1918 eine rein tschechische Universität war. Im November 1939 wurde sie nun geschlossen. Mehr als 10000 tschechische Studenten und Professoren wurden verhaftet und in Lager
transportiert.

Böhmen, Mähren und die Slowakei unter dem Schutze Großdeutschlands

Ein weiteres Ziel der Nazis war die sehr reiche böhmische Aris-
tokratie. August Eigruber, Gauleiter von »Oberdonau«, hatte bereits Ende Januar 1939 von Martin Bormann erfahren, welche
Maßnahmen Hitler nach der Besetzung der Herrschaft Krumau
gegen die Familie Schwarzenberg plante: »Eine Abfindung an die
Fürsten und die Aufteilung der Erbteile soll keinesfalls durchgeführt werden, da alle Fürsten, welche sich gegen den Staat oder
die Partei vergangen haben, in absehbarer Zeit enteignet werden.
Besitz bleibt unter der Verwaltung des Gaues, die Vermögens-
verwendung wird vom Führer entschieden und steht bis auf weiteres den kulturellen Bedürfnissen des Reichsgaues Oberdonau in
seiner Gesamtheit zur Verfügung.«[38]

Die Fürsten Schwarzenberg, die sich mit dem neuen Regime
partout nicht anfreunden wollten, verloren nach der Herrschaft
Krumau nun auch Schloss Frauenberg mit all seinen Kunstschät-
zen, außerdem Wittingau, Kuschwarda und viele andere Schlösser
und Liegenschaften mit all den Ländereien und Industrien.

Die Schwarzenbergs waren bei den Nazis nicht nur als Aristokraten verhasst, sondern vor allem deshalb, weil sie angeblich
»von jeher deutschfeindlich eingestellt« gewesen seien. Tatsächlich
hatte Fürst Karl Schwarzenberg 1913 in seiner Grundherrschaft
Orlik die tschechische Amtssprache statt der bisherigen deutschen eingeführt – einfach deshalb, weil die große Mehrheit seiner
Beamten und des Personals Tschechen waren.

Eduard Bloch verehrte die ihm vertraute Familie Schwarzenberg wegen ihrer toleranten und großzügigen Haltung gegenüber den Juden. In seinem späten Rückblick auf die Ereignisse 1939 beklagte er auch sehr die Zerstörung des Jüdischen Friedhofs von Rosenberg: *Rosenberg in Südböhmen ist eine der ältesten – wofern nicht die älteste jüdische Gemeinde Böhmens, mit einem grossen historischen Friedhof. Die uralten Grabsteine sind kurze Zeit nach Schaffung des »Protectorates Böhmen« durch Hitler von verbrecherischen Nazihänden in Schutt und Trümmer gelegt worden.* In Rosenberg waren auch die Linzer Juden bestattet worden in jener Zeit, als die Linzer Judengemeinde noch keinen eigenen Friedhof hatte.

14 Kindertransport nach England

Rettungsaktion für »nichtarische« Kinder

Die Gräuel der »Reichskristallnacht« konnten gegenüber der internationalen Presse nicht verschwiegen und beschönigt werden. Eine Welle öffentlicher Empörung ging nach dem 10. November 1938 durch die Welt. Nun konnten auch jene Länder, die sich bisher energisch gegen weitere Flüchtlinge aus Deutschland gewehrt hatten, nicht mehr so tun, als sei die Lage der deutschen Juden gar nicht so schlimm. Jüdische wie nichtjüdische Organisationen im In- und Ausland bemühten sich, so rasch wie möglich Hilfsaktionen zu organisieren. In vielen Ländern gab es Diskussionen zu diesem Thema, vor allem darüber, wer das alles finanzieren sollte und wie sich eine Masseneinwanderung jüdischer Flüchtlinge auf den Arbeitsmarkt und das Sozialgefüge der Einwandererländer auswirken würde.

Aus all den Überlegungen entstand schließlich nur eine Initiative, die wirklich rasche Hilfe in großem Stil und in kürzester Zeit leistete: England organisierte Kindertransporte als Rettungsaktion für jüdische und »nichtarische« deutsche Kinder. Bereits am 21. November 1938 wurde die Hilfsorganisation »Movement for the Care of Children from Germany« gegründet und bald von vielen anderen Organisationen unterstützt: von jüdischen wie anglikanischen, Quäkern und vielen anderen Wohlfahrtsvereinen, aber auch von Privatleuten von Arbeiterfamilien bis zu den englischen Rothschilds.

In organisierten »Kindertransporten« sollten bedrohte Vier- bis Siebzehnjährige aus Hitlers Reich nach England in Sicherheit gebracht werden, aber ohne ihre Eltern. Denn in England herrschte große Arbeitslosigkeit, und Massen erwachsener Flüchtlinge hätten dieses Problem erheblich verschärft. Auf Anordnung des Deutschen Reiches durften die Schiffe, die die Kinder nach

England brachten, nicht von deutschen Häfen auslaufen, um diese nicht zu überlasten. So wurden die Transporte über Holland oder Belgien geführt.

Die Auswahl der Kinder besorgten verschiedene lokale Organisationen, vor allem die Jüdischen Kultusgemeinden. Für die »Ostmark« war die Kultusgemeinde in Wien zuständig. Da aber nicht nur jüdische, sondern auch »nichtarische« Kinder zu retten waren – also jene Kinder, die zwar nach »rassischen« Kriterien Juden, aber nicht der jüdischen Religion angehörten wie Georg und Johanna Kren –, mussten auch andere Organisationen mitarbeiten. Für diese Kinder etablierte sich zum Beispiel in Wien die den Quäkern nahestehende »Gesellschaft der Freunde«. Diese Institution vereinbarte mit der Kultusgemeinde einen Proporz, wonach die »Freunde« bei jedem Kindertransport ein Drittel der verfügbaren Plätze besetzen konnten.[1]

Sogar Adolf Eichmanns »Zentralstelle für jüdische Auswanderung« beteiligte sich an der Durchführung der Kindertransporte und unterstützte die Aktion insofern, als die nötigen Genehmigungen für alle Kindertransporte gleichzeitig erteilt wurden. Da die Beschaffung unzähliger Ausreiseformulare und Genehmigungen äußerst mühsam war und bis zu deren Unterzeichnung oft viel Zeit verstrich, bedeutete dies für die Organisatoren eine große Erleichterung. Es lag ja in Eichmanns Interesse, möglichst rasch viele junge »Nichtarier« ins Ausland zu schaffen, und zwar ohne weitere Belastung der überforderten Auswanderungsbehörden. Und: Die Kindertransporte kosteten Eichmanns Behörde nichts, da sie zur Gänze von internationalen Organisationen und privaten Sponsoren finanziert wurden.

Auch der junge protestantische Pfarrer und schwedische Staatsbürger Göte Hedenquist,[2] der von 1936 bis 1940 mit Diplomatenstatus die Schwedische Mission in Wien, Seegasse 16, leitete, engagierte sich für die Flüchtlinge. Ihm ging es vor allem um die »Judenchristen«, also Christen, deren Stammbaum »nicht arisch« war. Aber seit dem März 1938 half er jedem, der sich an ihn wandte, ohne Ansehen der Person oder Religion.

Hedenquist war so unerschrocken, dass er mit dem allseits ge-

fürchteten Eichmann persönlich Kontakt aufnahm und bei ihm
etwas Außerordentliches durchsetzte: Die Schwedenmission erhielt ein kleines Zimmer in Eichmanns Amtssitz, dem ehemaligen
Wiener Palais Rothschild, und durfte dort zwei Vertrauensleute
platzieren. Diese hatten die Aufgabe, den verängstigten, oft hilflosen »Auswanderern« zur Seite zu stehen, etwa beim Ausfüllen
der sehr komplizierten Formulare. Hedenquist nannte seine Abgesandten »unsere Repräsentation bei Eichmann«. Und die Gestapo-Leute erfanden für die ungewöhnlichen christlichen Helfer
spöttisch das Wort »Gemipo«: »Geheime Missionspolizei«.

Sonntags wurden in der »Messiaskapelle« der Seegasse unter
Gestapo-Bewachung Gottesdienste gehalten und dabei jene
Flüchtlinge, die in der nächsten Woche ausreisen sollten, herzlich verabschiedet. Kein Schützling der Mission musste allein zum
Bahnhof oder zum Flugplatz fahren. Jeder – und es waren stets
viele in einer Woche – wurde von Vertrauten der Mission begleitet, getröstet und beruhigt. Und jeder, ob Jude oder Christ, erhielt
zum Abschied eine Bibel mit auf den Weg.

Eduard Bloch stand mit Hedenquist in Kontakt, fuhr mehrmals
nach Wien und kämpfte auch bei ihm um die Ausreisegenehmigung für Georg und Johanna, seine Enkelkinder. Im Februar 1939
gelang es Hedenquist zum Beispiel, 60 jüdische und judenchrist-
liche Kinder nach Schweden in Sicherheit zu bringen. Missions-
schwester Anna-Lena Peterson erzählte später als Augenzeugin:
»Da war viel Polizei bei der Abfahrt zugegen und viele weinende
Eltern, während auf dem Nachbarbahnsteig ein KdF-Transport
unter Lachen und Fröhlichkeit verabschiedet wurde.«[3] KdF war
die NS-Freizeitorganisation.

Die Entscheidung, ihre oft noch sehr kleinen Kinder in ein
fremdsprachiges Land zu schicken, war der Ausdruck vollkommener Hilflosigkeit der Eltern. Sie erlebten Tag für Tag, wie ihre
Auswanderungsbemühungen scheiterten. Und wenn es für irgendeinen Ort plötzlich Visa gab, etwa für Schanghai, dann fehlte
meist das nötige Geld für die Reise, die Visa, die »Reichsfluchtsteuer« und die JUVA (Judenvermögensabgabe), wobei die letzten beiden Abgaben zusammen die Hälfte des angegebenen Ver-

mögens ausmachten. Meistens reichte auch die Zeit nicht, um die vielen notwendigen Bescheinigungen und Amtsstempel zu bekommen. Denn die Warteschlangen bei den Behörden waren lang und die Schikanen der Beamten gefürchtet. Ein weiteres Problem ergab sich daraus, dass die meisten der nach der »Kristallnacht« verhafteten männlichen Juden immer noch in Haft oder in einem KZ waren und fast täglich weitere Juden »verschwanden«. Natürlich waren deren Familien in Sorge und wollten nicht ohne den Ehemann oder Vater ausreisen.

Die Familie Kren bemühte sich seit Langem mit wachsender Verzweiflung um die Ausreise in die Vereinigten Staaten, hatte aber Probleme, für vier Personen eine gemeinsame Genehmigung zu erhalten. In ihrer Sorge, dass die Ausreisevisa nicht rechtzeitig oder überhaupt nicht eintreffen könnten, sahen sich Franz und Trude Kren auch nach Alternativen für ihre Kinder um und bemühten sich, zwei Plätze in einem organisierten Kindertransport nach England zu bekommen. Die Krens mussten dabei in Kauf nehmen, dass sie, falls auch ihnen später die Flucht ins Ausland gelingen sollte, wahrscheinlich in ein anderes Land kamen als ihre nach England oder Schweden ausreisenden Kinder.

Am 1. Dezember 1938 bereits ging der erste Transport mit 400 Kindern aus Berlin nach England ab. Unter ihnen waren rund 200 Waisenkinder, die ein traumatisierendes Erlebnis hinter sich hatten: In der Pogromnacht hatten SA-Männer das jüdische

Waisenhaus in Berlin angezündet und völlig ausbrennen lassen.
Viele Kinder fanden den Tod. Die Überlebenden waren in einem
Schockzustand und praktisch ohne Obdach. Außerdem mussten
40 Kinder polnischer Herkunft vor der drohenden Deportation
nach Polen gerettet werden und viele alleinstehende und unbe-
treute Kinder, deren Eltern tot oder seit der Pogromnacht in Haft
waren. Die wenigen übrigen Plätze wurden rasch und eher planlos besetzt, meist von Eltern, die durch Zufall oder über Bekannte
von dieser Aktion erfahren hatten. Sie mussten aber bereit sein,
für die Ausreise ihrer Kinder viel Geld zu zahlen.

Aus Wien ging der erste Kindertransport am 12. Dezember
1938 ab, vornehmlich organisiert von der Wiener Kultusgemeinde.
Er brachte 400 Kinder nach England und 59 nach Holland.

Die Kindertransporte warfen massive Probleme auf. Die Familien wurden zerrissen, und niemand konnte wissen, wie lange
die Trennung dauern würde – und ob sich Eltern und Kinder je
wiedersehen würden. Fast alle Kinder konnten kein Wort Englisch, auch Georg und Johanna Kren nicht. Die kleineren Kinder
schließlich, die nun in einem fremdsprachigen Umfeld aufwachsen sollten, würden ihre Eltern später kaum oder gar nicht mehr
erkennen und wahrscheinlich auch kein Deutsch mehr verstehen.

Ein anderes Problem bestand darin, dass sich in England
nicht genügend jüdische – und schon gar nicht genügend jüdisch-
religiöse – Familien fanden, um alle geflohenen jüdischen Kinder
aufzunehmen. Denn in England stellten Juden zu dieser Zeit weniger als ein Prozent der Bevölkerung – gegenüber rund zehn Prozent in Wien allein an Glaubensjuden. Die zurückbleibenden
Eltern mussten also damit rechnen, dass ihr Kind in eine christliche Familie kam und dort seinen jüdischen Glauben verlor.

Es musste aber auch für jene Kinder gesorgt werden, deren
Eltern und Großeltern zwar jüdischer Abstammung waren, aber
sich vom Judentum gelöst hatten. Auch sie galten ja nach der herrschenden Rassenlehre als Juden, waren ebenso existenziell bedroht wie Glaubensjuden und mussten in die Rettungsaktion
einbezogen werden. Zu dieser Gruppe gehörten auch Blochs
Enkelkinder Georg und Johanna. Konflikte zwischen Glaubens-

juden und »Rassejuden« waren vorhersehbar und wurden in England, vor allem in den Jugendheimen für die größeren »Kinder«, bald auch Realität.

Trotz aller Bedenken war für viele Eltern angesichts der akuten Bedrohung das Überleben ihrer Kinder die Hauptsache. Aber immer wieder kam es vor, dass Eltern, die bereits die Ausreise ihrer Kinder organisiert und bezahlt hatten, in letzter Minute ihre Entscheidung revidierten. Dies geschah zum Beispiel bei Hans Kafkas Jugendfreundin Grete Pollak, die im August 1938 mit ihrer Freundin Ottilie Töpfer nach Palästina fliehen sollte. Aber Gretes Eltern hielten ihr einziges Kind in letzter Sekunde am Bahnhof aus Angst vor der Trennung zurück. Und fast alle Eltern mögen sich den baldigen Zusammenbruch der Naziherrschaft erträumt haben, um dann die Kinder rasch wieder nach Hause holen zu können.

All dies wurde auch im Kreis der Familien Bloch und Kren heftig diskutiert, aber nie im Beisein der Kinder. Das Ergebnis der langen Beratungen war die klare Entscheidung von Eltern und Großeltern, dem zwölfjährigen Georg und der neunjährigen Johanna, wenn eben möglich, die Chance zu geben, ins Ausland auszureisen und damit ihr Leben zu retten.

Letztlich war für diese Entscheidung Großvater Eduard ausschlaggebend, der um die geliebten Enkel höchst besorgt war. Jedenfalls warf ihm sein Enkel Georg später immer wieder vor, der Hauptverantwortliche dafür gewesen zu sein, dass er und Johanna von der Familie getrennt wurden. Auch Johanna, inzwischen Joanne genannt, bestätigte später, dass der Großvater sich sehr um die Rettung seiner Enkel bemüht habe, vor allem bei Pfarrer Hedenquist von der Schwedischen Mission in Wien. Aber letzten Endes ergaben sich bei den weit größer dimensionierten Kindertransporten nach England bessere Chancen.

Die Eltern Kren schrieben nun eifrig Briefe an alle Verwandten und Bekannten, die sie in England wussten und die vielleicht eines oder beide Kinder aufnehmen könnten. Sie kontaktierten auch Trudes Cousine Elfriede Ungar, die ja bei den Blochs aufgewachsen war. Elfriede lebte inzwischen in London, hatte einen englischen Ehemann und arbeitete als Kinderkrankenschwester in einem großen Londoner Hospital. Elfie und Alf Howell erklärten sich bereit, den zwölfjährigen Georg zu sich zu nehmen.

Auf verschlungenen Wegen gerieten die Krens auch in Briefkontakt mit der nichtjüdischen Familie von Ivan R. und Doris Madge in London East End. Diese hatten vier Kinder etwa in Johannas Alter: Kenneth, Desmond, Mary und Jennifer – und waren nicht abgeneigt, die Neunjährige aufzunehmen. Nachdem die Krens auch noch ein Foto von Johanna nach London geschickt hatten, war die Sache klar. Die Familie Bloch/Kren erhielt nach langem Kampf die Zusage für zwei Plätze im Kindertransport, der am 25. April 1939 von Wien abging. Aber Georg und Johanna wussten immer noch nicht, was die Eltern für sie planten.

Georg und Johanna verlassen Linz

Am 24. April 1939 fuhren Franz und Trude Kren mit ihren Kindern von Linz nach Wien. Sie übernachteten bei Trudes Tante, der damals 63-jährigen Martha Salzer, geborene Schindler, und deren elf Jahre älteren Ehemann Siegfried. Die beiden wohnten in der Maria-Theresien-Straße 22/3/9 nahe der Votivkirche. Seit der Pogromnacht im November des Vorjahres lebte bei ihnen auch Marthas Mutter aus Innsbruck, die 81-jährige Sophie Schindler, geborene Dubsky, Hermine Kafkas Schwester. Wie immer hielt die Großfamilie zusammen, und einer half dem anderen.

Martha sei, wie Trude Kren später schwärmte, eine Frau mit brillanten intellektuellen Fähigkeiten und sehr vielen Talenten gewesen, und auf der anderen Seite habe ihre aufopfernde Liebe keine Grenzen gekannt. Mit vollkommener Selbstverleugnung habe sie sich ihrer Familie gewidmet. »Ihre Wahrheitsliebe war sprichwörtlich. Sie hatte sehr viel Voraussicht, auch in geschäftlichen Fragen und in der Beurteilung politischer Situationen. Außerdem liebte sie sehr die Musik und spielte mit großen technischen Fähigkeiten Klavier.« Aber ihr sehr korrektes Klavierspiel habe es ihr nicht erlaubt, Gefühle hochkommen zu lassen.

Marthas Loyalität gegenüber ihrem Mann wie ihrer Mutter seien unvergleichlich gewesen, und: »… in ihrer Person vereinte sich die

Intelligenz eines Wissenschaftlers mit dem Talent eines Künstlers und der Fähigkeit zur Geduld und Liebe einer Heiligen.«[4]

Wie auch immer: Georg und Johanna fühlten sich bei den Verwandten wohl – und ahnten nicht, was ihnen bevorstand. Johanna erinnerte sich später, als inzwischen verheiratete Joanne Harrison: »Unsere Eltern nahmen uns am nächsten Tag in Wien von Marthas Wohnung zum Bahnhof mit. Sie sagten uns, dass wir einander in ungefähr drei Wochen wiedersehen würden.« Die Kindertransporte gingen vom Wiener Westbahnhof ab.

Laut Joanne weinten beide Eltern bei der Trennung sehr. Dass die Reise nach England ging, sagten sie ihren völlig überrumpelten und verstörten Kindern nicht.

Im Zug wurden die Geschwister voneinander getrennt. Johanna kam zu den Mädchen und Georg zu den Buben. Der Zug war heillos überfüllt, und sehr viele Kinder weinten. Johanna später: »Ich weiß nicht, wie lange wir in dem Zug waren. Wir schliefen auf dem Fußboden oder auf einer Bank. Es dauerte sehr lange.« Katholische Nonnen waren im Zug die einzigen Erwachsenen, die die Kinder versorgten.

Irgendwann hielt der Zug, und Johanna erinnert sich an Leute, die ihnen Schokolade gaben und sagten, dass es holländische Schokolade sei. Tatsächlich: Holländische Frauenorganisationen hatten es sich zur Aufgabe gemacht, den verängstigten Kindern am ersten Bahnhof jenseits der deutschen Grenze eine Freude zu machen. Sie verteilten warme Milch, Tee, Brote und Süßigkeiten und munterten die Kinder mit kleinen Geschenken auf. Sie sollten sich freuen, nun endlich in Freiheit und willkommen zu sein. Es gibt wohl keinen Teilnehmer der Kindertransporte, der sich nicht mit Dankbarkeit an diese fröhlichen und tröstlichen Szenen in Holland erinnert.

Aber die Zugreise war noch längst nicht zu Ende, und zumindest die kleine Johanna Kren wusste immer noch nicht, wohin die schier endlos lange Fahrt ging. Später konnte sie nicht mehr sagen, wie viele Tage und Nächte die Reise dauerte und wo der Zug hielt. Sie erinnerte sich auch nicht mehr an ihr Gepäck, außer an einen kleinen schwarzen Koffer. Tatsächlich war jedem Kind nur ein solch kleiner Koffer zum Mitnehmen erlaubt, außerdem ein Spielzeug, eine Puppe oder Ähnliches. Jedes Kind hatte eine Nummerntafel um den Hals. Und wie die erwachsenen Flüchtlinge durften auch die Kinder seit 1939 höchstens zehn Mark bei sich haben und keinerlei Schmuck. Eduard Bloch erwähnt in seinen Erinnerungen die Folgen, die ein Kind durch die Nichtbefolgung dieser Anordnung erlebte, nämlich *dass bei einem Kindertransport die Naziorgane den Kindern die Ohrgehänge aus den Ohren rissen!* Das hatte sich am deutsch-belgischen Grenzübergang Herbesthal ereignet.

Als der überfüllte Zug hielt und die Kinder endlich aussteigen durften, waren sie im holländischen Hafen Hoek van Holland angelangt. Aber niemand erklärte das der kleinen Johanna, die von all den ungewöhnlichen Ereignissen der letzten Tage völlig verstört war. Immerhin traf sie nun ihren Bruder wieder, und die beiden bestiegen mit Hunderten anderer Kinder ein großes Schiff. Dass sie damit nach England fahren sollten, wusste Johanna immer noch nicht. Am 27. April 1939 erreichten sie sehr erschöpft und verängstigt den englischen Hafen Harwich.

Fast alle anderen Kinder wurden nun in Doppeldeckerbussen weiter in das bereits völlig überfüllte primitive Sommerferienlager Dovercourt an der Küste oder in andere Heime gebracht. Dort wurden sie von Ärzten untersucht, um ihren noch unbekannten Pflegefamilien ein entsprechendes Gesundheitsattest vorlegen zu können.

Da inzwischen fast jeden Tag neue Kindertransporte ankamen, musste in Lagern wie Dovercourt immer wieder rasch Platz geschaffen werden. Viele Journalisten engagierten sich, brachten Reportagen in Zeitungen und riefen über BBC die Hörer auf, sich der aus dem Deutschen Reich geflohenen Kinder anzunehmen. In einigen Lagern war es üblich, am Sonntag potenzielle Pflegeeltern einzuladen, die dann gleich auch die von ihnen ausgewählten Kinder mitnehmen konnten.

Der damals 13-jährige Lothar Baruch berichtete später: »Um nicht etwa potenzielle Pflegeeltern abzuschrecken, sollten wir Kinder einen glänzenden Eindruck machen. Wir durften nicht

Das letzte Foto vor der Abreise der Kinder vom Wiener Westbahnhof nach England: Johanna und Georg mit Mutter Trude, fotografiert vom Vater

alles, was uns gerade einfiel, in das Mikrofon sprechen, sondern mussten unseren Text aufschreiben. Der wurde dann von dem Team sorgfältig überarbeitet, bevor wir ihn ablesen durften und alles auf Tonband aufgenommen wurde. Wir sollten einen aufgeweckten Eindruck machen und unsere Dankbarkeit betonen. Auf keinen Fall sollten wir allzu deprimiert wirken; wer wollte schon ein schwieriges Kind aufnehmen?«

Und weiter: »Die kleinen Kinder wurden in ihren besten Kleidern in den Speisesaal geführt. Dann gingen die Besucher durch die Tischreihen. Da waren Paare, die flüsternd hinter vorgehaltener Hand besprachen, welches der Kinder ihnen am besten gefällt, aber auch Leute mit handfestem Interesse: viele nutzten die Gunst der Stunde, um an billiges Dienstpersonal zu kommen. Es hatte etwas von einem Viehmarkt.«[5]

Niedliche kleine Mädchen waren sehr begehrt. Aber pubertierende Jugendliche wollte kaum jemand, und wenn, dann mit dem Hintergedanken, sie als Arbeitskräfte einzusetzen. Schließlich mussten für die nicht zu vermittelnden Burschen eigene Heime eingerichtet werden.

Die freiwilligen Helfer in den Lagern waren heillos überfordert. Ausgelöst durch die Enge, Überfüllung und die karge Kost gab es viele Streitereien unter den Kindern, vor allem den älteren. Schließlich wurde es so schlimm, dass bei den älteren Burschen die Berliner von den Wienern getrennt werden mussten, denn, so ein Augenzeuge: »Die Deutschen hielten sich immer noch für Deutsche und die Österreicher für Österreicher und nicht in erster Linie gemeinsam für Juden.«[6] Vor allem viele junge »Rassejuden«, die keinerlei Beziehung zur jüdischen Religion hatten, waren der Meinung, am falschen Platz zu sein. Bei manchen von ihnen entwickelten sich hier im Lager sogar antisemitische Gefühle.

Georg und Johanna dagegen waren wie nur rund zwei Prozent der aus Deutschland geflüchteten Kinder privilegiert: Auf sie warteten zwei von den Eltern sorgfältig ausgesuchte Familien, die bereit waren, sie aufzunehmen. Die Geschwister mussten sich also nicht in Dovercourt mit fast 1000 fremden Kindern zusammendrängen, bei stets großem Lärm und völlig überforderten freiwilligen Helfern aus zahlreichen und sehr unterschiedlichen Organisationen. Ihnen blieb das alles erspart. Das Ärgste für sie war, dass sie nicht zusammenbleiben durften. Beide verloren damit den einzigen vertrauten Menschen in diesem fremden, anderssprachigen Land, auf das sie nicht vorbereitet worden waren.

Immerhin: Die ganze Familie Madge – Eltern und vier Kinder – standen bei der Ankunft zum Empfang bereit, mit Johannas Foto in der Hand. Die Neunjährige, die bald nur noch Joanne hieß, nahm von ihrem Bruder Abschied und fuhr, immer noch sehr verängstigt, mit der wildfremden Familie im Auto nach London. Während der Fahrt verstand sie kein Wort von dem, was gesprochen wurde.[7]

Rückblickend erzählt Joanne nur Gutes über die Familie: Mr. Madge habe sie wie ein Vater behandelt, auch seine Frau sei sehr nett zu ihr gewesen. Die gleichaltrige Tochter Jennifer ging mit Joanne in dieselbe Klasse und machte von nun an alles mit ihr gemeinsam. Sie schloss das schüchterne fremde Mädchen nie aus, weder in der Schule noch beim Spielen. Sie erklärte den Mitschülern auch, dass Joanne noch kein Englisch verstehe. Die Kinder sollten Geduld mit ihr haben und ihr helfen. So gewöhnte sich Joanne allmählich an ihre neue Umgebung und die neue Sprache.

Ein starker Eindruck war es für Johanna, als sie von der Familie Madge am ersten Sonntag, den sie in England verbrachte, ein Gebetbuch geschenkt bekam und sie alle gemeinsam zum Gottesdienst in die anglikanische Kirche gingen. Das war der Anfang von Joannes lebenslanger Begeisterung für das Christentum. Sie und ihr Bruder George waren areligiös erzogen und hatten weder zur christlichen noch zur jüdischen Religion eine Beziehung. Von nun an aber verzichtete Joanne am Sonntag nie mehr auf einen Gottesdienst. Und bis heute hegt sie viele zärtliche Erinnerungen an die Familie Madge, vor allem, weil sie ihr ihre tiefe Religiosität verdankt.

Georg wurde in Harwich, wie es die Eltern ausgemacht hatten, von seiner 33-jährigen Tante Elfie Howell, geborene Ungar, ab-

*Joanne Kren (links)
und Jennifer Madge
in Schulkleidung*

geholt. Er hatte es somit einfacher als Johanna – jedenfalls hatten
das die Eltern in Linz angenommen. Denn er kannte Elfie gut, die
ja bei den Blochs aufgewachsen war, und hatte damit einen großen
Vorteil vor seiner kleinen Schwester: Er konnte mit Elfie Deutsch
sprechen. Erstaunt erfuhr Joanne einige Zeit später, dass Georg
bereits bald nach seiner Ankunft den Haushalt der Cousine wieder
verlassen hatte und nun ein Internat (Boarding School) besuchte.
Elfie Howell und ihr Ehemann, die beide arbeiteten, waren offenbar mit dem schwierigen, pubertierenden und heimwehkranken
Jungen überfordert.

Im der Boarding School fühlte sich der hochbegabte, aber auch
hochsensible Einzelgänger, der nun George hieß, jedoch auch
nicht wohl. Er hasste es, in England sein zu müssen, und verzieh
den Eltern nie, ihn dorthin geschickt zu haben. Er fühlte sich ab-
geschoben, verstoßen und ungeliebt. Und er beschuldigte vor
allem Großvater Bloch, ihn von seinen Eltern getrennt zu haben.

Die Geschwister konnten einander nicht helfen. Besonders
schlimm war es, dass beide sehnsüchtig, aber vergeblich auf die
Eltern warteten. Denn diese hatten ihnen ja versprochen, in spätestens drei Wochen bei ihnen zu sein. Aber es kam niemand,
solang die Kinder auch warteten.

In dieser Zeit hatten George und Joanne noch Briefkontakt
mit Eltern und Großeltern. Joanne erinnert sich daran, dass die
Eltern ihr ein Bilderbuch schickten: Pinocchio auf Englisch.
Mrs. Madge las ihr daraus vor.

Kriegsangst

Ende August 1939 spitzte sich die internationale Lage zu. Hitler
bedrohte Polen. Und England, das Polen erst kurz zuvor vertraglich Schutz und Beistand bei einem deutschen Angriff zugesichert
hatte, musste sich nun auf einen Krieg vorbereiten. Die Angst
wuchs von Tag zu Tag, und um deutschen Bomben zu entgehen,
flohen rund eineinhalb Millionen Großstädter aufs Land. Unter
den vielen, die noch vor Kriegsbeginn in die Provinz flohen, waren
auch George und Joanne Kren. Die Familie Madge fuhr mit Joanne

Joanne am Strand von Brighton

nach Cornwall. Wie Joanne später erzählte, besuchten die Kinder dort eine Schule in einem winzigen Haus, das nur aus einem einzigen Raum bestand.

Da die Organisatoren der Kindertransporte fürchteten, in dieser verworrenen Situation den Überblick über den Verbleib der ihnen anvertrauten Kinder zu verlieren, musste die kleine Joanne nun die Familie Madge verlassen und kam wieder in ein fremdes Umfeld – nach Brighton in Südengland zur christlichen Familie Taylor mit der 14-jährigen Tochter Helen.

Der 13-jährige George Kren wurde ebenfalls nach Brighton gebracht. Aber er fand auch dort keinen Familienanschluss und musste wieder in eine Boarding School. Sein Leidensgenosse, der ebenfalls mit einem Kindertransport nach England gekommene Wiener Werner Glas, schilderte später die traurige Atmosphäre der Boarding Schools und meinte, sie hätten funktioniert wie in der Zeit von Charles Dickens: »Das Leben dort war hart, das Essen spärlich und armselig.«[8]

Obwohl Joanne und George nun beide in Brighton lebten, hatten sie kaum miteinander Kontakt. Einmal habe George sie bei der Familie Taylor besucht, erinnert sich Joanne. Ihr fiel dabei auf, dass George »sehr hungrig« gewesen sei und alles gierig aufgegessen habe, was er sah.

Die lange Isolierung unter wildfremden Menschen prägte den jungen George, der ohnehin sehr verschlossen und wenig kontaktfreudig war. Wie er später immer wieder betonte, habe er sich in dieser Zeit allein und verlassen gefühlt. Vor allem glaubte er sich durch den Kindertransport nicht gerettet, sondern von Eltern wie Großeltern in ein wildfremdes Land fortgeschickt, ja verstoßen – wegen Hitler.

Der Psychoanalytiker John S. Kafka sagte später am Grab seines Vetters George, der Knabe habe die als lebensrettende Maßnahme gedachte Ausreise nach England als eine große Verletzung empfunden. Er sei alt genug gewesen, um nach Hitlers Einmarsch die Demütigungen der Juden bitter zu empfinden. Und er habe seinem Großvater Bloch viel Schuld gegeben, weil er den ehemaligen Patienten, also Hitler, der so viel Unheil über Österreich brachte, nicht hasste, sondern sogar auf eine besondere Art persönlich schätzte. Für George sei das eine furchtbare Schmach gewesen.[9]

Mit all diesen schmerzlichen Gefühlen stand George nicht allein. Es wird geschätzt, dass mindestens eines von zehn Kindern, die durch die Kindertransporte gerettet wurden, wegen der abrupten Trennung von den Eltern schweren psychischen Schaden nahm. Mehr als 1000 Kinder hätten demnach ihre »Rettung nach England« nur mit bleibenden Schäden überstanden.[10]

Auch Joanne hatte es anfangs bei der neuen Familie schwer. Die Taylors hätten ihr zunächst noch nicht vertraut und alles vor ihr verschlossen, erzählte sie später. Aber das änderte sich bald, und das Kind fühlte sich zunehmend wohl.

Wenn Joanne später auf ihre Zeit in England zurückblickte, meinte sie dankbar, dass sie großes Glück gehabt habe. Denn ihr sei in England die damals häufige Erfahrung erspart geblieben, als »feindliche Deutsche« angesehen und deshalb gemieden zu werden.

Das Ende der Kindertransporte

Am 3. September 1939 erwartete die kleine Vera Gissing, die mit einem Kindertransport nach England gekommen war, freudig die Ankunft eines neuen Transports, der zwei Cousins aus Prag bringen sollte. Aber der Zug, der am 1. September in Prag hätte abfahren sollen, kam nie in London an. Nach 1945 schrieb Vera: »Erst Jahre später fand ich heraus, dass sie [die Cousins] bereits im Zug gesessen hatten, fertig zur Abreise – an dem Tag, als der Krieg ausbrach. So weit ich weiß, hat kein Kind dieses Transportes, auch unsere Cousins nicht, den Krieg überlebt.«[11]

Die Kindertransporte waren damit beendet. Insgesamt hatten sie in den neun Monaten vor dem Krieg rund 10 000 Kinder nach England in Sicherheit gebracht und so deren Leben gerettet. Allein die Wiener Kultusgemeinde schickte vom 2. Dezember 1938 bis zum 22. August 1939 in 23 Transporten 2262 Kinder nach England.[12] Dazu kamen einige Hundert Kinder, die von Belgien, Frankreich, Holland und Schweden aufgenommen wurden. Außerdem wurden weitere Kinder von unterschiedlichen Wohltätern – etwa der Schwedischen Mission in Wien – gerettet.

Nach Kriegsende erfuhr die schockierte Welt, dass weit mehr als eine Million jüdische beziehungsweise »nichtarische« Kinder in Hitlers Machtbereich dem Holocaust zum Opfer gefallen waren.

Die weitaus meisten Teilnehmer der Kindertransporte sahen nach 1945 ihre Eltern nicht mehr wieder. Denn diese hatten das Naziregime nicht überlebt. So blieben viele »Kinder«, wie sie sich noch heute nennen, allein in England zurück und wurden Engländer, so wie die nach Schweden geretteten Kinder Schweden wurden.

George und Joanne Kren waren unter jenen wenigen Glücklichen, die – später – ihre Familien wiedersahen. Aber das konnten sie ja im Herbst 1939 noch nicht wissen.

15 Krieg und Flucht

Deutscher Angriff auf Polen

Der 1. September 1939 veränderte die Welt mit einem Schlag. Hitlers Truppen überfielen im Morgengrauen das wehrlose Polen. Dass sie nur »zurückgeschossen« hätten, war eine Propagandalüge.

Hitler und seine Gefolgsleute hatten den Krieg seit der »Machtergreifung« 1933 sorgfältig vorbereitet, vor allem mit exzessiver Aufrüstung. In Linz wurden die Hermann-Göring-Stahlwerke als Rüstungsbetrieb mit riesigem Kapitaleinsatz ausgebaut. Eduard Bloch dazu: *» Um dieses Aufbauprogramm zu bewältigen, wurden ganze Eisenbahnzüge mit Arbeitern importiert: Tschechen, Polen, Belgier«,*[1] also Zwangsarbeiter aus den gerade eroberten Ländern, aber auch Fremdarbeiter und Häftlinge. Sie wurden abseits der Linzer Innenstadt in Barackenlagern untergebracht. Die Göring-Werke und die zahlreichen anderen Fabriken, die Hitler in Linz errichten ließ, machten aus der ländlichen Kleinstadt Linz in kürzester Zeit ein europäisches Industrie- und Rüstungszentrum.

Um kein Risiko einzugehen und sich zunächst den Rücken freizuhalten, schloss Hitler am 23. August 1939 einen Nichtangriffspakt mit Josef Stalin. Die Sowjetunion hielt sich vertragsgemäß aus dem geplanten Krieg heraus. Zum Lohn dafür sollte das eroberte Polen zwischen Deutschland und Russland aufgeteilt werden, ein wahrlich gutes Geschäft für die Russen.

Hitler war fest davon überzeugt, Polen noch vor dem Winter zu besiegen und dabei reiche Beute zu machen. Er beauftragte Reinhard Heydrich, den Chef des Reichssicherheitshauptamts (RSHA) und damit auch der Gestapo, den geplanten Überfall auf Polen so zu kaschieren, dass er in der Öffentlichkeit nicht als Aggression, sondern als defensiver Gegenschlag auf polnische Provokationen verstanden werden sollte. Eine »Kompanie möglichst slawisch aussehender Soldaten in polnischer Uniform« sollte mit einem deutschen Trupp zusammenstoßen, »wobei die Grenzstation Pitschen, wo sich zufällig Photographen aufhalten, demoliert wird«.[2] Ähnliches wurde an der Grenze bei Hochlinden und beim deutschen Sender in Gleiwitz inszeniert. Leichen kurz zuvor eigens zu diesem Zweck ermordeter Juden wurden in polnische Uniformen gekleidet. In ihren Taschen befanden sich polnische Zigaretten, Streichhölzer und diverse Papiere in polnischer Sprache, um sie als Polen auszuweisen.

Einer der drei Verantwortlichen für diese Aktionen war Dr. Dr. Otto Rasch, den Bloch noch im Vorjahr als Gestapo-Chef in Linz kennengelernt hatte. Rasch hatte das Kommando in Pitschen.

Für Hitler unerwartet, gaben England und Frankreich kurz vor dieser geplanten Aktion eine Garantie für Polen ab und verpflichteten sich, dem kleinen Land bei einem deutschen Angriff bei-

Französische Karikatur zum Kriegsausbruch: Links stehen die Särge der von den Nazis annektierten Länder Österreich, Tschechoslowakei und Memel. Hitler ist dabei, nun auch Polen zu erdolchen. Göring hat schon den Geldsack mit erbeuteten Zlotys in der Hand, und Goebbels jubiliert. Links ein französischer und ein britischer Soldat mit dem Ausruf: »Hände hoch! Hier ist die Bande, die bereits in Wien, in Prag und in Memel gewütet hat.« *Die Nazis darauf:* »Wie? Aber wir sind ja von den Polen angegriffen worden, wie früher auch von Österreich, dann von der Tschechoslowakei und vor allem von ... Memel.«

zustehen. Nach einer tagelangen Phase des Überdenkens wagte
dann Hitler doch den Vorstoß. Die drei fingierten Grenzaktionen
wurden am 31. August erfolgreich durchgezogen, und der Krieg
begann: »Angriffstag 1. 9. 1939; Angriffszeit: 4.45 Uhr.«

Um sechs Uhr früh fielen als »Vergeltungsschlag« die ersten
Bomben auf Warschau. Um acht Uhr bereits erklärte sich Danzig
als Teil des Deutschen Reiches und hisste Hakenkreuzfahnen.
Um zehn Uhr erschien Hitler im Reichstag zum ersten Mal in
der feldgrauen Uniform der Wehrmachtssoldaten und erklärte:
»Ich werde jetzt nichts anderes sein als der erste Soldat des Deutschen Reiches! Ich habe damit wieder jenen Rock angezogen,
der mir selbst der heiligste und teuerste war. Ich werde ihn nur
ausziehen nach dem Sieg – oder ich werde dieses Ende nicht erleben! ... Ein Wort habe ich nie kennengelernt, es heißt: Kapitulation!«[3]

Am 3. September erklärten England und Frankreich als Polens
Schutzmächte Deutschland den Krieg. Deutsche Kinder sangen

Der Führer spricht zum deutschen Volk

*Karikatur zum Hitler-
Stalin-Pakt in: SUNDAY
GRAPHIC, London,
August 1939*

nun das folgende Spottlied auf jenen Mann, der sich seit Langem
so intensiv um den Frieden bemüht hatte und nun gescheitert
war:

>»Das kann doch Adolf Hitler nicht erschüttern,
> keine Angst, keine Angst, Chamberlain.
> Wir wollen dir den Regenschirm zerknittern,
> keine Angst, keine Angst, Chamberlain.
> Und wenn das ganze England brennt
> und der Chamberlain im Hemd rumrennt:
> Das kann doch unsern Führer nicht erschüttern,
> keine Angst, keine Angst, Chamberlain.«[4]

An diesem 3. September muss Eduard Bloch in Panik geraten sein.
Er ging zum Linzer Polizeipräsidenten und bat um rasche Ver-
längerung seines Passes, der aber eigentlich noch bis zum 28. November 1939 gültig war. Bereits am 4. September war sein Wunsch
erfüllt und der Pass bis zum 4. September 1940 verlängert – inklusive des Transitvisums für Spanien.[5]

Angst um die Kinder in England

Für die Familie Bloch/Kren gab es nun im Krieg keinerlei Post-
oder Telefonverbindung mehr mit Georg und Johanna in England. Die Kinder wussten nicht, wie es den Eltern und Großeltern

ging und ob sie vielleicht doch noch rechtzeitig die Ausreise ins sichere Ausland geschafft hatten. Die Ungewissheit, ob die Eltern überhaupt noch lebten, habe bei ihm in England einen »wirklich hohen Angstpegel« verursacht, sagte George noch kurz vor seinem Tod rückblickend: »Was ich nun erkenne, ist, dass in meinem Leben ein organisierendes Prinzip herrschte: das Verlassenwerden, eine Art psychischer Preis, um das Überleben zu bezahlen.«[6]

Seit Kriegsbeginn waren alle in England lebenden Deutschen »feindliche Ausländer«, so auch die Flüchtlinge mit Ausnahme der Kinder. Auch John Kafkas Jugendfreundin Grete Pollak zum Beispiel, die allein die Flucht nach England geschafft hatte und im Spital von Bradford in Yorkshire eine Ausbildung zur Krankenschwester absolvierte, musste sich nun regelmäßig bei der Polizei melden und für jede Nacht, die sie nicht im Hospital war, um polizeiliche Erlaubnis ansuchen.[7]

Die Sorgen der Eltern und Großeltern in Linz verstärkten sich, als sie von den ersten Bomben auf London hörten. Auch in Brighton nahmen nun die Kinder Gasmasken mit in die Schule. George und Joanne erlebten *alle Aufregungen der Bombardierung und des Shelteraufenthaltes* mit, wie Großvater Bloch später berichtete. Joanne erinnert sich, dass die Taylors eines Nachts bei einem Bombenangriff ihre Katze in den Luftschutzkeller mitnahmen, aber die kleine Joanne im Haus vergaßen. Doch die Zehnjährige empfand dies als nicht so schlimm. Denn es war ihr nichts passiert, und sie hatte nach der Bombennacht schulfrei.

Hitlers geplanter »Blitzkrieg« gegen das kleine Polen war innerhalb von vier Wochen entschieden. Die deutsche Armee, vor allem die Luftwaffe, hatte mit den schlecht ausgerüsteten polnischen Truppen leichtes Spiel, so tapfer und verzweifelt diese auch kämpften.

Am 17. September marschierte die Sowjetarmee in Ostpolen ein und traf am nächsten Tag in Brest-Litowsk auf die verbündete deutsche Armee. In dieser Stadt hatte das Deutsche Kaiserreich am 3. März 1918 dem Zarenreich den Frieden von Brest-Litowsk diktiert und den unterlegenen Gegner aufs Tiefste gedemütigt.

Mit diesem Treffen setzten die nun Verbündeten ein deutliches Freundschaftszeichen in einer gemeinsamen großen Militärparade.

Am 27. September fiel Warschau nach einem schweren deutschen Luftangriff. Die Deutschen nahmen rund 140 000 Polen gefangen, von denen viele als Zwangsarbeiter in Deutschland eingesetzt wurden. Am 28. September übergab Hitler in Brest-Litowsk gemäß dem Hitler-Stalin-Pakt offiziell Ostpolen an die Sowjetunion. Zum wiederholten Mal in der Geschichte verschwand der Staat Polen von der Landkarte.

Der Krieg gegen England und Frankreich ging freilich weiter. Im Deutschen Reich wurden jetzt Lebensmittel rationiert und das Kartensystem eingeführt. Im besiegten Polen, dem nunmehrigen »Protektorat«, begann Heinrich Himmler als »Reichskommissar für die Festigung deutschen Volkstums« mit der Umsiedlung von Millionen Volksdeutschen nach West- und Ostpreußen. Von dort wurden wiederum die Nichtdeutschen in das nunmehrige »Generalgouvernement« umgesiedelt.

Unter dem Deckmantel des Krieges lief auch das »Euthanasie«-Programm an, das mit dem Wort »Gnadentod« wenig gemein hatte. Denn hier wurde die systematische Ermordung unheilbar Kranker und Behinderter exerziert, zunächst vor allem der Kinder. In der Umgebung von Linz wurde das alte Renaissanceschloss Hartheim, seit 1898 von den Barmherzigen Schwestern als Pflegeheim für geistig behinderte Kinder geführt, nun zur Tötungsanstalt der »Aktion T4« umgebaut. T4 war die Abkürzung der Berliner Zentrale für »Euthanasie« in der Tiergartenstraße 4. Ab 1940 wurden in Hartheim die neue Gaskammer, das Krematorium und die Prosektur eingesetzt. Bis Kriegsende wurden hier rund 30 000 kranke Menschen ermordet. Die Aktion war streng geheim. Es gibt nicht den geringsten Hinweis darauf, dass ein Mitglied der Familie Bloch/Kafka von dieser mörderischen Aktion wusste.

Die Krens fliehen nach New York

Wie viele Zigtausende Juden kämpften auch Franz und Trude
Kren immer noch verzweifelt um Ausreisepapiere für die Vereinigten Staaten. Trotz aller kriegsbedingten Probleme hatten sie
endlich Erfolg.

Nun ging es ans Abschiednehmen. Eduard Bloch: *Mein Schwiegersohn hatte das Leid, seinen greisen … Vater* [Alexander Kren],
wenn auch in guter Obsorge, in Wien zurücklassen zu müssen.
Als Eduard von Tochter und Schwiegersohn Abschied nahm,
hatte er *die Empfindung, als ob ein Stück meines Herzens losgeris-
sen würde; dieses psychische Weh äusserte sich auch organisch; ich
fühlte den Schmerz wochenlang im Herzen selbst, doch ich nahm
beim Abschiednehmen alle meine Willenskraft zusammen; der
Thränenstrom, der im Innern floss, erreichte nur spärlich mein
Auge. Was hatte ich im Alter von 69 Jahren noch zu erhoffen?*

In seinen Erinnerungen beschrieb Bloch die Reise von Tochter und Schwiegersohn. Sie fuhren zunächst nach Genua und bestiegen dort am 3. Oktober 1939 das italienische Schiff »Conte di
Savoia« mit dem Ziel New York.

Aber als die Blochs bereits Trude und Franz sicher auf der Überfahrt in die Vereinigten Staaten wähnten, kam plötzlich die verstörende Nachricht: Der Dampfer »Conte di Savoia« war auf offener
See von einem französischen Kriegsschiff gestoppt worden. … *alle
männlichen Passagiere mit deutschen Pässen vom 18. bis zum
50. Lebensjahre wurden gezwungen, das Schiff zu verlassen; sie
wurden in ein Concentrationslager, das sich in einem Gebirgs-
dorf in der Nähe von Algier befand, gebracht.* Noch Jahre später
ärgerte sich Bloch beim Schreiben seiner Erinnerungen: *Die Internierung derselben war aber ein durch keinerlei, wie immer vor-
geschützten Grund zu rechtfertigendes Vorgehen.* Aber schließlich
herrschte Krieg.

Trude Kren blieb hilflos und in miserabler seelischer Verfassung auf dem Schiff zurück, so Bloch: *Es war nicht allein ein ungemein heftiger, schwerer Verlauf der Seekrankheit, mehr noch
der schwere psychische Chok, unter welchem sie die ganze Fahrt*

hindurch sehr zu leiden hatte. Immerhin kam sie heil in New York an und hatte das Glück, von ihrer aus Berlin geflohenen Schwägerin Martha Lust, Franz Krens Schwester, abgeholt zu werden. Diese stand ihr auch bei der Bewältigung der zahlreichen Anfangsprobleme zur Seite.

Martha Lust war eine sehr aparte und elegante Frau, die auf für sie typische Weise bei der amerikanischen Botschaft in Berlin ihr Visum für die Vereinigten Staaten bekommen hatte. Wie John Kafka erzählt, habe sie sich angesichts der sehr langen Warteschlangen vor der Botschaft gar nicht erst bemüht, sich einzureihen. Im Gegenteil: Die energische Martha habe einfach mit dem Argument, sie habe einen Termin beim Botschafter, alle Wartenden überrundet und sei auch gleich von ihm empfangen worden. Obwohl sie ihn nie zuvor getroffen hatte, erklärte sie nun, er habe ihr vor einiger Zeit bei einem Empfang versprochen, sie könne sich jederzeit an ihn wenden, wenn sie etwas brauche. Der Botschafter ließ ihr daraufhin sofort ein Visum für die USA ausstellen.

Da Einwanderern wegen der herrschenden Arbeitslosigkeit nur dienende Berufe erlaubt waren, hatte die 36-jährige Trude keine andere Wahl, als sich als Hausmädchen zu verdingen. Sohn George erzählte später amüsiert, die Hausfrau habe ihr zunächst erklärt, was sie tun solle, und Trude habe darauf gemeint: »Ich weiß, das ist genau das, was ich meinen Hausmädchen auch immer gesagt habe.«[8] George führte dies an, um die rasche soziale Deklassierung der Flüchtlinge zu illustrieren.

Immerhin konnte Trude in einer Dachstube im Haus ihrer Arbeitgeber wohnen. Dort wartete sie sehnsüchtig und lange vergeblich auf Nachrichten vom fernen Ehemann, den Kindern, den alten Eltern. Wenn ihr alles zu schwer wurde, tröstete sie sich in Gedanken an ihren geliebten Vater und dessen ergebene Frömmigkeit, die ihr stets so großen Eindruck gemacht hatte.[9] Bloch später: *Nun war die Familie ganz auseinandergerissen: Die Enkelkinder in England, mein Schwiegersohn in Afrika, meine Tochter in Amerika, ich mit meiner Frau in Österreich!*

Die Blochs wollen »auswandern«

Seit der Abreise von Enkeln und Kindern lebten die Blochs zu-
rückgezogen und vereinsamt in ihrer schönen alten Wohnung in
Linz und wurden immer stiller und unglücklicher. Immerhin gab
es in dem inzwischen in ihrer Wohnung amtlich etablierten jüdischen »Amtsraum« des »Referates Oberdonau«, der einzigen An-
laufstelle für oberösterreichische Juden, immer wieder etwas für
die Blochs zu tun, vor allem in Form von Hilfe und Zuspruch für
Flüchtlinge, Auswanderungswillige, Kranke, Verzweifelte, Hungernde, Sterbende.

Im Oktober 1939 mussten die Blochs schmerzlich erleben, wie
der Jüdische Friedhof in Linz, auf dem so viele ihrer Verwandten,
Freunde und Patienten ruhten, zwangsweise aufgelassen wurde.
Die Verwaltung des benachbarten katholischen Sankt-Barbara-
Friedhofs pachtete das Areal, das nun offiziell »von 8 Schreber-
gärtnern benutzt« wurde, »auf 99 Jahre«.[10] Was die Blochs nicht
wussten: Der kleine Jüdische Friedhof war zwar bis 1945 unbe-
gehbar, wurde aber nicht zerstört und besteht heute noch.

Immer noch kamen treue Patienten zu ihrem verehrten ehemaligen Hausarzt, um ihm zu helfen und ihre Dankbarkeit zu
zeigen. *Ein hoher activer Officier, der mir treueste Freundschaft
und Ergebenheit bis zu meiner Abreise von Linz bewahrte, kam
jede Woche ostentativ in voller Paradeuniform zu Besuch. Ebenso
anhänglich blieben mir sehr viele Adelsfamilien. Bei der Versorgung mit Lebensmitteln halfen mir meine ehemaligen Patienten
jederzeit aufs bereitwilligste aus, ich konnte sogar wöchentlich
einigen Kranken in Wien Lebensmittelpakete* vorsichtig *senden
lassen – denn es war strengstens verboten, Lebensmittel zu verschicken. Auch an Heizmaterial hat es mir nie gefehlt.*

Eduard und Lilli blieben in Linz unbehelligt. Aber sie wussten, dass ihre Lage trotz aller Privilegien aussichtslos war. Vor
allem sehnten sie sich danach, ihre Kinder und Enkel wiederzusehen, und bemühten sich nun intensiv um eine Ausreisebewil-
ligung für die Vereinigten Staaten. *Meine Behandlung bei anderen Behörden blieb die gleich höfliche und entgegenkommende*

wie in der Vorhitlerzeit. Aber: *Die Erleichterungen, die mir in devisenrechtlicher Beziehung, dem Reichskanzleierlasse gemäss, hätten gewährt werden sollen, waren nur rein theoretisch. Als ich bei der Devisenstelle in Wien, welche in dieser Beziehung die massgebende Instanz war, um die Bewilligung eines Vermögenstransfers ansuchte, wurde mir höflichst, aber entschieden mitgeteilt,* »*man bedauere sehr, meinem Ansuchen nicht stattgeben zu können, da keinerlei ausländische Devisen vorhanden sind.*«

Und: *Sooft ich das Gebäude der Geheimen Staatspolizei, dieses Haus des Grauens betrat, war ich von tiefster Verstimmung erfüllt, denn von hier aus wurden all die drakonischen Massnahmen gegen meine Glaubensgenossen zur Durchführung gebracht, deren Moral stand turmhoch über der ihrer erbarmungslosen Bedrücker!*

Als Blochs Auswanderungspläne in Linz bekannt wurden, ließ der Linzer Polizeipräsident bei ihm anfragen, *warum ich denn eigentlich die Stadt verlassen wolle?* »*Sage dem Dr. Bloch, den ich ... persönlich hochachte, es wird ihm hier niemand auch das geringste zuleide thun; sollten es aber materielle Sorgen sein, die er für die Zukunft befürchtet, so könne er diesbezüglich vollkommen beruhigt sein, es wird für ihn stets in reichlicher Weise gesorgt werden.*«

Bloch ließ dem Polizeipräsidenten ausrichten, er danke bestens für das Wohlwollen und das freundliche Anerbieten, aber: *... ich kann nicht in einer Stadt leben, in welcher man meinen Stamm- und Schicksalsverwandten so Furchtbares angetan hat; es gibt in New York, wohin ich auszuwandern gedenke, unendlich viele Strasseneeken; ich will lieber an einer derselben mit dem Hute in der Hand um Almosen betteln, als hier, – und wäre dies auch noch so reichlich – ein Gnadengehalt beziehen.* Darauf habe der Polizeipräsident geantwortet: »*Ich kenne Doctor Bloch und habe keine andere Antwort erwartet, ich hätte an seiner Stelle ebenso gesprochen.*« Die Blochs sehnten sich danach, *dieser Stätte des Grauens entfliehen zu können.*

Ein letzter Vorstoß wegen der Hitler-Karten

Aber Eduard Bloch wollte Europa nicht ohne einen wichtigen Teil
seines Eigentums verlassen, Hitlers Dankkarten. Am 13. November
1939 bat er die 47-jährige Cilli (Cäcilia) Kittinger um Hilfe.
Cilli stammte aus Oberösterreich und hatte 1938/39 in der Reichskanzlei im »Haushalt des Führers« als Köchin gearbeitet. Bereits
einmal hatte sie durch einen Mittelsmann einen Brief Blochs an
Hitler übergeben. Nun bat Bloch sie neuerlich dringend um Vermittlung wegen der Rückgabe der Karten. Es gehe ihm ja nicht
um den materiellen Wert, so Bloch, sondern: »*Sie waren mir das
kostbarste Andenken an meine ärztliche Tätigkeit. Ich war nie auf
materiellen Besitz eingestellt, habe über die Hälfte meiner Patienten unentgeltlich behandelt etc. Bitte Herrn A.* [Hitlers persönlichen Adjutanten Alwin-Broder Albrecht] *mitzuteilen, in
welcher seelischen Depression und Sorge wir sind. Der Schwiegersohn med. Dr. Kren in Afrika, ohne dass ich irgendeine Nachricht
bis heute habe, die Tochter, mein einziges Kind,* allein *in Amerika; meine Enkel im Alter von 9 und 13 Jahren in England, wo
dieselben vor Monaten aus Gnade und Barmherzigkeit von einer
arischen Familie aufgenommen worden sind; meine Frau nach
einer Staroperation, ich selbst seit 1. October 1938 von jeder ärztlichen Tätigkeit ausgeschlossen. Hier kann ich nicht bleiben, weil
mir jede Möglichkeit fehlt, einen Erwerb zu finden … ich habe ein
Affidavit und dürfte in kurzer Zeit an die Reihe kommen.*«
Nach weiteren Klagen bat er Cilli Kittinger: »*Haben Sie die
Güte, Herrn A. zu fragen, ob er selbst nicht noch einmal Se. Ex-
zellenz* [Hitler] *darüber informieren möchte, oder ob ich mit
Rücksicht auf die geänderten Verhältnisse (Zurückhaltung meines
Schwiegersohnes in Algier)* noch einmal ein Gesuch *durch die
Reichskanzlei um Gewährung eines* bescheidenen *Transferes an
Seine Exzellenz richten soll.*« Nach 40-jähriger ärztlicher Tätig-
keit müsse er sonst »*in Not und Elend die kurze Spanne Zeit die
mir noch bestimmt ist, in fremdem Lande fristen. Aber durch die
Gewährung eines* bescheidenen *Transferes wäre ich für die Zeit,
bevor ich meine Prüfungen abgelegt habe und mir eine allerbeschei-*

denste Existenz gegründet habe, geschützt.« Lilli Bloch schloss sich mit herzlichen Worten an die ihr persönlich unbekannte Frau Kittinger an.[11]

Cäcilia Kittinger hatte inzwischen ihre Stelle in Hitlers Haushalt verloren. Trotzdem schrieb sie am 15. November 1939 in unsicherer Rechtschreibung aus Graz an den Führeradjutanten Albrecht:

»Bitte um Entschuldigung, das ich mir erlaube, mich schriftlich an Sie zu wenden. Nach vergeblicher Mühe um eine passende Stelle, entschloss ich mich vorübergehend, in meine Heimat [sic]. In Linz hatte ich einige St[unden] Aufenthalt u. besuchte bei dieser Gelegenheit H. Dr. Bloch, da mich sein Schicksal interessierte; ich fand die 2 alten Herrschaften im tiefsten seelischen Elend vor; dies ist auch der Grund, dass ich es wage, (ohne Wissen des H. Dr. Bloch) an Sie zu wenden. H. Dr. Bloch erzählte mir das sein Gesuch unerhört geblieben …

Unter andern erzählte mir H. Dr. das die beiden Pastellbilder, von Führer selbst gezeichnet u. gewidmet, 14 tg. [Tage] nach dem Umsturz v. d. geh. Polizei Linz abgenommen u. selbe nicht mehr zurück bekommen, u. hatte sich die Karten Jahrzehntelang aufbewahrt; trotz der hohen Summe die ihm dann geboten wurde (20 000 M.) hätte er sie nie hergegeben. Ich muss offen gestehen, mir taten die 2 alten Leute sehr leid, zumal H. Dr. Bloch durch seinen Edelmut sehr bekannt ist, u. möchte ihnen so gerne helfen. Ich bin überzeugt, wenn unser Führer, das Gesuch von seinem ehemaligen edlen Wohltäter selbst gelesen, ihm bestimmt Hilfe gewährt hätte.«

Führeradjutant Albrecht antwortete darauf am 20. November 1939: »Ich weiss nicht, wie weit Dr. Bloch Sie über den Schriftwechsel mit mir informiert hat. Jedenfalls scheinen Sie nicht zu wissen, dass ich dem Führer noch einmal persönlich die Bitte des Dr. Bloch vorgetragen habe. Der Führer bestätigte mir, dass er s. Zt. das an ihn gerichtete Gesuch gelesen und abgelehnt habe. Der Führer blieb auch bei meinem Vortrag in der Angelegenheit Dr. Bloch auf seiner Ablehnung bestehen. Es ist daher vollkommen unmöglich, diese Sache noch einmal aufzugreifen.«[12]

Hitlers Verärgerung war deutlich spürbar. Wie immer, wenn es
sich um Dokumente aus seiner persönlichen Vergangenheit handelte, war er nicht bereit, irgendetwas wieder herauszugeben. Offensichtlich empfand er Blochs drängende und wiederholte Ein-
gaben als Belästigung.

Bloch in der Rückschau: *Ich habe die Karten niemals wieder-
gesehn, wiewohl ich später auch in der Reichskanzlei um Rückgabe derselben ersucht habe! Wie mir »vertraulich« gesagt wurde,
wurden der Karten wegen mit »Berlin« mehrere längere Verhandlungen geführt. Wo dieselben schliesslich gelandet sind, war nicht
mit Sicherheit festzustellen, doch ging die Meinung gut unterrich-
teter Kreise dahin, dass dieselben in den Besitz des berüchtigten
Chefs der Gestapo Himmler gekommen sind.* Das ist freilich unwahrscheinlich. Denn Hitler hätte es nie geduldet, dass diese Re-
liquien, die mit seiner vergötterten Mutter zu tun hatten, in fremder Hand blieben.

Fluchten und Tode

Gegen Jahresende 1939 hellte sich die Lage der Familie Bloch/
Kren auf. Franz Kren hatte sich nach wochenlanger Lagerhaft und
unendlichen Bemühungen von Organisationen aus dem Lager in
Algier befreien können. Ausschlaggebend für die Freilassung war
laut Bloch die Fürsprache eines französischen Offiziers, den Kren
im Lager erfolgreich behandelt hatte. Joanne dagegen berichtet,
dass der Vater als Lagerarzt einige Freiheit gehabt habe und bei
günstiger Gelegenheit geflohen sei. Mit einem Schiff habe er sich
von Algier nach Südfrankreich abgesetzt und dann das Land von
der Mittelmeerküste bis zum Atlantik durchquert. Von dort sei er,
da er noch seine Ausreisegenehmigung bei sich hatte, per Schiff
problemlos in die Vereinigten Staaten gelangt.

Am 24. Dezember 1939, also am Heiligen Abend, als sich Trude
besonders einsam und verlassen fühlte, kam Franz Kren in New
York an, fand seine Frau und zog in ihre Dachstube.

Aber seine Hoffnung, wieder als Arzt arbeiten zu können, zer-
schlug sich bald. Denn Immigranten durften in den Vereinigten

Staaten nicht einfach als Ärzte praktizieren, sondern mussten von Neuem studieren und ein US-Diplom vorweisen. Dr. Kren hatte große Probleme mit der englischen Sprache und den vielen Prüfungen, die er in Englisch ablegen musste. Sein erneutes Studium dauerte Jahre, in denen er, um Geld zu verdienen, in untergeordneter Funktion in einem Hospital arbeitete.

Von alldem wussten die Kinder in England nichts. Die kleine Joanne erlebte 1939 bei den Taylors in Brighton ihr erstes christliches Weihnachten in der Kirche und war sehr beeindruckt.

Max Hirschfeld mühte sich inzwischen in Linz weiter energisch darum, so vielen Juden wie eben möglich die Ausreise zu organisieren. Denn erst wenn eine sichere Ausreisemöglichkeit schwarz auf weiß nachweisbar war, wurden jene, die seit der Pogromnacht in Haft waren, aus dem KZ entlassen. Der Linzer Geschäftsmann Viktor Gans berichtet, wie er in Dachau nach langer Haft und in großer Verzweiflung unerwartet einen Brief der Linzer Jüdischen Gemeinde erhielt. Darin schrieb Hirschfeld, dass die drei Gans-Brüder sich in naher Zukunft einem illegalen Transport nach Palästina anschließen dürften. Gans: »Hirschfelds Intention war offensichtlich: Er wollte uns wissen lassen, dass er weiter für uns arbeite und dass wir uns nicht aufgeben dürften.« Überrascht war Gans, dass ihn der SS-Mann, der ihm den Brief übergab, daraufhin plötzlich mit »Sie« und nicht wie üblich mit »Du« ansprach. Er habe ihn sogar gebeten, sich zu setzen.

Schließlich wurden 400 jüdische Häftlinge aus Dachau entlassen, darunter die drei Gans-Brüder und ihr Schwager Louis: »In Wien stiegen wir aus dem Zug, scheu und unsicher und ständig einen großen Bogen machend, wenn jemand in Uniform auftauchte. Jüdische Frauen standen dort und fragten, ob wir den einen oder den anderen kannten, ob wir ihren Vater, ihren Sohn etc. gesehen hätten. Wir konnten nicht antworten, und sie warteten und warteten, wann immer ein Zug aus München kam – Fragen – Hoffnungen – und noch mehr Warten – aber immer achtsam, um nicht Aufmerksamkeit zu erregen – nur keine Ansammlung von Juden! Zu viele warteten so lange, bis sie schließlich die Urne mit der Asche erhielten.«[13]

In Wien fanden die vier Männer ihre Familien wieder. Die
Frauen hatten inzwischen ganz allein zwangsweise ihre Linzer
Wohnungen geräumt, sich in Wien beengt niedergelassen und sehr
lange voll Angst auf ihre Männer gewartet. Gans: »Nur durch die
endlosen Bemühungen von Herrn Hirschfeld wurden wir befreit.
Möge sein Name im Goldenen Buch des Himmels verzeichnet
werden. Er brachte zustande, dass Gildemeester für die Gestapo
Papiere unterschrieb, worin er für uns drei Brüder Reservierungen
für Shanghai bestätigte, und dass wir sofort nach unserer Freilassung abreisen würden. Gildemeester, der vielen Juden mit Geld
und anderen Mitteln half, war wirklich ein Engel in Menschen-
gestalt.«[14]

Der reiche holländische Philanthrop Frank van Gheel Gildemeester, der beste Beziehungen zu den Nazis hatte, leitete eine
Hilfsaktion für jene »Rassejuden«, die nicht von einer jüdischen
Gemeinde vertreten wurden, also keine Glaubensjuden waren.
Hirschfeld und Gildemeester arbeiteten häufig und gut zusammen. Für beide galt das Prinzip, dass reiche Auswanderer die mittellosen mitfinanzierten.

Die Gans-Brüder, die mit ihren Familien so gerne in die Vereinigten Staaten wollten, hatten zu diesem späten Zeitpunkt nur
noch die Möglichkeit, nach Schanghai auszureisen. Aber sie hofften, von dort aus eine Einreisegenehmigung für San Francisco zu
bekommen, wo zwei Schwestern ihrer Mutter lebten. Nach acht
Monaten kam endlich die Genehmigung. Die Großfamilie Gans
kam am 6. Oktober 1939 mit dem japanischen Dampfer »Kama-
kura-Maru« in San Francisco an und fuhr von dort weiter nach
Los Angeles. Dort siedelte sich Gustav mit seiner Familie an. Seine
beiden Brüder fuhren weiter nach New York zu den Eltern und
den Schwestern.[15]

Trotz aller Bemühungen schafften sehr viele, vor allem ältere
Juden, die Flucht ins Ausland nicht mehr, so auch Hofrat a. D.
Josef Kafka, einst hochgeachteter Direktor der STAATSKORRESPON-
DENZ im österreichischen Parlament und Abendredakteur der
NEUEN FREIEN PRESSE, geboren 1878 in Pilsen, katholisch, kinder-
los, wohnhaft in Wien 9, Hebragasse 4. Ende Juli 1938 wurde er

von den Nazis mit einer guten Rente von 415 Reichsmark (heute
1867 Euro) in den Ruhestand versetzt. Durch seine »arische« Ehefrau Elise, geborene Jahn, war er zunächst geschützt. Als sich die
52-Jährige jedoch am 14. Juni 1939 aus Verzweiflung mit Gas das
Leben nahm, verschlechterte sich Kafkas Situation dramatisch. Er
verlor sein gesamtes erspartes Geld, auch das aus der »Sterbekasse
des Hilfsvereins der Journalisten Wiens«, die sein Begräbnis finanzieren sollte.[16]

Sein Vetter Fritz Kafka, der 1938 in die Vereinigten Staaten
floh und dort Professor für Wirtschaftswissenschaften wurde, erinnerte sich später sehr schuldbewusst an das Schicksal seines um
zwei Jahre älteren Vetters: »Ich habe traurige Gefühle, über Josef
zu sprechen. Louis [ein wohlhabender amerikanischer Onkel]
war bereit, ihm ein Affidavit zu verschaffen, aber ich unterstützte
das nicht, um die Chancen meiner Eltern nicht zu gefährden. Das
waren die Tage, als jeder von uns in eine Lage geraten war, durch
das Zuteilen von Affidavits über Leben und Tod zu entscheiden.«[17]
Am 2. Juni 1942 wurde der 64-jährige Josef Kafka nach Minsk
deportiert, wo er zugrunde ging.

Max Hirschfeld beendete im Dezember 1939 seine Arbeit in
Linz und floh in die Vereinigten Staaten. Sein inzwischen winzig
gewordenes Referat der Kultusgemeinde für Oberdonau hatte er
bereits im Juni an seinen jüngeren Mitarbeiter Otto Unger übergeben.[18] Unger, der seine Mutter und seine Frau bei sich hatte,
blieb für die Regelung von Einzelfällen in Linz zurück. Er stand
mit Bloch in enger Verbindung und fragte ihn um Rat. Nach wie
vor stellte Bloch seinen Glaubensbrüdern und -schwestern seine
Wohnung als geschützten Raum zur Verfügung.

Für Bloch muss Hirschfelds Abreise sehr schmerzlich gewesen
sein. Denn der tatkräftige Freund hatte den wenigen noch in Linz
wohnenden Juden allein durch seine Präsenz eine gewisse Sicherheit, Stütze und Hoffnung gegeben. Der protestantische Pfarrer Heinrich Haselauer erinnerte sich viel später: »Ich sah noch
Dr. Bloch zur Jahreswende 1939/40 in Linz auf der Landstraße,
als ich meinen ersten Urlaub während meiner Dienstzeit in der
Wehrmacht bekam. Ich erwies ihm den damals üblichen militä-

rischen Gruß. Er sah mich erschrocken an. Ich werde das angst-
erfüllte Gesicht dieses Arztes, der eine bekannte Erscheinung
war, nicht vergessen.«[19]

Die Kafkas fliehen über Südfrankreich nach Chicago

In Nancy waren im Frühjahr 1940 der 18-jährige Hans Kafka und
seine Halbschwester Grete Grabner mit ihrer Familie in großer
Bedrängnis. Denn seit Frankreich Kriegsgegner Deutschlands
war, galten sie nicht mehr als Verfolgte, sondern als »feindliche
Deutsche«. Nun fürchteten sie den Vormarsch deutscher Truppen
und bereiteten wie viele Franzosen ihre Flucht nach Südfrankreich
vor, wo sich auch bereits Mutter Claire befand.

Der heutige John Kafka (in Linz Hans und in Frankreich Jean
genannt) erinnert sich: »Mein Schwager [Karl Grabner], der noch
nie Auto gefahren war, lernte es in ein paar Tagen. Wir kauften
ein altes Auto, nahmen mit, was wir konnten, schnürten Matrat-
zen auf das Dach des Autos und schlossen uns einer Flüchtlings-
karawane an, die sich in Richtung Süden bewegte. Weil auch Pferdewagen in der Karawane waren, und besonders weil die Nägel
von den Hufen viele Platten verursachten, bewegten wir uns sehr
langsam.«

Die Fahrt nach Vichy dauerte drei bis vier Tage: »Wir durften
keine Lichter einschalten und verbrachten unsere Nächte am Stra-
ßenrand. Ich bereitete mich auf den zweiten Teil der Schulabschluss-
prüfung vor und studierte, wann immer es möglich war, im Auto.
Die Université de Nancy war nach Clermont-Ferrand übergesie-
delt, und meine Prüfung sollte dort in Kürze stattfinden.«

In Vichy blieben sie nur kurz und trugen sich nicht ins Ho-
telregister ein, »da uns gesagt wurde, dass österreichische und
deutsche Juden von den Franzosen als feindliche Fremde interniert würden«. Ihr Ziel war Brive-la-Gaillarde. Dort hatte Claires
Schwager Siegfried Weil bereits 1937 eine kleine Wohnung für die
Kafkas gemietet, bevor er sich mit seiner Familie aus Straßburg
in die Schweiz absetzte. Paul Jacob, Weils französischer Schwiegersohn, Rechtsanwalt und Reserveoffizier der französischen

Der wohlinformierte Siegfried Weil mit seiner Frau Bertha, Claire Kafkas Schwester

Armee, hatte ihm nämlich aus sicherer Quelle berichtet, dass Bewaffnung wie Ausrüstung der Franzosen nicht schlagkräftig und modern genug seien, um die Deutschen zu besiegen. Vor allem bei den Panzern gebe es große Probleme.[20]

Zunächst aber genoss die nun vereinte Großfamilie Kafka Südfrankreich. John Kafka erinnert sich noch 60 Jahre später »an den unglaublichen Kontrast zwischen der Kriegsangst im Nordosten – in Nancy waren Sandsäcke vor vielen Geschäftsvitrinen – und der gelassenen, fröhlichen Stimmung im Süden… Der Krieg, Hitler, die deutsche Grenze, das alles schien unheimlich weit für uns entfernt zu sein.«[21] In Clermont-Ferrand bestand der 18-Jährige sein Baccalauréat.

Die Lage wurde für die Flüchtlinge immer gefährlicher. Auch im Süden mussten sie sich nun wöchentlich bei der Polizei melden. Jean Kafka, dem die Internierung drohte, fand Zuflucht in einer kleinen katholischen Privatschule, und zwar als Deutschlehrer, obwohl er nur ein Jahr älter war als seine Schüler. Sein Beschützer Pater Renaud riet ihm, sein Judentum zu verschweigen, da sämtliche Lehrer der Schule katholische Geistliche waren. Auf Jeans

Frage, was er denn tun solle, wenn sich alle bekreuzigten, meinte der Pater: »Pourquoi ne pas faire l'étoile de David? Personne ne le remarquera.« (Warum machst du nicht den Davidstern? Niemand wird das bemerken.) Jean durfte außerdem zweimal pro Woche nach Bordeaux fahren, um dort weiter zu studieren.

Eines Tages aber sagte Pater Renaud, er könne Jean auf die Dauer nicht mehr schützen: »Als feindlicher Ausländer könnte ich nicht in die französische Armee, und bald hätte ich in Frankreich die Wahl zwischen Fremdenlegion und Gurs.« Das Lager Gurs in den Pyrenäen, 75 Kilometer von der spanischen Grenze entfernt, war in den Dreißigerjahren für Flüchtlinge aus dem Spanischen Bürgerkrieg errichtet worden. Nun war es ein Internierungslager für feindliche Ausländer, vor allem für Deutsche, selbst wenn es sich um Verfolgte handelte wie die Kafkas.

Wieder gab der wohlinformierte Weil seiner Schwägerin Claire einen guten Rat: In der Annahme, dass die Maginotlinie (das französische Verteidigungssystem gegen Deutschland) nicht halten würde, drängte er sie, sofort ein US-Visum zu beantragen. Dieses wurde ihr als Schweizerin auch problemlos gewährt. Außerdem brachte Weil einen wohlhabenden entfernten Verwandten in Chicago dazu, die notwendigen Garantien zu unterschreiben.

Im März 1940 hatten Claire und der 19-jährige Jean Kafka endlich alle nötigen Papiere für die Überfahrt in die Vereinigten Staaten beisammen. Am Bahnhof von Brive-la-Gaillarde mussten sie von den Grabners Abschied nehmen. Denn diese hatten immer noch keine Ausreisepapiere.

Mutter und Sohn Kafka fuhren nach Le Havre, wo das Schiff »De Grace« ablegen sollte. Am Hafen herrschte das für diese Zeit typische Chaos, und die Kafkas wurden im Gedränge aufgeregter Menschen getrennt. Daraufhin ließ Claire ihren Sohn über Lautsprecher ausrufen. Und nun rannten zwei Hans Kafkas zum genannten Treffpunkt: Claires Sohn und ein verheirateter Mann gleichen Namens. Dieser Kafka war sehr verwirrt, als er hörte, dass seine Mutter ihn an Bord suchte. Denn er wusste nur, dass sie in Wien in Haft saß, und war nun sehr aufgeregt, sie hier plötzlich wiederzufinden. Das Missverständnis klärte sich rasch auf –

Abschied vor der Ausreise in die USA; von links: Hans (Jean) Kafka, sein Schwager Karl Grabner, Mutter Claire Kafka und ihre Schwester Bertha Weil, vorn Susanne Grabner

und die Kafkas hatten einander »auf einer langen Zick-Zack-Reise im Geleitzug« viel zu erzählen. Der ältere Hans Kafka ging in den Vereinigten Staaten in die Filmindustrie und schrieb dort als John H. Kafka unter anderem das Drehbuch zu Jack Conways Film CROSSROADS (1942).[22]

Claire Kafka hatte 1000 Dollar in Goldmünzen bei sich, eine hohe Summe. Als die Zollbeamten sie bei der Ankunft in New York nach ihrem persönlichen Eigentum befragten, zeigte sie ihnen arglos die Münzen. Daraufhin erfuhr sie, dass es in den Vereinigten Staaten verboten sei, Goldmünzen zu besitzen. Die Münzen wurden also beschlagnahmt und durch weit wertloseres Papiergeld ersetzt.

Aber erst einmal genossen Mutter und Sohn das Leben und die Lichter von New York. Der nunmehrige John alias Hans und Jean: »der Unterschied zwischen der Angst, interniert zu werden, und der Bewegungsfreiheit mit ihren freundlichen Aspekten und der ›Nobody-Gives-a-Damn‹-Erfahrung hatte beinahe eine ›manische‹ Wirkung auf mich«.[23]

Nach einigen turbulenten Tagen reisten die beiden im Zug weiter nach Chicago. Dort wurden sie von Weils reichen Verwandten am Bahnhof abgeholt und in eine für sie gemietete kleine Wohnung gebracht. Sie lag direkt an den Eisenbahngleisen, was 24 Stunden Lärm täglich bedeutete. Die Monatsmiete betrug 40 Dollar.

John fand durch Siegfrieds Verwandte einen »full-time job«, zunächst als Anstreicher in Firmentoiletten, dann als Packer in einer Lampenschirmfabrik und immer wieder kurzfristig in anderen Branchen. Damit verdiente er 30 Cent pro Stunde, oft auch nur einen Dollar für den ganzen Tag. Allein der Weg zur Arbeit dauerte rund eineinhalb Stunden.

Claires noch rasch in Frankreich als Wertanlage gekaufter Pelzmantel, der das Startkapital für die Vereinigten Staaten bilden sollte, war leider von minderer Qualität und nicht zu Geld zu machen. Um ihren Lebensunterhalt zu sichern, musste nun auch die »schöne Frau Kafka« arbeiten. Sie erwies sich in dieser Situation als tüchtig, phantasievoll und handfest. Sie kochte für Partys, gab Kindern Sprachunterricht und nahm Arbeit, wie es sich gerade bot. So bat sie ihren Sohn John, in Restaurants frisch ausgepresste Orangenschalen einzusammeln. In kleine Stücke geschnitten, wurden die Schalen nun von Claire kandiert. Johns Aufgabe war, diese Süßigkeiten zu verkaufen, was sich äußerst mühsam gestaltete.[24] Aber die Hauptsache blieb doch, dass Mutter und Sohn in Sicherheit waren, wenn auch in ungewohnter Armut.

Bald begann John, Psychologie zu studieren.

Nordfrankreich kapituliert

Einige Wochen nach der Abreise der Kafkas, am 10. Mai 1940, begann der deutsche Großangriff auf Frankreich mit dem plötzlichen Einmarsch in die neutralen Länder Holland, Belgien und Luxemburg. Am 20. Mai standen die Deutschen bereits an der Kanalküste. Am 5. Juni durchbrachen ihre Truppen die französische Front südlich der Somme. Und am 10. Juni trat Italien an der Seite des Deutschen Reiches gegen Frankreich und England in den Krieg ein.

Deutsche Infanterie marschiert auf der Place de la Concorde in Paris

Bereits am 22. Juni wurde in Compiègne der Waffenstillstand zwischen dem Deutschen Reich und dem besiegten Nordfrankreich geschlossen, das nun demobilisieren musste. Das Land war nun zweigeteilt: Der Norden mit Paris war von deutschen Truppen besetzt, der Süden mit der neuen Hauptstadt Vichy noch frei. Dort regierte der 84-jährige Marschall Henri Pétain autoritär und suchte, nachdem er einen Waffenstillstand geschlossen hatte, das Einvernehmen mit den Deutschen.

Der rasche Vormarsch der deutschen Truppen brachte die vor Hitler geflohenen Juden und Nazigegner in große Bedrängnis. Im eroberten Paris häuften sich die Selbstmorde von Menschen, die keinen Ausweg mehr sahen. Die Mehrheit aber versuchte in einer wahren Massenflucht, in den noch freien Süden zu kommen.

Kaum ein Flüchtling ahnte allerdings, dass sich Pétain vertraglich verpflichtet hatte, auch im unbesetzten Süden jeden deutschen Flüchtling, der aufgegriffen wurde, den Nazis auszuliefern. Das Vichy-Regime kooperierte also mit den Nazis. Diese transportierten die Häftlinge zuerst in französische Lager, von dort weiter nach Deutschland und – was damals noch niemand vorhersehen konnte – schließlich nach Polen zur Vernichtung.

Auch Claire Kafkas Schwiegersohn Karl Grabner wurde mit vielen anderen Männern in das Lager von Angoulême eingeliefert, schaffte aber auf sehr komplizierten Umwegen die Flucht. Immer noch warteten die Grabners in Südfrankreich vergeblich auf Visa für die Vereinigten Staaten.

Schließlich gelang es der tüchtigen Claire Kafka in Chicago, für Tochter, Schwiegersohn und Enkelin Visa und die nötigen Garantien für die Vereinigten Staaten zu ergattern. Aber die Ausreise der kleinen Familie wurde sehr mühsam, so John Kafka: »Sie wanderten an dem Tag aus, an dem auch der ganze Süden Frankreichs von den Deutschen besetzt wurde. Die spanische Grenze wurde gesperrt. Sie saßen eigentlich zwischen beiden Grenzen, aber irgendwie gelang es ihnen, zurück ins besetzte Frankreich und von dort auf einem kleinen Schiff nach Nordafrika zu kommen, wo sie in Casablanca wieder interniert wurden.« Hier infizierten sich die hochschwangere Grete und ihre Tochter Susanne mit Malaria. Schließlich gelangten die Grabners doch noch in die Vereinigten Staaten, wo zwei Wochen später ihre Tochter Leah geboren wurde, Claires zweites Enkelkind.[25]

George und Joanne dürfen in die USA

In New York sorgten sich Trude und Franz Kren einerseits um die isoliert und einsam in Linz lebenden alten Eltern und andererseits um die Kinder, die nun wegen des Krieges nicht mehr, wie geplant, rasch nach New York kommen konnten. Immerhin waren George und Joanne zu jung, um wie alle über 16 Jahre alten Deutschen als feindliche Ausländer auf der Isle of Man interniert zu werden.

Schließlich fanden die Krens einen Weg, Briefe aus den USA über Holland nach England zu schicken. Sie nahmen sofort Kontakt mit ihren Kindern auf und setzten alle Hebel in Bewegung, sie so rasch wie möglich nach New York zu holen. Aber auch das zog sich in die Länge. Denn der Krieg und Hitlers Reich weiteten sich immer mehr aus. Eine Atlantiküberquerung mit dem Schiff wurde schon wegen der Seeminen und U-Boote immer gefährlicher.

Die kleine Joanne aber hatte es ohnehin nicht mehr eilig, zu den Eltern zu kommen. Denn sie hatte sich inzwischen eng an die Familie Taylor angeschlossen und fühlte sich in Brighton sehr wohl. Eigentlich habe sie damals England gar nicht mehr verlassen wollen, erzählte sie später.

Endlich erhielten die Krens die Genehmigung und die nötigen Papiere, um ihre Kinder aus England nach New York zu holen – und zwar gemeinsam. George war inzwischen vierzehn und Joanne elf Jahre alt. Am 2. Juli 1940 schifften sich die Kinder in Liverpool auf der »HMS Baltrover« ein. Erst später erfuhren sie, dass das Schiff bei der Überfahrt von einem deutschen Unterseeboot gejagt worden war. Aber der Kapitän hatte die Gefahr mit einem Zickzackmanöver bannen können.

An Bord herrschte laut Joanne großer Mangel an Nahrungsmitteln und Getränken. Das änderte sich kurzfristig bei einem Zwischenaufenthalt in Halifax, Nova Scotia, wo einige Kinder das Schiff verließen. Auch die Besatzung ging von Bord und kehrte nach vielen Stunden völlig betrunken zurück. Immerhin brachten die Männer den hungernden Kindern Orangen mit, was Joanne noch heute dankbar erwähnt.

Nach diesem Zwischenstopp nahm das Schiff Kurs auf Boston, wo es am 23. Juli 1940 anlegte. Im Hafen wurden die Kinder bereits erwartet, und zwar von Verwandten, an die sie sich gar nicht mehr erinnern konnten: Martha Salzers Bruder Erich Schindler und seine Frau Marianne aus Innsbruck, die sich inzwischen in Boston niedergelassen hatten. Sie nahmen nun George und Joanne mit zu sich nach Hause, wo die Kinder die Nacht verbrachten. An Einzelheiten kann sich Joanne nicht mehr erinnern. Jedenfalls wurden die beiden am nächsten Morgen in einen Greyhound-Bus gesetzt, der sie nach New York City brachte.[26]

Den Kindern passierte das Missgeschick, in der Riesenstadt New York an einer falschen Station auszusteigen. Während die Eltern bei der ausgemachten Busstation vergeblich warteten und sich große Sorgen machten, organisierte George bereits über einen Chauffeur die Weiterfahrt mit einem anderen Bus. Joanne später: »Ich fürchtete mich gar nicht und verließ mich ganz auf George.

Die groß gewordenen Kinder: George und Joanne Kren

Er war mein großer Bruder, und der wusste, was zu tun war.« So kamen die Kinder später als erwartet, aber schließlich doch gesund bei den aufgeregt wartenden Eltern am richtigen Busbahnhof an. Nach langer Zeit konnten Franz und Trude Kren ihre groß gewordenen Kinder wieder in die Arme schließen.

Die vierköpfige Familie blieb nur kurz in Trudes Dachstube und zog, bevor im September die Schule begann, in eine größere Wohnung in der Bronx, 2755 Creston Avenue. Sie lag im fünften Stock ohne Lift und hatte fünf Zimmer. Die Krens hatten sich für diese verhältnismäßig große Wohnung entschieden, da sie ja auch Eduards und Lillis Ankunft erwarteten. Trude arbeitete inzwischen als Sekretärin.

Nach der langen Trennung und den großen existenziellen Problemen, die alle vier in den letzten Jahren hatten bewältigen müssen, gestaltete sich das Familienleben in ungewohnter, armseliger Umgebung nicht einfach. Vor allem George fühlte sich in

New York nicht wohl und meinte später auf die Frage, wie er die Stadt bei der Ankunft empfunden habe: »Sehr fremd, irgendwie einschüchternd. Die Sprache, die Gewohnheiten.« Und: »Da gibt es sogar für Teenager einen eigenenen amerikanischen Lebensstil, der fremd war für mich.«

Dass er sich so schwer einfügte, sei aber zum Teil auch sein eigenes Problem gewesen, »wegen meiner totalen Unfähigkeit für Sport jeder Art. Auch der Sozialisierungsprozess ist ganz anders. Das heißt, ich ging zur Highschool und war dort gänzlich unfähig, Freunde zu finden. Dann wurde ich, was ich sicher als den tiefsten Punkt meines Lebens betrachte, in eine preparation school [Grundschule] gesteckt, wo ich mich wieder ähnlich benahm: Im Studium war ich okay, aber im Zusammenleben mit den anderen kam ich nur schlecht zurecht.«[27]

Joanne ging zunächst ein Jahr lang in die Grundschule in der Bronx und hatte dort keine Probleme. Grund dafür waren wohl ihr noch kindliches Alter und ihre sehr natürliche und unkomplizierte Art, mit Menschen umzugehen.

Die letzten Linzer Juden

Um den Neustart in Übersee zu erleichtern, bemühte sich Eduard Bloch bei der Vorbereitung der Ausreise auch um vorzeigbare Empfehlungsschreiben. Als nützlich stellten sich später zwei *sehr warm gehaltene Empfehlungsschreiben* heraus: *vom Leiter der »Schwedischen Mission«, Herrn Pfarrer Göte H*[edenquist]*, sowie vom evang. Pfarrer in Linz, Herrn von K., denen meine charitative Tätigkeit nicht unbekannt war,* gerichtet an Herrn Dr. Conrad Hofmann, den Vorstand der Presbyterianer in New York.

Noch vor der Abreise der Blochs hatte der damals 32-jährige Pfarrer Göte Hedenquist mit seiner Frau Anfang April 1940 Wien zwangsweise verlassen müssen. Bis zur Schließung 1941 hatte die Schwedenmission rund 3000 Verfolgte ins Ausland in Sicherheit gebracht, davon einige Hundert nach Schweden.

In dieser Zeit wohnte noch Max Hirschfelds Nachfolger, der aus Krakau stammende 46-jährige Otto Unger, als »kommissa-

rischer Leiter für Oberdonau und Salzburg« mit Ehefrau Margarete und Mutter Anna in der Altstadt 3 in Linz.[28] Ungers Aufgabe war, die sehr wenigen meist alten und kranken noch in Linz
ausharrenden Juden zu betreuen. Da die kleine »Judenwohnung«
zu eng und immer überfüllt war, arbeitete er mit Blochs Unterstützung in dessen fast leerer und vor der Gestapo sicheren alten
Praxis in der Landstraße 12. Weiterhin unterstützte Bloch Ungers
Arbeit in jeder Hinsicht und betreute die wenigen in Linz zurückgebliebenen Glaubensbrüder und -schwestern als Arzt und väter-
licher Freund.

Am 2. April 1940 gab Dr. Josef Löwenherz, der Leiter der
Wiener Kultusgemeinde, auf Weisung die Namen der noch in der
Ostmark lebenden »Glaubens- und Rassejuden« an die Behörden weiter. Die Linzer Liste umfasste nur noch zwölf Namen: als
erste Eduard und Lilli Bloch, außerdem eine Frau in der Linzer
Landesirrenanstalt, ein altes Ehepaar im Versorgungshaus, den
einst sehr reichen 97-jährigen katholischen Geschäftsmann Leopold Mostny, der 25 Jahre lang deutschnationaler Gemeinderat in
Urfahr gewesen war, dann die dreiköpfige Familie Unger – und
einige ältere Personen, deren Namen nicht überliefert sind. Einige
dieser zwölf Personen starben bald eines natürlichen Todes.

Die Blochs kämpfen um die Ausreise

Eduard und Lilli Blochs Hoffnung auf eine rasche Ausreise ver-
flog bald: *zu meiner bittern Enttäuschung erwies sich mein Affidavit bei der Prüfung im amerikanischen Consulate in Wien als
»zu schwach«. Der Umstand, dass ich zur cechischen Quote gehörte, verzögerte auch dann, als ich ein vollwertiges Affidavit erhalten habe, meine Abreise bedeutend.* Außerdem hatte er Mühe,
10 000 Reichsmark (heute 45 000 Euro) für die vorgeschriebene
»Juva«, die Judenvermögensabgabe, aufzubringen. Ohne eine
Quittung dafür gab es nicht die notwendige Unbedenklichkeits-
bescheinigung des Linzer Finanzamts.[29] *Durch Einholung mehrerer Ergänzungsnachträge zu unserem Affidavit verstrichen einige
wertvolle Wochen; wir mussten wiederholt nach Wien zum ame-*

rikanischen Consulate fahren, öfters vergebens, denn es herrschte Quotenmangel.

In seiner Verzweiflung, dass die Ausreisegenehmigung sich so endlos hinzog, wandte sich Bloch durch Vermittlung des Linzer Lehrers Eduard Huemer auch an Hitlers Jugendfreund August Kubizek und bat diesen brieflich, sich bei Hitler – in Erinnerung an Mutter Klara – für ihn und Lilli einzusetzen.

Kubizek dazu: »Ich kannte zwar den alten Herrn nicht persönlich, schrieb aber sogleich an die Reichskanzlei und legte den Brief, den Dr. Bloch mir geschrieben hatte, bei. Nach einigen Wochen erhielt ich ein Antwortschreiben Bormanns, worin mir dieser in aller Entschiedenheit verbot, mich künftig dritter Personen anzunehmen. Im Falle Bloch könne er mir sagen, dass auch dieser Fall in die allgemeine Kategorie eingereiht würde. Es sei dies ausdrücklicher Auftrag des Führers.« Kubizek kommentierte dies später: Der Fall Dr. Bloch habe ihm sehr zu denken gegeben. Und er bezweifelte wohl zu Recht, dass sein Brief Hitler je erreicht habe.

Sogar Kubizek hatte nur dann Kontakt mit Hitler, wenn er ihn persönlich traf. Und das war seit einem kurzen, sehr herzlichen Treffen der beiden Jugendfreunde im Sommer 1940 bei den Bayreuther Festspielen nicht mehr der Fall gewesen. Immerhin erfuhr Kubizek aus anderer Quelle, »dass man Dr. Bloch … weiterhin in Ruhe ließ«, sein Leben also nicht akut bedroht war. Kubizek wusste nun, »dass mir der direkte Weg zu Hitler so lange versperrt blieb, als ich nicht bis zu ihm selbst vordrang. Und dies war, solange der Krieg dauerte, unmöglich.«[30]

Eine Ausreise zu diesem sehr späten Zeitpunkt mitten im Krieg war außerordentlich schwierig. Da Eduards und Lillis Pässe am 3. September 1940 abliefen, war Bloch sehr nervös und beantragte frühzeitig eine Fristverlängerung. Diese wurde am 2. August 1940 auch gewährt, aber nur noch für sechs Monate.[31] Das war ein sehr deutliches Zeichen, dass die Geduld der Linzer Behörden am Ende war und sich die Blochs nun beeilen mussten.

Die Abreise verzögerte sich immer wieder: *Inzwischen war aber infolge der kriegerischen Ereignisse die Ausfahrt aus den verschiedenen Häfen, die hierfür in Frage kamen, gesperrt worden; nur die Fahrt über Sibirien war noch möglich.* [Die Sowjetunion war ja noch mit Hitler verbündet.] *Trotzdem die Berichte über diese Reiseroute nicht besonders aufmunternd lauteten, beschloss ich, mich allen Strapazen und Beschwerlichkeiten dieser langen Fahrt zu unterwerfen. Nach Besorgung der verschiedensten Durchreise-visa (Russland, Japan, Manschurei etc.) bestellte ich die Bahn- und Schiffsplätze durch die Wiener Cultusgemeinde, die sich um alle jüdischen Angelegenheiten die denkbar möglichste Mühe gab; das Gepäck liess ich vorausschicken.*

Die zahllosen Behördengänge, die in den letzten Monaten vor der Ausreise nötig wurden, waren für den im Alltag eher unbeholfenen alten Herrn sehr strapaziös. Bloch: *Nach langer, banger Wartezeit gehörten wir zu den wenigen Glücklichen, die Ende September 1940 die Visa erhielten.* Laut Blochs Pass erhielt er am 25. September 1940 Transitvisa für die Mandschurei mit der Möglichkeit, von dort aus nach Japan einzureisen. Am 11. Oktober kam die Erlaubnis zur einmaligen Einreise in das »Reichsgebiet« bis zum 1. Februar 1941, da Juden von »Oberdonau« nicht ohne Genehmigung in das ehemalige »Deutschland« reisen durften. Am 19. Oktober 1940 gab es für die Blochs noch Transitvisa für Russland. Das betagte Ehepaar wollte also über die Ostroute auf einem sehr, sehr langen und strapaziösen Weg über Sibirien, Japan und viele andere Länder in die Vereinigten Staaten gelangen.

Als sich in Linz herumsprach, dass die Blochs ausreisen wollten und sogar schon Affidavits hatten, kamen ehemalige Patienten – vorsichtig, damit sie nicht gesehen wurden –, um von ihnen Abschied zu nehmen und Dank zu sagen. Unter ihnen war auch die 64-jährige sozialistische Journalistin und Komponistin Hedda Wagner, die seit dem »Anschluss« offiziell nicht mehr arbeiten durfte und höchst bescheiden lebte. Sie war eine hoch gebildete, etwas schrullige ledige Frau, die sieben Fremdsprachen beherrschte, Buddhistin und große Tierliebhaberin war. Nun brachte sie Bloch ein ganz besonderes Geschenk: das Original ihres ungedruckten dreiteiligen Romans DAVID – LEBENSROMAN EINES GLÜCKLICH-UNGLÜCKLICHEN. Auf das Titelblatt hatte sie mit Bleistift den Davidstern gezeichnet. Ihre persönliche Widmung lautete: »Dem

*Eduard Blochs Transit-
visum der Mandschurei
für September/Oktober
1940*

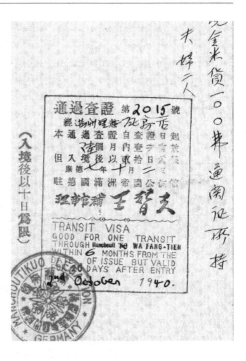

weisen Arzte und edlen Menschen Obermedizinalrat Dr. Eduard
Bloch«. Der gerührte Empfänger nahm dieses Werk später mit
nach Übersee.[32]

Dann aber gab es zusätzliche Aufregung, als sich Lilli kurz
vor der geplanten Abreise noch einer dringenden zweiten Staroperation unterziehen musste, da Erblindung drohte. Die Operation gelang, aber bald änderten sich die Reisepläne, und zwar
positiv: *Bevor es noch officiell war, wurde ich vertraulich darauf
aufmerksam gemacht, die Reise über Sibirien nicht zu nehmen,
denn es werde in kurzer Zeit die Fahrt durch Frankreich nach Lissabon möglich sein; ich war gut beraten worden. Ich hatte ein bedeutendes Poenale wegen des Verfalles der Karten zu zahlen, und
beeilte mich, das Gepäck umgruppieren zu lassen. Der Preis der
Fahrt und Schiffskarten hat 15 000 Mark betragen; da keine Karten
2ter Classe zu erlangen waren, nahm ich solche erster Classe. Ich
wurde informiert, dass die Gepäcksrevision, deren Schikanen ja*

*hinlänglich bekannt waren, an der französisch-spanischen Grenze
in Hendaye erfolgen werde.*

Vor seinem Abschied von Linz nahm Bloch noch mit großem
Stolz zur Kenntnis, dass die Linzer Nazibehörden nach wie vor
seine Sonderstellung beachteten und sogar schriftlich bestätigten: *Beim Verlassen von Linz hat mir der junge Gauamtsleiter
ein Zeugnis ausgestellt, das kaum von einer nazistischen Behörde
einem Juden je gegeben wurde. Ich lege dieses Document bei. Die
Abschrift lautet:*

> *»Bestätigung*
> *Herr Obermedizinalrat Dr. Eduard Bloch war durch 38 Jahre
> in Linz a. d. D. als practischer Arzt tätig. Während dieser Zeit hat
> er sich durch seinen Charakter, durch sein ärztliches Wissen und
> durch seine stete Hilfsbereitschaft und Wohltätigkeit die Schätzung
> und Achtung seiner Mitmenschen im grossen Maße erworben.
> Herr Dr. Eduard Bloch ist daher jeder Empfehlung bei Gründung
> einer neuen Existenz im Auslande durchaus würdig.*
> *Der Gauamtsleiter für Volksgesundheit*
> *Dr. Wimmer*
> *Nationalsozialistische Deutsche Arbeiterpartei Gauleitung
> Oberdonau.«*

Bloch gelang es sogar, eine Thorarolle aus dem »Besitz« der
Gestapo mit auf die Reise zu nehmen. Sie war wie so vieles andere
in der Pogromnacht aus der Linzer Synagoge entwendet worden.
Nun brachte er sie nach New York in Sicherheit: ... *denn ich durfte
sie ja nicht in den Kellern der Gestapo zunichte werden lassen.*
Und er erinnerte sich noch viel später gerührt an etwas ganz Besonderes: *Bevor ich Linz verliess, liessen viele dankbare Patienten
für meine glückliche Ankunft in New York in den Linzer Kirchen
Messen lesen!*

Jedenfalls verließen die Blochs am 19. November 1940 unendlich traurig ihre Wohnung im Palais Weißenwolff. Eduard Bloch:
*In dieser Wohnung habe ich 39 Jahre lang gelebt; ich habe dieselbe
erst drei Tage vor meiner Abreise nach Übersee verlassen.*

Bemerkenswert ist, dass die Wohnung der Blochs auch nach
deren Abreise weiterhin für Hirschfelds Nachfolger Unger und

dessen Mitarbeiter zur Verfügung stand. Otto und Grete Unger und ihr treuer Helfer Hans Kramer kümmerten sich um die wenigen noch in »Oberdonau« befindlichen meist sehr alten und kranken Juden. Die Bloch-Wohnung hatte nach wie vor einen entscheidenden Vorteil: Sie wurde von der Gestapo auch jetzt noch nicht kontrolliert.

Der Sammeltransport, der die Blochs außer Landes bringen sollte, ging von Wien aus ab. Hier mussten die Blochs nun wieder bei der Polizei ihre Pässe ändern lassen, denn seit dem 19. November war für sie nicht mehr Linz, sondern Wien zuständig.

Am 23. November 1940 wurden in Wien das Transitvisum für Portugal und außerdem die Bestätigung der Länderbank eingetragen, dass Eduard Bloch ausländische Zahlungsmittel in Höhe von 100 Escudos (rund 16 Reichsmark) zugeteilt waren, also die allgemeingültige Verfügung für Juden. Das war eine riesige Enttäuschung für die Blochs. Denn sie hatten sich erhofft, durch Hitlers Sondergenehmigung ihr erspartes Geld in die Vereinigten Staaten mitnehmen zu dürfen.

Schließlich eröffnete ein Wiener Parteifunktionär dem bereits ausreisefertigen Eduard Bloch, dass man von ihm eine Dankesgeste für all die ihm gewährten Vergünstigungen erwarte: »*Vielleicht ein Brief an den Führer? Bevor ich Linz an einem kalten, nebligen Novembermorgen verließ, schrieb ich ihn. Ich würde gern wissen, ob Hitler ihn jemals erhielt.*«[33]

Blochs Brief an Hitler, datiert in Wien am 25. November 1940, liegt heute in Kopie im Deutschen Bundesarchiv in Koblenz, erreichte also offensichtlich den Adressaten. Der Wortlaut:

»Bevor ich die Landesgrenze überschreite, um mich nach New York einzuschiffen, wo mein einziges Kind in harter Arbeit den Lebensunterhalt für die Familie zu erwerben bestrebt ist, fühle ich mich verpflichtet, Euerer Excellenz innigsten Dank auszusprechen für den mir in den letzten zwei Jahren gütigst gewährten Schutz.

Wenn ich auch in materieller Armut von Linz scheide, so bin ich mir bewusst, in selbstloser exacter Weise stets meine Pflicht erfüllt zu haben.

Genehmigen Euere Excellenz den Ausdruck meiner steten Dankbarkeit und tiefsten Ergebenheit.«[34]

Der Hinweis auf seine »materielle Armut« war deutlich. Noch später offenbarte Bloch seine Enttäuschung darüber, dass Hitler ihm nicht erlaubt hatte, sein erspartes Geld in die Vereinigten Staaten mitzunehmen. Es sei ihm, wie er später bitter erwähnte, nur das Privileg geblieben, *»statt der üblichen zehn Mark sechzehn Mark in bar mitnehmen zu dürfen«.*[35]

Immerhin war die Wiener Gestapo gegenüber Hitlers »Edeljuden« großzügig und hilfsbereit, wie Bloch noch in den Vereinigten Staaten betonte: *Als ich mich drei Tage vor der Abreise bei der Gestapo abmeldete, teilte mir der Beamte mit, er werde die Grenzstation von meiner Durchreise verständigen, damit mir jede Belästigung durch die deutschen Revisionsbeamten erspart bleibe; er hat thatsächlich Wort gehalten!*

Und die Wiener Organisation der NS-Ärzte gab dem Kollegen Bloch noch einen Empfehlungsbrief für die Vereinigten Staaten mit, ein Papier von zweifelhaftem Wert.

Die lange Fahrt

An einem trüben Novemberabend verliessen wir mit dem ersten Auswanderertransport Wien; wir wurden in vier Wagen dritter Classe untergebracht, das Gepäck wurde nur mit Mühe und Not verstaut; nach einer schlaflos verbrachten Nacht kamen wir in Berlin an, wo wir von einem Committee freundlich empfangen und in ein Auswandererheim geführt wurden; zahlreiche Schicksalsgenossen warteten schon hier; man verabreichte uns eine warme Suppe; unwillkürlich musste ich an Maxim Gorkis »Nachtasyl« denken!

Aus technischen Gründen verzögerte sich unsere Abfahrt um 24 Stunden. Endlich stand der Zug des Nachts abfahrtbereit in der Halle; die »Auswanderer« wurden zusammengepfercht, die Gänge waren mit Gepäckstücken vollgepfropft, so dass die Abteilthüren kaum geschlossen werden konnten; auch nicht die primitivsten Waschmöglichkeiten waren vorhanden; nicht die ge-

ringste Spur von Hygiene! Im Abteil selbst konnte man sich kaum rühren! Während der Fahrt erfuhren wir von dem »arischen Reisebegleiter«, dass der Zug über eine andere Strecke als vorherbestimmt worden war, geleitet wurde; die Gepäcksrevision werde in Herbesthal, in der Nähe von Aachen an der belgischen Grenze von SS-Männern vorgenommen werden.

Diese Nachricht schreckte die Blochs, denn: *... die Revision an dieser Grenze war berüchtigt ... Voll banger Erwartung hielten wir an der Grenze. Plötzlich stürzte sich eine Rotte von SS Leuten auf den Zug. Unter gemeinsten, nicht wiederzugebenden Beschimpfungen forderten sie die Juden auf, unter Mitnahme der Gepäckstücke die Abteile zu verlassen; wiewohl Gepäckträger dastanden, mussten alte Leute ihre armselige Habe selbst herabholen und schleppen, da den Trägern die Mithilfe verboten wurde. Sie wurden von der Rotte mit Füßen getreten, fielen in die Regenpfützen neben dem Geleise, einzelne sanken ohnmächtig nieder!*

Der empörte Eduard Bloch konnte dies nicht länger ansehen und spielte nun gegenüber den SS-Männern mutig seinen Sonderstatus aus. Er berichtet:

Diese Scene war auch für mein sonst so ruhiges Temperament zu viel! Einen SS Mann anschreiend verlangte ich nach dem Commandanten; der betreffende Mann stutzte, er konnte es offenbar nicht begreifen, dass ein Jude es wagen könne, ihm, dem Nazimann gegenüber sich so zu benehmen, doch schweigend wies er auf einen jungen Hauptmann; ich stellte mich dem Officier vor und zeigte ihm die Abschrift des Reichskanzleierlasses, die ich für alle Fälle mitgenommen hatte.

Wie mit einem Zauberschlage war diese wüste, ekelerregende Scene auf einen Wink des Officiers beendet. »Bitte Herr Doctor, steigen Sie wieder ein, ich lasse Ihnen das Gepäck in den Wagen bringen.« Nun wurde auch den Gepäckträgern erlaubt, den anderen Passagieren behilflich zu sein; ich wurde nicht controlliert; die Revision der anderen beschränkte sich auf wenige Stichproben.

Aber eine Bosheit musste man sich doch leisten! Einige Minuten, nachdem sich der Zug in Bewegung gesetzt hatte, ging ein furcht-

barer Ruck durch denselben, es war als ob sich ein Zusammenstoss ereignet hätte, die Gepäckstücke wirbelten nur so durcheinander und verletzten, zum Glück nur leicht, einige Mitreisende. Während der Weiterfahrt erzählte der »arische Reisebegleiter«, es sei beabsichtigt gewesen, die Revision so lange als nur irgendwie möglich zu verzögern, die Wagen abzukoppeln, damit die Emigranten alle weiteren Anschlüsse versäumen; nach meiner Intervention sei dieser Plan aufgegeben worden.

Wegen der unterschiedlichen Spurweiten mussten die Reisenden im französisch-spanischen Grenzort Hendaye in spanische Waggons umsteigen. Hendaye hatte kurz zuvor politische Schlagzeilen gemacht. Denn am 23. Oktober 1940 hatte Hitler auf diesem Bahnhof den spanischen Diktator General Francisco Franco getroffen, offiziell zu einem »Meinungsaustausch«. In Wirklichkeit wollte er Franco dazu bewegen, auf deutscher Seite in den Krieg einzutreten. Schließlich hatte das Deutsche Reich die spanische Regierung tatkräftig und entscheidend im Bürgerkrieg (1936–39) unterstützt.

Aber Franco stellte Bedingungen, die Hitler nicht erfüllen konnte. Das vom Bürgerkrieg schwer mitgenommene Spanien

Hitler und Franco schreiten in Hendaye die Front des Ehrenbataillons ab

brauche eine Vorauslieferung riesiger Lebensmittelmengen und modernster schwerer Waffen, die Zuweisung großer Landstriche in Französisch-Nordafrika und vieles andere. Das Treffen dauerte neun Stunden und zermürbte den erfolgsgewohnten Hitler. Er bekam von Franco nicht, was er wollte, und meinte später abschätzig über dieses Treffen, »er habe einen General erwartet, aber einen marokkanischen Teppichhändler vorgefunden«.[36] Es war eine peinliche politische Niederlage für Hitler, als Spanien am 7. Dezember 1940 offiziell erklärte, nicht am Krieg teilnehmen zu wollen.

Für die Blochs ging die Reise von Hendaye aus in ermüdend langsamer und strapaziöser Fahrt der portugiesischen Grenze entgegen: *Die Fahrt in den spanischen Zügen wurde zur Qual: Raummangel, Kälte, zerbrochne Fensterscheiben, nicht zu schliessende Thüren, ständige Zugluft; es gab nur wenige Passagiere, die sich nicht Erkältungen, besonders aber rheumatische Schmerzen zugezogen hatten.* Aber: *das Bewusstsein, der Hölle Deutschlands entkommen zu sein, liess Alle diese Widerwärtigkeiten mit Geduld ertragen!*

Trotz des allseits sichtbaren Elends als Folge des erschöpfenden Bürgerkriegs war für die Flüchtlinge in Spanien die Welt fast wieder in Ordnung: *In San Sebastian empfing uns ein Committee, das uns nicht allein vorzüglich verköstigte, sondern uns auch in dem herrlichen Hotel Therese Christine glänzend unterbrachte; wir konnten uns wieder nach fünftägiger Fahrt der Wohlthat eines tadellos reinen Bettes erfreuen. Von Passagieren des uns nachfahrenden Emigrantenzuges erfuhr ich, dass in der Grenzstation Hendaye die Revisionsbeamten offenbar nach jemand Ausschau hielten und dass die Revision der Gepäckstücke eine rein formelle gewesen sei, zur Überraschung aller Emigranten! Die Verständigung durch die Linzer Gestapo hatte so doch einen Erfolg gezeitigt* – wenn auch nicht für die Blochs, sondern die Insassen eines anderen Zuges.

Samstag nachmittags – wir hatten Montag unsere Reise begonnen – bestiegen wir wieder den Zug, um die letzte Etappe unserer Landreise zurückzulegen. Zum Zurücklegen der Strecke bis Lissabon brauchten wir beinahe zwei Tage! Es waren nicht genügend

Kohlen zum Heizen der Locomotive vorhanden; man merkte es überall, dass die Fahrt durch ein vom Kriege erschöpftes Land ging!

In Lissabon

Endlich erreichten die Blochs Lissabon: ... *hier wurden wir in verschiedenen Pensionen von einem tadellos arbeitenden Committe gut untergebracht; nur ein Übelstand machte sich empfindlich bemerkbar: die Räume hatten keine Heizungsmöglichkeiten und es herrschte bittere Kälte! Die architektonischen Schönheiten dieser herrlichen Hafenstadt kamen mir nur wenig zu Bewusstsein; wir sehen eben die Welt in jenen Farben, auf welche unsere Seele abgetönt ist; bei mir war sie eben auf Grau gestimmt!*

Die außergewöhnlichen Empfehlungsbriefe der Nazibehörden für den jüdischen Arzt gaben Eduard Bloch auch in Lissabon einen Sonderstatus. Seine Anwesenheit sprach sich in Lissabon rasch herum und zog Reporter an. Bloch berichtete: *Während der ersten Tage meines Lissaboner Aufenthaltes wurde ich von einigen Herren um ein Interview gebeten; sie wollten hauptsächlich über Hitler »etwas erfahren«: ich musste dies aus verschiedenen, zwingenden Gründen ablehnen, wollte ich nicht den Rachegelüsten der Nazi Nährstoff liefern!*

Nachdem die Deutschen im Juni 1940 Frankreich besiegt hatten, war nun Lissabon als Hauptstadt des neutralen Portugal die sicherste Anlaufstation für Flüchtlinge und das Zentrum für die Auswanderung nach Nord- und Südamerika. Die diktatorische Regierung unter António Salazar wünschte zwar keine Einbürgerung der Ausländer, ließ aber die verschiedenen internationalen Hilfsorganisationen fast unbehelligt arbeiten. Diese versorgten die meist bitterarmen Flüchtlinge mit Essen, Kleidung und Unterkunft, unterstützen sie bei der komplizierten und teuren Beschaffung der nötigen Ausreisepapiere und bemühten sich, sie so rasch wie möglich außer Landes zu bringen. Denn täglich kamen neue Flüchtlinge aus den von den Deutschen eroberten Ländern in Lissabon an.

Die wichtigsten Organisationen, die sich um die jüdischen Flüchtlinge kümmerten, verlegten ihre Zentralen nach dem Juni 1940 aus Paris nach Lissabon. Um noch effizienter arbeiten zu können, schlossen sich drei große Organisationen im HICEM zusammen, einer Abkürzung der drei Teile HIAS (Hebrew Immigrant Aid Society in New York), ICA (Jewish Colonisation Association in England) und Emig-Direkt, gegründet 1921 in Berlin. Finanziert wurde HICEM vor allem vom American Joint Distribution Committee (AJDC). Die Hilfsorganisationen arbeiteten eng mit den örtlichen Ämtern zusammen, natürlich auch mit der Jüdischen Gemeinde von Lissabon. Zigtausende jüdische Flüchtlinge verdanken diesen vielen Helfern ihr Leben.

Spezielle Bedeutung hatte die Aktion des jungen Amerikaners Varian Fry: Mit Unterstützung des bereits in den Vereinigten Staaten ansässigen Thomas Mann und vieler Intellektueller kümmerte er sich in Marseille um gestrandete deutschsprachige Schriftsteller und Künstler und brachte sie illegal über die Grenze, zunächst nach Spanien und von dort zum Hafen nach Lissabon. Auch die kleine Flüchtlingsgruppe mit Heinrich, Nelly und Golo Mann, Franz und Alma Werfel floh im Herbst 1940 mit Frys Hilfe aus dem besetzten Frankreich nach Spanien – und zwar illegal in einem strapaziösen Fußmarsch über die Pyrenäen. In Lissabon schifften sich die fünf nach den Vereinigten Staaten ein.

Da die oft kleinen und alten Schiffe aus Portugal und anderen neutralen Ländern nur geringe Kapazitäten hatten, mussten die meisten Flüchtlinge wochen-, ja monatelang in Lissabon auf die Ausreise warten. Während die von Fry geschützten Werfels nach nur zwei Wochen ausgeschifft wurden, mussten zum Beispiel die damals kaum bekannte Philosophin Hannah Arendt und ihr Ehemann Heinrich Blücher vier Monate in Lissabon ausharren, bis ihnen endlich im Mai 1941 die Ausreise gelang.

Die lange Wartezeit barg viele Gefahren. Die dürftigen Finanzen reichten meist nicht aus. Viele Flüchtlinge mussten, um ihre Unterkunft und ihr Essen zu finanzieren, ihre letzten Wertgegenstände auf dem Schwarzmarkt billig verkaufen, vor allem geschmuggelten Schmuck. Man musste sehr vorsichtig sein, denn immer wieder mischten sich Spione vieler Nationen unter die Flüchtlinge, um sie auszuhorchen und womöglich an die Deutschen zu verraten. Außerdem ging die Angst um, dass auch das bisher neutrale Portugal bald die Grenzen gegen Flüchtlinge schließen könnte.

Im Vergleich zu den meisten anderen Flüchtlingen gehörten die Blochs in Lissabon zu den Privilegierten. Sie hatten alle nötigen Dokumente bei sich – inklusive bezahlter Karten für die Überfahrt und eine Kabine erster Klasse. Aber auch für sie zog sich der Aufenthalt in Lissabon lange hin.

Immerhin fanden sie im vielsprachigen Menschengewühl vor Konsulaten und Ämtern zu ihrer großen Freude auch eine Verwandte, die 33-jährige Grete Gomperz. Sie war die Tochter von Martha Salzer aus Wien und war bei der Großmutter Sophie Schindler in Innsbruck aufgewachsen. Von 1921 bis 1926 hatte Grete in Wien erfolgreich an der renommierten Kunstgewerbeschule beim Bildhauer und Keramiker Michael Powolny studiert und sich bald den Größen der Wiener Werkstätte angeschlossen, dem Architekten und Designer Josef Hoffmann und dem Grafiker Berthold Löffler.[37] Grete war eine höchst vielseitige und originelle Künstlerin, die sich in allen Formen der bildenden Kunst

Selbstbildnis von Marguerite Stix (1907–1975), geborene Salzer, geschiedene von Gomperz, Malerin, Designerin und Bildhauerin, Cousine von Lilli Bloch

Die gefangenen Frauen steigen aus der Eisenbahn in über- füllte Lastwagen, die sie ins KZ bringen (stark verkleinert)

versuchte. Von ihrem Ehemann Dr. Bela von Gomperz war sie ge- schieden. Sie war kinderlos, alleinstehend und seit 1933, als sie aus der Jüdischen Gemeinde austrat, konfessionslos.[38]

Grete, die mit tschechischem Pass als Margarita Gomperzová reiste, hatte Wien am 3. Oktober 1939 Richtung Paris verlassen.[39] Auf dem Weg zu Verwandten wurde sie in Südfrankreich als »feind- liche Deutsche« festgenommen und nach Gurs gebracht, also in das Durchgangslager des Vichy-Regimes nahe der spanischen Grenze. Im Lager, wo rund 25 000 Frauen unter schlimmsten Be- dingungen hausten, zeichnete sie heimlich ihre desolate Umwelt und das Elend der inhaftierten Frauen. Und da sie keine besseren Malutensilien fand, arbeitete sie mit dem, was sie hatte, nämlich Lippenstift und Tinte.

Gerade noch rechtzeitig vor dem raschen Sieg der deutschen Truppen über Frankreich war Grete die Flucht aus Gurs gelungen, und sie entkam damit der sicheren Deportation nach dem Osten. Nun also war die aparte junge Frau, die Goldmünzen und ihre wichtigsten Zeichnungen im Kleidersaum über die Grenzen ge- schmuggelt hatte, bis Lissabon durchgekommen und wartete auf ein Ausreisevisum in die Vereinigten Staaten.

Die Opfer werden unter Polizeigewalt einzeln durchsucht und geben ihre letzte Habe ab

Nach den schlimmen Erfahrungen in Gurs erfreute sich die temperamentvolle Grete nun ihres Lebens auch unter wenig angenehmen Umständen. Sie flirtete heftig mit dem ebenfalls aus Wien stammenden jungen Schriftsteller Karl Frucht, einem Mitarbeiter Varian Frys. Der diskrete Literat gab der feurigen rothaarigen Grete in seinen Memoiren den Decknamen eines Schiffes: »Marie Christine«.[40]

Beim schier endlosen täglichen Schlangestehen vor den Behörden tauschten die Flüchtlinge Erfahrungen aus und gaben einander nützliche Hinweise. Durch Grete Gomperz lernte Bloch *Herrn Dr. G., einen ehemaligen Prager Juristen kennen, der vor mehreren Jahren aus Böhmen ausgewandert war und sich als Mitchef einer grossen Speditionsfirma in Fachkreisen besonderen Ansehens erfreute. Zufälligerweise kannte ich auch seine Angehörigen noch von meiner Prager Studienzeit her! Dr. G. wurde von nun an mein treuer, und wie sich später zeigte, vorzüglicher Berater in allen »Transportangelegenheiten«!*

Bloch sorgte sich nämlich um seine großen Gepäckstücke, die er bereits Wochen vor seiner Abreise nach Lissabon geschickt hatte. Dr. G. begleitete ihn nun zur Speditionsfirma: *Hier erfuhr ich vor*

*Das Barackenlager
Gurs, gesichert mit
vielfachem Drahtzaun*

*allem, dass mein Gepäck nicht nur nicht eingelangt ist, sondern
dass es in Irun an der spanischen Grenze liege, da der Transport
sich dadurch verzögere, dass keine Kohlen zur Heizung der Last-
zugslocomotiven vorhanden seien; der Übelstand werde aber bald
behoben sein, und ich könne sicher sein, dass ich in »kurzer Zeit«
in den Besitz meines Gepäckes kommen werde. Thatsächlich erhielt ich dasselbe nach einem halben Jahre durch die Bemühungen
Dr. Gs.*

Dankbar vermerkte er auch, dass Dr. G. die Kosten für die
Nachsendung des Gepäcks von Irún nach Lissabon *freundlichst
vorstreckte!* Die Blochs hatten ja außer den 16 Mark, die sie aus
Linz mitnehmen durften und längst ausgegeben hatten, nur jenes
Geld, das ihnen wohltätige Organisationen in Lissabon zur Über-
brückung gaben.

Bloch weiter: *Ein wenig misstrauisch geworden, bat ich Herrn
Dr. G., mich zur Transatlanticschiffahrtsgesellschaft zu begleiten,
wo ich über Abfahrtsort und -zeit der »Marques de Comillas«, für
die ich gebucht hatte, nähere Auskunft zu erhalten hoffte.* Dort erfuhren sie, dass die »Marques de Comillas« nicht von Lissabon,
sondern von Bilbao auslief. Und wieder gab es Probleme:

*Der Leiter des Bureaus, ein gebürtiger Holländer, sprachen-
und redegewandt, hielt geschäftig in der Schiffsliste Nachschau;
schliesslich brachte er mir die sehr betrübliche Nachricht, dass
weder mein, noch meiner Frau Name sich in der Liste der Schiffs-
passagiere befinde; ich wies die Bestätigung der Wiener Cultusgemeinde vor, die für mich die Tickets ordnungsgemäss gebucht
hatte, doch dies genügte nicht; gegen Vorschuss eines Betrages versprach er nach Bilbao deshalb zu telegraphieren.*

*Nach dreitägigem Nachforschen daselbst kam von dort die Ant-
wort, auch hier wäre von meiner Platzbelegung nicht das geringste
bekannt; man wollte wissen, bei welchem Bankinstitute das Geld-
depot hinterlegt worden sei; ich telegraphierte nach Wien; wieder
verstrichen drei bange Wartetage. Die Antwort der Wiener Cultusgemeinde lautete: »Geldfrage in vollkommenster Ordnung«;
auch diese Mitteilung war unbefriedigend! Inzwischen bemühte
ich mich bei allen eventuell in Frage kommenden Einzahlungs-
stellen Nachfrage zu halten, aber überall vergebens.*

*Die continuierliche Nervenspannung, das viele Herumfahren
zwecks Nachfrage, last not least die materiellen Opfer, die damit
verbunden waren, haben sicherlich nicht zur Hebung meiner
ohnehin gedrückten Stimmung beigetragen! Dabei rückte der
Abfahrtstag des Schiffes immer näher!*

Eduard Bloch sprach nun beim europäischen Vertreter des
»Joint« vor (American Jewish Joint Distribution Committee),
einer großen jüdischen Hilfsorganisation: *Herr Dr. Sch., der mich
aufs freundlichste empfing, sagte mir, es seien noch sechs Passagiere der »Marques de Comillas« in derselben Situation wie ich!*
Bloch kommentierte diese schlechte Nachricht auf eine für ihn
typische Weise: *Ich habe vor Jahrzehnten im Vergil gelesen: »So-
lamen miseris, socios habuisse malorum«. »Den Unglücklichen ist
es ein Trost, Schicksalsgenossen zu haben.« Mir aber gewährte es
weit mehr Trost, als Dr. Sch. in gütiger Weise versprach, für mich
Bürgschaft zu leisten, falls das Schiff in Lissabon ankäme, bevor
die Angelegenheit geklärt wäre; er kabelte nach New York, von wo
nächsten Tages die Nachricht kam, dass das Geld bei einem Bankinstitute in Madrid deponiert sei; eine Nachricht, die sich als voll-*

kommen richtig erwies; ich fühlte mich Herrn Dr. Sch. für dessen Intervention zu besonderen Danke verpflichtet, denn zwei Tage später lag die »Marques de Comillas« im Hafen von Lissabon vor Anker!

Ich fuhr sofort zum Leiter der Transatlantic; derselbe wusste bereits um die günstige Lösung der Angelegenheit. »Wollen Sie, Herr Doctor« fragte er ganz unerwartet, »mit Ihrer Frau dieselbe Cabine teilen, oder wünschen Sie in Gesellschaft Anderer zu reisen?« »Selbstverständlich mit meiner Frau«, antwortete ich ganz erstaunt. »Nun in diesem Falle müssen Sie noch 70 Dollar nachzahlen. Die Standhaltung des Schiffes etc. erfordert in diesen schweren Zeiten mehr Geld.«

Bloch verwies darauf, eine Doppelkabine bestellt und auch bezahlt zu haben, und meinte: *»warum müssen gerade arme Flüchtlinge für eine notwendige Budgeterhöhung der Gesellschaft aufkommen?«* Kaltes Achselzucken des Leiters bewies die Unzulänglichkeit meiner Argumentation ... *Mit der Geste eines spanischen Granden legte ich nun einen Theil der verlangten Summe hin – es war der letzte Rest meines Dollarbarbestandes, – den er zufrieden und verbindlich lächelnd, einstrich!*

Auf hoher See

Nun gab es keine weiteren Hindernisse mehr. Planmäßig lichtete die »Marques de Comillas« am 15. Dezember 1940 in Lissabon die Anker. Bloch erinnerte sich: *Es war bewegte See; das Schiff war wie ich glaube ein 17 000 Tonnenschiff. Die Cabine, die ich mit meiner Frau bezog, war klein und eng, man konnte sich kaum darin umdrehen, aber sie hatte den Vorzug, rein zu sein ... Die Verpflegung auf dem Schiffe war in jeder Hinsicht tadellos, doch alle culinarischen Genüsse hatten für meine Frau und für mich auch nicht den allergeringsten Reiz, denn wir waren gleich am ersten Tage der Fahrt schwer seekrank! Es waren auf dem Schiffe zumeist Emigranten, doch gab es auch viele Vergnügungsreisende, besonders Spanier, welche den Winter in den Colonien verbringen wollten; am zweiten Tage war bereits hoher Seegang; ich hätte nicht geglaubt, dass der Mensch so viel Organe besitze, wie mir damals weh thaten!*

Am dritten Tage brach ein gewaltiger Sturm los – und in der winzigen Kabine flogen sämtliche Gegenstände umher, die nicht fest verankert waren.

Nachts während des ärgsten Sturmes wurden wir vom Steward geweckt: Ein englisches Schiff habe die Marques de Comillas gestellt, alle Passagiere hätten sich unter Mitnahme der »Papiere« im Speiseraume zu versammeln, woselbst sich die englischen Officiere bereits befinden. Grosse Unruhe und Aufregung, nur die Seekranken atmeten erleichtert auf – das Schiff stand still!

Drei englische Schiffsofficiere sassen bei der grossen Tafel des Speisesaales, hatten lifejackets an, während der vierte, der Commandant, eine tadellose, goldbetresste Uniform trug. Der Commandant nahm meinen Pass – ich war als einer der ersten im Saale erschienen – betrachtete mit scheinbar grossem Interesse die Durchreisevisen der verschiedenen Länder – ich hatte ja über Sibirien reisen wollen – stand auf, ging zu einem der Officiere, zeigte ihm den Pass und sagte: »Doctor Bloch, a well known name«. Dann trat er zu mir hin und blickte mich mit einer Miene an, als ob er sagen wollte, ›Jetzt wirst Du aber gewaltig staunen, wovon ich genaue Kenntnis besitze‹: »Doctor, you are the former Jewish physician of Hitler.« Ich war thatsächlich aufs höchste überrascht! »Yes, Sir, it is so« antwortete ich.

Grosse Unruhe der Umstehenden; was wird wohl jetzt kommen? Verhaftung? Doch ihre Sensationslust blieb unbefriedigt. Mit einem »allright« reichte er mir die Hand und mit den Worten, »good night doctor« war ich entlassen. Der »Secret Service« hatte tadellos gearbeitet!

Am nächsten Tag kamen viele Mitreisende zu mir und sagten, sie hätten des Nachts meinetwegen grosse Angst gehabt, sie hätten gedacht, ich werde sicherlich in Haft genommen werden! Eine Dame erzählte mir, sie habe etwa zwei Tage vor Abfahrt des Schiffes eine Londoner Tageszeitung gelesen, in welcher mein Bildnis und mein Lebenslauf zu finden war; der Aufsatz trug die Überschrift: The only Jew whom Hitler recognizes (Der einzige Jude, den Hitler anerkennt) Ich erhielt thatsächlich einige Wochen später eine derartige Zeitung. »Dichtung und Wahrheit« war darin mit einer überaus grossen Dosis von Phantasie untermischt!

Während der Fahrt gab es auf dem Schiffe mancherlei Abwechslung: einmal mussten sich alle Passagiere ausnahmslos impfen lassen, es war offenbar ein Pockenfall gemeldet worden; ein zweitesmal wurde eine strenge Controlle aller Documente vorgenommen: Spionenfurcht! Dann wiederum mussten alle Passagiere, mit Rettungsgürteln versehen, aufs Deck kommen und dergleichen bisweilen unerwünschte Zerstreuungen! Wir waren etwa 15 Tage bereits auf hoher See, als wir erfuhren, dass die »Marques de Comillas« einen mindestens für zwei Tage berechneten Aufenthalt in Havanna nehmen werde. Angesichts dieser neuerlichen Verzögerung erinnerte sich Bloch an ein Täfelchen bei seinem Linzer Zahnarzt mit der Aufschrift: »Auch dieses wird vorübergehen!«

Dann hatte Bloch plötzlich heftige Bauchschmerzen und diagnostisierte entsetzt eine Blinddarmentzündung: *Also ist es mir doch nicht beschieden, mein Ziel zu erreichen, so nahe demselben, werde ich zugrunde gehen müssen; denn so oft ich die wuchtigen Hände unseres Schiffsarztes sah, musste ich unwillkürlich an die Worte des Psalmisten denken: »O Herr, lass mich doch lieber fallen in Deine Hand, als in die Hand des Menschen.«* Aber, so Bloch weiter: *Die meisten Diagnosen, die wir Ärzte bei uns selbst stellen, sind glücklicherweise nicht richtig! Die Zerrung des Bauchmuskels – denn um eine solche handelte es sich hier – ging bald zurück.*

Am 5. Januar 1941 ging die »Marques de Comillas« im Hafen von Havanna vor Anker, und Bloch schwärmte: *... die Stadt war von blendendem Sonnenschein übergossen, ein »Paradies am Meeresstrand«!*

Drei Tage später, am 8. Januar, legte das Schiff spätabends außerhalb des Hafens von New York an. *Die Freiheitsstatue, Amerikas Wahrzeichen, konnten wir also erst am nächsten Morgen erblicken. Am frühen Morgen kamen die Immigrationsbeamten an Bord; immerhin dauerte es noch einige Stunden, bevor die genaue Überprüfung der Documente und die ärztliche Untersuchung*

*vorüber waren; dann durfte man das Schiff verlassen, den Boden
des Landes der Freiheit als freier Mensch betreten; man war der
Sklaverei, man war den Schergen Hitlers glücklich entkommen!
Dieses Hochgefühl der Freiheit kann nur ein Mensch empfinden,
der im Begriffe war, sie für immer zu verlieren!*

Nach all den schweren Jahren waren Eduard und Lilli Bloch nun
endlich heil im sicheren Hafen angekommen, bei Tochter, Schwiegersohn und Enkeln, wenn auch fern der Heimat. *Den Boden des
Landes, das mir so gütig Gastfreundschaft gewährt hat, habe ich
trotz des Überschwanges meiner Gefühle nicht geküsst, aber als
ich meine Tochter am Pier stehen sah, da habe ich Gott gedankt,
gedankt aus tiefstem Herzen, dass er mir die Gnade gewährt hat,
mich mein einziges Kind wiedersehen zu lassen, ich habe den Segen
Gottes für das Wohlergehen des Landes herabgefleht!*

16 Familienleben in der Bronx

Glückliches Wiedersehen

Die Blochs zogen zu ihren Kindern und Enkeln in die Bronx. Nach fast dreijähriger Trennung war nun die Familie wieder zusammen, wenn auch fern der Heimat und in sehr bescheidenen Verhältnissen.

Über seine ersten Eindrücke von New York schrieb Eduard Bloch später: *Ich habe in Europa viele gute Abbildungen grosser amerikanischer Städte gesehen, besonders aber von New York, doch als ich zum erstenmal am Broadway stand, da hatte ich den Eindruck von etwas Grossdimensionalen, ungeheuer Grossen, Immensen; ich konnte diese Eindrücke geistig gar nicht verwerten, denn unser Empfinden für das ungeheuer Grosse, kaum Messbare, ist begrenzt, das Plus dieses ungeheuer Grossen, das über diese Empfindungsgrenze hinausgeht, sind wir kaum imstande zu erfahren, geschweige denn auszudrücken!*

Langweilig wurde es den Blochs nicht. Tagsüber kümmerte sich Lilli um den Haushalt und entlastete damit ihre Tochter Trude, die als Sekretärin arbeitete. Der Schwiegersohn Franz Kren pendelte zwischen New York und Trenton, wo er am McKinley Memorial Hospital arbeitete und sich auf seine Wiederzulassung als Arzt vorbereitete. Die Enkel gingen in der Bronx zur Schule – der fünfzehnjährige George in die erste Klasse einer Highschool und die zwölfjährige Joanne in eine Volksschule. Bloch kommentierte: *Amerika ist ein Land höchster technischer Vollkommenheit, aber auch ein Land intensivster Arbeitsleistung, einer Arbeitsleistung, die das grösste Mass der Arbeitskraft von jedem Einzelnen verlangt, ihn zur Höchstleistung anspornt; aber Jedermann in Amerika kann den Segen, die Frucht seiner Arbeit voll geniessen, er kann zufrieden, er kann glücklich werden!*

Seine Hoffnung, in den USA als Arzt praktizieren zu dürfen, verflüchtigte sich bald. Bloch war zu alt, um, wie es vorgeschrieben war, noch einmal zu studieren und danach als Arzt zugelassen zu werden. In dieser Zeit traf er Eric Warburg, der nach der »Arisierung« der Hamburger Familienbank in die USA geflohen war und sich wie früher in Hamburg auch hier für humanitäre Zwecke engagierte. In diesem Fall agierte er als Vorstand eines Komitees, das den fast 3000 in die Vereinigten Staaten geflohenen deutschen Ärzten half, Fuß zu fassen. Dazu gehörte auch, dass die geflohenen Ärzte auf die 48 Staaten der USA verteilt werden sollten. Laut Warburg war das Hauptproblem vor allem der Älteren, dass sie nicht mehr richtig Englisch lernten. Viele von ihnen seien noch nicht einmal fähig, Rezepte in Englisch zu schreiben. Im Fall Bloch konnte er wegen dessen hohen Alters ohnehin nicht helfen.

Warburg wunderte sich, dass die Blochs noch so spät die USA erreicht hatten. Daraufhin erzählte ihm Eduard Bloch seine Geschichte, dass er einst der Hausarzt der Familie Hitler gewesen sei und so fort. Der überraschte Warburg fragte nun, warum die Familie Hitler ausgerechnet einen jüdischen Hausarzt gehabt habe. Daraufhin antwortete Bloch, dass »*die Familie und insbesondere der junge Adolf Hitler in ihrer Linzer Zeit in keiner Weise antisemitisch eingestellt*« gewesen seien. Dann erzählte er, wie Hitler 1938 beim Einzug in Linz zu seiner, Blochs, Wohnung heraufgesehen habe. (Dass Bloch mit Familie aber auf dem Balkon gestanden habe, wie Warburg schrieb, ist ein Missverständnis, denn dies hatten die Nazis ja wegen des Sicherheitsrisikos auch für »Arier« streng verboten.) Die ungewöhnlich späte Ausreisegenehmigung zu Jahresende 1940 erklärte Bloch gegenüber Warburg damit, dass er »*die Mutter Hitlers, an der ihr Sohn Adolf sehr hing, in schwerer Krankheit (Krebs) wirklich aufopfernd gepflegt habe. Dies habe der Sohn ihm nicht vergessen.*«[1]

Am Beispiel seines Schwiegersohns erlebte Bloch, wie schwer es war, in den Vereinigten Staaten als Arzt zugelassen zu werden. Franz, nunmehr Frank Kren, brauchte drei Anläufe, bis er nach Jahren seine zahlreichen Prüfungen bestand, seine eigene Ordination eröffnen konnte und seinen Doktortitel bestätigt bekam.

Bloch dazu: *Doch diese Kraft kann nur derjenige aufbringen, der im Vollbesitze derselben ist, der jüngere, arbeitsfreudige Mann! Deshalb waren auch bisher meine Bemühungen um eine entsprechende Beschäftigung eben mit Rücksicht auf mein Alter ohne Erfolg. Die Ablegung der ärztlichen Prüfungen ist an ein bestimmtes Alter gebunden, ich stehe bereits jenseits desselben und doch habe ich die Überzeugung, dass ich meine in 40jähriger Tätigkeit erworbenen ärztlichen Erfahrungen zum Wohle meiner Mitmenschen irgendwie verwenden könnte!* Aber das gelang dem 70-Jährigen zu seinem größten Schmerz nicht mehr.

Da Bloch sehr schlecht Englisch sprach und die Familie sich weiterhin in Deutsch unterhielt, war er weitgehend ans Haus gebunden. Aber jeden Samstagnachmittag, wenn Frank und Trude zu Hause bei den Kindern waren, gingen die Großeltern ins Kino, so berichtet Enkelin Joanne. Sie erinnert sich mit Rührung daran, wie die beiden Alten Hand in Hand die Straße hinuntergingen. Das nahe Kino war auf Western spezialisiert und am Nachmittag immer voller Kinder. Bei der Rückkehr erzählten die Großeltern den Enkeln fröhlich vom »Bang Bang« der Cowboygewehre und vom großen Lärm der Kinder. Joanne: »Jede Woche machten sie dasselbe und freuten sich daran.«[2]

Zu Blochs Enttäuschung nützten die aus Linz mitgebrachten Empfehlungsschreiben ihm viel weniger als erwartet. *Mit der höflichen Phrase »I will do my best« war das mir und meiner Familie »AndieHandgehen« erschöpft; dann bin ich in vollständige Vergessenheit versunken!* Er erwähnte zwei Ausnahmen: Durch eine Linzer Empfehlung habe er Abraham Hermann, *den hervorragenden Präsidenten der »Hias« kennengelernt, der in edler, hochherziger Fürsorge stets um die Existenzgründung meiner Familienangehörigen bemüht war. Seine innige Theilnahme an unserem Geschicke ist ein leuchtendes Beispiel von wahrer Menschenliebe, Edelsinn und werktätiger Hilfsbereitschaft, für welche ich dem Herrn Präsidenten nicht genug Dank sagen kann!* Die heute noch hochaktive »HIAS« (Hebrew Immigrant Aid Society) wurde 1881 in den USA gegründet und kümmert sich noch immer sehr effizient um Einwanderer, die bei HIAS verlässliche Hilfe jeder

Art finden: Obdach, Essen, Kleidung bis zu Jobs und der Suche nach Verwandten.

Die Solidarität und Hilfsbereitschaft der Amerikaner gegenüber den mittellosen und oft traumatisierten Einwanderern beeindruckten Bloch sehr, auch bei anderer Gelegenheit: Als der fast 16-jährige George Kren sein erstes Highschool-Jahr in der Bronx mit sehr guten Zeugnissen absolviert hatte, wandte sich Bloch mit dem Empfehlungsbrief des Linzer evangelischen Pfarrers an Dr. Conrad Hofmann, Vorsteher der presbyterianischen Kirche in New York, um für George einen kostenlosen Platz an einer besseren Highschool zu bekommen. Tatsächlich vermittelte der Pfarrer für George ab 1941 ein wertvolles Stipendium an der berühmten Highschool in Mount Hermon, Massachusetts.

George fühlte sich trotz seiner guten Leistungen auch in dieser Schule nicht wohl. Er verstand es nicht, sich Freunde zu machen, hatte überdies das Handicap, Sport zu verabscheuen, und blieb ein einsamer, intellektuell hochbegabter Einzelgänger. Der Schwester erzählte er traurig, dass er anscheinend nirgendwohin passe, gleichgültig, wohin er komme und was er tue. Sie dagegen habe immer bessere Bedingungen als er gehabt, in England wie in New York. Er schien es der jüngeren Schwester übel zu nehmen, dass sie mit den Menschen gut auskam, während ihm dies nicht gelang.

Joanne betont in der Rückschau, dass der Bruder in Linz ein sehr glücklicher Junge gewesen sei. Aber seit der Zeit in England bis zum Ende der Highschool-Jahre in Mount Hermon sei er »sehr unglücklich« gewesen. Sein Leben habe sich erst geändert, als er sich im Colby College in Waterville, Maine, in Claudia verliebte, die seine erste Frau wurde.

Die zwölfjährige Joanne erhielt 1941 durch die Bemühungen ihrer Mutter Trude einen Platz in der Rudolf-Steiner-Schule in Manhattan. Dies war und ist die älteste Schule dieser Art in den USA und heißt heute Waldorf-Schule. Joanne wandte sich aber in den beiden Jahren, die sie in dieser Schule war, nicht der anthroposophischen Lehre zu, wie es sich ihre Mutter wohl gewünscht hatte, sondern war nach wie vor eine begeisterte Christin. Das Mädchen amerikanisierte sich rasch und schwärmte als typischer

Teenager bald für Frank Sinatra. Die Geschwister sahen einander nur in den Ferien und entfernten sich immer mehr voneinander.

Interview für »Collier's«

Eduard Blochs ungewöhnliches Schicksal löste bald nach seiner Ankunft in New York bei Journalisten Neugierde aus. Einem von ihnen, J. D. Ratcliff, gab er ein ausführliches Interview. Es erschien im März 1941 in der viel gelesenen Zeitschrift COLLIER'S in zwei Teilen unter dem Titel »My Patient, Hitler«,[3] also zu einem Zeitpunkt, als die USA noch keine Kriegspartei waren.

Das Interview hatte einen sensationellen Erfolg. Den Grund hierfür nannte Bloch selbst: Er habe als Arzt in Linz einen Einblick in das Familienleben der Hitlers gehabt und den jugendlichen Adolf erlebt, wie ihn niemand kannte, nämlich als gut erzogenen, bescheidenen jungen Mann, der sich rührend um seine todkranke, von ihm schwärmerisch geliebte Mutter kümmerte und dem jüdischen Arzt herzlich und dankbar begegnete. So hatte in den Vereinigten Staaten noch niemand den allmächtigen, gefürchteten und gehassten »Führer« geschildert, vor allem, da aus Blochs Erzählungen ja auch hervorging, dass Hitler in seiner Jugend kein Antisemit gewesen war und dem jüdischen Arzt seiner Mutter in Verehrung und Dankbarkeit verbunden war. Auf die naheliegende Frage, wie aus diesem netten jungen Mann ein Hitler werden konnte, fand aber auch Bloch keine Antwort.

Auf die Diskrepanz zwischen dem jungen Hitler und dem späteren Politiker legte Bloch im Interview großen Wert: »*Die meisten*

> **What does a doctor think when he sees one of his patients grow into the persecutor of his race? Here are the unique adventures of a Jew who had earned the "undying gratitude" of Adolf Hitler**

»Was denkt ein Arzt, wenn er sieht, wie einer seiner Patienten zum Verfolger seiner Rasse wird? Hier die einzigartigen Erlebnisse eines Juden, der die ›ewige Dankbarkeit‹ Adolf Hitlers erlangte.« Schlagzeile aus COLLIER'S WEEKLY, 22. März 1941

*Biografen – sowohl seine Anhänger wie seine Gegner – haben Adolf
Hitlers Jugend gemieden. Seine Gegner taten dies aus Notwendigkeit, denn sie hatten nur höchst magere Fakten zur Hand. Die
offiziellen Parteibiografien haben diese frühe Zeit übersprungen,
weil der Diktator es so wollte. Warum diese abnormale Empfind-
lichkeit über seine Jugend? Ich weiß es nicht. Es gibt keine skanda-
lösen Kapitel, die Hitler hätte verstecken müssen, wenn man nicht
mehr als hundert Jahre zurückgehen will bis zur Geburt von Hitlers Vater.* [Alois Schicklgruber war unehelich geboren und hatte
erst als Erwachsener den Namen Hitler angenommen.] *Was war
in diesen frühen Jahren in Linz, wo Hitler seine Jugendzeit verbrachte? Welcher Art Junge war er? Was für ein Leben führte er?
Von diesen Dingen soll hier gesprochen werden.«*

Allerdings hatte Bloch nicht alles, was er dem Reporter erzählte, selbst erlebt. So stammen die Informationen über Hitlers
Vater, den Bloch nie gesehen hatte, eindeutig aus MEIN KAMPF.
Auch Blochs Erinnerungsvermögen an das Jahr 1907, also die Zeit
von Klara Hitlers Krankheit und Tod, erweist sich als unzuverläs-
lässig, was freilich bei der Vielzahl seiner Patienten und nach fast
40 Jahren verständlich ist. Denn er hatte ja damals nicht ahnen
können, welche Bedeutung der zu dieser Zeit 18-jährige Adolf
später für ihn haben würde. Und der persönliche Kontakt zur
Familie Hitler hatte bereits im Dezember 1907 geendet.

Aber gegenüber dem Journalisten tat Bloch so, als wisse er
alles noch sehr genau. So erwähnte er zum Beispiel drei Hitler-
Schwestern: Paula Rubal (sic) als Älteste, die auf dem Berghof in
Berchtesgaden Hitlers Haushalt geführt habe, dann eine jüngere
Schwester namens Klara, die angeblich an der Wiener Universität
ein Restaurant für jüdische Studenten geleitet habe, und schließlich Angela als Hitlers jüngste Schwester, die später einen Professor Hammitzsch aus Dresden geheiratet habe.

Hier erinnerte sich Bloch falsch: Hitler hatte nur zwei Schwestern: Angela und Paula. Seine ältere Halbschwester Angela, verheiratete Raubal, hatte drei Kinder: Elfriede, Leo und Geli (Angelika) und nahm auch die kleine Halbschwester Paula zu sich
(s. S. 94f.). Mit 27 Jahren wurde Angela Raubal Witwe. Später

war sie Hausdame auf Hitlers Berghof. 1936 heiratete sie in zweiter Ehe den prominenten Architekten Professor Martin Hammitzsch, den Erbauer der Tabakfabrik Yenidze in Dresden.

Die zweite Schwester, Hitlers einzige Vollschwester, war die sieben Jahre jüngere Paula, eine einfache, ledig gebliebene Frau, die sich auf brüderlichen Befehl Paula Wolf nennen musste. Sie bekam von Hitler Unterhalt, lebte bescheiden in Wien und hielt sich strikt an das ihr vom Bruder auferlegte Redeverbot gegenüber Journalisten und Fremden.

Mit der dritten Schwester meinte Bloch die verwachsene Tante Johanna Pölzl (»Hanitante«), die ihrer älteren Schwester Klara Hitler im Haushalt half. Sie war sehr scheu und blieb für Besucher meist unsichtbar.

Was Hitlers weiteres Leben seit 1908 betraf, das Bloch ja nicht als Augenzeuge kannte, so entnahm er für das Interview noch weitere Einzelheiten aus MEIN KAMPF, darunter auch die rührende und unwahre Geschichte, wie Hitler sich in Wien angeblich als Bauarbeiter abgemüht habe und von gewalttätigen sozialistischen Kollegen vom Baugerüst gestoßen worden sei. Offensichtlich war Bloch nicht klar, dass es sich bei MEIN KAMPF keineswegs um seriöse Memoiren handelte, sondern um eine Propagandaschrift eines antisozialistischen »deutschen« Arbeiterführers, geschrieben in der Landsberger Haft nach dem misslungenen Münchner Putsch von 1923. So manche Hitler-Aussagen in MEIN KAMPF dienten Bloch als willkommene Füllsel, um die Fragen des Journalisten beantworten zu können.

Authentisch ist dagegen alles, was Bloch über die kranke Klara Hitler aus dem Jahr 1907 berichtete, zumal er sich dabei auf alte Aufzeichnungen stützen konnte: »*In dieser Zeit war Frau Hitler in ihren frühen Vierzigern. Sie war eine einfache, bescheidene, freundliche Frau, war groß, hatte bräunliche Haare, die sie gefällig frisiert trug, und ein langes ovales Gesicht mit schönen, ausdrucksstarken graublauen Augen. Sie sorgte sich verzweifelt wegen der Verantwortung, die ihr nach dem Tod ihres Mannes zugefallen war.*« Der um 22 Jahre ältere Ehemann Alois »*habe alles für die Familie organisiert. Nun war das ihre Aufgabe.*«

Bloch schätzte das Einkommen der Hitlers auf umgerechnet rund 25 Dollar monatlich: »*Diese kleine Summe erlaubte
ihnen, ruhig und anständig zu leben als unauffällige kleine Leute
in einer abgelegenen Stadt.*« Klara Hitlers Witwenrente machte
100 Kronen monatlich aus (heute rund 500 Euro), außerdem hatte
sie noch Bargeld aus dem Verkauf des kleinen Hauses in Leonding
zur Verfügung. Die Hitlers waren also nicht reich, gehörten aber
auch nicht zu den armen Leuten.

Dann schildert Bloch das bescheidene Linzer Kulturleben in
Hitlers Jugend: »*Wir hatten in Linz die übliche Provinzoper, nicht
gut und nicht schlecht. Diejenigen, die das Beste hören wollten,
fuhren nach Wien. Die Galeriesitze in unserem Schauspielhaus
wurden für umgerechnet 10 bis 15 Cents in amerikanischem Geld
verkauft. Einen dieser Plätze gehabt zu haben, um Lohengrin von
einer unbedeutenden Truppe zu hören, war ein solch erinnerungs-
würdiges Ereignis, dass Hitler es in ›Mein Kampf‹ erwähnte!*«
Und auf die Frage, wie sich junge Linzer damals vergnügten, sagte
er: »*Für die meisten Buben beschränkten sich die Vergnügen auf
Dinge, die kein Geld kosteten: Bergwanderungen, Schwimmen
in der Donau, das Gratiskonzert einer Musikkapelle. Der junge
Hitler las außerordentlich viel und war vor allem fasziniert von
amerikanischen Indianern. Er verschlang die Bücher von James
Fenimore Cooper und dem deutschen Autor Karl May, der nie in
Amerika war und niemals einen Indianer sah.*«

Bloch erzählt auch, wie sich die Familie Hitler ernährte: »*... ge-
zwungenermaßen einfach und handfest. Lebensmittel waren in
Linz billig und reichlich vorhanden, und die Hitlers aßen das
Gleiche wie die anderen Leute in ihrer Lage. Fleisch gab es vielleicht zweimal pro Woche. Die meisten Mahlzeiten bestanden aus
Kohl- oder Tomatensuppe, Brot, Knödel und einem Krug Birnen-
oder Apfelsaft.*« Und: »*Die Bekleidung war aus rauhem wol-
lenen Tuch, das wir Loden nennen. Natürlich trug auch Adolf die
übliche Kleidung der Buben: Lederhosen, gestickte Hosenträger,
einen kleinen grünen Hut mit einer Feder im Hutband.*«

Schließlich versuchte Bloch das Charakterbild des jungen
Hitler zurechtzurücken: »*Viele Biographen haben ihn als laut*

redend, provozierend, unordentlich herabgesetzt, als einen jungen,
brutalen Menschen, der alles Negative verkörpert. Dies ist einfach
nicht wahr. Als Jugendlicher war er ruhig, hatte gute Manieren
und war sauber angezogen.« Die amerikanischen Leser, die Tag
für Tag aus den Zeitungen von neuen Schandtaten des deutschen
»Führers« erfuhren, mussten durch solche Aussagen zumindest
irritiert gewesen sein.

Skeptisch und ausweichend reagierte Bloch jedoch auf Hitlers
Aussage in MEIN KAMPF, dass dieser sich bereits »als Fünfzehn-
jähriger als politischer Revolutionär gesehen« habe. Blochs Kommentar: *»Möglicherweise war er dies. Aber lassen wir uns Adolf*
Hitler ansehen, wie er auf die Leute seiner Umgebung wirkte,
nicht wie er sich selbst sah. Er war groß, blaß, älter wirkend, als er
war, weder robust noch kränklich. Vielleicht würde ›frail-looking‹
[zerbrechlich wirkend] *ihn am besten beschreiben. Seine Augen –*
geerbt von der Mutter – waren groß, melancholisch und gedan-
kenvoll. In einem sehr hohen Ausmaß lebte dieser Junge nach
innen. Welche Träume er träumte, weiß ich nicht.«

Blochs wichtigste und zutreffendste Aussage über den jungen
Hitler lautete: *»Von außen gesehen, war sein auffallendster Zug*
die Liebe zu seiner Mutter. Obwohl er kein ›Mutterkind‹ im üb-
lichen Sinn war, habe ich doch niemals eine stärkere Anhäng-
lichkeit erlebt. Einige Leute bestehen darauf, dass diese Liebe ins
Krankhafte ging. Als ein früher intimer Kenner der Familie glaube
ich nicht, dass dies stimmt. Klara Hitler betete ihren Sohn an …
Sie erlaubte ihm, wo immer möglich, einen eigenen Weg. Als sein
Vater ihn zwingen wollte, Beamter zu werden, rebellierte der Sohn
und zog die Mutter auf seine Seite. Als er bald schulmüde wurde,
erlaubte ihm die Mutter, seine Studien zu beenden. Alle Freunde
der Familie wussten, wie sehr Frau Hitler seine jugendlichen An-
strengungen ermutigte, Künstler zu werden; man kann nur raten,
was es sie gekostet hat. Trotz ihrer Armut erlaubte sie ihm, eine
angebotene Stelle bei der Post abzulehnen, um sein Malen fort-
zusetzen. Sie bewunderte seine Aquarelle und seine Landschafts-
zeichnungen. Ob dies ehrliche Bewunderung war oder eher ein
Versuch, sein Talent zu ermutigen, weiß ich nicht.«

Und weiter sagte er über Klara Hitler: »*Sie tat das Beste, um ihren Buben gut zu erziehen. Sie sah darauf, dass er ordentlich, sauber und so gut genährt war, wie es ihre Börse erlaubte. Wann immer er in meine Ordination kam, setzte sich dieser eigenartige Junge zu den anderen Patienten und wartete, bis er an der Reihe war.*«

Auf die Frage des Journalisten, welche Krankheiten der junge Hitler gehabt habe, konnte der Hausarzt Dr. Bloch keine Besonderheiten vermelden. Stattdessen malte er die Erkältungen und Mandelentzündungen des jungen Adolf breit aus: Bei der Untersuchung, wenn er beim Patienten die Zunge heruntergedrückt und die eitrigen Stellen entfernt habe, sei Adolf »*gehorsam und ruhig*« (»*unflinching*«) gewesen. Und: »*Wie jeder gut erzogene Junge von vierzehn oder fünfzehn verbeugte er sich beim Abschied und dankte mir höflich.*«

Als der Interviewer ihn bat, Hitlers aktuelle Krankheiten, also die von 1941, zu beurteilen, etwa die allbekannten Magenprobleme, versuchte Bloch eine eher zaghafte Ferndiagnose. Diese Krankheiten seien wohl das Ergebnis schlechter Ernährung in der Zeit, als Hitler in Wien als »*einfacher Arbeiter*« gelebt habe. Diese Aussage stützte er eindeutig nicht auf eigene Kenntnisse, sondern bezog sie aus MEIN KAMPF, betonte aber dann ehrlich: »*Meine ärztlichen Unterlagen zeigen nichts von einer solchen Krankheit.*« Und er, Bloch, sei damals in Linz der einzige Arzt der Familie Hitler gewesen.

Wir wissen nicht, inwieweit der Redakteur Blochs Aussagen für die Druckfassung verschärfte oder abmilderte. Offensichtlich aber hatte Bloch erhebliche Mühe, in diesem stark aufgebauschten Interview auf alle Fragen des Journalisten mit belegbaren Tatsachen aus Hitlers Biografie zu antworten. Er kannte Hitler ja hauptsächlich im Zusammenhang mit der Krankheit der Mutter – und das lag 35 Jahre zurück. Schließlich tischte er auch noch die rührende, im Hitler-Deutschland kolportierte, aber unwahre Geschichte auf, dass der 18-jährige Adolf seinen Schwestern edelmütig sein kleines Erbteil übertragen habe. Außerdem erwähnte Bloch vage die Mär, wonach Adolf die Aufnahme in die Malerschule in Wien deshalb nicht geschafft habe, weil er keinen Real-schulabschluss vorweisen konnte.

Natürlich rühmte Bloch gegenüber COLLIER's auch die große Dankbarkeit, die der junge Adolf nach Klara Hitlers Tod ihm als behandelndem Arzt entgegengebracht habe, und sinnierte: »*Ich hätte gerne gewußt, ob er* [Hitler] *sich heute noch an diese Szene erinnert, bin aber ganz sicher, dass er dies tut. Denn Adolf Hitler hat, wenn auch in einem geringen Ausmaß, sein Dankversprechen gehalten. Mir wurden Vorteile gewährt, die, wie ich sicher bin, kein anderer Jude in ganz Deutschland oder Österreich erhielt.*«

Konkret wurde Bloch erst bei der ausführlichen Schilderung von Klara Hitlers Krankheit und Tod und kam dabei wieder auf sein Lieblingsthema: Hitlers Dankkarten.

Reaktionen auf das Interview

Das zweiteilige große Interview in COLLIER's erregte in den USA großes Aufsehen. Eduard Bloch erhielt viele anerkennende Zuschriften, so auch vom ebenfalls in die USA geflohenen alten Freund und Mitkämpfer Max Hirschfeld. Den Wortlaut des Briefes nahm Bloch in seine Erinnerungen auf. Hirschfeld schrieb ihm: »Wenn ich so dieses mir teuer gewordene Bild [von Bloch in COLLIER's] betrachte, eilen meine Gedanken zurück zu jener Zeit, als ich nach aufregenden Stunden von der Gestapo zu Ihnen in die Wohnung kam und mit Ihnen all dies Elend besprach, das ich dort vernehmen musste. Ihr ruhiges Wesen und Ihr Rat gab mir immer wieder den Ansporn zu weiterer Tätigkeit im Dienste der leidenden und verfolgten Juden; und so sehe ich Sie im Bilde wieder genau so, als würden Sie mir gegenüber sitzen, um das und jenes zu besprechen.«[4]

Bloch war ein unpolitischer Mensch. Er hatte im Interview ehrlich und wahrheitsgemäß gesagt, wie er als Arzt den jungen Hitler erlebt hatte. Seine damalige Sympathie hatte er nicht verschwiegen. Er sagte also nicht das, was »politically correct« und auch Realität war: dass Hitler ein verbrecherischer Diktator war. Und er war ein ehrlicher, wenn auch etwas eitler und weltfremder Mann,

der sich wegen dieser frühen Begegnung mit Hitler als einzigartig
und wichtig fühlte. Zwar hatte er seit 33 Jahren keinerlei persönlichen Kontakt mit Hitler mehr gehabt. Nun aber war er in den
USA der einzige Augenzeuge, der etwas über Hitlers bisher unbekannte Jugend wusste. Das machte ihn, den alten, schlecht Englisch sprechenden und ärmlich wohnenden arbeitslosen Flüchtling
zu einem besonderen, durch COLLIER's geadelten Menschen.

In den beiden langen Abdrucken des Interviews findet sich
keine Aussage Blochs, die sich auf seine bitteren Erfahrungen in
Linz seit dem »Anschluss« im März 1938 bezieht. Es mag sein,
dass er darüber gar nicht befragt wurde. Es mag aber auch sein,
dass solche Aussagen in der Druckfassung als überflüssig heraus-
genommen wurden, weil darüber 1941 in den USA ja Zigtausende
Flüchtlinge aus Hitlers Reich ausführlich berichteten. Blochs Erinnerungen an den jungen Hitler des Jahres 1907 jedoch waren für
die Leser in den USA einzigartig. Und der alte Bloch dachte nicht
daran, nun auch den damals schüchternen jungen Adolf, um den
es ja ausdrücklich im Interview ging, dem Zeitgeist entsprechend
als Verbrecher darzustellen, der Hitler ja damals noch nicht gewesen war. Bloch äußerte »seine« Wahrheit, und diese wirkte auf
so manchen amerikanischen Leser schockierend.

Groß war Blochs Freude, als sich nach dem Erscheinen seines
Interviews bei COLLIER's auch eine ihm bisher unbekannte Verwandte bei ihm meldete, Helene Fanny Bloch aus Cincinnati.
Bloch in seinen Memoiren: *Ihre geistreichen, so besonders ge-
müthstiefen Briefe haben mich nicht allein stets mit Entzücken erfüllt, sie haben mir auch gar oft über so manche Verstimmung in
trüben Tagen hinweg geholfen!*

Blochs in der Öffentlichkeit so blumig vorgebrachte Hitler-Ge-
schichten hatten noch eine andere, unvorhergesehene Wirkung. Sie
betraf seinen Enkel, den damals 15-jährigen George Kren. Dieser
hasste Hitler aus tiefstem Herzen für all das Unglück, das er über
die Familie, die Freunde, Österreich, Europa und die Welt gebracht
hatte. Wegen Hitler hatten die Eltern ihn und Johanna in die »Ver-
bannung« nach England geschickt. Die ganze Familie hatte ihre
Heimat verloren, und in New York fühlte sich George nicht wohl.

Der Großvater hatte ihn immer schon mit seinen pathetischen Geschichten über den so netten, gut erzogenen jungen Hitler gereizt. Und nun bekamen dies alles auch noch die Amerikaner zu lesen.

Entsetzt reagierte der junge Mann vor allem auf Blochs fatalen Satz in Collier's, nach allem, was bisher an Schrecklichem geschehen war: »*Sogar heute kann ich nicht anders, als an ihn* [Hitler] *im Zusammenhang mit seinem Kummer zu denken, und nicht mit dem, was er der Welt angetan hat.*« Diesen Satz zitierte der spätere Historiker und Holocaust-Experte George Kren sein Leben lang zusammen mit deutlicher Kritik am Großvater. George konnte nicht verstehen, dass der Großvater ja Hitler nicht als Politiker und Diktator positiv beurteilte, sondern stets den damals 18-jährigen Jungen meinte, der die Mutter so hingebungsvoll gepflegt hatte. Nun hatte das lange Interview in Collier's all das, was bisher nur im Familienkreis erörtert worden war, in die Öffentlichkeit gebracht.

George Kren schämte sich für seinen Großvater und stellte das Ganze schließlich so dar, als habe Bloch sich bei dem Interview geweigert, »jenen Mann zu verdammen, der seine Familie und viele andere tausend jüdische Familien gezwungen hatte, ihre Heimat zu verlassen. All das hatte er erfahren und selbst gesehen. Und trotzdem sagte er zu Collier's: ›Sogar heute kann ich nicht anders, als an ihn [Hitler] im Zusammenhang mit seinem Kummer zu denken und nicht mit dem, was er der Welt angetan hat.‹«[5]

Kren, der sich als Kind zunächst in England und dann in den USA zumindest in physischer Sicherheit befunden hatte, konnte und wollte nicht wissen, wie groß die Nöte der Eltern und Großeltern zwischen 1938 und 1940 in Linz gewesen waren. Und er befragte sie auch nicht darüber.

Bescheidenes Leben in New York

Lilli Bloch lernte in New York eifrig und rasch Englisch, und zwar nach einem selbst erfundenen System, das Enkelin Joanne so beschreibt: »Tagtäglich las sie, im Lehnstuhl sitzend, sehr eingehend

die New York Times und unterstrich darin alle Wörter, die sie nicht
verstand. Am Schluss suchte sie im Wörterbuch die Bedeutung der
unterstrichenen Wörter und lernte so Schritt für Schritt und sehr
konsequent Englisch.« Auf diese Weise verband sie mit dem Eng-
lischstudium ihre zweite Leidenschaft, nämlich die Politik.[6]

Während seine Frau als Mitglied des Vereins »Golden Age«
viele Freunde um sich scharte, beschränkte sich Eduards Bekanntenkreis wegen der anhaltenden Sprachprobleme zunächst auf
deutschsprachige Flüchtlinge, denen er in seiner reichlichen Freizeit lange Briefe schrieb. Manchmal, so berichtete er stolz, habe
er sich auch seines geliebten Lateins bedient, so in einem Brief an
einen amerikanischen Universitätsprofessor, der kein Deutsch
konnte.

Bloch verfasste auch eifrig Leserbriefe, so etwa eine sieben-
seitige Stellungnahme zu einem Artikel in The Reader's Digest.
Es geht darin um den Wert des Betens, das er in seinem Brief aus
medizinischer Sicht beurteilt: *»Das mit Andacht gesprochene
Gebet wird zur unversiegbaren Energiequelle ... Die innere Ruhe
und Ausgeglichenheit, die Hoffnungsfreudigkeit, die nach einem
brünstigen Gebete im Gemüte des Menschen Platz greift, hat nicht
nur seelische Erstarkung im Gefolge, sie wirkt auch günstig auf den
Körper ein, denn ebenso wie Unlustgefühle das Herz schädigen, so
beeinflussen Gefühle des Behagens, der Freude die Herztätigkeit
im günstigen Sinne; wohl kann auch die beste Philosophie körperliche Schmerzen nicht gänzlich zum Verschwinden bringen, aber
sie kann sie erträglicher machen; dies habe ich in meiner Tätigkeit
wiederholt bestätigt gefunden.«*

Dann erwähnt er ausführlich den Krieg: *»Der Kriegsbrand,
dessen verheerende Flammen gegenwärtig Europa verzehren, hat
Formen des Hasses und der Grausamkeit gezeigt, vor welchen der
Genius der Menschheit sich mit Schaudern und Entsetzen abwen-
det. Hundert Tausende von Menschen, die nie etwas Böses getan,
schmachten gleich Schwerverbrechern in schrecklichen Concen-
trationslagern, unentrinnbarem Verderben erbarmungslos preis-
gegeben. Hundert Tausende von Menschen stehen mit der Mord-
waffe in der Hand einander gegenüber, Menschen, die einander*

nie gesehen, geschweige denn ein gutes Wort miteinander gewech-
selt haben. Sie sind bereit, gleich wilden Bestien auf ein gegebenes
Zeichen aufeinander loszustürzen, einander zu zerfleischen. Wis-
senschaft steht im Dienste gemeinen Mordes! Triumph der viel-
gepriesenen Kultur: Mars trocknet seine bluttriefenden Hände
an dem entfachten Feuer; sein teuflisch-viehisches Wiehern gellt
schauerlich durch Europas verwüstete Länder.«

Der lange Leserbrief endet mit einer Danksagung an die Vereinigten Staaten: *»Auch das Böse zeitigt bisweilen in seinen Folge-*
erscheinungen Gutes. Gott hat die Herzen der Amerikaner in
tiefem Mitleid geöffnet, dass sie die Leiden ihrer Mitmenschen in
der ganzen Tiefe, Grösse und Tragweite zu erfassen verstehen! Sie
haben willig die Grenzen des Landes der Freiheit geöffnet für die
von Furien Gehetzten, Beraubten, Verlassenen, von der heimat-
lichen Scholle Entwurzelten! Sie haben ihnen hilfreich die Hand
geboten zum Aufbau eines neuen Lebens, zur Schaffung neuer Le-
bensmöglichkeiten. Mit goldenen Lettern hat dieselbe That Ame-
rikas Namen für alle Zeiten in die Geschichte der Menschlichkeit
eingetragen. Trägt auch jede gute That den Lohn in sich selbst, so
lehrte doch die Erfahrung der Weltgeschichte, dass dieser Lohn
seine Auswirkung auch nach Außen hin findet. ›God bless Ame-
rica‹, dies unser heißestes Gebet.«[7]

Dem alten Bloch, der sein Leben lang übermäßig viel und enga-
giert gearbeitet hatte, bereitete es nun Probleme, seine pflichtlosen
Tage zu füllen. Wie früher in Linz studierte er nun auch in New
York zur Entspannung die Schrift und die geliebten Psalmen. Im
Gegensatz zu seiner Frau verstand er es aber nicht, sich in die ame-
rikanische Gesellschaft einzufügen.

Dabei wäre es gerade in New York gar nicht so schwer gewesen,
alte Kontakte zu pflegen und neue zu knüpfen, zumindest zu ebenfalls geflohenen Glaubensbrüdern und -schwestern. In New York
City hatte sich die bis heute bestehende größte jüdische Ansied-
lung des Erdballs etabliert. Rund eine Million Juden lebten hier, in
den Vierzigerjahren allein 145 100 in Österreich geborene Juden.[8]
Es gab zahlreiche Emigrantentreffs, alle möglichen Österreich-
Vereine, politische Zirkel aller Art, sogar ein »Café Vienna«, wo

Parodien österreichischer Erfolgsoperetten aufgeführt wurden. Auch alte Bekannte und Patienten der Blochs lebten in New York, so der ehemalige Chef der Wiener Schwedenmission, Göte Hedenquist, der nun Direktor des Internationalen Missionsrats in New York war. Nichts deutet darauf hin, dass Bloch wieder Kontakt mit ihm aufnahm.

Immerhin hatte Bloch bald nach seiner Ankunft in New York versucht, wieder im Kreis der B'nai B'rith tätig zu sein, und hielt dort auch auch einen Vortrag in deutscher Sprache. Aber: ... *die übergrossen Entfernungen der Weltstadt, der Beginn der Sitzungen zu späten Abendstunden hindern mich sehr oft, so gerne ich dies auch möchte, an den mir so lieben Besprechungen befreundeter Brüder theilzunehmen!*

Offensichtlich war der aus der Kleinstadt kommende Bloch dem starken Verkehr, dem Menschengewühl und den weiten Entfernungen in New York nicht gewachsen, zumal er sich kaum verständigen konnte. Resigniert klingt seine Aussage, womit Lilli und er sich in New York beschäftigten: ... *meine liebe Frau ... versieht ganz allein die nicht geringe Arbeit des Haushaltes; ich selbst studiere, halte Ausblick nach einer entsprechenden Thätigkeit und suche – meine Vergangenheit zu vergessen!*

Das größte Fest war es stets für Eduard und Lilli, wenn die Enkelkinder am Wochenende oder in den Ferien zu Besuch kamen.

Der Krieg wird zum Zweiten Weltkrieg

Am 22. Juni 1941 griff Hitler überraschend seinen bisherigen Bündnispartner an, die Sowjetunion. Deutsche Truppen rückten zügig nach Osten vor. Hunderttausende russische Kriegsgefangene kamen nun in Lager oder wurden Zwangsarbeiter für das Deutsche Reich.

Im Oktober 1941 befahl Heinrich Himmler, »die Auswanderung von Juden mit sofortiger Wirkung zu verhindern«. Die noch in Hitlers Reich lebenden Juden saßen nun in der Falle und waren aufs Höchste gefährdet. Aber die Welt wusste dies damals noch nicht.

Vier Tage nach dem deutschen Überfall auf die Sowjetunion beantragt Bloch in der »Declaration of Intention« die Erteilung der US-Staatsbürgerschaft; seine Selbstbeschreibung: »Geschlecht: männlich, Farbe: weiß, Augen: blau, Haare: grau«

Am 7. Dezember 1941 bombardierten die mit Deutschland verbündeten Japaner überraschend den US-Flottenstützpunkt Pearl Harbor im Pazifik. Daraufhin erklärten die Vereinigten Staaten und England am 8. Dezember auch Japan den Krieg. Am 11. Dezember kam die Kriegserklärung des Deutschen Reiches und Italiens gegenüber den USA. Der Krieg war damit zum Zweiten Weltkrieg geworden.

Das Leben änderte sich nun auch in den USA gründlich. Die jungen Amerikaner wurden zur Army eingezogen, auch erst kürzlich Eingewanderte wie Blochs Neffe, der 20-jährige Medizinstudent John S. Kafka. Männliche Arbeitskräfte fehlten überall und mussten durch Frauen ersetzt werden. Trude Kren erhielt in dieser Zeit eine gute Stelle als Französischdolmetscherin in einer Abteilung des Kriegsministeriums in Manhattan.[9] Claire Kafka übersiedelte nach New York und baute dort ein »Pelzblumen business« auf: Aus Pelzabfällen, die sie von Händlern kostenlos erhielt, entwarf sie Pelzblumen. Für die Anfertigung stellte sie Frauen ein, meist Flüchtlinge, die auf diese Art Arbeit hatten. Dank Claires Überzeugungskraft ging das Geschäft recht gut. Aber reich wurde sie dadurch nicht.[10]

Eine schmerzliche Auswirkung hatte der Krieg auch auf deut-

John S. Kafka als
Mitglied der US-Army

sche Flüchtlinge in den USA, da nun jede Postverbindung mit
dem Deutschen Reich abbrach. Eduard Bloch machte sich große
Sorgen um seinen betagten Bruder Adolf und die vielen anderen
Verwandten in Böhmen: *... der Kummer um deren Geschick ist
die Ursache meiner so vielen schlaflosen Nächte!*

Im April 1942 veröffentlichte eine jüdische Exilzeitung eine Sta-
tistik über das Schicksal der rund 600 Linzer Juden seit dem »Anschluss« im März 1938: 145 von ihnen lebten inzwischen in Israel,
92 in den USA, 45 in England und 23 in Südamerika. 23 Linzer
Juden waren gestorben, viele durch Selbstmord. 39 waren nach
Böhmen und Mähren geflohen, dort »stecken geblieben« und
dann nach Theresienstadt gebracht worden – wie Irma Kafka und
Adolf Bloch, was aber die Verwandten in den USA nicht wussten. 166 Linzer Juden wurden noch in Wien vermutet, vor allem
in den »Judenwohnungen« im 2. Bezirk.[11] Dass den meisten von
ihnen ein gewaltsamer Tod bevorstand, war im April 1942 noch
nicht abzusehen.

Hitler war darüber verärgert, dass in den westlichen Großstädten seines Reiches trotz aller »Gegenmaßnahmen« immer noch Juden lebten. Er soll jedenfalls am 24. Juli 1942 beim Abendessen im Führerhauptquartier Werwolf in der Ukraine gesagt haben: »Die Beseitigung der Juden aus Wien sei am vordringlichsten, da in Wien am meisten gemeckert werde. Auch aus München müssten die letzten anderthalbtausend baldmöglichst verschwinden! Er freue sich, dass wenigstens Linz bereits heute schon ganz judenfrei sei.«[12]

In dieser Zeit schrieb Bloch fleißig seine Memoiren – natürlich in Deutsch – und sinnierte darin über sein Schicksal: *Welche Veränderungen in meinen ökonomischen Verhältnissen eingetreten sind? Ich bin aus sehr günstigen materiellen Verhältnissen, die es mir jederzeit gestattet haben Wohltätigkeit in reichstem Masse zu üben, in bescheidene, ja sehr bescheidene Verhältnisse geworfen worden, ohne die Aussicht zu haben, dieselben je wesentlich verbessern können. Was habe ich in meinem Alter noch zu erhoffen? Yomay kezel notuy! Wie der Schatten neigen sich meine Tage! So ungefähr dürfte einem Menschen zumuthe sein, der von Räubern plötzlich überfallen, aus seinem behaglichen Wohnraum erbarmungslos in eine frostige, stürmische Winternacht hinausgetrieben wird. Doch das Bewusstsein, mit »freiem Volk auf freiem Fusse zu stehn«, lässt mich so manchen Kummer überwinden und meine Vergangenheit wenn auch nur sehr langsam vergessen!*

Eduard war und blieb das verehrte Familienoberhaupt, das nur von einem nicht anerkannt wurde, von seinem Enkelsohn George. Trotz allem, was der Großvater für ihn getan hatte und tat, blieb der junge Mann abweisend – und das sein Leben lang. Blochs frühe Beziehung zu Hitler, den George aus ganzer Seele hasste, lastete wie ein großer Schatten auf seiner Beziehung zu dem stets um Versöhnung kämpfenden Großvater. Die unkomplizierte, anschmiegsame jüngere Schwester Joanne dagegen liebte ihre Großeltern und war mit ihnen sehr glücklich. Heimweh nach Linz hatte keines der Geschwister.

Besuch von Psychologen

Das Interview bei COLLIER's machte Eduard Bloch in den Vereinigten Staaten bekannt. Nun fragte im Frühjahr 1943 der 44-jährige Psychologe Walter C. Langer im Auftrag des »Office of Strategic Services« (OSS) an, ob er ihn über den jungen Hitler befragen dürfe. Langer sammelte Forschungsmaterial über Hitler, den Kriegsfeind Nr. 1, um dann quasi aus der Ferne ein psychologisches Gutachten zu erstellen.

Das OSS war im Juli 1942 von Präsident Franklin D. Roosevelt als Nachfolgeorganisation des militärischen Geheimdienstes OCI gegründet worden, des »Office of the Coordinator of Information«. Sein Chef war General William Donovan, genannt »Wild Bill«. Die Aufgabe bestand darin, möglichst viele Informationen über die Kriegsgegner zu bekommen, um diese auch mit psychologischer Kriegsführung bekämpfen zu können. OSS war zudem für die Spionageabwehr und die Irritierung des Gegners mit Falschinformationen zuständig – und für Sabotage. 1945, als die OSS durch den CIA, »Central Intelligence Agency«, ersetzt wurde, hatten die Vereinigten Staaten rund 16000 Agenten hinter den feindlichen Linien. Die prominenteste Mitarbeiterin des OSS war Marlene Dietrich, die gegen Kriegsende sehr engagiert deutsche Soldaten im Radio zur Kapitulation aufrief.

All diese Hintergründe waren Bloch unbekannt. Er freute sich über die Abwechslung in seinem stillen Leben und über Langers Interesse und lud ihn zu sich in die Bronx ein. Da das Interview auf Deutsch geführt werden musste, das Langer trotz seiner deutschen Wurzeln nicht beherrschte, nahm er die aus Wien geflohene 39-jährige Gertrude M. Kurth als Dolmetscherin mit. Die beiden erhofften sich von Bloch weitere wertvolle Informationen über Hitlers Kindheit und Jugend und damit die generelle Möglichkeit, die Entwicklung eines jungen Mannes zum grausamen Diktator psychologisch besser und früher zu erkennen.

Das Gespräch verlief für den Psychologen enttäuschend und entsprach in keiner Weise seinen Erwartungen. Der 71-jährige Bloch, der bereits sehr müde wirkte und kränkelte, erzählte nochmals all das, was er auch gegenüber COLLIER's gesagt hatte. Wieder einmal betonte er voll Stolz seine einzigartige Stellung als Jude im »Dritten Reich«: *»Mir wurden Vorteile gewährt, die, wie ich sicher bin, keinem anderen Juden in Deutschland oder Österreich gegeben wurden.«* Und er beharrte als aufrechter Mann auf dem, was der Psychologe natürlich nicht hören wollte: dass der junge Hitler kein Wüstling mit verbrecherischen Zügen gewesen sei, sondern ein netter, wohlerzogener junger Mann, der seine Mutter abgöttisch liebte. Das war für OSS unbrauchbar, und Langer und Kurth reagierten deshalb unwirsch.

Langer bezweifelte den Wahrheitsgehalt von Blochs Erzählungen und unterstellte ihm, sich an Konrad Heidens Buch – dem schon erwähnten Standardwerk über Hitler in den USA – orientiert zu haben. Das freilich traf nicht zu, sondern verhielt sich umgekehrt: Heiden, der ja Bloch 1930 in Linz besucht hatte und befragen konnte, hatte von diesem Augenzeugen wichtige Informationen erhalten und in das Buch aufgenommen. Andererseits aber hatte Bloch einige Einzelheiten über Hitlers Jugend eindeutig aus MEIN KAMPF entnommen, verinnerlicht und auf diese Weise seine eigenen Erlebnisse bereichert. All das immer wieder über Hitler Gesagte hatte sich inzwischen in seinem Kopf verfestigt. Neues war seit Jahrzehnten nicht mehr hinzugekommen, da er dem erwachsenen Hitler ja nie persönlich begegnet war.

Bloch muss die Skepsis der beiden Besucher gespürt haben. Denn nach der Verabschiedung, so berichtet Gertrude Kurth später, sei der 71-Jährige ihnen über fünf Stockwerke hinweg eilig gefolgt, nur um auf der Straße noch einmal zu betonen, welch ein netter junger Mann Hitler gewesen sei. Noch 50 Jahre später äußerte Kurth gegenüber dem Journalisten Ron Rosenbaum, dass sie Bloch »die furchtbare Unschuld und Naivität [innocence] dieser Bemerkung« nicht verzeihen könne. Und weiter: »Draußen auf der Straße lachten und lachten Langer und ich darüber – ein bitteres Lachen.«[13]

Trotz der enttäuschenden Ergebnisse dieser Unterredung gingen Langer und Kurth noch ein zweites Mal zu Bloch. Zunächst fragten sie ihn über Hitlers Schwestern aus, worauf Bloch

ihnen, wie bereits gegenüber COLLIER'S, seine alte Mär von den drei
Schwestern erzählte. Dann wollte Langer ihn über Hitlers Schulzeit ausfragen. Darüber wusste aber Bloch aus eigenem Erleben
nichts. Er hatte den jungen Hitler ja erst 1907 kennengelernt, als
dieser keine Schule mehr besuchte.

Auf diesem Umweg kam aber Langer auf sein wahres Thema,
nämlich auf die in den USA – und vor 1938 auch in Österreich –
kolportierten Tratschereien über Hitlers Sexualverhalten. Unter
diesen Geschichten war auch die eher komische Mär vom Linzer
Ziegenbock, der angeblich die Genitalien des kindlichen Hitler
verstümmelt habe. Damit sollte Hitlers auffälliges Desinteresse
an Sexualität erklärt werden. Die US-Propaganda hatte nun diese
alten Geschichten wieder aufgewärmt, genährt von in die USA geflohenen ehemaligen Wiener Journalisten. Die Kriegspropaganda
brauchte offensichtlich dringend »Munition«.

Langer wollte nun von Bloch wissen, ob es sich bei Hitlers angeblichen sexuellen Aktivitäten in der Schulzeit um solche gegenüber »Buben oder Mädchen« gehandelt habe. Es ging also um die
Frage, ob Hitler homosexuell sei oder nicht. Bloch wusste zu
diesem Thema nichts zu sagen. Dann meinte er zögernd, Renato
Bleibtreu habe einmal vage Andeutungen gemacht, dass in den von
ihm eingesehenen Schulbüchern der Leondinger Volksschule »Probleme« des neun- bis zehnjährigen Adolf erwähnt worden seien.
Auf Langers erneutes Befragen, ob es sich dabei um Buben oder
Mädchen gehandelt habe, meinte Bloch eher hilflos, es habe sich
wohl um Mädchen gehandelt, sei aber nichts Wichtiges gewesen.
Bleibtreu habe, so Bloch laut Langer, dem Schulleiter Vorwürfe
gemacht, diesen schädlichen Beweis nicht vernichtet zu haben.[14]
Aber Bleibtreu hatte, wie bereits erwähnt, eine wilde Phantasie,
der nicht zu trauen war.

Jedenfalls bekräftigte Bloch als Hausarzt der Familie Hitler,
der junge Adolf habe mit Sicherheit keine »körperlichen Missbil-
dungen« gehabt. Auch in den Aufzeichnungen von Hitlers späteren Ärzten und deren Aussagen nach 1945 findet sich keinerlei
Hinweis auf physische Abnormitäten, was zumindest die Ziegen-
bockgeschichte ad absurdum führt.

Bloch beharrte auch auf seiner Aussage, dass der junge Hitler nicht tuberkulös gewesen sei. Das hatte nämlich die Linzer Postmeisterswitwe 1938 Bleibtreu erzählt und behauptet, dass der junge Hitler sogar Blut gespuckt habe und deshalb die Realschule habe verlassen müssen.[15] Aber 1906 konnte die Postmeisterswitwe die Hitlers noch gar nicht kennen, da damals die Familie noch in Leonding wohnte und ja erst 1907 nach Urfahr übersiedelte. Adolfs angebliche Krankheit im Sommer 1906 war nichts als ein Druckmittel gegenüber seiner Mutter Klara gewesen, ihn aus der verhassten Schule in Steyr nach Linz zurückzuholen – was auch funktionierte.

Also blieb für Langer nur noch die durch Bloch verbürgte enge und herzliche Beziehung zwischen Hitler und seiner Mutter übrig, und er bezeichnete diese Bindung in seinem Bericht an das OSS als »sehr ungewöhnlich«, was auch immer er darunter verstand.[16]

Die Enttäuschung von Langer und Kurth über das magere Ergebnis ihrer Befragung war offenkundig, ebenso ihr Unmut über den alten Herrn, der gar nicht daran dachte, ihnen mit Geschichten von Grausamkeiten und Perversitäten des jungen Hitler entgegenzukommen.

Eduard Blochs Tod

Es besteht kein Zweifel daran, dass sich Eduard Bloch – im Gegensatz zu seiner Frau Lilli – in den Vereinigten Staaten weiterhin als Fremder fühlte. Wegen der fehlenden Beschäftigung hatte sich sein Horizont verengt. Und trotz der Liebe, die ihm Frau, Tochter und Enkelin entgegenbrachten, trübte sich seine Stimmung immer mehr ein. Seine Linzer Geschichten, die er so gerne erzählte, wiederholten sich ständig.

Die größte Freude für ihn war seine nun 14-jährige Enkelin Joanne. Als sie im Sommer 1943 die Schulferien in einem Sommerlager verbrachte, schrieb er ihr fast täglich eine Postkarte. In seinem einfachen Englisch zeigte er ihr seine Sehnsucht, »My dear sweet Hannah« bald wiederzusehen, und erzählte ihr von »Mr. Dicky«, dem Kanarienvogel: »Mr. Dicky ist ein ignoramus;

*Blochs Enkel
George Kren als
US-Soldat 1944*

er ist nicht fähig, zwischen Spielzeit und Nacht zu unterscheiden. Wir haben nun Mondschein, und Dicky begann um 10 p.m. ein lustiges Lied zu singen, obwohl er eine Decke über seinem Käfig hatte.« Er schloss mit *»Sweetest kisses and lot of love Your Grandfather«.*[17]

Joanne besuchte nach der Steiner-Schule von 1943 bis 1947 die renommierte »Moravian Seminary High School« in Bethlehem, Pennsylvania, um Kinderkrankenschwester zu werden. Diese Schule, die älteste Boarding School für Mädchen in den USA, war 1742 von der 18-jährigen Gräfin Benigna von Zinzendorf, der Tochter des Begründers und Mäzens der »Herrnhuter«-Brüdergemeine, auf ihrer Amerikareise gegründet und dem Humanisten und berühmten Erzieher Jan Comenius gewidmet worden, einem der drei Bischöfe der »Böhmischen Brüder«.

Da Tochter und Schwiegersohn auswärts arbeiteten und auch beide Enkel die Familie verlassen hatten, waren Eduard und Lilli meistens allein und hatten keine Aufgabe mehr. Der deutlich ge-

> New York 28th of November 1944
>
> Highly esteemed Mrs. Stoeger, I was some days bedridden and alas very sick. today I got up for a short time, the first thing I have to do is to thank you for your kind letter, it was very nice, of you to think of me. You must not be worried. It was a great pleasure for me and Mrs Bloch to pay you a visit, the trip down town was not exerting, it was only accidental, that I became sick. I feel weak, but much better now. I kiss your kind hands with high respect.
>
> As always yours very sincerely
> old Dr Bloch
>
> P.S. Please give my kind regards to Miss Elfi!

»Mit Handkuss«: eines der letzten Schreiben Eduard Blochs

schwächte Bloch, der inzwischen seine Memoiren abgeschlossen hatte, zog sich nun völlig zurück.

1944 wurde der nun 18-jährige Enkelsohn George Kren zur Army eingezogen und nach kurzer Ausbildung nach Europa geschickt. Zu dieser Zeit war Bloch bereits schwer krebskrank und wusste als Arzt sehr genau von seinem hoffnungslosen Zustand. Laut Enkelin Joanne blieb er diszipliniert, liebevoll und freundlich, auch wenn ihm die Sommerhitze in der Wohnung im fünften Stock schwer zusetzte. Aber auch das habe er geduldig ertragen. Joanne berichtet: »Eines Tages fiel er auf den Boden und konnte nicht mehr aufstehen. Nur Lilli und Trude waren im Haus. Sie schafften es nicht, den großen, schweren Mann aufzurichten. Er sagte ihnen sehr ruhig, sie sollten eine Leiter holen und ihn darauf rollen. Auf diese Art konnten sie ihn aufrichten und ins Bett bringen.« Joanne: »Er blieb ein liebender Großvater bis zu seinem Todestag.«[18]

Mit großer Freude erlebte der schwer kranke Bloch den Tag, als seine Tochter Trude am 28. Februar 1945 US-Staatsbürgerin wurde. Sein Schwiegersohn Frank Kren, der nach langen Mühen die Prüfung für das New-York-State-Examen bestanden hatte und wieder seinen Doktortitel trug, eröffnete nun eine Praxis für Dermatologie in Trenton, New Jersey (197 W. State Street). Da er bereits jahrelang am dortigen Hospital gearbeitet hatte, kannten und schätzten ihn viele Patienten. Es ging für die Familie endlich aufwärts.

Trude Kren, die ihre Tätigkeit als Dolmetscherin aufgegeben hatte, pendelte nun zwischen Trenton und New York, wo sie Mutter Lilli bei Eduards Pflege half. Sein Leben ging dem Ende zu. Ob er noch von Hitlers Tod am 30. April erfuhr und dann von der Kapitulation des Deutschen Reiches am 7. Mai und in der Nacht vom 8. auf den 9. Mai 1945, ist zweifelhaft. Die USA führten ja weiter Krieg gegen Japan, das erst am 15. August 1945, nach den Atombomben auf Hiroshima und Nagasaki, kapitulierte. Und Blochs Enkel, der nun 19-jährige George Kren, war immer noch als Soldat in Europa.

Dr. Eduard Bloch starb am 1. Juni 1945 in seiner Wohnung in der Bronx. Seine tapfere, wegen ihrer würdigen Haltung von allen Augenzeugen gelobte Witwe Lilli schrieb an diesem Tag in Deutsch in ihr Notizbuch: »Mein Eda, mein Lebensinhalt, mein Halt und Stütze, mein Glück!«[19]

Auch Trude trauerte lange um den geliebten Vater und schrieb für ihn in Deutsch viele Gedichte, so die folgenden von Rudolf Steiner inspirierten Verse:

»Ich seh Dich lächeln, seh Dich trauern
und seh Dich auch in heil'gem Zorn erglühn,
ich hör Dich rufen, hör Dich stammeln
und seh Dich auch verlöschen
im ersten Morgen-Dämmerschein …

Ich seh Dich auch als Geistgestalt:
Hochaufgerichtet, groß und kraftvoll,
ein Lächeln schimmert Dir um Aug und Mund,
von Deinen Händen strömt ein überirdisch Segnen,
Und Dein verklärtes Wesen leuchtet Liebe …«[20]

Immer mehr Todesnachrichten

Eduard Bloch hatte die schockierenden Nachrichten, die die Welt nach der Öffnung der Konzentrationslager erschütterten, nicht mehr aufnehmen können. Nun, als er gestorben war, kamen nach und nach immer mehr Todesnachrichten aus Europa. Die Blochs hatten nicht geahnt, dass die meisten Linzer Juden, die die Ausreise nicht geschafft hatten, in den letzten Kriegsjahren in die großen KZs im Osten gebracht worden waren, wo sie eines meist gewaltsamen Todes starben. Es war ein Mann aus Linz, nämlich Adolf Eichmann, der an führender Stelle diese Deportationen und damit den Tod von Millionen Juden organisiert hatte. Das Ausmaß der Verbrechen, von dem die Welt nun nach und nach erfuhr, wurde immer unfassbarer.

Am meisten hatte sich Bloch immer um seinen älteren Bruder Adolf gesorgt, den er noch in Prag vermutete. Dass dieser bereits am 27. Juli 1942 in Theresienstadt gestorben war, erfuhr Bloch nie.

Während sich die wohlhabende Familie Kafka mit Ausnahme von Rudolfs Witwe Irma frühzeitig ins Ausland hatte retten können, waren fast alle böhmischen Neffen und Nichten Blochs dem Holocaust zum Opfer gefallen. Von Schwester Emmas Kindern überlebte nur ein Sohn: der Richter Otto Pereless. Von sechs Kindern seiner Lieblingsschwester Lori Plastersky, die alle ebenfalls viele Kinder hatten, überlebten nur Tochter Kamila und Enkelin Charlotte, denen die Flucht in die Vereinigten Staaten gelungen war. Charlotte Guyatt schrieb 1990 in einem Brief an Trude Kren die Geschichte der böhmischen Verwandten auf.

Die Krens trauerten um ihre engsten Linzer Freunde und Nachbarn, die Familie Fränkel. Diese war mit den beiden Kleinkindern 1943 von Prag nach Theresienstadt gebracht worden und von dort 1944 nach Auschwitz. Alle vier wurden dort Opfer des Holocaust.[21]

Frank Krens greiser Vater Alexander, der seit Herbst 1938 in guter privater Pflege in Wien wohnte, war bald in ein überfülltes jüdisches »Altersheim« in der Wiener Leopoldstadt verlegt worden. Als Bloch ihm am 31. März 1939 seine nicht kündbare Lebensver-

sicherung als Leibrente überschrieb, änderte das nichts an dessen
Lage. Denn Lebensversicherungen von Juden wurden vom Deutschen Reich eingezogen und nicht an den Versicherungsnehmer,
sondern den Staat ausgezahlt. Alexander Kren starb am 7. Dezember 1944 fast 92-jährig in der Malzgasse 7 eines natürlichen Todes
und wurde auf dem Wiener Zentralfriedhof begraben. Das war zu
Jahresende 1944 für einen Juden in Hitlers Reich eine wahrlich seltene Ausnahme.[22]

Nach und nach kamen auch Nachrichten vom Schicksal der
Familie Schindler, der Nachkommen von Hermine Kafkas Lieblingsschwester Sophie Schindler. Sophies Tochter Martha Salzer
und ihr Ehemann Siegfried mussten, kurz nachdem die Krens vor
dem Kindertransport bei ihnen übernachtet hatten, ihre große
Wohnung aufgeben. Sie zogen mit Mutter Sophie in die Kleinwoh-
nung ihrer nach Frankreich geflohenen Tochter Grete Gomperz
im 8. Bezirk, Lange Gasse 48/6a. Von dort wurden die drei eines
Tages abgeholt und in die primitive und überfüllte »Judenwohnung« im 2. Bezirk, Haasgasse 8, gebracht. Am 27. August 1942
ging von dort der gemeinsame Transport nach Theresienstadt ab.
Hier starb die 85-jährige Sophie Schindler bereits am 4. September
1942, ihr Schwiegersohn Siegfried Salzer kurz darauf am 15. September. Martha Salzer, geborene Schindler, wurde später nach
Auschwitz transportiert, wo ihr Leben gewaltsam endete.

Nur Grete Gomperz, der Tochter von Martha und Siegfried
Salzer, gelang die Flucht in die Vereinigten Staaten. Ihre Zeichnungen aus dem Frauenlager Gurs (s. S. 434f.) wurden noch während des Krieges in der Zeitschrift VOGUE veröffentlicht und
brachten ihr Geld und Ruhm ein. Auch ihre späteren Skulpturen
von Internierten machten bei Ausstellungen tiefen Eindruck.
Grete heiratete später den amerikanischen Galeristen Hugh Stix
und wurde unter dem Namen Marguerite Stix eine anerkannte
und sehr vielseitige Künstlerin.

Marthas Bruder Hugo Schindler, inzwischen englischer
Staatsbürger, erhielt 1949 seine Konditorei in der Maria-There-
sien-Straße 29 in Innsbruck zurück.[23] Er und seine nichtjüdische
Frau Grete wohnten wieder wie früher in der Andreas-Hofer-

Straße 13. Ihr Sohn Peter war in London geblieben. Hugos ehemaliger Kompagnon und Bruder Erich, der die Geschwister Kren eine Nacht lang in Boston aufgenommen hatte, war bereits im Exil gestorben.

Widersprüchliche Nachrichten gab es über Hermine Kafkas Bruder Leopold Dubsky und dessen Sohn Egon, die bis 1938 gemeinsam die Innsbrucker Firma »Erste Essig-, Sprit- und Likörfabrik, Branntweinbrennerei, Obstverwertungsindustrie Brüder Dubsky« besessen hatten. Inzwischen sind die Fakten klar: Egons nichtjüdische Ehefrau Luise Bertoldi hatte sich bereits im März 1938 scheiden lassen und das Spirituosengeschäft übernommen.[24] Der geistig zurückgebliebene Egon wurde im Herbst 1938 von Innsbrucker Nazis in Mordabsicht in den Inn geworfen. Er überlebte und wurde in eine nahe Heilanstalt nach Bad Hall gebracht. Von dort verschleppten ihn die Nazis im Mai 1943 in das Lager Reichenau bei Innsbruck. Hier erschoss der Tiroler Gestapo-Chef Werner Hilliges am 2. Juni 1943 eigenhändig den 46-jährigen Egon Dubsky.[25] Egons verwitweter Vater Leopold nahm sich daraufhin das Leben.

John Kafka sorgte sich um seine Jugendfreundin Grete Pollak, von der es seit Jahren keine Nachrichten mehr gegeben hatte. Was er nicht wusste: Grete war nach England entkommen, wo sie als Krankenschwester arbeitete. Am 9. Mai 1945, dem Tag, an dem der Sieg über das Deutsche Reich gefeiert wurde, lernte sie in Bradford den 16 Jahre älteren tschechischen jüdischen Soldaten Bedřich (Friedrich) Albera kennen. Sie heiratete ihn am 2. Oktober 1945 in London und hieß nun Marketta Alberová. Wie sie viel später an John schrieb, war sie für die Tschechen eine feindliche Ausländerin, die kein anderer alliierter Soldat geheiratet hätte. Denn sie war deutschsprachig und jüdisch.[26]

Gretes Ehemann hatte im Krieg versucht, illegal nach Palästina zu kommen, war aber in Mauritius von den Engländern in Haft genommen worden. Nach 1945 erhielten die beiden dann doch Einwanderervisa, erlebten die Kämpfe um die Unabhängigkeit Israels und schlimmen Mangel an Geld wie Nahrungsmitteln. Da ihr Ehemann arbeitslos war, musste Grete, die nun Sister Achod

Miriam hieß, als Krankenschwester im Central Emek Hospital in Afula allein für den Unterhalt der Familie aufkommen. Sehr hilfreich war für sie, dass sie später wieder Briefkontakt mit ihrer mütterlichen Freundin Claire Kafka in den USA hatte und diese ihr immer wieder Lebensmittel schickte, vor allem für die beiden kleinen Töchter. 1954 wanderte die Familie nach Australien aus. Grete arbeitete nun im Hospital von Annandale als Krankenschwester »Sister Albera«.

Immer wieder, bis ins hohe Alter, dachte sie schweren Herzens an ihre Eltern, den Linzer Oberbaurat Isidor Pollak und seine Frau Erna. Das Ehepaar war aus Linz zunächst in eine »Judenwohnung« in Wien-Leopoldstadt, Rembrandtstraße 28/10, und von dort am 9. Oktober 1942 nach Theresienstadt deportiert worden. Dort starb die knapp 49-jährige Erna Pollak am 9. April 1944. Ihr 64-jähriger Ehemann folgte ihr am 16. Mai 1944. Grete darüber: »Kind überängstlicher Eltern, die ich zurückließ, damit sie im KZ starben? Ich bin nicht stolz darauf, dass ich sie verließ, um meine eigene Haut zu retten. Ich hatte gehofft, ihnen zu helfen und dass sie mir bald folgen würden.«[27] Solche Vorwürfe machten sich in dieser Zeit sehr viele »Nichtarier«, die dem Holocaust entkommen waren.

Ein halbes Jahrhundert dauerte John Kafkas Suche nach Informationen über das Schicksal seiner Lieblingstante Irma (s. S. 158), Rudolf Kafkas Witwe. Er wusste nicht, dass Irma 1938 von Wien nach Prag geflohen war. Von dort wurde sie am 12. Mai 1942 nach Theresienstadt und später in einem Sammeltransport nach Auschwitz gebracht. Hier kam die 66-Jährige am 18. Dezember 1943 ums Leben. Der Grund dafür, dass John Kafkas Suche so lange dauerte, ist die Tatsache, dass die Wienerin Irma in Prag aufgegriffen wurde und deshalb in den Opferlisten als Tschechin geführt ist. Ihr Name ist als Irma Kafková an den Wänden der Prager Pinkas-Synagoge eingemeißelt als eines von Hunderttausenden tschechischen Holocaust-Opfern.

Erst nach Blochs Tod kamen auch Nachrichten über die letzten Linzer Juden rund um Otto und Grete Unger und Hans Kramer, die in der alten Bloch-Wohnung in der Landstraße 12 ihr »Büro«

Die Prager Pinkas-Synagoge, deren Wände mit den Namen der tschechischen Opfer der Naziherrschaft dicht gefüllt sind, darunter auch Irma Kafkas Name als Irma Kafková

hatten. Otto Ungers verwitwete Mutter Anna hatte im September 1942 aus Angst vor der drohenden Deportation Selbstmord verübt, indem sie sich in die Donau warf. Drei betagte Linzer »Nichtarier« wurden über Wien nach Theresienstadt gebracht: Der 99-jährige getaufte Leopold Mostny starb dort fünf Tage nach seiner Ankunft im Oktober 1942. Die 73-jährige Ernestine Kellermann wurde am 27. August 1942 eingeliefert und starb am 21. März 1943. Eine 71-Jährige, von der nur der Vorname Sophie bekannt ist, kam am 24. September 1942 nach Theresienstadt, ihr Todesdatum ist unbekannt.[28]

Auch Helene Friedmann, die Tochter des beliebten Linzer Rabbiners Moritz Friedmann, wurde ein Opfer der Nazis. Sie starb am 3. Oktober 1943 im Alter von 58 Jahren in Theresienstadt.[29] Isidor Kurrein, der jüngere Bruder des Linzer Rabbiners Viktor Kurrein, wurde am 23. September 1942 aus dem nordfranzösischen Sammellager in Drancy in einem der 1000 Menschen zählenden Bahntransporte nach Auschwitz deportiert und dort am 5. Oktober er-

mordet. Er hatte, was er nie erfuhr, seine Ehefrau Elsa, geborene
Kafka, und die 18-jährige Tochter Eva nur um neun Wochen überlebt. Die Frauen waren bereits am 20. Juli 1942 aus dem Gestapo-
Zentrum Angers in Nordfrankreich in einem Sammeltransport
ebenfalls nach Auschwitz gebracht und dort ermordet worden.

Der Psychiater John S. Kafka beobachtete, wie unterschiedlich die mit dem Leben davongekommenen jüdischen Flüchtlinge
reagierten, als die schier unfassbaren »fabriksmäßig« betriebenen
Massenmorde publik wurden. Seine Halbschwester Grete Grabner habe mit »Lebensgier« reagiert, »während mein Schwager, der
seine Mutter und sieben Schwestern im Holocaust verloren hatte,
im dunklen Zimmer viel allein sein wollte und oft in sich zurück-
gezogen war«.[30]

Das alles erfuhr der alte, kranke Eduard Bloch nicht mehr.
Mit Sicherheit wusste er auch nicht, was aus dem einstigen Linzer
Gestapo-Chef Dr. Dr. Otto Rasch geworden war. Dieser hielt
sich nach seinem Einsatz, der zum Ausbruch des Krieges geführt hatte (s. S. 397), bis November 1939 in Polen auf, und zwar
als SS-Oberführer in einer Einsatzgruppe »zur besonderen Verwendung«. Dann wurde er Inspekteur des Sicherheitsdienstes in
Königsberg. Im Januar und Februar 1940 baute er auf Reinhard
Heydrichs Befehl das »Durchgangslager« Soldau in Polen auf,
laut eigener Aussage bestimmt »eigens zu dem Zweck, die notwendig gewordenen Liquidationen unauffällig zu bewirken«. Gemeint waren rund 600 inhaftierte oppositionelle Polen, die in
Soldau ermordet wurden. Von Juni bis Oktober 1941 war Rasch,
inzwischen SS-Brigadeführer und Generalmajor der Polizei, Chef
jener Einsatzgruppe, die rund 120 000 Gefangene »sonderbehan-
delte« (ein Codewort für Tötungen), davon allein im September
in Babi Jar 33 771 Juden aus dem nahen Kiew. Nach einem Streit
mit Himmler zog sich Rasch in die Ölindustrie zurück. Aus dem
Nürnberger Prozess schied er krankheitshalber aus. Seine Parkin-
sonkrankheit, woran er am 1. November 1948 starb, rettete ihn
vor dem Galgen.[31]

Es muss hier aber auch jenes anderen »Edeljuden« Hitlers gedacht werden, nämlich des Wiener Glasermeisters Samuel Mor-

Emma und Samuel Morgenstern, Wohltäter des jungen Hitler

genstern, der den jungen Hitler großzügig gefördert und von ihm weit mehr Bilder gekauft hatte, als er verkaufen konnte. Wie Bloch hatte auch Morgenstern in seiner Not einen Brief an Hitler geschrieben, ihn um Hilfe gebeten und ihn erinnert: »... waren Herr Reichskanzler in den Vorkriegsjahren sehr oft in meinem Geschäft und hatten Gelegenheit, mich als korrekten und rechtschaffenen Menschen beurteilen zu können.«

Die Nazis hatten das Geschäft der Morgensterns gesperrt und sehr rasch »arisiert«. Das alte Ehepaar, dessen beide Kinder sich in die Vereinigten Staaten retten konnten, hatte nun keinerlei Einnahmen mehr und wollte ebenfalls ausreisen. Morgenstern bat Hitler brieflich um nicht mehr als die Genehmigung, ein ihm gehörendes Grundstück dem Staat abzutreten und dafür die nötigen Devisen zu bekommen, »damit ich das vorgeschriebene Landungsgeld vorweisen kann und bis zur Erlangung von Arbeitsstellen mit meiner Frau bescheiden leben kann«. Dieser Brief vom 10. August 1939, adressiert an Hitler in Berchtesgaden, erreichte den »Führer« nie. Sein Sekretariat fügte eine einzige Bemerkung am Rand ein, nämlich »Jude!«, und schickte den Brief an das Wiener Finanzministerium. Dieses reichte das Schreiben weiter an die Vermögensverkehrsstelle, die es am 22. August 1939 den Arisierungsakten Morgensterns beilegte.[32]

Die Morgensterns warteten vergeblich und in wachsender Verzweiflung auf Antwort. Nach Kriegsbeginn wurden sie in ein jüdisches Sammellager in die Leopoldstadt gebracht und von dort am 28. Oktober 1941 in das Getto Litzmannstadt (Lodz) in Russisch-Polen, wo die Westjuden auf engstem Raum mit Jiddisch oder Polnisch sprechenden Ostjuden zusammengepfercht wurden. Dort starb der 68-jährige Samuel Morgenstern im August 1943. Seine Frau war bis zuletzt an seiner Seite, erlebte aber das Kriegsende nicht. Ihr Todesdatum ist unbekannt.

Übersiedlungen

Nach dem Tod ihres Mannes löste Lilli Bloch die Wohnung in der Bronx auf und übersiedelte noch 1945 zu Tochter und Schwiegersohn nach Trenton. Mit 70 Jahren nahm sie nun wieder regelmäßig Klavierunterricht und übte täglich, oft viele Stunden lang. Sie machte rasche Fortschritte, und die Musik wurde wieder zu einem wichtigen Teil ihres Lebens. Außerdem ließ sie sich noch in eine achte Schulklasse aufnehmen, um ihr ohnehin gutes Englisch zu perfektionieren. Diese Möglichkeit, kostenlosen Sprachunterricht zu bekommen, nutzten nicht wenige Immigranten mit großer Dankbarkeit. Weiterhin las sie eifrig Zeitung, interessierte sich für Politik und erzählte gerne von alten Zeiten. Und immer noch liebte sie die Geselligkeit und war ein eifriges Mitglied im »Golden Age Club« der älteren Damen. Dort hielt sie auch Vorträge, am liebsten über Musik.

Nach vierjähriger Arbeit im Kriegsministerium arbeitete Trude nun als Assistentin in der Praxis ihres Mannes, wie es Lilli einst in Linz bei Eduard getan hatte. Mutter Lilli besorgte den Haushalt. Die Krens führten nun auch in Trenton ein gastfreundliches Haus, wo Trude gerne ihre Anthroposophenfreunde um sich scharte. Außerdem engagierte sie sich in der örtlichen Baptistengemeinde, deren Mitglieder einander abwechselnd in den Privatwohnungen trafen. Laut Tochter Joanne fuhr der Vater seine Frau mit dem Auto jedes Mal zum »Meeting« und holte sie auch wieder ab, und zwar immer zu der Zeit, wenn der Abend bereits gesellig wurde und es etwas zu essen gab.

Eine besondere Freude war es für Frank Kren, als ihn sein alter Linzer Freund Ernst Koref, seit 1945 Bürgermeister von Linz, in Trenton besuchte und dies von nun an bei fast jedem seiner wenigen Aufenthalte in den Vereinigten Staaten wiederholte. Koref war der einzige Linzer, den die Krens bei sich sehen wollten.

1946 beendete der jetzt 20-jährige George in Europa seinen Dienst in der Army, wurde US-Bürger und begann sein Geschichtsstudium an der Universität von Wisconsin. Weiterhin haderte er mit den Eltern. Seiner Mutter Trude warf er vor, sich in den USA nicht genügend zu assimilieren und heimisch zu fühlen: »Da war immer noch das Gefühl, anders zu sein, verbunden mit einer europäischen Verachtung für alles Amerikanische, mehr bei meiner Mutter als bei meinem Vater. Meine Mutter maßte sich an, intellektuell und spirituell zu sein, eine sehr schlechte Kombination.«[33]

Damit bezog er sich auf die Anthroposophie, der Trude weiterhin begeistert anhing. Jahrelang leitete sie in Trenton eine von ihr gegründete Studiengruppe für Anthroposophie. Der rational denkende spätere Wissenschaftler George, der Esotorik verabscheute, konnte und wollte dieses Engagement seiner Mutter nicht akzeptieren. Seine Beziehung zu ihr blieb ebenso kühl wie die zum Vater und zur jüngeren Schwester Joanne. Darüber, was er 1945/46 im Alter von 19 und 20 Jahren als US-Soldat in Deutschland erlebt hatte, schwieg er.

Joanne Kren beendete 1947 ihr Studium im renommierten Adelphi College in Garden City, New York, mit dem BS (Bachelor of Science) und arbeitete dann einige Jahre als Kinderkrankenschwester im Helene Fuld Hospital in Trenton. Hier lernte sie ihren späteren Ehemann Al Harrison kennen.

Ob Lilli Bloch wusste, dass ihr ehemaliger Pflegesohn Kurt Ungar mit seiner Familie 1948 aus Palästina nach Linz zurückgekehrt war, ist unklar. Jedenfalls engagierte er sich sehr für die klein gewordene Jüdische Gemeinde, vor allem, was die Opferfür-

Das Brautpaar Al Harrison und Joanne Kren 1955

sorge betraf, und wurde bald angestellter Gemeindesekretär. Sein
Bruder Felix Ungar blieb in der Schweiz als Spezialist für anthroposophische Medizin. Die Schwester Elfriede Ungar, die einst
George in England kurze Zeit aufgenommen hatte, übersiedelte
bald in die USA.

Großmutter Lilli war sehr stolz, als Joanne und Al Harrison 1955 heirateten. Zur großen Überraschung der Hochzeits-
gesellschaft erschienen dort auch lang nicht mehr gesehene Verwandte: Claire Kafkas Tochter Grete Grabner mit ihrer Tochter
Susanne.[34]

Das junge Paar gründete seinen Hausstand in Ewing, New
Jersey, dem Nachbarort von Trenton, wo Frank und Trude
wohnten. Nach und nach stellten sich bei den Harrisons fünf
Kinder ein, die Urenkel der Blochs: Todd, Drew, Scott, Susan und
Paul. Al erzählte über Lilli Bloch: »Wenn wir sie mit den Kindern
besuchten, würde man denken, dass gerade die Sonne aufgegan-
gen sei. Sie konnte nicht genug von den Kindern haben.«[35] Joanne
gab ihren Beruf auf, um sich ganz auf die Familie zu konzentrie-
ren. Die Harrisons sind weiterhin engagierte Christen und haben
inzwischen zwölf Enkel, Eduard und Lilli Blochs Ururenkel.

Zu ihrem 80. Geburtstag 1956 versammelte Lilli Bloch ihre Nachkommen und Freunde um sich, hielt in Englisch eine kleine Ansprache und kam dabei auf ihre Vergangenheit und Österreich zu sprechen: »Aber es gibt Ereignisse im Leben, die die Zeit nicht verblassen lässt: Es ist der Terror und die Angst, die vom Hitler-Regime ausging. Gleichgültig, wie tief die Heimatliebe war – was damals dort geschah, löschte jedes Gefühl aus, das mit diesem Land verbunden war. In diesen dunkelsten Stunden tödlicher Verzweiflung zündete die amerikanische Regierung, im Einvernehmen und mit dem Vertrauen seiner Einwohner, die Hoffnung auf ein neues Leben. Amerika gab den schreckerfüllten Flüchtlingen aus Europa den Himmel der Freiheit und ein friedliches Leben. Freudig nahm das gedemütigte und gequälte Volk Amerika als sein geliebtes Heimatland an. Welch ein Gegensatz: Drüben jagte die Regierung alte Menschen als unnütze Brotesser fort; hier werden Stiftungen gegründet, um alte Tage zu ›goldenen‹ Tagen zu machen. God bless America!«[36]

1958 meldete die 82-jährige Lilli Bloch über einen Wiener Rechtsanwalt ihre Ansprüche an die Republik Österreich an. Sie konnte nur zwei Posten zurückfordern: die »Judenvermögensabgabe« (Juva) in Höhe von rund 10 000 Reichsmark (mit Zinsen 12 500 Reichsmark) und den Wert der einst ihrem Mann von der Gestapo abgenommenen beiden Hitler-Karten, geschätzter Wert 26 000 Reichsmark (ungefähr 15 400 Euro).[37] Ob und wie viel Geld schließlich floss und wie viel nach Abzug der Kosten übrig blieb, ist unklar. Viel kann es nicht gewesen sein.

Bemerkenswert ist, dass Lilli Bloch niemals den Wunsch äußerte, noch einmal Linz zu sehen. Bestärkt wurde sie darin durch ihren Enkel George. Er war in den frühen Fünfzigerjahren mit seiner Frau zum ersten Mal wieder in Linz gewesen, hatte dort aber nur den alten Familienfreund Ernst Koref kontaktiert. Nach anderthalb Tagen brach er den Aufenthalt ab. Er hielt es dort nicht länger aus.

Die 85-jährige Lilli Bloch, geborene Kafka, starb am 12. Dezember 1961. Kurz zuvor hatte sie noch mit Tochter Trude diskutiert, so berichtet Enkelin Joanne: »Sie wandte sich an meine

*Lilli Bloch als alte
Dame in New York*

Mutter und sagte: ›Nun werden wir sehen, wer recht hat.‹« Lilli
meinte damit, »nun endlich bald zu erfahren, ob Christus der
Messias ist oder nicht«. Die jüdische Großmutter war nicht dieser
Ansicht, wohl aber ihre christliche Tochter Trude und die Enkelin Joanne.[38]

In Lilli Blochs Notizbuch befindet sich eine eigene von ihr be-
schriebene Seite mit dem Titel: »Opfer des Hitler Verbrechens,
des grössten aller Zeiten«. Dort stehen die Namen von Verwandten und Freunden, die dem Holocaust zum Opfer fielen:

Martha und Siegfried Salzer mit der Mutter Sophie Schindler,
Hermines Lieblingsschwester;

Lillis Schwägerin Irma Kafka und deren Schwester Frieda
Kohn;

fünf Mitglieder der Familie Plastersky, Eduards Neffen und
Nichten;

drei Mitglieder der Familie Pereless, Kinder von Eduards
Schwester;

Ausschnitt aus Lilli Blochs Gedenkseite für die mit ihr verwandten oder befreundeten Opfer des Holocaust

Minna und Elsa Dubsky, Lillis Cousinen;

Agy Kronberger, die jüngere Schwester von Johannas Hauslehrer Hans K.;

die vierköpfige Familie Fränkel aus Urfahr, die besten Freunde der Krens;

dann weiter die Namen: Helene Friedmann, Mali, Hella und ihr Sohn Ernst aus Karlsbad, Ida und Wilma, Familie Lederer und einige unleserliche Namen.

Lilli vermerkte auch als Opfer: »Herr Kramer und Frau Unger, die in unserer Wohnung für die Juden arbeiteten.«[39] Dass auch Otto Unger dem Holocaust zum Opfer gefallen war, der sich nach Max Hirschfelds Ausreise um die letzten Linzer Juden gekümmert hatte, wusste Lilli damals noch nicht. Grete und Otto Unger waren zunächst nach Wien, dann nach Theresienstadt und von dort 1943 nach Auschwitz transportiert worden, wo sie dem Holocaust zum Opfer fielen.

Frank Kren führte seine Praxis in Trenton erfolgreich weiter, hatte aber im Alter gesundheitliche Probleme wegen eines Lungenemphysems. Er starb 83-jährig am 15. Februar 1976 und wurde in Ewing, New Jersey, begraben. Erst jetzt wurde seine Praxis geschlossen.

Im selben Jahr wurde Krens Sohn George ordentlicher Professor für Geschichte an der Kansas State University. Dass er sich als Historiker so intensiv mit dem Holocaust beschäftigte, erklärte er mit dem Schuldgefühl, das er als Überlebender gegenüber den

Trude und Frank Kren im Sommer 1973

vielen Toten habe.[40] Er bekannte sich als Atheist, nahm aber, wenn
nötig, Partei für die Juden. Politisch engagierte er sich in der Anti-
Vietnam-Bewegung. Sein Hauptthema war und blieb der Holocaust. Sein gemeinsam mit dem Psychologen Leon Rappaport
geschriebenes Buch THE HOLOCAUST AND THE CRISIS OF HUMAN
BEHAVIOUR erschien 1980.

Fast ein Satyrspiel: Bloch und die Psychohistorie

Ausgerechnet in der Trauerzeit für ihren Mann erlebte die 73-jäh-
rige Trude Kren eine große Enttäuschung. 1976 erschien Rudolph
Binions Buch HITLER AGAINST THE GERMANS.[41] Darin versuchte
Binion als Anhänger der gerade hochmodischen Psychohistorie,
Hitlers mörderischen Antisemitismus auf abenteuerlich simple
Art zu erklären. Seine These lautete: Der jüdische Arzt Dr. Eduard
Bloch sei der latente Auslöser für Hitlers Antisemitismus gewesen
und damit indirekt auch für den Holocaust. Denn, so lautete die
Konstruktion: Hitler habe zwar Bloch für die Behandlung der
Mutter gedankt, in Wirklichkeit aber einen »unbewussten« Hass
gegen ihn gehabt. Denn Bloch habe die kranke Klara Hitler durch

die angewendete Jodoformbehandlung vergiftet. Außerdem warf Binion ausgerechnet dem Armenarzt Bloch vor, überhöhte Honorare verrechnet, also sich bereichert zu haben. Für Hitler sei Bloch demnach nicht nur ein jüdischer »Vergifter«, sondern das Gift selbst gewesen, das »jüdische Gift«, wenn auch, wie Binion treuherzig versichert, nur »unbewusst«.

Wer die Arbeit eines Psychoanalytikers kennt, weiß, dass dieser erst nach wochen-, ja monatelanger intensiver Zusammenarbeit mit seinem Patienten zum Verständnis für dessen oft unbewusste und ihn verstörende Probleme gelangt – und oft dieses Ziel auch nie erreicht. Als Laie diagnostizierte Binion nun an einer historischen Person, die sich nicht mehr wehren konnte, alle möglichen Fehler, und dies, ohne sein »Opfer« je gesehen noch gesprochen zu haben, ja ohne sich wenigstens rudimentär mit dessen Biografie vertraut gemacht zu haben. Binions These stützte sich auf eine einzige Quelle, die er als Sensation hinstellte: Blochs Abrechnungsblatt nach Klaras Tod mit der pauschalierten Honorarsumme von 300 Kronen, etwa 1500 Euro (s. S. 92 f.).

Im offensichtlichen Bestreben, Bloch überhöhte Forderungen vorzuwerfen, stellt Binion anhand der Abrechnung wirre und unverständliche Kostenrechnungen auf. Obwohl auf dem Krankenblatt keinerlei Nachweis einer bestimmten Dosis von Jodoform zu finden ist, spekuliert Binion damit, dass Bloch eine zu hohe (und zu teure) Dosis verwendet habe, die – so spekuliert er weiter – der Kranken den Tod gebracht habe. Er rechnet mit viel Phantasie und ohne jeden Nachweis vor, dass Bloch Großpackungen von Jodoformgaze benutzt habe, von denen er täglich immer nur kleine, also nichtsterile Stücke zur Behandlung abgeschnitten und auf diese Weise zusätzlichen Profit gemacht habe – auf Kosten der sterbenskranken Patientin.

John S. Kafka dagegen bestätigt (wie jeder andere Arzt es wohl auch tun würde), dass bei offenen Wunden wie bei Klara Hitler stets neue, nämlich sterile Gaze verwendet und die übrig gebliebenen Teile ebenso wie die gebrauchten sofort vernichtet werden mussten. Auch Binions Behauptung, dass ausgerechnet der Armenarzt Bloch überhöhte Honorare gefordert, sich also an Klara

Hitler bereichert habe, ist leicht zu widerlegen (s. S. 92). Diese
Punkte sollten Binions These stützen, wonach, so John Kafka in
vorsichtiger Wortwahl, »Hitler zwar Dr. Bloch dankbar war, aber
›unbewusst‹ mit Hass auf ihn reagierte«. Laut Binion sei dies der
entscheidende Anfang jener Reaktion gewesen, die zum Holocaust führte.

Mit diesen krausen Theorien wollte der »Psychohistoriker« Rudolph Binion den wehrlosen, da toten Juden Eduard Bloch quasi
zum Auslöser von Hitlers Antisemitismus und damit letztlich zum
Schuldigen am Holocaust erklären. Er erreichte mit seinen psy-
chohistorischen Horrorgeschichten sein Ziel, der internationalen
Presse ein sensationelles Thema zu liefern. Seine durch nichts bewiesenen Thesen waren für Antisemiten und die Presse ein »gefundenes Fressen«: »Die Juden« waren am Holocaust selbst schuld!

1977, kurz vor dem Erscheinen der deutschen Ausgabe des
Buches, brachte auch das deutsche Magazin DER SPIEGEL Binions
Thesen in großer Aufmachung und mit einem langen Zitat über
den »direkten Zusammenhang zwischen dem Ende von Klara
Hitler und dem Ausrottungsprogramm des Judenhassers Hitler«.
DER SPIEGEL: »Unbewusst machte er [Hitler] Dr. Bloch für die
Krebserkrankung der Mutter, die schmerzhafte toxische Behandlung und die hohe Abschlussrechnung verantwortlich. Nach 1918
kam dieses Gefühl als Hass auf den jüdischen Kriegsgewinnler,
das jüdische Gift, das jüdische Krebsgeschwür an die Oberfläche
seines Bewusstseins.«

Darauf reagierte Trude Kren mit einem wütenden Leserbrief
aus den USA: »Als Hitler und seine Schwester meinem Vater
die Rechnung bezahlten, waren sie voll des Lobes über seine aufopfernde Behandlung der Mutter; niemals war von Überforde-
rung die Rede.« Die Unterstellung, dass ausgerechnet der Armenarzt Eduard Bloch überhöhte Geldforderungen gestellt und somit
das Klischee vom »raffgierigen Juden« erfüllt haben sollte, macht
die Wut von Tochter Trude und Neffen John Kafka verständlich.

Natürlich verwies Trude Kren auch auf Hitlers Dankkarten und
die Privilegien, die dem alten Eduard Bloch nach dem Anschluss
zuteilwurden, etwa, dass die Familie Bloch »unter den Schutz der

Gestapo gestellt« wurde. Sie zitierte auch Hitlers Frage an Hofrat Adolf Eigl gleich nach dem Einmarsch 1938: »Sagen Sie, lebt mein guter alter Dr. Bloch noch? Ja, wenn alle Juden so wären wie er, dann gäbe es keinen Antisemitismus.«[42]

Als Trude Kren aber rechtliche Schritte gegen »the man« (Binion) einleiten wollte, musste sie realisieren, dass ein Toter, nämlich der verleumdete Eduard Bloch, nicht vor Gericht klagen konnte. Seine Tochter konnte dies nicht für ihn tun. Auch Enkelin Joanne Harrison solidarisierte sich sofort mit dem zu Unrecht angegriffenen Großvater. Nur Enkel George Kren, der Historiker, der sich ebenfalls mit Psychohistorie beschäftigte, hielt sich auffallend zurück.

Den Phantasien der Presse waren keine Grenzen mehr gesetzt. Wie weit die Spekulationen reichten, zeigen einige Beispiele, die John Kafka fand: »Kommentare verglichen das gelbe Jodoform, womit Dr. Bloch die Schwerkranke behandelte, mit dem gelben Stern, den die Juden in Hitlers Reich tragen mussten.« Ein anderes Beispiel: »1918 wurde Hitler an der Front mit Gas vergiftet, und später vergiftete Hitler die Juden mit Gas.« Fatalerweise verknüpfte Binion nämlich seine These auch noch mit dem Giftgas, das den angeblich blinden Soldaten Hitler 1918 ins Lazarett gebracht hatte. Es handelte sich dabei freilich nach Aussage des behandelnden Militärarztes um eine hysterische Blindheit, wie John Kafka bestätigt. Und nun verwechselte auch so mancher US-Journalist »Gas« mit dem Verbandstoff »Gaze«, der in Binions Theorie eine so große Rolle spielt.

John Kafkas ärgerlicher Kommentar dazu: »Für einen gründlichen Kenner der Psychoanalyse ist Binions These natürlich eine Karikatur.« Es sei traurig, dass dieser »Cocktail psychoanalytischer Psychohistorik« von manchen Leuten ernst genommen und »Hitlers ausgesprochene Dankbarkeit ›psychoanalytisch‹ als unbewusster Hass erklärt wurde«. Und im Rückblick meinte der renommierte Psychoanalytiker Kafka, die unangenehme Thematik habe ihn »doch all die Jahre viel Energie gekostet«.[43]

Kafka hatte zahlreiche Kollegen an seiner Seite, die der Journalist Ron Rosenbaum spöttisch als »Kafkas Wahrheitsschwad-

John S. Kafka, international renommierter Psychoanalytiker und Neffe von Eduard und Lilli Bloch

ron« bezeichnete.[44] Allerdings konnte niemand John S. Kafka, M.D., dem klinischen Professor für Psychiatrie und Verhaltenswissenschaft an der George Washington University School of Medicine, Ausbilder und Supervisor des Psychoanalytischen Instituts in Washington, die fachliche Kompetenz abstreiten.

Der Historiker William Sheridan Allen von der State University of New York in Buffalo beendete die erbittert geführten Kämpfe um Binions Thesen 1978 mit einer scharfen Rezension von Binions Buch im Journal of Modern History. In deutlichen Worten brandmarkte er die durch nichts bewiesenen Theorien und schloss mit einer klaren Aussage: »Meine ursprüngliche Schlussfolgerung war, dass dieses [Binions] Buch ein völlig wertloses Buch ist. Aber nun denke ich, dass es für ein Seminar über die Methodenlehre sehr nützlich sein würde – als fast perfektes, erschreckendes Beispiel, um Studenten über die missbräuchliche Anwendung historischer Daten aufzuklären und ihnen zu zeigen, was passieren kann, wenn ein Historiker seine Thesen über die

Fakten herrschen lässt. Es wäre jedoch unheilvoll, wenn irgendjemand tatsächlich diesem Buch Glauben schenken würde.«[45]

Die durch die jahrelangen Auseinandersetzungen um Binion erschöpfte Trude Kren übersiedelte 1985 nach Spring Valley, New York, dem Hauptsitz der amerikanischen Anthroposophie. Dort hatte der aus Wien geflohene Werner Glas das »Sunbridge College« aufgebaut, wo nicht nur Schüler, sondern auch Lehrer im Sinne Rudolf Steiners ausgebildet werden. Im Kreis ihrer Gesinnungsfreunde fühlte sich Trude geborgen. Hier starb sie am 14. November 1992 im Alter von 89 Jahren. Sie wurde in Ewing, New Jersey, neben ihrem Ehemann Frank begraben.

Anlässlich der Beisetzung von Trude Kren trafen die Kontrahenten der Binion-Affäre nach Jahren wieder aufeinander: Trudes Sohn George, der über Binions Buch eine eher freundlich-neutrale Rezension geschrieben hatte, ohne Einzelheiten zu erwähnen, und Trudes Cousin John Kafka, der an ihrer Seite gegen Binions Thesen gekämpft hatte. Beide übernachteten in Trenton, dem Nachbarort von Ewing, und auf Binions Bitte (»George, kannst du Kafka nicht stoppen?«) unterhielt sich George Kren mit seinem Onkel. Aber John Kafka habe gesagt, es gebe »keine Möglichkeit«, ihn jemals zu stoppen, so berichtete Kren an Binion: »Er sagt, Sie hätten seinen über alles geliebten Pflegevater verleumdet ... Und bis zu seinem letzten Atemzug wird er nicht lockerlassen.« Gegenüber dem Journalisten Rosenbaum betonte John Kafka, sein Engagement entspringe »nicht nur einer persönlichen und familiären Motivation«. Es sei eindeutig, dass »Binions psychoanalytische Argumentation verkürzt und fehlerhaft ist«, und mehr noch: »Man kann den Holocaust nicht dadurch erklären, dass man sagt, auf irgendeine Weise ist ein Jude die Ursache dafür.«[46]

Der kritische Enkel George

George Kren beharrte weiterhin auf seiner tiefen Abneigung gegen Österreich. Dieses Land habe nach 1938 nur 18 Prozent der gesamtdeutschen Bevölkerung gestellt, aber rund 40 Prozent des Perso-

nals der Vernichtungslager. Aus seinen Erinnerungen wie seinen
Studien habe er die Erkenntnis gewonnen, dass die Österreicher
weitaus mehr zu sadistischem Verhalten neigten als die Deutschen.
Immer wieder nannte er als Beispiel die üblen Zustände im März
1938 in Wien.

Auf die Frage, ob er in den Vereinigten Staaten jemals diskrimi-
niert worden sei, weil er aus einem anderen Land stamme, antwortete George: »Zum Teil dieses und einfach, weil ich Jude bin. Amerika hat noch immer eine nicht geringe antisemitische Tradition.«
Er habe sich in den USA immer als Fremder gefühlt und stehe
politisch weit links. Überdies sei er Atheist, was die Leute ver-
letze. Auf die Frage, ob er sich eher als US-Bürger denn als Österreicher fühle, antwortete er: »Ich glaube, ich sehe mich als Bürger
der Vereinigten Staaten, aber einen sehr alienated one« – also als
einen Nichtheimischen, einen Fremden.

Über seinen Großvater Eduard Bloch äußerte sich Professor
Kren meist kritisch. Dieser sei bis zu seinem Lebensende unwis-
send geblieben über das volle Ausmaß des Schreckens, der zwischen 1938 und 1945 in Mittel- und Osteuropa geherrscht habe.
Der damals noch sehr junge George war als US-Soldat in Europa
bei Kriegsende tagtäglich mit den verstörenden Nachrichten aus
den Konzentrationslagern konfrontiert worden. Der todkranke
Großvater aber hatte »das volle Ausmaß des Schreckens« nicht
mehr erfahren.

Worüber George nichts wissen wollte, waren Blochs bittere
Erfahrungen in Linz nach der Abreise der Enkel 1939 nach England. George nahm auch nicht zur Kenntnis, dass sein Großvater
in dieser schweren Zeit dank seiner Privilegien vielen Verfolgten
tapfer zur Seite stand und ihnen half, wo immer er konnte. Der
Enkel stellte dem Großvater keine Fragen, ja mied den Kontakt
mit ihm, worüber Eduard sehr traurig war. Immerhin verdankte
ihm der Enkel einen kostenlosen Platz in einem angesehenen,
teuren College in New York.

George nahm es sein weiteres Leben lang sowohl seiner Großmutter Lilli als auch Mutter Trude und Schwester Joanne sehr übel,
den alten Herrn so sehr geliebt und verteidigt zu haben. Seine sehr

religiöse und lebensnahe Schwester Joanne meinte später über den Bruder: »Er war ein sehr bitterer Mann. Das Leben verbitterte ihn. Er hasste seine Erfahrungen in England… und machte dies wohl für sein späteres Unglück in Amerika verantwortlich… Er sah sein Leben lang nur die dunkle Seite des Lebens, schaute ständig in diese Düsternis und konnte nicht mehr wegsehen.« Und dann, nach einer Pause: »Es war der Holocaust, denke ich. Er konnte nicht darüber hinwegkommen. Tief drinnen weiß ich, dass er wirklich ein guter Mensch war.«[47]

Kurz vor seinem Tod sagte George Kren in einem Interview, er habe sich immer wieder gefragt, warum ihn das Thema Holocaust nicht loslasse: »Offenbar sind es Schuldgefühle, weil man selbst überlebt hat.«[48]

George Kren starb am 24. Juli 2000. Aus erster Ehe hinterließ er den Sohn Stefan und die Enkeltochter Hannah. Seine zweite Frau und nunmehrige Witwe Margo, emeritierte Professorin der Kansas University und erfolgreiche freischaffende Malerin, stellte nun aus Georges Nachlass die handschriftlichen Memoiren Eduard Blochs dem Archiv des Holocaust Memorial Museum in Washington und dem Leo Baeck Institute in New York zur Verfügung – und zwar ohne Kommentar und ohne Auflagen. Dieses ausführliche und zentrale Dokument, das der alte Bloch in New York verfasste, bildet die Grundlage, ohne die dieses Buch nicht hätte geschrieben werden können.

Dank

Bedanken möchte ich mich für die Leihgabe von Quellen, Bildern und auch für wichtige Auskünfte bei: Dr. John S. Kafka, Washington, D.C.; Joanne und Al Harrison, Ewing, New Jersey; Prof. Dr. George Kren (†), Kansas City; Prof. Dr. Michael Daxner, Potsdam, und Mag. Martin Daxner, Salzburg; Ludwig Pullirsch jun., Steyr; Dr. Elisabeth Klamper, DÖW; Dr. Doris Grießler, Linz; Dr. Jürgen Matthäus vom US Holocaust Memorial Museum, Washington, D.C.; Mag. Wolf-Erich Eckstein, Jüdische Kultusgemeinde Wien; Hans Herbig, Karben; Dr. Wolfgang Seitz, Direktor der Körnerschule in Linz; Prof. Dr. Othmar Förster, Wien; Dr. Monika Klepp, Linz; Roland Leitgeweger, Meldearchiv Linz; Dr. Tirza Lemberger und Mag. Susanne Trauneck für Übersetzungen aus dem Hebräischen; Dr. Eleonore Lappin, Institut für jüdische Geschichte Österreichs, St. Pölten; Albert Knoll, Archiv der Gedenkstätte Dachau; Dr. Gregor Pickro, Deutsches Bundesarchiv Koblenz.

Mein Dank geht auch an die ersten kritischen Leser des gesamten Manuskripts oder einzelner Teile: Prof. Dr. Monika Glettler, München; Dr. Gertrud Lütgemeier, Essen; Dr. DI Bettina Hamann, Berlin; Mag. Georg Hamann und Dipl. Kfm. Helga Ermacora, Wien.

Und schließlich danke ich dem lang bewährten und stets geduldigen Team des Piper-Verlags: Markus Dockhorn, Dr. Klaus Stadler und Uwe Steffen.

Abkürzungen und Archive

AdR	Archiv der Republik, Wien
AVA	Allgemeines Verwaltungsarchiv, Wien
BDC	Berlin Document Center
BHStA	Bayerisches Hauptstaatsarchiv, München
DBA	Deutsches Bundesarchiv
DÖW	Dokumentationsarchiv des Österreichischen Widerstandes, Wien
hss.	handschriftlich
IfZ	Institut für Zeitgeschichte, München
injoest	Institut für jüdische Geschichte Österreichs, St. Pölten
JKG	Jüdische Kultusgemeinde
JSK	John S. Kafka
KA	Kriegsarchiv, Wien
mss.	maschinschriftlich
OÖLA	Oberösterreichisches Landesarchiv, Linz
OSS	Office of Strategic Services
PA	Privatarchiv
StA	Stadtarchiv
UA	Universitätsarchiv
USHMM	US Holocaust Memorial Museum, Washington
VVSt	Vermögensverkehrsstelle

Anmerkungen

1 Familie Bloch in Frauenberg

1 Grundsätzlich sind alle Aussagen Blochs kursiv gesetzt. Um den Anmerkungsteil nicht unnötig auszuweiten, haben die zahlreichen Zitate aus Blochs handschriftlichen Memoiren (Washington, Archiv Holocaust Memorial Museum RG 10.240 Eduard Bloch, Mein Leben) keine Anführungszeichen und auch keine Anmerkungen. Die übrigen Bloch-Zitate aus unterschiedlichen Quellen sind ebenfalls kursiv gesetzt, aber mit Anführungszeichen. Zu ihnen gibt es Anmerkungen.

2 Hugo Rokyta, Die böhmischen Länder, Salzburg 1970, 132.

3 PA JSK, Charlotte Guyatt an Trude Kren, 3.2.1990.

4 Ebd.

5 Prag UA, mit Dank an Jana Ratajová.

2 Student in Prag

1 Wien AVA, U-Präs. Kt. 110, 1882.

2 Brigitte Hamann, Anton Gindely – ein altösterreichisches Schicksal, in: Nationale Vielfalt und gemeinsames Erbe in Mitteleuropa, hg. v. Erhard Busek u. Gerald Stourzh, München 1990, 32.

3 Wien KA, Qualifications-Eingabe über den Präsenzdienst vom 1. April bis 30. September 1900 im k.u.k. Garnisons-Spital Nr. 4 in Linz.

4 Theodor Billroth, Über das Lehren und Lernen der medizinischen Wissenschaften an den Universitäten der deutschen Nation, Wien 1876, 163f.

5 Wien KA, Relation über die Präsenzdienstperiode 1. April bis 30. September 1897, Budweis, 30.9.1897.

6 PA Hans Herbig, hss. Protokoll des Prozesses gegen K. H. Wolf in Jitschin.

7 Zum Beispiel der Berliner Rechtsanwalt Artur Nußbaum, Der Polnaer Ritualmordprozeß, Berlin 1906.

8 Prag UA, mit Dank an Jana Ratajová.

3 Arzt in Linz

1 St. Pölten injoest, Egon Basch, Wirken und Wandern, 21.

2 Michael John, Bevölkerung in der Stadt, Linz 2000, 112, 123 u. 125.

3 Benedikt Schwager, Die Jüdische Kultusgemeinde in Linz und ihr Tempel, in: Hugo Gold (Hg.), Geschichte der Juden in Österreich, Tel Aviv 1971, 43f.

4 Dr. Karl Schwager, Linz 2. Teil, in: ebd., 57f.

5 Adolf Hitler, Mein Kampf, München 1940, 59f.

6 Brigitte Hamann, Hitlers Wien, München/Zürich 1996, 346.

7 Arthur Schnitzler, Jugend in Wien, München 1971, 138.

8 Schwager (wie Anm. 4), 58.

9 Wien KA, Qualifications-Eingabe Garnisons Spital Nr. 4 in Linz, 30.9.1900.

10 Washington USHMM, RG-10.239, Lilli Bloch, How I met my husband.

11 Kenner und Käuze, in: Linzer Volksblatt, Nr. 137, Juni 1968.

4 Familie Kafka

1 Washington USHMM, Lilli Bloch, How I met my Husband. RG-10.239.

2 Dies und das vorige: PA JSK, Trude Kren, Familiengeschichte über die Dubskys, Schindlers und Kafkas 1978, engl. mss.

3 PA JSK, Mrs. Emilie (Lilli) Bloch, Experiences with music, mss.

4 Washington USHMM, RG-10,239 Folder 5, Lilli Kafka, How I met my husband.

5 PA JSK, Trude Bloch, Familiengeschichte.

6 Festschrift Kaufmännischer Verein
   Linz 1868–1928, Linz 1928, 27, 40ff.
   u. 50.
7 Anthony Northey, Kafka's Relatives,
   Yale University Press 1991, 4; u. Informationen von Dr. John S. Kafka,
   Washington.
8 PA Michael Daxner, Käthe Diernesberger, Meine Kindheit- und Jugenderinnerungen, Typoskript.
9 Ebd.
10 Alle Umrechnungen nach den Daten
   des Statistischen Zentralamtes
   Wien.
11 Wien KA, Qualifications-Eingabe
   E. Bloch Linz, 16.7.1904.
12 PA JSK, Charlotte Guyatt an Trude
   Kren, 3.2.1990, engl.
13 PA JSK, Trude Kren, Familiengeschichte.
14 Dies und das folgende: Käthe Diernesberger, geb. Schübler, Meine Kindheit und Jugenderinnerungen, mss.;
   mit Dank an Prof. Michael Daxner,
   den Erben von Rudolf Diernesbergers
   schriftlichem Nachlass.
15 Diernesberger, 67.
16 Wien StLA, Verlassenschaftsabhand-
   lung Robert Ungar.
17 PA Michael Daxner, Diernesberger,
   Denkwürdige Tage, hss.
18 Archiv der Gedenkstätte Dachau mit
   Dank an Albert Knoll.
19 Laut Prof. Dr. Michael Daxner, der
   eine Art Ziehsohn Diernesbergers
   war.
20 Für die persönlichen Informationen
   und das Gedicht danke ich Prof. Dr.
   Michael Daxner.

5 Klara Hitler

1 Collier's Illustrated Weekly,
   15.3.1941.
2 Ebd.
3 Brigitte Hamann, Hitlers Wien, Mün-
   chen/Zürich 1996, 47.
4 Franz Jetzinger, Hitlers Jugend, Wien
   1956, 69.
5 Maryland, NA, Modern Military Records. Befragung von Hitlers Schwester durch die Amerikaner am
   5.6.1946 in Berchtesgaden.
6 Hamann, Wien, 22.
7 Koblenz DBA, NS 26/65/84
8 Collier's Illustrated Weekly,
   15.3.1941.

9 Koblenz DBA, NS 26/65/38, Kopie
   von Dr. Blochs Kassabuch.
10 Collier's Illustrated Weekly,
   15.3.1941.
11 Theodor Billroth, Über die Behandlung kalter Abscesse … mit Jodoform-
   emulsion, in: Wiener Klinische Wo-
   chenschrift 1890, 228ff.
12 Collier's Illustrated Weekly,
   15.3.1941.
13 August Kubizek, Adolf Hitler, Mein
   Jugendfreund, Graz ^{2}1952, 152.
14 Koblenz DBA, NS 26/65/39.
15 Bestätigt auch durch Blochs Neffen,
   den Arzt Dr. John S. Kafka.
16 Koblenz DBA, NS 26/65.
17 St. Pölten, injoest, Egon Basch, Wirken und Wandern, 58, mss.
18 Kubizek, Hitler, 162.
19 Hamann, Wien, 61.
20 Archiv der Körnerschule Linz.
21 Jetzinger, Jugend, 190.
22 Linz StA, Einschreibbuch der Familie
   Hitler.
23 Gerhart Marckhgott, … von der Hohl-
   heit des gemächlichen Lebens. Neues
   Material über die Familie Hitler in
   Linz, in: Jb. Oö. Museumsverein,
   Bd. 138/1, Linz 1993.
24 Jetzinger, Jugend, 165.
25 Linz StA, Meldeamt.
26 Johanna Pölzl starb am 29. März 1911.
27 Hamann, Wien, 250f.
28 Linz, Archiv der Körnerschule.
29 Koblenz, DBA NS 26/17a, Notizen
   für Kartei 8.12.1938. Blochs eigene
   Aussagen von 1941 über diesen Text
   haben einen etwas anderen Wortlaut,
   da er ja nur nach dem Gedächtnis zi-
   tieren konnte.
30 Ernst Koref, Die Gezeiten meines Lebens, Wien 1980, 225.
31 PA Harrison, Text von Rose Herbeck,
   engl., gelesen bei Trude Krens Begräbnis.
32 PA JSK.
33 Heinrich Teutschmann, Rudolf Steiner in Linz, HJbStL 1971, 235ff.
34 Mit Dank an das Stadtarchiv Linz.
35 PA JSK, Trude Kren, Familiengeschichte, engl. mss.
36 Helmut Lackner / Gerhard Stadler,
   Fabriken in der Stadt, Linz 1990,
   332.
37 Einzelheiten bei Eleonore Kandl, Hitlers Österreichbild, Diss. Wien 1963,
   27ff.; Kandl konnte in Linz noch
   Augenzeugen interviewen.

38 Mit Dank an Dr. Wolfgang Seitz, Direktor der heutigen Körnerschule.

6 Der Erste Weltkrieg

1 Arthur Schnitzler, Tagebuch 1913–1916, Wien 1983, 123–129.
2 JSK Trude Kren, mss. engl.
3 St. Pölten, injoest, Egon Basch, Wirken und Wandern, 31.
4 PA Daxner, Käthe Diernesberger, Meine Kindheit und Jugenderinnerungen, 64.
5 Karl Schwager, Linz II. Teil, in: Hugo Gold, Geschichte der Juden in Österreich, Tel Aviv 1971, 58.
6 Dies und das folgende: PA Ludwig Pullirsch jun., hss. Tagebuch seines gleichnamigen Vaters, 28.2.1915.
7 Ebd., Tgb. S. 27 u. 32.
8 Ebd., 11.9.1931.
9 Ebd., Textskizzen aus den frühen 30er-Jahren.
10 Rudolf Kropf, Oberösterreichs Industrie (1873–1938), Linz 1981, 289.
11 PA JSK, Trude Kren, Familiengeschichte, mss.
12 PA Daxner, Diernesberger, 62, mss.
13 Hamann, Originalkarte an Frl. Anna Seeburger.
14 PA JSK, Trude Kren an John Kafka, 20.11.1986.
15 PA JSK, mss. Text von Trude Kren 1978.
16 Brigitte Hamann, Der Erste Weltkrieg, München/Zürich 2004, 126f.
17 Verena Wagner, Jüdisches Leben in Linz 1849–1943, Linz 2008, 860.
18 Christine Roiter, Hedda Wagner, Innsbruck 2004, 36f.
19 R. Boos (Hg.), Rudolf Steiner während des Weltkrieges, Dornach 1933, 58.
20 Monika Klepp, Die jüdischen Schüler des Staatsgymnasiums Linz, in: Jahresbericht des Akademischen Gymnasiums Linz, 2003/04, 32.
21 Karl Schwager, Linz II. Teil, in: Gold (wie Anm. 5), 58.
22 Schnitzler, Tagebuch, 26.4.1915.
23 Haus der Abgeordneten, 4. Sitzung der 22. Session, 12. Juni 1917, Interpellation der Abg. Reizes, Straucher u.a., S. 439.
24 Leopold Poetsch, Frauenberufe mit Mittel- und Hochschulbildung, in:

XXIX. Jahresbericht des öffentlichen Mädchen-Lyzeums und Reform-Realgymnasiums in Linz über das Schuljahr 1917/18.
25 Akademisches Gymnasium Linz, Absolventen-Report Nr. 39, März 2003, 2f.
26 Basch (wie Anm. 3), 34.
27 Hans Hautmann / Rudolf Kropf, Die österreichische Arbeiterbewegung vom Vormärz bis 1945, Wien 1974, 136f.
28 Josef Weidenholzer, Sozialdemokratie in Linz, in: Die Bewegung lebt. 100 Jahre Linzer Sozialdemokratie, Linz 1989, 35f.
29 Basch (wie Anm. 3), 34
30 Washington USHMM, RG-10.239, Slg. Kafka.

7 Die Republik Österreich

1 Ernst Koref, Die Gezeiten meines Lebens, Wien 1980, 78.
2 Johann Mayr, 100 Jahre – 10 Bürgermeister, in: Die Bewegung lebt. 100 Jahre Linzer Sozialdemokratie, Linz 1989, 79.
3 Die Konstituierende Deutschösterreichische Nationalversammlung. Ein biographisch-statistisches Handbuch, Wien 1919, 50.
4 Koref, Gezeiten, 85.
5 Ebd., 87.
6 Kronenzeitung, 31.8.1919, S. 1.
7 Zit. bei Verena Wagner, Jüdisches Leben in Linz 1849–1943, 1. Bd., Linz 2008, 743.
8 St. Pölten, injoest, Egon Basch, Wirken und Wandern, mss., 3.
9 PA Pullirsch, Ludwig Pullirsch, Tagebuch, hss., 27.4. u. 19.5.1920.
10 Laut John Kafka am 16.10.2007.
11 Linz StA, mit Dank an Roland Leitgeweger und die Rechtsanwaltskammer Oberösterreich.
12 Basch (wie Anm. 8), 58
13 PA Joanne Harrison, Rose Herbeck, Memories, gelesen bei Trude Krens Begräbnis 1992, engl.
14 Koref, Gezeiten, 81ff.
15 Ebd., 90.
16 Hermine Cloeter, Geist und Geister aus dem alten Wien, Wien 1922, 1.
17 Pullirsch (wie Anm. 9), 8.5.1921.
18 Ebd., 1.3.1922.
19 Wie Anm. 13.

20 Brief von Joanne Harrison an die
   Autorin, April 2007.
21 Wie Anm. 13.
22 Ebd.
23 Koref, Gezeiten, 108.
24 Pullirsch (wie Anm. 9), 12.12.1923.
25 Koref, Gezeiten, 109.
26 Ebd.
27 G. E. R. Gedye, Die Bastionen fielen,
   Wien o. J., 23.
28 Koref, Gezeiten, 81.
29 JSK an die Autorin, 16.10.2007.
30 Laut Trude Kren, geb. Bloch.
31 PA JSK, Trude Kren, mss engl.
32 Mitteilung von John Kafka, 2.11.2000.
33 Wien KA, Vormerkblatt für die Qua-
   lifikationsbeschreibung vom 30. Juni
   1916 bis 30. September 1917.
34 Washington, USHMM, mit Dank an
   Dr. Jürgen Matthäus.
35 B'nai B'rith Wien 1895–1975, Wien
   1975, 11.
36 Basch (wie Anm. 8), 61
37 Festführer 1. deutsches Bundesturnfest in Linz a. D., Linz 1922.
38 Ebd.
39 PA JSK, Fritz Kafka an den Direktor
   des Linzer Bundesgymnasiums, Ken-
   sington, 2.5.1998.
40 Fritz Kafka an die Autorin, 26.1.1998.
41 Als Paula Hitler in den 30er-Jahren
   wegen ihrer Verwandtschaft mit Hitler ihre Stellung verlor, erhielt sie vom
   Bruder monatlich 250 Mark, ab 1938
   500 Mark und zu Weihnachten jeweils
   3000 Mark. Paula war nie Mitglied der
   NSDAP. Maryland, NA, Modern Military Records, Befragung von Paula
   Hitler am 5.6.1946 in Berchtesgaden.
42 Collier's Illustrated Weekly,
   22.3.1941.
43 DBA Koblenz, NS 26/65 Bloch an
   Bleibtreu, 7.11.1938.
44 DBA Koblenz, N 1128 Bd. 18, 3023ff.,
   Huemer an seinen ehemaligen Schulkameraden Gissinger.
45 Franz Jetzinger, Hitlers Jugend, Wien
   1956, 105f. Der Briefwechsel zwischen
   Hitler und Poetsch auf Mikrofilm im
   IfZ in München.
46 Adolf Hitler, Mein Kampf, München
   1940, 12f.
47 Wie Anm. 45.
48 Koref, Gezeiten, 226.
49 Linz, Archiv der Körnerschule,
   2.5.1939, mit Dank an Direktor
   Seitz.

50 München BHStA, Sammlung Rehse
   1124, Augsburger Postzeitung,
   19.10.1924.

8 Wirre Zeiten

1 Ernst Koref, Die Gezeiten meines Lebens, Wien 1980, 123f.
2 Ebd., 120f.
3 John S. Kafka, Zwischenwelten, in:
  Psychoanalyse in Selbstdarstellungen
  III, hg. v. Ludger M. Hermanns, Tübingen 1995, 147.
4 PA JSK, Trude Kren, Familiengeschichte, mss. engl.
5 Washington USHMM, RG-10.239.
6 Washington USHMM, RG 10.239,
  Betrachtungen zu dem … Aufsatz …
  »Prayer in Power«, New York 1941.
7 Kafka, Zwischenwelten, 145.
8 Ebd., 151.
9 Mittteilungen für die jüdische Bevölkerung der Alpenländer, Linz 1929.
10 Joanne Kren an die Autorin, Januar
   2007.
11 St. Pölten, injoest, Egon Basch, Wirken und Wandern, 83 u. 91.
12 Karl Schwager, Geschichte der Juden
   in Linz, in: Hugo Gold, Geschichte
   der Juden in Österreich, Tel Aviv 1971,
   59.
13 PA JSK, A Collage of my Life, hss.
14 Kafka, Zwischenwelten, 153.
15 Arthur Baar, 50 Jahre Hakoah,
   1909–1959, Tel Aviv 1959, 111f.
16 Koref, Gezeiten, 148.
17 Washington USHMM, RG-10.239.
18 Michael John, Bevölkerung in der
   Stadt, Linz 2000, 205f.
19 Helmut Lackner / Gerhard Stadler,
   Fabriken in der Stadt, Linz 1990, 324f.
20 Koref, Gezeiten, 149.
21 Koref, Gezeiten, 151.
22 Mitteilungen für die jüdische Bevölkerung …, 13.2.1931.
23 Evan Burr Bukey, »Patenstadt des
   Führers«, Frankfurt 1993, 138f.
24 Koref, Gezeiten, 148.
25 Das kleine Blatt, 29.5.1932ff.
26 John, Bevölkerung, 421.
27 John S. Kafka, Psychoanalyse und Demokratie. Vortrag beim Freud-Sym-
   posium im Österreichischen Parlament am 7.4.2006.
28 Kafka, Zwischenwelten, 148 u. 153.
29 Basch (wie Anm. 11), 77.

9 Diktatoren

1 Linz StA, N. Jetzinger, Abschrift: Huemer, Bei Hitler zu Gaste.
2 Brigitte Hamann, Winifred Wagner oder Hitlers Bayreuth, München/Zürich 2002, 250f.
3 Zürich, Zentralarchiv, N. Furtwängler, Frauenfeld an Walther Funk, Reichskulturkammer, 23.7.1935.
4 Ernst Koref, Die Gezeiten meines Lebens, Wien 1980, 179.
5 Collier's Illustrated Weekly, 2.3.1941.
6 Huemer (wie Anm. 1).
7 Linz OÖLA, Materialien Jetzinger, »Meine Unterredung mit Hagmüller«, 21.2.1949.
8 Koblenz DBA, NS 26/65/73-77, Hagmüller-Brief vom 17.7.1935, Abschrift.
9 Ebd.
10 Collier's Illustrated Weekly, 22.3.1941, engl.
11 Karl Schwager, Geschichte der Juden in Linz, in: Hugo Gold, Geschichte der Juden in Österreich, Tel Aviv 1971, 59.
12 Brigitte Ungar-Klein, in: Dokumentationsarchiv des österreichischen Widerstandes (Hg.), Widerstand und Verfolgung in Oberösterreich, Bd. 2, Wien 1982, 372.
13 Josef Weidenholzer, Bedeutung und Hintergrund des 12. Februar 1934, in: »Es wird nicht verhandelt ...«, Linz 1984, 47f.
14 PA Ludwig Pullirsch jun., Pullirsch-Tagebuch.
15 Ebd.
16 Koref, Gezeiten, 199.
17 Friedelind Wagner, Nacht über Bayreuth, Köln ³1997, 286.
18 Hamann, Wagner, 286f.
19 Helmut Lackner / Gerhard Stadler, Fabriken in der Stadt, Linz 1990, 322.
20 Wien StA, Meldedaten.
21 PA JSK, Brief Trude Kren an John Kafka, 17.3.1973.
22 Wien StA, Meldedaten.
23 Washington, USHMM, RG-10.239.
24 St. Pölten, injoest, Egon Basch, Wirken und Wandern, 83.
25 Peter Broucek (Hg.), Ein General im Zwielicht. Die Erinnerungen Edmund Glaises von Horstenau, Wien 1983, 2. Bd., 103.
26 Ebd., 167f.
27 Franz Jetzinger, Hitlers Jugend, Wien 1956, 108.

28 Huemer, (wie Anm.)1, 3.
29 Koref, Gezeiten, 226.
30 Linz OÖLA, Jetzinger-Materialien, Nr. 44, Huemer: Mein Wissen um Adolf Hitler, Okober 1946.
31 Collier's Illustrated Weekly, 22.3.1941.
32 Ebd.
33 Ebd.
34 Die Tagebücher von Joseph Goebbels. Sämtliche Fragmente, hg. v. Elke Fröhlich, Teil I, Bd. 3, 223, 306, 311.
35 Basch (wie Anm. 24), 86.
36 Mitteilungen für die jüdische Bevölkerung der Alpenländer, Linz 1935.
37 NWT, 4.12.1937, S. 14.
38 Collier's Illustrated Weekly, 22.3.1941.
39 Karl Itzinger, Tagebuch vom 10. Februar bis 13. März 1938, Linz 1938, 12ff.
40 PA JSK, Viktor Gans, Erinnerungen, Shanghai, 14.2.1939, engl.

10 Der »Anschluss«

1 Karl Itzinger, Tagebuch vom 10. Februar bis 14. März 1938, Linz 1938, 5.3.1938.
2 Joseph Goebbels, Tagebücher. hg. v. Ralf Georg Reuth, Bd. 3, 1211.
3 Itzinger, Tagebuch, 60ff.
4 Ebd., 63.
5 PA JSK, Viktor Gans, Erinnerungen, Shanghai, 14.2.1939, engl.
6 Gerhard Botz, Hitlers Aufenthalt in Linz im März 1938, in: Historisches Jahrbuch der Stadt Linz 1970, Linz 1971; Befragung von Sepp Wolkerstorfer am 15.4.1971.
7 Viktor Gans nennt statt des 11. irrtümlich den 12. März.
8 Bloch in Collier's Illustrated Weekly, 22.3.1941.
9 Gans (wie Anm. 5), 3f.
10 Itzinger, Tagebuch, 64.
11 Ebd., 66.
12 St. Pölten, injoest, Egon Basch, Wirken und Wandern, 87.
13 Itzinger, Tagebuch, 68.
14 Basch (wie Anm. 12), 87.
15 Max Domarus, Hitler. Reden und Proklamationen 1932–1945, Bd. 1, Würzburg 1962, 816.
16 Dokumentationsarchiv des österreichischen Widerstandes (Hg.), Widerstand und Verfolgung in Oberöster-

reich 1934–1945, Bd. 2, Wien 1982,
232.
17 Collier's Illustrated Weekly,
22.3.1941, engl.
18 Ebd.
19 Itzinger, Tagebuch, 74.
20 Ebd., 73f.
21 PA JSK, Trude Kren, Leserbrief an
den Spiegel, 13.2.1978.
22 Itzinger, Tagebuch, 74f.
23 Illustrirter Beobachter, 10.3.1938.
24 Beatrice u. Helmut Heiber (Hg.), Die
Rückseite des Hakenkreuzes, München 1993, 200.
25 Linz OÖLA, Materialien Jetzinger,
Meine Unterredung mit Hagmüller,
21.2.1949.
26 Collier's Illustrated Weekly,
22.3.1941, engl.
27 Interview mit Sepp Wolkerstorfer,
1971, bei: Gerhard Botz, Hitlers Aufenthalt in Linz im März 1938, in:
JbStL 1970, Linz 1971, Anhang.
28 Ebd.
29 Anton Fellner, Wie es kommen sollte,
Linz (1938), 105f.
30 Widerstand (wie Anm. 16), 232f.
31 Gans (wie Anm. 5).
32 Josef Theodor Hofer, Weggefährten,
Wien 1946, 14f.
33 Brief der Wiener Polizeidirektion vom
2.12.1936, in: Oliver Rathkolb / Irene
Etzersdorfer, Der junge Kreisky.
Schriften, Reden, Dokumente
1931–1945, Wien 1986, 97.
34 Bruno Kreisky, Zwischen den Zeiten,
Wien 1986, 290.

11 Die Opfer des »Anschlusses«

1 PA JSK, Brief Edith Admon, geb.
Schiller, an Kafka, 10.11.1998.
2 Collier's Illustrated Weekly,
15.3.1941.
3 Dokumentationsarchiv des österreichischen Widerstandes (Hg.), Widerstand und Verfolgung in Oberösterreich 1934–1945, Bd. 2, Wien 1982,
386.
4 Auskunft der oberösterreichischen
Rechtsanwaltskammer Linz.
5 Archiv der Gedenkstätte Dachau, mit
Dank an Albert Knoll.
6 Archiv des KZ Buchenwald, mit Dank
an Frau Sabine Stein.
7 St. Pölten, injoest, Egon Basch, Wirken und Wandern, 88, 91 u. 92.

8 Michael John, Bevölkerung in der
Stadt, Linz 2000, 256.
9 Ebd., 386, und Opferlisten des DÖW.
10 Widerstand (wie Anm. 3), 385f.
11 PA JSK, Fritz Kafka, My father's family, hss.
12 Heinz Boberach (Hg.), Meldungen
aus dem Reich, Bd. 2, Herrsching
1984, 66.
13 Widerstand (wie Anm. 3), 234.
14 Brigitte Hamann, Hitlers Wien, Mün-
chen/Zürich 1996, 195.
15 Koblenz DBA, NS 26/17a, Abschrift.
16 Collier's Illustrated Weekly,
22.3.1941.
17 Beatrice u. Helmut Heiber (Hg.), Die
Rückseite des Hakenkreuzes, München 1993, 59.
18 Hugo Gold, Geschichte der Juden in
Österreich, Tel Aviv 1971, 60.
19 PA JSK, Edith Amon an John Kafka,
10.11.1998.
20 Hans Safrian, Eichmann und seine
Gehilfen, Frankfurt 1995, 25.
21 PA JSK, Viktor Gans, Erinnerungen,
Shanghai, 14.2.1939, hss., engl.
22 Basch (wie Anm. 7), 94.
23 Gitta Sereny, Am Abgrund. Gespräche mit dem Henker, München
1995, 37f.
24 Dank an Dr. Claudia Steur, Stiftung
Topographie des Terrors, Berlin.
25 Dies und das folgende: DBA Ludwigs-
burg und DBA Berlin (BDC).
26 Wiesbaden, Hessisches Hauptstaats-
archiv, Abt. 461 Nr. 32440.
27 Monika Klepp, Die jüdischen Schüler
des Staatsgymnasiums Linz 1938, Jahresbericht des Akademischen Gymnasiums Linz, 2003/04, 31.
28 Interview mit Prof. Othmar Förster,
2006.
29 Klepp, Schüler, 26.
30 Interview mit Dr. Walter Buchberger
bei Klepp, Schüler, 26.
31 Joanne Kren an die Autorin, Januar
2007.
32 Klepp, Schüler, 28.
33 Interview mit Prof. Dr. Othmar Förster, 19.10.2006 in Wien.
34 Klepp, Schüler, 27f.
35 Carl Zuckmayer, Geheimreport, Göt-
tingen 2002, 160f.
36 Linz OÖLA, Akten der VVSt.
37 Klepp, Schüler, 34.
38 Jason Cowley, The Search for
Dr. Bloch, in: Collier's Illustrated
Weekly, 1.10.2002, S. 230.

39 Internet: immigrantjourneys. George Kren, August 1997.
40 Klepp, Schüler, 28.
41 Klepp, Schüler, 40f.
42 Wien AdR, Dr. Franz Kren, »Verzeichnis über das Vermögen von Juden«, Nr. 25303, Beilage: »Veränderung«, 10.12.1938.
43 Joanne Kren an die Autorin, Januar 2007.

12 Eduard Bloch als Schützling der Gestapo

1 Koblenz DBA, NS 26/65, Eduard Bloch, »Erinnerungen an den Führer und dessen verewigte Mutter«, 7. November 1938, übergeben an Renato Bleibtreu.
2 Wien AdR, Unterlagen zur Anmeldung der rückerstattungsrechtlichen Ansprüche für Frau Emilie Bloch Wien, 19.6.1958.
3 Collier's Illustrated Weekly, 22.3.1941.
4 Reinhold Hanisch, I was Hitler's Buddy, in: The New Republic, 5., 12. u. 19.4.1939.
5 Maurice Samuelson, Post von Hitler, in: Die Presse, Wien, 14.5.1994, Spektrum IV.
6 Bradley F. Smith, Adolf Hitler, His Family, Childhood and Youth, Stanford 1967, 150.
7 Brigitte Hamann, Hitlers Wien, München/Zürich 1996, 246ff.
8 Ebd., 237.
9 Ebd., 628.
10 Koblenz DBA, NS 26/20.
11 Hamann, Wien, 94f.
12 Dank an Prof. Dr. Albert Hackl, den Inhaber des Hauses Webgasse 20.
13 Heinrich Hoffmann (Hg.), Wie die Ostmark ihre Befreiung erlebte, Wien 1938, 15.
14 Alles bei August Kubizek, Adolf Hitler, Mein Jugendfreund, Graz ²1953, 325–332.
15 Beatrice u. Helmut Heiber (Hg.), Die Rückseite des Hakenkreuzes, München 1993, 157.
16 Dokumentationsarchiv des österreichischen Widerstandes (Hg.), Widerstand und Verfolgung in Oberösterreich 1934–1945, Bd. 2, Wien 1982, 214.
17 Dank an Joanne Kren, Januar 2007.

18 Collier's Illustrated Weekly, 22.3.1941.
19 Linz OÖLA, Sondergerichte, Schachtel 644, Akte Dr. Franz Kren.
20 PA Harrison, Rose Herbeck, Memories.
21 Mit Dank an Albert Knoll, Gedenkstätte Dachau.
22 Heiber, Rückseite, 52.
23 VB, 10.5.1938.
24 Widerstand (wie Anm. 16), 259.
25 Wurmtal-Bote 9/1937, »Die uns den Führer gab: Klara Hitler«.
26 Heiber, Rückseite, 74, Bormann an Lammers, 4.9.1939.
27 Franz Jetzinger, Hitlers Jugend, Wien 1956, 68.
28 Dokumentationsarchiv des österreichischen Widerstandes (Hg.), Widerstand und Verfolgung in Tirol 1934–45, Bd. 1, Wien/München 1984, 421ff.
29 Ebd., 444f.
30 Ebd., 471f.
31 Ebd., 438.
32 John S. Kafka, Zwischenwelten, in: Psychoanalyse in Selbstdarstellungen, III, Tübingen 1995, 153.
33 Heiber, Rückseite, 59.
34 Ebd., 67, 20.3.1939.
35 Albert Speer, Spandauer Tagebuch, Frankfurt 1975, 261.
36 Collier's Illustrated Weekly, 22.3.1941.
37 Speer, Tagebuch, 256f.
38 Ebd.
39 Zum Beispiel Das kleine Volksblatt, 20.3.1938, Schlagzeile Titelblatt.
40 Collier's Illustrated Weekly, 22.3.1941, 233.
41 Speer, Tagebuch, 147.
42 Speer, Tagebuch, 257.
43 Rudolf Lampl, 140 Jahre Linzer Theatergeschichte 1803–1943, Linz 1943.
44 Speer, Tagebuch, 259f.
45 Viktor Gans, ungedruckte Erinnerungen, engl., Shanghai o. D. (auch das Folgende).
46 Die Tagebücher von Joseph Goebbels, hg. v. Elke Fröhlich, Teil I, Bd. 3, 223.
47 Gitta Sereny, Am Abgrund. Gespräche mit dem Henker, München 1995, 36f.
48 Ebd.
49 Jason Cowley, The Search for Dr. Bloch, in: Collier's Illustrated Weekly, 1.10.2002, S. 233.

50 PA Kafka, Freund an Bloch Wien, 25.10.1938.
51 Nicht zu ermitteln.
52 Koblenz DBA, NS 26/17a, Bleibtreu 1.11.1938.
53 Ebd.
54 München IfZ, Mikrofilm NSDAP IV MA 731.
55 Koblenz DBA, NS 26/17a, »Notizen für Kartei«, 8.12.1938.
56 Linz StA, Meldeakten, mit Dank an Herrn Leitgeweger.
57 Mit Dank an Monica Bleibtreu.
58 Friedrich Kummer, Dresden und seine Theaterwelt, Dresden 1938, 262.
59 Koblenz DBA, NS 26/65, Bloch an Renato Bleibtreu, 7.11.1938.
60 August Kubizek, Adolf Hitler, Mein Jugendfreund, Graz ²1953, 329.

13 »Reichskristallnacht«

1 Robert M. W. Kempner, Die Wahrheit über die Reichskristallnacht, in: »Niemand war dabei und keiner hat's gewußt«, hg. v. Jörg Wollenberg, München 1989, 76f.
2 Museum of Tolerance. wiesenthal. com SD Donau 54285. »Ostuf. Eichmann verständigt«.
3 Karl Schwager, Linz II, in: Hugo Gold, Geschichte der Juden in Österreich, Tel Aviv 1971, 60.
4 PA JSK, Viktor Gans, Erinnerungen, Shanghai, 14.2.1939, engl., mss.
5 Schwager, in: Gold, Juden, 61.
6 Gans, Erinnerungen (wie Anm. 4).
7 Michael John, Jüdische Bevölkerung in Linz, in: Fritz Mayrhofer / Walter Schuster (Hg.), Nationalsozialismus in Linz, Linz 2002, Bd. 2, 1400.
8 St. Pölten, injoest, Egon Basch, Wirken und Wandern, mss., 94.
9 Koblenz DBA, NS 26/65, Bericht zur Sache Dr. Bloch.
10 Ebd., Bloch an Renato Bleibtreu, 16.11.1938.
11 Ebd.
12 Washington USHMM, RG 10.240, Eduard Bloch, Mein Leben, 36.
13 Mit Dank an Margarete Urban, Schwiegertochter von Dr. Karl Urban.
14 Koblenz DBA, NS 26/65/42.
15 Koblenz DBA, NS 26/65.
16 Koblenz DBA, NS 26/65, »Notizen für Kartei«.
17 Berlin DBA, BDC, Parteiakten Bleibtreu, 20.1.1939.
18 Ebd., 12.4.1939.
19 Ebd., Abschrift des Artikels vom 8.5.1939.
20 Die Presse, 7.10.1938, S. 3, mit Dank an Georg Gaugusch.
21 Wien DÖW, 22300, Peter M. Bleibtreu, Aktion Stephansplatz, 1988.
22 ÖStA KA, Wien, Otto Bleibtreu, Kriegswissenschaftliche Abteilung, Zweigstelle Wien, 1.4.1941.
23 Berlin DBA, BDC, 25.5.1939, Akte R. Bleibtreu, Frieda König an die RSK in Berlin.
24 Mit Dank an Albert Knoll, Archiv der Gedenkstätte Dachau.
25 JSK, Greta Pollak Albera, A Collage of my Life, mss.
26 Gans, Erinnerungen (wie Anm. 4).
27 Ebd.
28 Collier's Illustrated Weekly, 22.3.1941.
29 JSK, Kopie, mit Dank an Schillers Tochter Edith Amon.
30 Gitta Sereny, Am Abgrund. Gespräche mit dem Henker, München 1995, 37.
31 Linz OÖLA, Jüdische Kultusgemeinde, VVSt, A. Eduard und Lilli Bloch Kren.
32 Linz OÖLA, VVSt, Nr. 22319 u. 11320.
33 Wien AdR, Dr. Franz Kren, »Verzeichnis über das Vermögen von Juden«, Nr. 25303, Beilage: »Veränderung«, 10.12.1938.
34 Schwager, in: Gold, Juden, 60.
35 Hannah Arendt, Eichmann in Jerusalem, München 1986, 121.
36 Mit Dank an das Meldeamt der Stadt Wien.
37 Linz OÖLA, Materialien Jetzinger Nr. 44, Huemer, Mein Wissen um Adolf Hitler, 1946.
38 Linz OÖLA, Politische Akten, Schachtel 49.

14 Kindertransport nach England

1 Dokumentationsarchiv des österreichischen Widerstandes (Hg.), Österreicher im Exil. Großbritannien 1938–1945, Wien 1992, 11.
2 Identifizierung durch Frau Dagmar Zerwes, Evangelische Pfarrgemeinde, AB Linz.

3 Anna-Lena Peterson, Interview in: Zeitschrift für Kirche und Judentum, Nr. 2, 1988, S. 106–111.
4 JSK, Trude Kren, Familienerinnerungen, mss.
5 Anja Salewsky, »Der olle Hitler soll sterben«, München 2001, 187f.
6 Barry Turner, Kindertransport, Berlin 2001, 87.
7 Dies und das folgende mit Dank an Joanne Harrison.
8 Internet: Sunbridge College: A Tribute to Werner Glas.
9 George Kren, immigrantjourneys. com.
10 Turner, Kindertransport, 67.
11 Mark Jonathan Harris / Deborah Oppenheimer, Kindertransport, München 2000, 281.
12 Wien DÖW, Archiv, Nr. 2737, Rosa R Schwarz, Aufstellung.

15 Krieg und Flucht

1 Collier's Illustrated Weekly, 22.3.1941.
2 André Brissaud, Die Geschichte des SD, Zürich 1975, 207.
3 In sämtlichen deutschen Zeitungen des 2. September 1939.
4 Dank an die Augenzeugin Ingeborg Sanatani.
5 Dank an Joanne und Al Harrison.
6 Immigrantjourneys.com George Kren, August 1997.
7 PA JSK, Greta Pollak Albera, A Collage of my Life, Manuskript.
8 Immigrantjourneys.com George Kren.
9 Erinnerungen Rose Herbeck, mit Dank an Joanne Harrison.
10 Maximilian Kosmata, Die Juden in Linz, in: Oberösterreichische Heimatblätter 1988, S. 43.
11 Linz OÖLA, Hitler Akten 2.
12 Beatrice u. Helmut Heiber, Die Rückseite des Hakenkreuzes, München 1993, 75f.
13 JSK, Viktor Gans, Erinnerungen, Shanghai, 14.2.1939, 85, engl., mss.
14 Ebd., 94.
15 Dokumentationsarchiv des österreichischen Widerstandes (Hg.), Österreicher im Exil, USA, Bd. 1, Wien 1995, 133 u. 150f.
16 Wien AdR, VVSt Nr. 4238.

17 PA JSK, Erinnerungen Fritz Kafkas, engl., hss.
18 Karl Schwager, Linz II, in: Hugo Gold, Geschichte der Juden in Österreich, Tel Aviv 1971, 61.
19 Brief Pfarrer Haselauers an die Autorin, 20.1.1997.
20 Laut John Kafka.
21 John S. Kafka, Zwischenwelten, in: Psychoanalyse in Selbstdarstellungen III, hg. v. Ludger M. Hermanns, Tübingen 1995, 156.
22 Mitteilung John Kafka.
23 Kafka, Zwischenwelten, 159.
24 Ebd., 163.
25 Ebd., 158.
26 Laut Joanne Harrison.
27 Immigrantjourneys.com: George Kren.
28 Wien DÖW.
29 Wien AdR, VVSt, Rechtsanwalt Engelmann, Beiblatt von Emilie Bloch, Trenton, New Jersey, 19.6.1958.
30 August Kubizek, Adolf Hitler, Mein Jugendfreund, Graz ²1953, 348f.
31 Mit Dank an Al und Joanne Harrison, die mir den Originalpass kopierten.
32 Christine Roiter, Hedda Wagner, Innsbruck 2004, 94.
33 Collier's Illustrated Weekly, 22.3.1941.
34 Koblenz DBA, NS 10, 500.
35 Collier's Illustrated Weekly, 22.3.1941.
36 Henry Picker, Hitlers Tischgespräche, Berlin 1951, 429 (7.7.1942, Wolfsschanze).
37 Mit Dank an Silvia Herkt, Archiv der Hochschule für Angewandte Kunst, Wien.
38 Mit Dank an Mag. Wolf-Erich Eckstein, JKG Wien.
39 Daten vom Meldearchiv der Stadt Wien.
40 Karl Frucht, Verlustanzeige, Wien 1992, 171.

16 Familienleben in der Bronx

1 Eric Warburg, Erinnerungen, Privatdruck, 160f., mit Dank an Dino Ries.
2 Joanne Harrison an die Autorin.
3 Die folgenden kursiven Zitate aus Collier's Illustrated Weekly, 15.3. u. 22.3.1941.
4 Washington USHMM, RG 10.240, Eduard Bloch, Mein Leben, 23, hss.

5 George Kren, immigrantjourneys.
   com 1997.
6 Laut Enkelin Joanne Harrison, Januar
   2007.
7 Washington USHMM, RG 10.240,
   Bloch, Betrachtungen zu dem im
   März 1941 in »The Reader's Digest«
   erschienenen Aufsatz von Prof.
   Dr. Alexis Carrels »Prayer in Power«.
8 Dokumentationsarchiv des österreichischen Widerstandes (Hg.), Österreicher im Exil. USA 1938–1945,
   Bd. 1, 162 u. 165.
9 Dank an Al und Joanne Harrison.
10 John S. Kafka, Zwischenwelten, in:
   Psychoanalyse in Selbstdarstellungen
   III, Tübingen 1995, 169.
11 Hugo Gold, Geschichte der Juden in
   Österreich, Tel Aviv 1971, 62.
12 Henry Picker, Hitlers Tischgespräche
   im Führerhauptquartier, Berlin 1993,
   456.
13 Jason Cowley, The Search for
   Dr. Bloch, in: Collier's Illustrated
   Weekly, 1.10.2002, S. 222.
14 München IfZ, OSS, Supplement to Interview with Dr. Bloch April 1943,
   Mikrofilm.
15 Koblenz DBA, NS26/17a, Notizen
   für die Kartei, 8.12.1938.
16 Walther C. Langer veröffentlichte
   1972 in den USA das Buch »The Mind
   of Adolf Hitler« als »The Secret War-
   time Report«; darin verbindet er in
   abenteuerlicher Weise Aussagen oft
   zweifelhafter Zeugen mit grotesken
   Hypothesen.
17 Mit Dank an Joanne Harrison.
18 Aussage Joanne Harrison.
19 PA JSK, Kopie.
20 Mit Dank an Blochs Enkelin Joanne
   Harrison.
21 Michael John, Jüdische Bevölkerung
   in Linz, in: Fritz Mayrhofer / Walter
   Schuster (Hg.), Nationalsozialismus
   in Linz, Linz 2002, Bd. 2, 1385.
22 StA, Wien, Meldeamt.

23 StA, Innsbruck, Städtisches Er-
   hebungsamt, Zl. I- 3916/1949ff., mit
   Dank an Josefine Justic.
24 Gad Hugo Sella, Die Juden Tirols, Tel
   Aviv 1979, 91.
25 Dokumentationsarchiv des österreichischen Widerstandes (Hg.), Widerstand und Verfolgung in Tirol, Bd. 1,
   Wien 1984, 592.
26 PA JSK, Greta Pollak, A Collage of
   my Life, mss.
27 Ebd.
28 Wien DÖW, Opferliste.
29 findagrave.com: Jüdischer Friedhof in
   Linz.
30 Kafka, Zwischenwelten, 159.
31 Israel Gutmann (Hg.), Enzyklopädie
   des Holocaust, München o. J.
32 Brigitte Hamann, Hitlers Wien, Mün-
   chen/Zürich 1996, 510.
33 immigrantjourneys.com: George
   Kren.
34 Laut Joanne Harrison.
35 Al Harrison, Januar 2007.
36 Cowley, Search (wie Anm. 13), 231.
37 AdR Wien, Beiblatt zur Anmeldung
   der rückerstattungsrechtlichen Ansprüche für Frau Emilie Bloch.
38 Cowley, Search (wie Anm. 13), 232.
39 Kafka, Zwischenwelten, 30.
40 immigrantjourneys.com: George
   Kren.
41 Rudolph Binion, Hitler und die Deutschen. Eine Psychohistorie, Stuttgart
   1978.
42 Der Spiegel, 13.2.1978.
43 Kafka, Zwischenwelten, 151.
44 Ron Rosenbaum, Explaining Hitler.
   Auf der Suche nach dem Ursprung des
   Bösen, München 1999, 370.
45 The Journal of Modern History,
   Bd. 50/2, 1978, S. 383–385.
46 Rosenbaum, Hitler, 374f.
47 Cowley, Search (wie Anm. 13),
   230ff.
48 immigrantjourneys.com: George
   Kren.

Über die Autorin

Brigitte Hamann, geboren am 26. Juli 1940 in Essen, studierte Germanistik und Geschichte in Münster und Wien. Nach dem Realschullehrerexamen 1963 in Münster volontierte sie bei der Deutschen Presseagentur dpa in Düsseldorf, Köln und Essen. 1964 Redakteurin der NEUEN RHEIN RUHR ZEITUNG in Essen. 1965 heiratete sie den Wiener Historiker Professor Günther Hamann († 1994), erhielt zur deutschen auch die österreichische Staatsbürgerschaft und arbeitete in Wien als Assistentin ihres Mannes. Sie hat zwei Töchter, einen Sohn und drei Enkelkinder und lebt in Wien.

In der engen wissenschaftlichen Zusammenarbeit mit ihrem Mann entwickelte Brigitte Hamann ihren eigenen Weg: populäre Themen der Geschichte auf der Grundlage intensiver Archivarbeit aus neuen Quellen wissenschaftlich aufzuarbeiten und in möglichst verständlicher Sprache für ein breiteres Publikum zu vermitteln. Diese Idee setzte sie 1978 in ihrer Wiener Dissertation in die Tat um, der Biografie des Kronprinzen Rudolf. Die Arbeit erschien im selben Jahr als Buch und wurde ein großer Erfolg in zahlreichen Auflagen und Übersetzungen.

Seither arbeitet Brigitte Hamann als freie Historikerin. Ihr bisher erfolgreichstes Buch ist ELISABETH. KAISERIN WIDER WILLEN (1981), das in vielen Auflagen und Übersetzungen in allen Weltsprachen inklusive Japanisch und Chinesisch vorliegt. 1986 veröffentlichte sie die Biografie der Pazifistin und Friedensnobelpreisträgerin Bertha von Suttner, 1996 das inzwischen zum Standardwerk gewordene HITLERS WIEN. LEHRJAHRE EINES DIKTATORS, das auch eine thematische Wende der Autorin bedeutete und in WINIFRED WAGNER ODER HITLERS BAYREUTH eine Art Fortsetzung fand.

Neben diesen Hauptwerken zahlreiche Editionen, vor allem des von ihr in Bern aufgefundenen poetischen Tagebuchs der Kai-

serin Elisabeth (1984), des Khevenhüller-Tagebuchs MIT KAISER
MAX IN MEXIKO (1983), der Briefe Kaiser Franz Josephs an Katharina Schratt (1992). Grundlegend DAS BIOGRAPHISCHE LEXIKON
DER HABSBURGER (1988). Hamanns Vielseitigkeit zeigt sich auch
in dem für ihren Sohn geschriebenen Kinderbuch, einer Biografie Maria Theresias (1985), und einem Jugendbuch über Mozart,
NICHTS ALS MUSIK IM KOPF (1990), das zum Mozart-Jahr 2006 mit
dem Titel MOZART. SEIN LEBEN UND SEINE ZEIT in überarbeiteter
Fassung erschien. Zahlreiche wissenschaftliche Aufsätze, Fern-
sehdrehbücher, häufige Vortragsreisen.

2004 erschien bei Piper DER ERSTE WELTKRIEG. WAHRHEIT UND
LÜGE IN BILDERN UND TEXTEN, ein großformatiger Band mit über
400 weitgehend farbigen Abbildungen. Er wird im November
2008 zum 90. Jahrestag des Kriegsendes in einer neu gestalteten
Taschenbuchausgabe vorgelegt.

Brigitte Hamanns jüngstes Buch ist zum ersten Mal einem
Nichtprominenten gewidmet, dem Linzer Arzt von Hitlers
Mutter Klara: Dr. Eduard Bloch, den Hitler noch 1938 als »Edel-
juden« bezeichnete.

Auszeichnungen: Heinrich Drimmel Preis 1978, Premio Co-
misso, Treviso 1982, Donauland Sachbuchpreis 1986, Goldenes
Verdienstzeichen der Stadt Wien 1991, Jugendbuchpreis 1991,
Wildgans Preis 1994, Kreisky Preis 1998, Bad Wurzacher Litera-
turpreis 1998, Ernst Robert Curtius-Preis für Essayistik, Bonn
2003, Publizistik-Preis der Stadt Wien 2004, Ehrenmedaille der
Stadt Wien 2005. Für ihr Lebenswerk erhielt sie 2003 den österreichischen Ehrenpreis des Presseklubs Concordia, Wien.

Personenregister

Bildnachweis

Autorin und Verlag haben sich darum bemüht, mögliche weitere Inhaber von Bildrechten ausfindig zu machen. Wir bitten gegebenenfalls um Hinweise an den Verlag.

akg-images, Berlin: S. 99
Monica Bleibtreu, Hamburg: S. 341
Collier's Illustrated Weekly: S. 447
Familie Daxner, Potsdam und Salzburg: S. 75, 77, 78
Deutsches Bundesarchiv, Koblenz: S. 90/91, 298, 358 (146-1975-096-33A; Eduard Bloch)
Gertrud Doublier / Walter Zeleny, Hedwig Bleibtreu. Wesen und Welt der großen Burgschauspielerin, Wien 1948: S. 343
Hermann Giesler, Ein anderer Hitler, Leoni ²1977: S. 323, 324
Joanne und Al Harrison, Ewing, New Jersey: S. 20, 22, 51, 65, 66, 67, 68, 101, 108, 145, 149, 160, 182, 202, 227, 367, 389, 391, 393, 420, 425, 459, 466, 467, 478, 480, 481, 482
John S. Kafka, Washington, D.C.: S. 54, 63, 142, 158, 167, 185, 201, 225, 287, 328, 413, 415, 460, 486
Archiv der Körnerschule Linz: S. 128
August Kubizek, Adolf Hitler. Mein Jugendfreund, Graz ²1953: S. 85, 306
Ilse Loeb Morgenstern, USA: S. 475
Richard McLanathan, The Art of Marguerite Stix, New York 1977: S. 435, 436, 437
Stadtarchiv Innsbruck: S. 157
Stadtarchiv Linz: S. 42
US Holocaust Memorial Museum, Washington, D.C.: S. 11, 356

Alle übrigen Abbildungen stammen aus dem Privatarchiv der Autorin.